PT 2178 .H64 1953
Hohlfeld, Alexander Rudolf, 1865-
Fifty years with Goethe, 1901-1951 :
collected studies

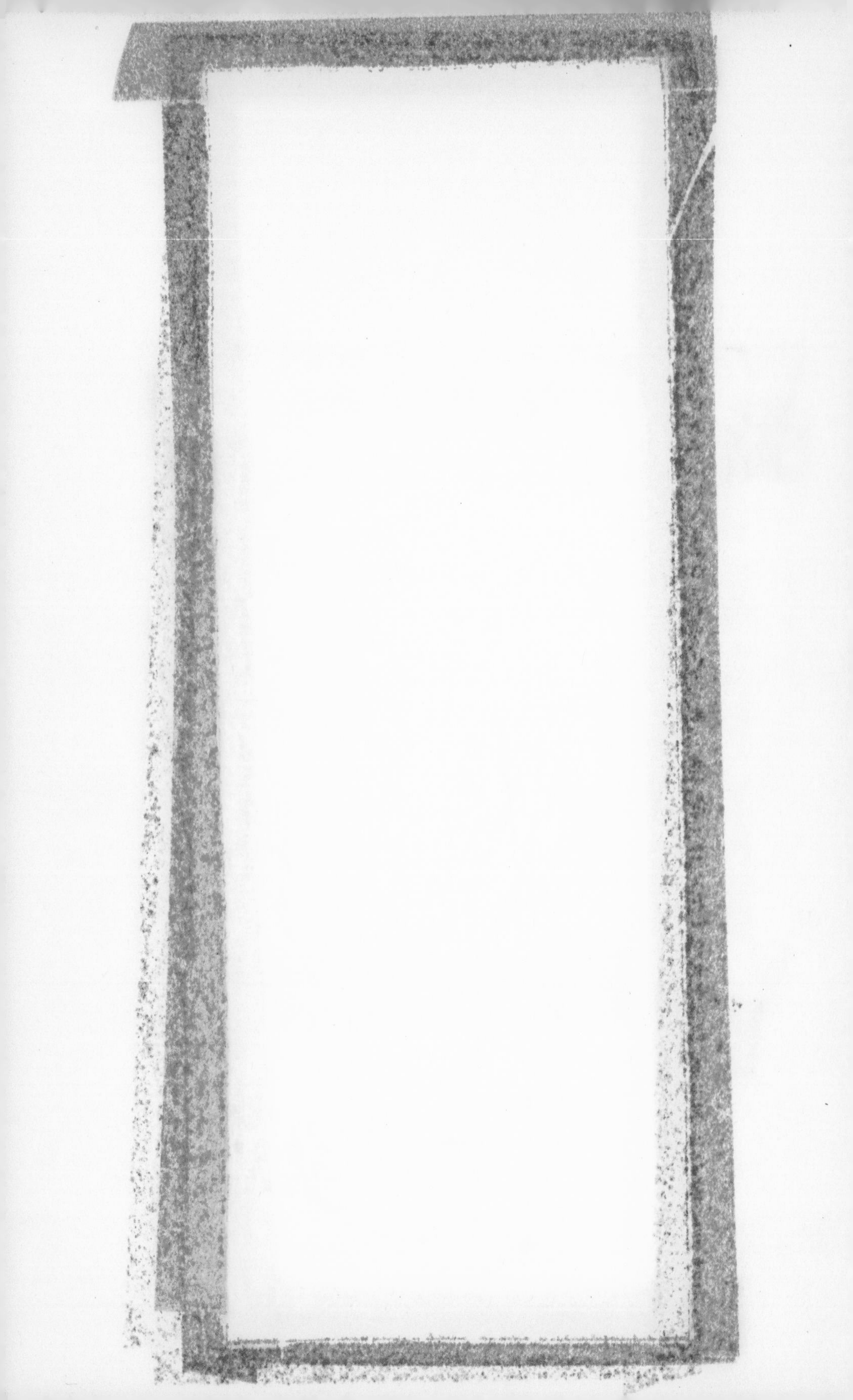

Fifty Years with Goethe

FIFTY YEARS WITH GOETHE

1901-1951

Collected Studies by

A. R. HOHLFELD

THE UNIVERSITY OF WISCONSIN PRESS

Madison - 1953

PT
2178
.H64
1953

COPYRIGHT, 1953, BY THE REGENTS OF THE UNIVERSITY OF WISCONSIN. COPYRIGHT, CANADA, 1953. DISTRIBUTED IN CANADA BY BURNS & MACEACHERN, TORONTO

Printed in the United States of America by the William Byrd Press, Incorporated, Richmond, Virginia

To My Dear Wife
In Profound Gratitude

Editors Preface

THIS volume, which had been intended to appear as a contribution to both the Goethe Bicentennial and the University of Wisconsin Centennial of 1949, now makes its appearance as Professor Hohlfeld's personal semicentennial volume. Fifty years ago he published his first Goethe essay and in the same year he assumed the chairmanship of the Department of German at the University of Wisconsin, which under his leadership developed the training of young people in methods of Germanistic research and scholarship that compare favorably with the best to be found in European universities.

It is most fitting that this volume single out Professor Hohlfeld's Goethe studies. In Goethe research and in lecturing on Goethe he attained a rare eminence and reputation by combining the best features of painstaking scholarship with inspired humanistic approach and outlook. The reader will be pleased to see reproduced here, along with the Goethe papers themselves, a few of Professor Hohlfeld's more important Faust review articles—in their breadth and depth acknowledged masterpieces of criticism. And his many friends and admirers will be particularly happy to read his "Weitere Betrachtungen zum irdischen Ausgang von Goethes Faustdichtung," written especially for this volume in his eighty-fifth year under very trying circumstances. The essay bears the full stamp of his personality, and demonstrates that he has lost neither the mental vigor nor the humanistic faith which have ever impressed those who know him and his work.

The appended bibliography of Professor Hohlfeld's publications may serve to indicate something of the range of his interests, both in matters of literary criticism and in educational theory and practice.

External recognition has come to Professor Hohlfeld in an unusual degree. Aside from many minor honors, he has been National President of the Modern Language Association of America (1913) and of the American Association of Teachers of German (1933). In 1911 he was the Rope Foundation Lecturer at the University of Cincinnati. In 1928 he was elected Honorary Senator of the Deutsche Akademie in Munich. In 1937 he held the Taft Memorial Lectureship at the University of Cincinnati, and Middlebury College conferred upon him the honorary degree of Doctor of Letters. In 1941 he was elected to honorary membership in the American Association of Teachers of German and in 1948 a corresponding member in the Deutsche Gesellschaft für Soziologie. On July 18, 1951, the German Consul General at Chicago presented to him, in a ceremony held at Madison, Wisconsin, the Goethe Plaque of the City of Frankfort. The citation of the Magistrate of Frankfort honors Professor Hohlfeld as "a great scholar and a great teacher of the German Language and Literature, the father of Germanistic Studies in the United States of America, and a research worker whose painstaking and devoted efforts in the interpretation of Goethe's works have materially advanced Goethe scholarship."

Bloomington, Indiana
Summer, 1951

N. F.
H. J. M.

Author's Preface

SINCE my retirement from official duties and responsibilities fifteen years ago, the wish has been expressed to me repeatedly by former students and colleagues that I should either prepare myself or ask some of them to prepare for publication a volume of selected literary articles and essays, particularly those that dealt with *Faust* or Goethe. When so approached, I would always readily grant the desirability of such an undertaking, but at the same time I would ask for delay to some later date, when I might hope to have finished this or that additional piece of work suitable for inclusion in such a volume.

Even the present volume published at this late date—late, I mean, in view of my advanced years—does not owe its inception to any initiative of my own. It was a complete surprise when, on my eighty-third birthday in December, 1948, B. Q. Morgan, in a letter written on behalf of an "initiating committee" consisting, in addition to himself, of Norbert Fuerst, Harold S. Jantz, and Lawrence M. Price, informed me that, through advance subscriptions, a promising start toward a guarantee fund had been made for "the publication of a book to contain certain of Hohlfeld's essays, chiefly on *Faust*." To expedite matters, the Committee invited H. J. Meessen to assume the editorial management of the volume and secured Walter Gausewitz as the representative of the Wisconsin Department of German. Financially, the success of the undertaking was made secure by a generous grant from the Fred Pabst Foundation. Gracious permission to reprint the studies selected for this volume has been granted by the following publishers and their representatives: Verlag Quelle und Meyer, Heidelberg; The University of Chicago Press; Vanderbilt University Press, Goethe-Gesellschaft, Weimar; the editors of *Monatshefte für deutschen Unterricht, deutsche Sprache und Litera-*

tur and *Publications of the Modern Language Association of America.*

I had always wished to avail myself of the publication of such a volume for the purpose of revising and enlarging a few of the articles in addition to the preparation of some new material not previously published. While I am happy to say that this has been accomplished in the present volume, periods of serious illness of both Mrs. Hohlfeld and myself have not permitted me to achieve all I had hoped to do.

Under the trying circumstances which have thus surrounded the preparation of the manuscript for this volume, my indebtedness to those who have enabled me to complete the undertaking is so great that I find it difficult to express my gratitude. Aside from the never failing daily assistance of my wife, on which I have now had to depend for more than eight years in everything connected with reading and writing, I am deeply indebted to Mrs. Oskar Hagen and to Professor and Mrs. Walter Naumann for much and valuable help. In regard to the styling and proofreading of the German portions of the book, Professor Frederick Whitesell has kindly acted as local adviser to the able and conscientious editor of the University of Wisconsin Press. Warm thanks go to Norbert Fuerst and H. J. Meessen, whose skill and patience have enabled them to overcome all those many serious obstacles and delays due to the difficulties under which I attempted to perform a task that often threatened to exceed my strength.

Madison, Wisconsin A. R. H.
January 10, 1952

ACKNOWLEDGEMENT

For a generous donation toward the publication of this volume from the Fred Pabst Foundation the author and the editors are greatly indebted to Mrs. Frederick Pabst, Sr., of Oconomowoc, Wisconsin.

Contents

I

Faust Studies

Pact and Wager in Goethe's *Faust*

(1921)

IT is the purpose of this article to examine in their interrelation the three fundamental passages of Goethe's *Faust* which deal directly with the terms of the agreements entered into by the Lord, Mephistopheles, and Faust.

The passages in question are found in the "Prologue in Heaven" (especially ll. 312-43), in the so-called Pact Scene in "Studierzimmer" II (ll. 1635-1775, and more specifically 1692-1706), and in the Death Scene in "Großer Vorhof des Palastes" (especially ll. 11573-95). Since individual lines or groups of lines are frequently referred to in this article by the mere mention of their line numbers, the most important portions of these passages are printed here with their numbers according to the text of the Weimar edition.

From the "Prologue in Heaven":

Meph. Was wettet ihr? den sollt ihr noch verlieren, 312
Wenn ihr mir die Erlaubniß gebt
Ihn meine Straße sacht zu führen!
Der Herr. So lang er auf der Erde lebt, 315
So lange sei dir's nicht verboten.
Es irrt der Mensch so lang er strebt.

. . . .

Der Herr. Nun gut, es sei dir überlassen! 323
Zieh diesen Geist von seinem Urquell ab,
Und führ' ihn, kannst du ihn erfassen,
Auf deinem Wege mit herab,
Und steh beschämt, wenn du bekennen mußt: 327

Ein guter Mensch in seinem dunklen Drange
Ist sich des rechten Weges wohl bewußt.

. . . .

Meph. Schon gut! nur dauert es nicht lange. 330
Mir ist für meine Wette gar nicht bange.

. . . .

Staub soll er fressen, und mit Lust, 334

. . . .

Der Herr. Des Menschen Thätigkeit kann allzuleicht
erschlaffen, 340
Er liebt sich bald die unbedingte Ruh;
Drum geb' ich gern ihm den Gesellen zu,
Der reizt und wirkt und muß als Teufel schaffen.

From the Pact Scene in "Studierzimmer" II:

Meph. Ich will mich *hier* zu deinem Dienst verbinden, 1656
Auf deinen Wink nicht rasten und nicht ruhn;
Wenn wir uns *drüben* wieder finden,
So sollst du mir das Gleiche thun. 1659
Faust. Das Drüben kann mich wenig kümmern;
Schlägst du erst diese Welt zu Trümmern,
Die andre mag darnach entstehn. 1662

. . . .

Meph. In diesem Sinne kannst du's wagen. 1671
Verbinde dich; du sollst, in diesen Tagen,
Mit Freuden meine Künste sehn,
Ich gebe dir was noch kein Mensch gesehn. 1674
Faust. Was willst du armer Teufel geben?
Ward eines Menschen Geist, in seinem hohen Streben,
Von Deinesgleichen je gefaßt? 1677

. . . .

Meph. Doch, guter Freund, die Zeit kommt auch heran 1690
Wo wir was Guts in Ruhe schmausen mögen.
Faust. Werd' ich beruhigt je mich auf ein Faulbett legen,
So sei es gleich um mich gethan! 1693
Kannst du mich schmeichelnd je belügen
Daß ich mir selbst gefallen mag,
Kannst du mich mit Genuß betrügen; 1696
Das sei für mich der letzte Tag!
Die Wette biet' ich!
Meph. Top!

Faust. Und Schlag auf Schlag! 1698
Werd' ich zum Augenblicke sagen:
Verweile doch! du bist so schön! 1700
Dann magst du mich in Fesseln schlagen,
Dann will ich gern zu Grunde gehn!
Dann mag die Todtenglocke schallen, 1703
Dann bist du deines Dienstes frei,
Die Uhr mag stehn, der Zeiger fallen,
Es sei die Zeit für mich vorbei! 1706
Meph. Bedenk' es wohl, wir werden's nicht vergessen.
Faust. Dazu hast du ein volles Recht, 1708
Ich habe mich nicht freventlich vermessen.
Wie ich beharre bin ich Knecht,
Ob dein, was frag' ich, oder wessen. 1711

. . . .

Meph. Nur eins! — Um Lebens oder Sterbens willen, 1714
Bitt' ich mir ein paar Zeilen aus.

. . . .

Meph. Du unterzeichnest dich mit einem Tröpfchen
Blut. 1737
Faust. Wenn dieß dir völlig G'nüge thut,
So mag es bei der Fratze bleiben.
Meph. Blut ist ein ganz besondrer Saft. 1740
Faust. Nur keine Furcht, daß ich dieß Bündniß breche!

. . . .

Meph. Euch ist kein Maß und Ziel gesetzt. 1760

. . . .

Nur greift mir zu und seid nicht blöde! 1764
Faust. Du hörest ja, von Freud' ist nicht die Rede.
Dem Taumel weih' ich mich, dem schmerzlichsten
Genuß, 1766

. . . .

From the Death Scene in "Großer Vorhof des Palasts" and "Grablegung":

Faust. Solch ein Gewimmel möcht' ich sehn, 11579
Auf freiem Grund mit freiem Volke stehn.
Zum Augenblicke dürft' ich sagen:
Verweile doch, du bist so schön! 11582
Es kann die Spur von meinen Erdetagen
Nicht in Äonen untergehn. —

Im Vorgefühl von solchem hohen Glück 11585
Genieß' ich jetzt den höchsten Augenblick.
Meph. Ihn sättigt keine Lust, ihm g'nügt kein Glück,
So buhlt er fort nach wechselnden Gestalten; 11588
Den letzten, schlechten, leeren Augenblick
Der Arme wünscht ihn fest zu halten.
Der mir so kräftig widerstand, 11591
Die Zeit wird Herr, der Greis hier liegt im Sand.
Die Uhr steht still —
Chor. Steht still! Sie schweigt wie
Mitternacht.
Der Zeiger fällt. 11594
Meph. Er fällt, es ist vollbracht.
Chor. Es ist vorbei. 11595

. . . .

Meph. Der Körper liegt und will der Geist entfliehn, 11612
Ich zeig' ihm rasch den blutgeschriebnen Titel; —

. . . .

These passages belong to portions of the drama which, it is generally assumed, date from the important third period of Goethe's activity on *Faust*—from June, 1797, to April, 1801—to which Goethe in old age refers as "die beste Zeit," when, aided by Schiller's encouragement and counsel, he again took up in earnest the work previously done and for a while even seemed to hope to be able to complete the entire drama.

At that time (June 22, 1797), in an often quoted letter to Schiller, Goethe states that he is thinking over, first of all, the general "plan" or "idea" underlying the work: "Nun habe ich eben diese Idee und deren Darstellung wieder vorgenommen und bin mit mir selbst ziemlich einig." Nevertheless he asks Schiller for suggestions on this point, and his more philosophically minded friend does not fail, in his reply of the very next day, to lay all possible emphasis on the necessity of bringing out clearly the central idea demanded by what he conceives to be the "symbolic significance" of the work as a whole.

Kurz, die Anforderungen an den "Faust" sind zugleich philosophisch und poetisch, und Sie mögen sich wenden, wie Sie wollen, so wird Ihnen die Natur des Gegenstandes eine philosophische Behandlung auflegen, und die Einbildungskraft wird sich zum Dienst einer Vernunftidee bequemen müssen.

In a subsequent letter of June 26, Schiller reverts to this point, stating,

daß mir der "Faust" seiner Anlage nach auch eine Totalität der Materie nach zu erfordern scheint, wenn am Ende die Idee ausgeführt erscheinen soll, und für eine so hoch aufquellende Masse finde ich keinen poetischen Reif, der sie zusammenhält. Nun, Sie werden sich schon zu helfen wissen.

Goethe, in his responses of June 24 and 27, is somewhat reserved in his references to his friend's suggestions. He points to the peculiarities of his own creative procedure so different from that of Schiller. Nevertheless he says, "Wir werden wohl in der Ansicht dieses Werkes nicht variiren," and again,

Ihre Bemerkungen zu "Faust" waren mir sehr erfreulich. Sie treffen, wie es natürlich war, mit meinen Vorsätzen und Planen recht gut zusammen, nur daß ich . . . die höchsten Forderungen mehr zu berühren als zu erfüllen denke.

As a matter of fact it is interesting to note that during the first year of the period of productivity which sets in with this exchange of views Goethe repeatedly makes reference, in letters and diary, to skeleton outlines and other devices ("Schema," "Übersicht") for the organization of the work as a whole until finally, presumably some time in the latter part of 1799 or early in 1800, he draws up the much discussed "Schema," "Ideales Streben nach Einwirken und Einfühlen in die ganze Natur," etc. During this period from 1797 to 1801 and most probably during the twelve months from April, 1800, to April, 1801, Goethe finishes the "Prologue in Heaven," closes up the "große Lücke," which includes the Pact Scene between Faust and Mephistopheles, and writes at least a first draft of the closing scenes of Faust's earthly career, in which the outcome of the wager was bound to be an element of prime consideration.[1] Hence, the three scenes that concern us here were composed in a relatively short period of time and under a creative impulse that distinctly sets out from the conscious endeavor of bringing coherence and a certain unity of purpose into what already existed and what was now being planned.

This is a matter of considerable importance. For if, in the face of this state of things, we were to find puzzling obscurities or even flat contradictions between the wager in heaven, the pact on earth, and the final settlement of both at the time of Faust's death, or, worse yet, within the stipulations and details of any one of the three passages taken by itself, we cannot lay such defects to conflicting plans prevailing at widely separated periods of composition and a certain cavalier indifference in regard to making the necessary adjustments. On the contrary, we are charging Goethe, and at that the Goethe of *Hermann und Dorothea* and *Die natürliche Tochter,* with the inability to think straight or to express himself clearly in a deliberate effort to provide a central framework on which the rambling superstructure was to be assembled and completed.[2]

Nevertheless, the many and widely different interpretations which have been advanced, not only of the problem as a whole, but even of almost every conceivable detailed feature of it, are positively bewildering. Consolation, if any, in regard to the validity and usefulness of the vast amount of critical—and uncritical—effort expended can only be found in the fact that in the most substantial and comprehensive of recent commentaries there is a definite trend toward at least approximate agreement on the more important points and wider acceptance of the idea of essential consistency and unity.

A. The Prologue in Heaven (Lines 312-43)

The principal questions which have been raised in regard to this passage are the following:

1. Does the Lord actually accept the wager which Mephistopheles offers?
2. If he does, does not his omniscience invalidate the entire situation?
3. Which are the opposing contentions of the two contracting parties?
4. Is it Faust's eternal soul that is at stake, or do lines 315-16 preclude any consequences beyond Faust's earthly life?

1. *Does the Lord actually accept the wager which Mephistopheles offers?*—There can be no doubt that Mephistopheles thinks so or pretends to think so. On the other hand, it is equally apparent that the Lord says nothing which could be construed as the acceptance of a wager. He merely grants Mephistopheles freedom to play his rôle as tempter as best he can, while he declares with calm assurance that Faust cannot be led astray sufficiently to forget his better nature or higher aims. He predicts Mephistopheles' failure and final discomfiture, and is merely willing to let him try his luck. It is only by common consent that we can speak of a wager in Heaven between the Lord and Mephistopheles. As a matter of fact, the Lord with unperturbed reserve declines to descend to the plane of Mephistopheles' contentiousness.

Those critics are therefore far from the mark who accuse the Lord of violating the fundamental demands of divine love and justice by betting about the weal and woe of a human soul. In reality there is nothing of the kind. In fact, if we look more closely we find that Mephistopheles merely asks for that which is his traditional right, although a right which, as he is aware, the Lord may limit or perhaps even annul in any given case. For when the Lord says:

> Des Menschen Thätigkeit kann allzuleicht erschlaffen,
> Er liebt sich bald die unbedingte Ruh;
> Drum geb' ich gern ihm den Gesellen zu,
> Der reizt und wirkt und muß als Teufel schaffen,
> (340-43)

he clearly does not refer to a new or special arrangement, but to an established practice. In the Lord's plan of salvation such a task has once for all been assigned to Mephistopheles, and if the latter (in ll. 313-14) seems to ask for specific permission, it is merely to make sure, in view of the bet he has offered, that the Lord has not perchance made different disposition in this case.

The Lord, thus, is far from submitting Faust's destiny to any unheard-of dangers, still less, of course, to a wanton game of chance; as far from doing so as the imperturbably self-assured figure in the Book of Job. In *Faust,* the whole scene is in a less austere mood; it is richer in color and more human in tone, but neither in thought nor word does Goethe ascribe anything to the figure of the Lord that is at variance with a lofty conception or essentially reverential treatment.

2. *Does not the Lord's omniscience invalidate the entire situation?* —It has been urged repeatedly that inasmuch as the Lord knows the ultimate outcome with absolute certainty, neither is it fair for him to accept a wager, nor is there that modicum of uncertainty without which there can be no genuine dramatic suspense.

The foregoing discussion has practically furnished the answer to the former of the two objections. Moreover, the Lord's omniscience is certainly not supposed to be unknown to Mephistopheles, nor is the Lord making any concealment of what he foresees as the future result, nor trying to take advantage of Mephistopheles' blind eagerness. Aside from the humiliation of having to acknowledge his failure (l. 327), the latter is not threatened by any further harm or danger in case he loses his wager. His efforts will have been in vain: that is all. There surely is no reason for us to worry about his being subjected to anything like unfair treatment.

The second question, whether the Lord's prophecy of the outcome, coupled with his omniscience, does not invalidate the idea of a struggle with a doubtful issue, would surely have to be answered in the affirmative if we were dealing with a philosophical or theological treatise addressing itself to cold reason and not with a work of poetry making its primary appeal to the imagination and the emotions. The real question therefore is whether or no the poet's art succeeds in putting the reader under the transitory spell of its power of suggestion. At any rate, Goethe has carefully avoided reminding us, in the chants of the angels or in the introductory remarks of Mephistopheles, of the Lord's omniscience; Mephistopheles, we feel, has been successful in many a previous venture; and he shows himself to be not only undismayed, but confident of victory. So despite our reason, we may well tremble at the thought of his craftiness, of the promised noninterference (l. 323) of the Lord, and of human frailty.

3. *Which are the opposing contentions of the contracting parties?* —Only general expressions are used by both the Lord and Mephistopheles to denote what they expect Faust's conduct to be, although

it is perfectly clear that what the one hopes to accomplish is the irreconcilable opposite of what the other is looking forward to. The Lord, who speaks of Faust as his servant, admits that his present service shows him still in a state of confusion, but predicts that clear vision and good fruits will appear in time, and even though like all men who "strive" Faust will continue to be subject to "error," he will not lose his moral autonomy, but like all truly "good" men, he will remain conscious of the right road even when groping in the dark. Thus Mephistopheles will not be able to draw him away from his original source in order to lead him downward along his path. This, whatever it may mean in detail, is clearly what Mephistopheles feels sure he can do. He is, however, far less explicit than the Lord and makes only one attempt to define his object, when he declares:

Staub soll er fressen, und mit Lust.
(334)

Here "Staub" plainly implies the strongest possible contrast to "Urquell," things low, coarse, and deadening. On them Faust is to feed and he is to do it with pleasure.

What, however, is perfectly clear is that no occasional individual act is to decide, but that both the Lord and Mephistopheles are referring to the formation of character or habit, to a permanent state of soul from which conduct will flow of necessity. What the Lord has in mind is spoken of as "Streben"; it is to lead to "Klarheit," "Blüte," "Frucht," which perhaps without undue straining may be paraphrased as "das Wahre," "Schöne," "Gute." To this Mephistopheles' program stands diametrically opposed.

4. *Is it the fate of Faust's soul after death that is at stake?*—Despite the fact that a natural reading of the scene as a whole clearly suggests an affirmative answer, a number of well-known critics have stoutly maintained the opposite. They base their opinion on two considerations: first, the contention that the Lord's fatherly love and sense of justice would prevent his making the eternal welfare of a human soul dependent on a wager; and, second, the ostensible restriction of Mephistopheles to Faust's life on earth, contained in the words of the Lord,

So lang er auf der Erde lebt,
So lange sei dir's nicht verboten.
(315-16)

and in Mephistopheles' rejoinder that he is interested in men only as long as they are alive.

The first of these two arguments, as has been shown above, is based on a misconception. Let us see whether the second carries more weight.

In the two lines just quoted all commentators, as far as I know, see a *limitation* of Mephistopheles' efforts to Faust's earthly life and overlook completely that there would really be no sense to such a stipulation. Where do we learn—in Bible, legend, or popular tradition—that the power of the devil to tempt and, if possible, seduce a man does not *eo ipso* end with his life on earth? God's decision on his ultimate fate—salvation or damnation—belongs to the hereafter, but the record on which that final decision will rest is closed with the end of man's existence on earth. Even where a purgatory is thought of, which is not the case in Goethe's drama, the spirits of evil have no longer any power to lead the soul into new error after death. It is clear that the traditional explanation of the lines in question should be abandoned. Not a limitation is expressed, but on the contrary widest possible latitude. Line 315, which is generally read with the emphasis on "Erde," has its chief stress on "So lang." Mephistopheles has asked for permission to lead Faust along his road and by the use of "sacht" (l. 314: "Ihn meine Straße sacht zu führen") has indicated that even he realizes it will have to be done cautiously and will require time. If limited to a short period, he implies, it would not be a fair test. Hence the Lord, assuring him that he will have the fullest opportunity to try his skill, replies:

So láng er auf der Erde lebt,
Só lange sei dir's nicht verboten.
(315-16)

Thus interpreted the two lines not only gain a logical and forceful connection with what precedes; they also appear far more organically linked with the famous line following:

Es irrt der Mensch so lang er strebt.
(317)

For if error is inevitable as long as there is striving, then Mephistopheles may claim to have a chance of seducing his victim as long as death has not yet put him automatically beyond the danger of further temptation.

Another group of critics go, however, still farther and construe the terrestrial limitation which they see in lines 315-16 as foreordaining the ultimate failure of Mephistopheles' efforts and Faust's rescue from his power after death. This is an even greater misconception, not borne out by anything expressed or implied in the text itself. For even if the lines in question were to be interpreted as stipulating a limitation, this limitation would clearly refer to the efforts of temptation only, not to the subsequent result. If it is asserted that the "Prologue in Heaven" absolutely predicts Goethe's intention of saving his hero, the claim must rest on the predictions of the Lord in lines 309ff. and 327ff., interpreted in the light of his omniscience and Mephistopheles' subordinate relation, not however on lines 315-16.

But what, then, has been asked by some, is the meaning of Mephistopheles' statement that his interest in men expires with death,

Da dank' ich euch; denn mit den Todten
Hab' ich mich niemals gern befangen?
(318-19)

Does this not prove that the Mephistopheles of the Prologue—whatever may have been Goethe's plans before or after—is merely a terrestrial teaser and tempter, a "Schalk," who does not even aim to reach out beyond man's life on earth, and that so much the more as the Prologue contains no direct reference to hell? As a matter of fact, the lines offer not the least difficulty to a natural interpretation. If Mephistopheles is a tempter and seducer of men on earth, he can play his rôle as such with the hope of success only as long as they are living. The dead, as we have seen, are beyond his reach. But it should hardly be necessary to point out that the case is entirely different where he has been successful or believes he is going to be. The very comparison which he makes between himself in his relation to his victim and a cat playing with a mouse (cf. ll. 321-22) should be convincing enough. The cat may spurn a dead mouse, but it tries to catch a live one, not to let it run again, but to devour.

No other assumption tallies, moreover, with a natural and unforced interpretation of expressions like the following, some of which are used by Mephistopheles and others by the Lord.

> . . . den sollt ihr noch verlieren
> (312)
> Zieh diesen Geist von seinem Urquell ab
> (324)
> . . . führ' ihn . . . Auf deinem Wege mit herab
> (325-26)
> Triumph aus voller Brust
> (333)
> Staub soll er fressen, und mit Lust
> (334)

They certainly cannot refer to temporary error, for that the Lord has admitted from the start. They evidently refer to at least the hypothetic possibility of Faust becoming permanently ensnared in the meshes of Mephistopheles' net. And even if we are prepared to admit that no wager or pact *as such* will mechanically decide Faust's ultimate fate, but that the final decision will rest with the Lord, our sense of the Lord's unerring justice assures us that if such a result were to come to pass, he would admit himself defeated and declare for Mephistopheles and against Faust. If we had not this assurance there would be no meaning whatever in the poetic device of a wager, even though only a one-sided wager.

B. The Pact between Faust and Mephistopheles (Lines 1635-1775)

In regard to this scene, the following problems have given rise to the most serious differences of opinion:

1. Are the pact offered by Mephistopheles and the wager offered by Faust *both* binding?
2. If not, why are both Faust and Mephistopheles willing to change from the contractual agreement to the wager?

The King's Library

3. Which is the real wager offered and accepted?
4. Do its terms agree with those underlying the wager in heaven?

1. *Are the pact offered by Mephistopheles and the wager offered by Faust both binding?*—To start with, Mephistopheles offers himself to Faust as a companion and eventually servant (ll. 1646ff.), and only when Faust desires to know the conditions of such an association, he proposes the following terms:

> Ich will mich *hier* zu deinem Dienst verbinden,
> Auf deinen Wink nicht rasten und nicht ruhn;
> Wenn wir uns *drüben* wieder finden,
> So sollst du mir das Gleiche thun.
> (1656-59)

That is, he suggests a definite contractual agreement, based on the idea of service and wages, and practically identical with the pact in earlier Faust literature, except that instead of the usual twenty-four years Mephistopheles stipulates the length of Faust's natural life as time limit for his services. Aside from this point, there is nothing in the terms of this pact that corresponds with the stipulations in heaven. On the contrary, the emphasis which in heaven has been laid on spiritual values as the decisive criteria, plainly suggests that a mechanical pact of this kind would find no recognition at the hands of the Lord. Here, for a moment, two entirely different world views are in plain sight of each other, and any attempt at reconciliation of the two is bound to be forced. In passing, as it were, Goethe here merely pays his respects to one of the time-honored traditions of the theme, as he has done in numerous instances elsewhere.[3] At the same time, he scores a point by thus placing in strongest possible relief the new idea which underlies his own conception of the relation of Faust and Mephistopheles.

Faust, in the wild despair that has only just found torrential expression in the curse he has hurled against everything endearing life to man (ll. 1583-1606), is not averse to such a pact. His unbearable sorrows are of this life, and if in Mephistopheles' society somehow or other he can hope to drown these, he does not care what may or may not await him in a life to come.

> Das Drüben kann mich wenig kümmern;
> Schlägst du erst diese Welt zu Trümmern,
> Die andre mag darnach entstehn. . . .
> (1660-62)

In this frame of mind Faust apparently is ready to accept the pact as proposed. Nevertheless this does not happen, and the conversation takes an unexpected turn. The passage which has just been quoted in part is clearly not construed by Mephistopheles as an acceptance, for after Faust has finished speaking, Mephistopheles is still urging him to accept:

> In diesem Sinne kannst du's wagen.
> Verbinde dich; . . .
> (1671-72)

After these words, however, it is distinctly only the wager offered by Faust that both, with due formality, agree to. The pact is no longer mentioned. It has given way to, or rather, it has been merged or transformed into a wager.[4]

A further objection against the frequent assumption, that the pact and the wager both stand, the latter as a sort of codicil to the former, lies in the fact that such an agreement would not be a wager. It would be far less of a wager than the one-sided one between the Lord and Mephistopheles. There Mephistopheles at any rate—and he alone is concerned—sees things in terms of a wager: Both of us covet Faust's soul. If I can accomplish what I claim, I'll get it. If things turn out as you claim they will, you'll have it. But Faust's offer to Mephistopheles would simply run thus: If you succeed in satisfying me through your gifts you can have my soul at once. If you fail—you'll get it a little later. A "wager" with anything like a balancing of advantage and disadvantage in the case of winning or losing requires the agreement to read as follows: You offer your services, which you claim can make me forget the misery of life. I offer my soul after death. If you succeed, you win my soul; in fact you may then have it at once. Rather hell than a life as slave of your worthless and degrading pleasures. If I prevail, however, I'll remain free and you will have had your services for naught.

It is clear, then, the assumption of the binding validity of the pact under all circumstances creates difficulties and incongruities of all sorts. It contradicts the spirit and purpose of the whole "Prologue in Heaven" and connects up with absolutely nothing at the end of Faust's life. Goethe in his later utterances on Faust's fate never so much as refers to it, but only speaks of the wager. Most strikingly this is the case in the conversation which Boisserée had with the poet on August 3, 1815 (Gräf, No. 1162). To Boisserée's assumption that the devil would be worsted in the end (ich denke mir, der Teufel behalte Unrecht), Goethe replies: "Faust macht im Anfang dem Teufel eine Bedingung, woraus Alles folgt." This "condition" can be only the wager offered in lines 1692-98; and if "everything" depends on it, the pact as such cannot be considered as deciding Faust's fate regardless of everything else. Of course, it should go without saying that the stakes mentioned by Mephistopheles—his services for Faust in this life and Faust's for him in the life to come—carry over from the pact into the wager. The fundamental and radical difference between the two, however, turns on the meaning of "wenn" in "wenn wir uns drüben wiederfinden, so sollst du mir ein Gleiches tun." Mephistopheles unquestionably uses it temporally, in the sense of "when," for that alone is the condition of the traditional pact with the devil: I am yours here, and you are mine hereafter. With the introduction of the wager, however, this "wenn" becomes conditional, in the sense of "if." For "if" and not "when" is what is implied in the three inverted stipulations of Faust: "Werd' ich . . . kannst du . . . kannst du . . ."

2. *Why are both Faust and Mephistopheles willing to change from the pact to the wager?*—It is with admirable skill that Goethe in thirty-two short lines (1660-91), assigning only two speeches to each of the two characters, brings about the transition from the traditional contract to the fundamentally different wager. The motivation for the positions taken by both Faust and Mephistopheles is perfectly natural and logical. With crude self-complacency Mephistopheles extols to Faust the wonderful gifts he will bestow on him, but the more he insists on their unique value, the more he merely awakens Faust's scorn and indignation. Faust, as it were, is willing to purchase unseen at a dangerously high price a parcel of goods that serve

his immediate purpose although he is convinced of their intrinsic worthlessness; but when the salesman attempts to treat him as a fool by extolling virtues that do not exist, his connoisseur's pride is stung and his whole attitude toward the bargain changed. Twice Mephistopheles makes the clumsy attempt:

> . . . du sollst, in diesen Tagen,
> Mit Freuden meine Künste sehn,
> Ich gebe dir was noch kein Mensch gesehn,
> (1672-74)

and again:

> Doch, guter Freund, die Zeit kommt auch heran
> Wo wir was Guts in Ruhe schmausen mögen,
> (1690-91)

and twice Faust voices his contemptuous conviction that in this sphere there can be for him no talk of joy and contentment; first with withering scorn (ll. 1675-77: Was willst du armer Teufel geben . . .), and afterwards in flaming indignation by offering the wager in place of the pact.

Either of them is entitled to believe that he is gaining a decided advantage by the change from the pact to wager; and if it must be admitted that Faust is in too reckless a mood to care for relative advantages or disadvantages and does not act consciously from such impulses, then it is the inherent soundness of his nature which instinctively makes him shape matters in accordance with the dictates of his being.

As for Faust, it is true, his ruin, which otherwise would be postponed to the end of his life, may come very soon. But if so, it will only shorten what appears to him as a well-nigh unbearable existence. In that case he knows he deserves no better. "Wie ich beharre bin ich Knecht, Ob dein, was frag' ich, oder wessen" (ll. 1710-11). On the other hand, it is his conviction—and on that his wager rests—that such a surrender of his true nature to the temptations of a Mephistopheles will never come.

Mephistopheles, on the other hand, no less considers the change to his advantage. Confident that he can accomplish what Faust declares he will never be able to do—just as cock-sure, as a matter of fact, as he had been in heaven in his conversation with the Lord—he believes that he will not have to bother himself in service to the end of Faust's life, but that his object will be attained much sooner. That it may not be attained at all is an alternative which his conceit prevents him from considering.

3. *Which is the real wager offered and accepted?*—This is the crucial question of the problem as a whole, and on its right understanding, more than on anything else, depends a really satisfactory answer to the ultimate question whether, at the close of the drama, Faust has fairly won or lost his wager.

An objective consideration of what is the real content of the wager which Faust offers and Mephistopheles accepts has been much interfered with by the prominence given both in the Pact Scene and in the Death Scene to those words which, when addressed to the fleeting moment, are to express delight in what it has brought and a wish that things might remain as they are. In the Pact Scene, Faust says to Mephistopheles:

> Werd' ich zum Augenblicke sagen:
> Verweile doch! du bist so schön!
> Dann magst du mich in Fesseln schlagen,
> Dann will ich gern zu Grunde gehn! . . .
> (1699-1706)

At the very end of his life, in a most significant situation, these fateful words again come from his lips. To most critics it has seemed perfectly clear, therefore, that, technically or legally at any rate, Faust loses his wager and that through this very use of the phrase as a sort of "Leitmotiv" the poet has wished to emphasize what he himself considered the central content of the wager.

Let us examine the facts. Whoever emphasizes the grave consequences for Faust of the mere repetition of a stated phrase without carefully inquiring, first of all, whether the real meaning and purpose of the words is the same in both instances, is a strict constructionist whatever else he may be. Very well, then let him not overlook the fact that, *strictly construed,* the passage in question does not belong to the wager at all. The actual wager, beyond a peradventure of doubt, is stated in the six preceding lines:

> Werd' ich beruhigt je mich auf ein Faulbett legen,
> So sei es gleich um mich gethan!
> Kannst du mich schmeichelnd je belügen
> Daß ich mir selbst gefallen mag,
> Kannst du mich mit Genuß betrügen:
> Das sei für mich der letzte Tag!
> (1692-97)

For Faust's next words, "Die Wette biet' ich," refer clearly to these words and not to what follows. Mephistopheles does not wait with his acceptance for any further explanations or additions, but at once exclaims "Top!" and strikes his right hand into the outstretched right of Faust, who then with the words, "Und Schlag auf Schlag!" confirms the fact that the agreement is complete by letting his left hand fall on the two clasped hands. The wager at this moment therefore is complete, offered and accepted in due form—and not one word has been said of "Verweile doch! du bist so schön!"—certainly an important fact, although to my knowledge nowhere definitely recognized.[5]

The application which I myself desire to make of the point which I have raised is not in the direction of excluding the second passage from the true content of the wager. My object is, first of all, to silence the so-called strict constructionists by a somewhat better application of their own principle. Aside from that, I am quite prepared to recognize the second passage as a weighty and significant element of the wager as a whole. Faust clearly feels it as such, offers it as such, Mephistopheles accepts it, and, in the end, we are not dealing with a case argued at the bar of law and in keeping with a technical code, but before the free consciences of thinking and feeling men, who will not be debarred from pressing to the heart of a question by undue regard for defects of formal transmission.

But this much should be clear: *If* the second passage is to be admitted as substantial evidence it cannot possibly be so admitted by itself, nor even as the point of chief importance, but only in intimate connection with the preceding passage, which, after all, enjoys the advantage of unquestioned legitimacy.

What Faust asserts is that *idleness* (Faulbett), *self-complacency* (Selbstgefallen), and *pleasure* (Genuß) will never be able to gain control of him so as to satisfy him. Should they do that, then he is willing to acknowledge his soul forfeited to Mephistopheles at once. The three terms clearly characterize the different aspects of a typical case of sensual enslavement and moral degeneracy, with complete loss of all idealistic striving or "Streben," and it is only against these things, which to him sum up the promised joys of Mephistopheles, that Faust sets up his bold denial and wager. If, therefore, immediately after the handshaking has taken place, he continues: "Werd' ich zum Augenblicke sagen: Verweile doch! du bist so schön!" etc., two things seem clear. First, the "moment" he has in mind is not any moment whatsoever, no matter what its content might be, but a moment devoted to one or all of the Mephistophelean "good" things whose power over him he has just challenged; and second, that which prompts him to make the additional statement is a purely emotional impulse. He does not really want to say anything new, nor add anything to what he has said. It is solely a question of intensity. As he often does, he carries that which is clamoring in him for still extremer utterance to the last possible point of paradoxical hyperbole.

On the other hand, it might be claimed that the next words of Mephistopheles—"Bedenk es wohl, wir werden's nicht vergessen"—sound as though he might intend to assign to the words spoken by Faust just this all-inclusive meaning. This, however, does not deter Faust. On the contrary, reminded as it were of the dangerous meaning that might be attributed to his statement, he recklessly accepts the challenge and declares that even in this wider sense he is willing to abide by it:

> Ich habe mich nicht freventlich vermessen,
> Wie ich beharre bin ich Knecht,
> Ob dein, was frag' ich, oder wessen.[6]
> (1709-11)

4. *Do the terms of the wager on earth agree with those of the wager in heaven?*—I feel convinced that this is the case, and think it can best be shown by calling attention to what evidently is a logical or structural device underlying the chief formulas used both in heaven

and earth. In offering his wager, Faust uses three phrases, each of which consists of two elements:

> Faulbett—beruhigt
> schmeichelnd belügen—selbst gefallen
> Genuß—betrügen

In each instance there is expressed on the one hand an element of sensual or emotional temptation, and on the other a spiritual condition, a state of soul which is to be engendered thereby, and it is perfectly clear that Faust lays the chief emphasis on the latter.

Mephistopheles does not frame any counter-proposition. He merely accepts the wager. But he has previously attempted some formulas of his own, which show an interesting parallelism with those used by Faust:

> meine Künste sehn—mit Freuden
> was Guts schmausen—in Ruhe

Hence, he too is not satisfied with Faust's willingness to accept what he has to offer, but he too aims at a result which is thereby to be achieved. And if we go a step farther and examine the one programmatic formula which in heaven he used in speaking to the Lord,

> Staub soll er fressen—und mit Lust,

we find that it tallies exactly with the terms he uses toward Faust and those used by Faust himself.[7] They all denote the same twofold idea of indulgence in self-gratification and resultant contentment. What varies is merely the moods in which the different statements are made.

Everything is in perfect agreement, and I have no hesitation to speak with Erich Schmidt, of "beide identische Wetten."

C. The Death Scene

(Lines 11573-95)

The following problems will be taken up seriatim, although everything hinges here on the one question: Who has won the wager?

1. Does Faust die a natural death, or is his death due to the fact

that he speaks the fatal words, "Verweile doch, du bist so schön!"?

2. Does Faust win or lose his wager with Mephistopheles?
3. If he does not lose it through what transpires here at the end of his life, has he not previously lost it during the progress of the drama?
4. Is the issue on earth of such a nature that it settles automatically and unequivocally Mephistopheles' wager with the Lord?

1. *Does Faust die a natural death or not?*—This question acquires significance only on the assumption that Faust's life was to be forfeited whenever he should express a desire for time to stand still. In the last analysis, it turns therefore on the validity of the second half of the wager, independently of the first. As it has been shown that such an interpretation is not in accordance with the spirit of the wager as a whole, we should have to decide whether, at the time of his death, when Faust speaks the words in question, he applies them to a moment of either idleness, or Mephistophelean enjoyment, or sterile self-complacency. Not even those, however, who maintain that Faust loses, set up such a preposterous claim, and it is clear therefore that Faust's death is not due to the words he has uttered.

On the contrary, Faust dies a natural death. The point can be proved not only by lines 11591-92,

> Der mir so kräftig widerstand,
> Die Zeit wird Herr, der Greis hier liegt im Sand,

but perhaps even more definitely by the earlier references to Faust's approaching death, on the part of the three comrades of "Sorge" and of Mephistopheles himself in lines 11557-58,

> Man spricht, wie man mir Nachricht gab,
> Von keinem Graben, doch vom Grab.

If the scene in question belonged to the world of matter-of-fact reality we should have to say it is an accident that Faust's natural death at the age of one hundred years coincides with his utterance of the fatal words. If we consider, however, the requirements of dramatic effectiveness and, still more, of an evidently typical or symbolic treatment, the adopted device appears almost inevitable. Had Faust's final admission of the possibility of true human happiness been wrung from him at an earlier period of his life, his conflict with Mephistopheles would have been at an end. The drama, as the story of this conflict, would have had to end then and there if the poet expected us to accept his hero's confession as his final view of life, as "wisdom's last word." On the other hand, the Lord had given Mephistopheles leave to try his arts of seduction on Faust to the very end of his life on earth. Had Faust been destined to lose his struggle the catastrophe might easily have come at any time in his career; but as he was to win, i.e., not to lose,[8] it had to be made clear that his resistance to the blandishments of Mephistopheles would continue to the end of life, and if this life was to be in any way symbolic of the general trials and triumphs of "eines Menschen hohes Streben" we had to be permitted to witness its power of resistance even to the limits of extremest old age.

2. *Does Faust win or lose his wager with Mephistopheles?*—Generally speaking, the more recent *Faust* literature shows a growing consensus of opinion that Faust wins his wager. Cases of archnegation, if they still occur, are few and far between. Numerous, to be sure, is as yet that group—and it includes some important names—which distinguishes between a verdict according to the letter (Wortlaut) and one according to the spirit (Sinn), the former favorable to Mephistopheles, the latter to Faust, but it is clear that in the last analysis this group is on the side of those declaring in favor of Faust, for, on both human and poetic grounds, not the letter, but the spirit is bound to prevail in this conflict.

Critics who are willing to give an unconditional verdict in Faust's favor base it generally not so much on a correct interpretation of the wager as on the fact that in the final text, as we now read it, Faust does not actually address the words in question to the fleeting moment. He speaks only conditionally, hypothetically (Zum Augenblicke dürft' ich sagen; l. 11581). Others lay stress on the fact that the moment which Faust has in mind is not a situation that he is then enjoying (except in anticipation) but that he is thinking of the future when his lofty vision might be realized. Hence, instead of bidding the passing present to linger (which clearly is the sense of line 1699) he merely feels he might be justified in doing so sometime in a still distant future.

Evidently Goethe has done well to revise, as it would seem, the original version of Faust's testamentary speech quite shortly before his death, prompted by the desire for a more careful elaboration "der Hauptmotive, die ich, um fertig zu werden, allzu lakonisch behandelt hatte" (Tgb., Jan. 24, 1832; Gräf, No. 1977). For if even in the face of this final redaction Goethe's critics have had such difficulties in deciding the wager, what would they have done with the earlier version which, instead of the entire sustained and noble speech of twenty-eight lines (ll. 11559-86) as we now read it, contained only a short passage of largely prosaic lines?

> Dem Graben, der durch Sümpfe schleicht,
> Und endlich doch das Meer erreicht,
> Gewinn' ich Platz für viele Millionen,
> Da will ich unter ihnen wohnen,
> Auf wahrhaft eignem Grund und Boden stehn.
> Ich darf zum Augenblicke sagen:
> Verweile doch, Du bist so schön!
> Es kann die Spur von meinen Erdetagen
> Nicht in Äonen untergehn.[9]

Here it is clear that Faust speaks in the present tense to the present moment, even though here, too, the present is dear to him not for its own sake, but because it reveals the possibility of a still better and broader future. And yet, as already explained above on page 17, as early as August 3, 1815, when Sulpiz Boisserée said to Goethe in regard to the final fate of Faust, then a matter of considerable debate, "Ich denke mir, der Teufel behalte Unrecht," Goethe with evident assent replied, "Faust macht im Anfang dem Teufel eine Bedingung, woraus Alles folgt." This "Bedingung" is evidently not the one in line 1699 (Werd' ich zum Augenblicke sagen . . .), for that, taken by itself, is literally fulfilled according to the text of the older version. It might explain Faust's losing, but not his winning the wager. Goethe here refers with satisfactory definiteness to lines 1692-97 as the basic condition on which the wager between Faust and Mephistopheles turns, for on this supposition only does Faust remain victorious no matter whether we adopt the older and briefer text or the nobler and more explicit lines of the revised version.

Of course, if even the earlier reading justifies the assumption of Faust's victory over Mephistopheles, the later one positively clamors for it. When, in the shadow of death, Faust uses the ominous phrase that seems to challenge the fleeting moment to delay and speaks of what he then experiences as the enjoyment of the best and highest which life had to offer him, he is referring to things that are as far removed from Mephistopheles' "Staub" or his own "Faulbett" as they are near the heart of what the Lord laid stress upon as "Tätigkeit" and "Streben."

Mephistopheles, who clings to inapplicable words and attempts to prove his claim by them, does no more nor less than what under similar circumstances a human extortioner would also do. He tries to make the best of what he instinctively feels to be a bad case bound to go against him.

The fact that Faust has won the wager over Mephistopheles (and the latter therefore, as we shall see, has lost his wager with the Lord) must not be construed to mean that thereby, *eo ipso,* to speak in the language of the religious symbolism in which the last scenes of the drama are conceived, he can claim entrance into heaven as one redeemed. Only divine judgment can determine this, and if—as the advent of the angels proves—it decides in Faust's favor, despite the heavy guilt that rests on him, it represents a justice tempered by mercy and love.

3. *Has Faust not lost the wager with Mephistopheles at some earlier point in the action?*—In answer to this question, which has repeatedly been raised—and not without justification—it might of course suffice to point out that Mephistopheles does not think so. But inasmuch as Mephistopheles, especially in long stretches of the Second Part, almost completely loses the rôle of an aggressive adversary, this fact alone is not sufficiently convincing.

Here, too, everything necessarily depends upon our conception of the terms of the wager. If the mere desire for the fleeting moment to linger were to decide the wager against Faust, I think we should have to admit that he lost it more than once, unless it be considered imperative that the very words, "Verweile doch, du bist so schön!" be spoken. These words, to be sure, Faust does not speak; but has he not felt them during moments of peaceful contemplation in "Wald und Höhle," in the enjoyment of Gretchen's love, or in even larger measure during his union with Helen?

Critics who raise these questions at all, generally answer them either by denying any wish on the part of Faust to delay the passing moment, or by pointing to the disturbing factor of a guilty conscience and evil foreboding, or to the unreality of his dream-like experiences in the sphere of Helen. Simpler and more convincing is again an explanation that rests upon a proper interpretation of the wager. For in all such moments of happiness, the Gretchen episode included, it can be shown that Faust is far removed from that sphere of sensual and spiritual degradation which underlies the terms of his wager with Mephistopheles. Even if he actually had addressed to the fleeting moment the prayer to delay, Mephistopheles would have had no better right for claiming to have won the wager than he has in the end at the hour of Faust's death.

4. *Does the issue on earth automatically settle Mephistopheles' wager with the Lord?*—That Mephistopheles loses his wager with the Lord is quite generally admitted, even by those who doubt or deny his failure in his relation with Faust. Goethe himself, from whom we are unable to quote any absolutely unequivocal statement in regard to the outcome of the wager between Faust and Mephistopheles, expresses himself in this respect in the tersest and most definite language. Speaking to Eckermann in 1827, he declares, "daß der Teufel die Wette verliert," and the context makes it perfectly clear that the wager to which he has reference is the one in the "Prologue in Heaven."

Indeed, if it has been made clear (cf. above, p. 22) that the basic terms of Faust's wager with Mephistopheles are identical with those underlying Mephistopheles' wager against the Lord, then it needs no further proof that Faust's winning his wager against Mephistopheles necessarily means that Mephistopheles has lost his wager with the Lord.

The foregoing analysis of the entire problem, in the light of the different interpretations attempted and objections raised, seems to me to furnish convincing evidence that, whatever may be our judgment about the lack of regular symmetry and close-knit unity in the work as a whole or about undeniable incongruities or dislocations in certain scenes, the central axis, around which the dramatic action of Goethe's *Faust* moves, is sound and without flaw.

As Julian Schmidt has once expressed it, the three characteristic passages which at present carry the central thought of the drama were still lacking in the original versions of the "Urfaust" and the "Fragment." They are not the trunk from which all this motley variety of scenes has sprouted, but rather the support that has been placed under it afterwards. But I feel inclined to continue: it is a support carefully planned and strongly put together, quite capable of holding up the great mass of the luxuriant growth resting upon it, even though here and there single unruly shoots may be trailing to the ground or threatening to fly off with the breeze—not to the disadvantage of the living beauty of the whole, even though to the annoyance of some of the sternest among the high priests of unruffled regularity and order.

Karl Ernst Schubarth und die Anfänge der Fausterklärung

(1938)

MEINER Zählung nach sind es 53 Briefe Schubarths an Goethe aus den Jahren 1818 bis 1832, die im Goethe-Schiller-Archiv in Weimar aufbewahrt sind. Manche davon sind von uferloser Länge und Breite, richtige kleine Abhandlungen über die verschiedensten Gegenstände gemeinsamen Interesses, vor allem *Faust,* dann aber auch Homer, das Nibelungenlied, Philosophie, Christentum u. a. Bekannt geworden sind von diesem weitschichtigen Material nur geringe Auszüge, teils von Hettner 1875 im Anschluß an seinen Aufsatz „Briefe Goethes an K. E. Schubarth" in der *Deutschen Rundschau* veröffentlicht, teils in der Weimarer Ausgabe von Goethes Briefen in den Anmerkungen. Erst ganz kürzlich, im 21. Bande des Jahrbuchs der Goethe-Gesellschaft hat Max Hecker einen längeren *Versuch einer Ergänzung des zweiten Teils zum „Faust"* vom Januar 1822 aus diesen Briefbeständen mitgeteilt. Um so mehr ist es aber an der Zeit, denjenigen Brief Schubarths in seiner Vollständigkeit zugänglich zu machen, von dem Goethe selber gesagt hatte: „Mit Ihren Blättern bin ich dergestalt zufrieden, daß ich wünschte sie wären gedruckt, ohne irgend eine Abänderung." Trotz dieses Lobes und Wunsches seitens Goethes teilte Hettner nur wenige durchaus ungenügende Zeilen daraus mit, und die Weimarer Ausgabe schweigt sich überraschenderweise gerade an dieser Stelle gänzlich aus („Briefe," 34, 309).

Der hier folgende erstmalige Abdruck beruht teils auf unmittelbarer Benutzung der Schubarthschen Briefe im Weimarer Archiv im Frühjahr 1935, teils auf einer phototechnischen Wiedergabe dieses einen Briefes, die die *Modern Language Association of America* auf meinen Vorschlag hin hat herstellen lassen und die nunmehr als Nr. 334 der Rotographen-Sammlung der *M.L.A.* in Washington in der *Library of Congress* aufbewahrt wird. Der Leitung des Weimarer Archivs möchte ich auch an dieser Stelle meinen Dank aussprechen für stets bereitwilliges Entgegenkommen und für die Erlaubnis, den wichtigen Brief durch den Druck allgemeiner zugänglich zu machen. Der leichteren Lesbarkeit der oft unübersichtlichen Satzgefüge halber entschloß ich mich, die Interpunktion zu modernisieren und habe dann dies Verfahren auch auf die Orthographie ausgedehnt und die Goethe-Zitate gleicherweise behandelt. Hiervon abgesehen, ist Goethes Wunsch Rechnung getragen, die Blätter „ohne irgend eine Abänderung" wiederzugeben, obschon ich mir wohl bewußt bin, daß das wort- und wiederholungsreiche Schriftstück durch gelegentliche Auslassungen und Zusammenziehungen nur hätte gewinnen können.

I

Brief von K. E. Schubarth an Goethe

Breslau, den 17./18. und 20. Oktober 1820

Ew. Exzellenz vermelde ich, daß wir nach einer Fahrt von acht Tagen glücklich wieder zurückgekehrt sind. Das schöne Wetter begünstigte uns dergestalt, daß wir von Görlitz aus beschlossen, über das Schlesische Riesengebirge unsere Heimkehr zu vollbringen. Am 6. Oktober bestiegen wir bei heiterer Luft die Schneekoppe. Ich konnte mich nicht anders als höchst vergnügt darüber finden, daß mir nach der Entlassung von Ew. Exzellenz sobald abermals zu einem bedeutenden und unter seinesgleichen einzigen, wenn auch nur irdischen Gipfel zu wallfahrten vergönnt worden.

Ich befinde mich nun seit acht Tagen an Ort und Stelle. Freilich ist mir etwas einförmig und einsam zumute. Indessen überdenke ich alles, was Ew. Exzellenz mir mitzuteilen die Gnade hatten. Und da habe ich nicht lassen können, den Faust abermals vorzunehmen und ihn in Absicht auf seine Motive durchzugehen. Ich darf mir wohl nicht ganz unglückliche Erfolge versprechen.

Um nur einiges deshalb zu sagen, so nehme ich an, in der Zueignung solle uns das Werk, wie es unter den Händen des Dichters seinem Abschluß entgegengeführt wird, sichtbar werden.

Es treten [*sic*] alsdann im Vorspiel der Dichter, der seine Arbeit soweit vollbracht, daß sie nun auf dem Wege der szenischen Darstellung der letzten Vollendung teilhaftig werden wird, um so an die Welt als ganz fertiges Ganze sich zu überliefern, es treffen, sage ich, hier der Dichter, der Theaterdirektor, dieser als Repräsentant eben dessen, was durch szenische Anordnung und Zutat dem seinem Inhalte nach bereits fertigen Werke noch beigegeben werden muß, mit der lustigen Person zusammen, die ihrerseits vom Rechte des Anteils der gegenwärtig versammelten Menge den von ihrem rohen Beifall für sein höchstes Bestreben alles fürchtenden Dichter zu überzeugen und zu beschwichtigen sucht. Und so stelle ich mir eine Ansicht auf der wirklichen Bühne vor, von einem Theater, auf der einen Seite die Zuschauer, dann in einem Teil des Bühnenlokals, etwa in der Garderobe, eben jene drei benannten Personen in letzten Geschäften zur eben bevorstehenden Aufführung bestrebt, der Theaterdirektor eintretend vom letzten Anordnen und Vorbereiten alles Szenischen und auf Maschinerie Bezüglichen, der Dichter als Faust für die ersten Szenen sich kostümierend und die lustige Person als Mephistopheles schon gekleidet. Was bleibt nach allem diesem noch übrig, als daß wir nach solchen Vorbereitungen, nachdem wir mit dem Dichter vorerst in seiner Stube gewesen, wo er sein Werk zu vollenden sich alle Momente vergegenwärtigt hatte, alsdann auf der Szene bei den Anstalten zur Aufführung gegenwärtig waren, als daß nun die eigentliche Aufführung des Aufzuführenden vor sich gehe. So sind wir denn am Prolog, wie von selbst, mit dem das Stück anhebt!

Ich wünschte, Ew. Exzellenz hätten die Gnade, Ihre Zu- oder Abstimmung zu dieser meiner Vorstellungsart positiv geradehin, nicht bloß im allgemeinen auszusprechen. Darf ich erst hierin glauben, auf rechtem Wege zu wandeln, dann werde ich um Erlaubnis bitten, das, was ich ferner noch gefunden, mitzuteilen, um von Ew. Exzellenz zu erfahren, ob es so richtig sei. Ich stehe jedoch nicht dafür, daß ich alsdann auch Ew. Exzellenz mit den lebhaftesten Bitten bestürme, doch ja die Fortsetzung des Fausts uns nicht vorzuenthalten, sei es auch, daß Ew. Exzellenz nur den bloßen Entwurf, aber diesen vollständig und anschaulich vorgezeichnet, uns mitzuteilen belieben wollten.

Ich für meinen Teil würde für den Augenblick schon befriedigt sein, wenn ich nur die Schlußworte des Mephistopheles aus dem zweiten Teil wüßte. Mir scheint der Knoten dergestalt geschürzt zu sein, daß, indem Mephistopheles seine Wette gewinnt, Faust zugleich der Klarheit entgegengeführt sein muß. Nämlich eben deshalb ist ja Faust gleich vom Anfange so unbefriedigt, daß er verzweifelt, weil er das Rechte, was er fühlt, nirgends zu treffen wähnt. Als er nun dem Mephisto sich in die Arme wirft, ist dieser im ganzen ersten vorliegenden Teil beschäftigt, dieses Gefühl eines Rechten noch mehr zu schärfen bis zur Angst des Gewissens, indem er Faust in das von demselben bisher bloß empfundene, vorgestellte Falsche durch Tat und Handlung, durch die Ermordung Valentins und Gretchens Verderbung real hineinbringt. Durch dieses hervorgebrachte reale Unrecht hebt oder erschüttert er wenigstens die ganze ideierte Partie von Übeln, deren Vorstellung aus der Unbefriedigung einiger leidenschaftlichen auf ein geistiges Interesse gerichteten Wünsche, die Faust für das Ganze der menschlichen Natur zu erklären geneigt war, in ihm sich erzeugt hatte, ohne daß er real weder in sich noch in der Welt und Menschheit ein Übeles bis dahin gewirkt hätte. Da nun aber Faust bloß von seinen ideierten Übeln erhitzt sich dem Mephisto in die Arme wirft, den Trieb zum Wahren und Guten aber immer in sich behält, indem er aus einem überfliegenden Unmut des Wahnes, kein Wahres und Gutes mehr erreichen zu können, weil er auf den vorgestellten und dargebotenen Wegen es nicht fand, sich dem Falschen bloß überläßt, so folgt von selbst, daß in der eingegangenen Wette Mephisto den Faust nicht dadurch zum Aussprechen des:

> Werd' ich zum Augenblick [*sic*] sagen:
> Verweile doch! du bist so schön!

wird bringen können, daß er ihn in neue Abgeschmacktheiten ferner bloß bringt (wie im ersten Teil, wo er es bewirkt, indem er Faust zu einem realen Unrecht und Übel hinführt, daß dieser wohl über seine bisherigen ideierten Übel zweifelhaft werden muß), sondern er muß ihm gerade das vermißte Wahre und Rechte als vorhanden und wirklich vorführen. Um so unwiderstehlicher aber wird dies wirken müssen, als in der Befreiung von dem ideierten Übel durch das begangene reale Unrecht alle Einleitungen dazu getroffen sind, indem durch die Gegenwirkung des realen Übels gegen das ideierte zugleich das von ihm gleichzeitig abhängig ideierte Wahre aufgehoben ist. Wenn also Mephistopheles nur durch die Vorführung eines Wahren die Wette von Faust gewinnen kann, womit jedoch dieser zugleich in die Klarheit geführt ist, so ist zugleich jene andere Wette, die der Herr angenommen, unverloren, indem der Herr verkündigt hatte:

> Wenn er mir auch nur verworren dient, [*sic*]
> So werd' ich ihn bald in die Klarheit führen.

Denn kann Mephistopheles die Wette gegen Faust nur gewinnen, daß er aus ihm das obige Wort hervorlockt, kann er dieses Wort aber nur bei einem Wahren, Echten der Natur der Sache nach Fausten entlocken, so ist ja Faust auf dem Punkte zugleich, indem er jenes Wahre erkennt und sein Dauern, d. i. seinen Bestand ausspricht, wo er sein soll. Mithin hat sich auch jenes Wort des Herrn erfüllt, daß alle Verworrenheiten sich auflösen würden. Mephistopheles also stellt eine Verneinung dar, die bloß so lange wahr und wirksam als ein Übeles bleibt, als eine falsche, erfundene Verneinung im Menschen vorhanden. In demselben Augenblick aber auch, wo diese falsche Verneinung durch jene natürliche, notwendige in ihrer Gegenwirkung aufgehoben worden, hört sie selbst für den Menschen gefährlich wirksam zu sein auf und löst sich in sich selbst: denn sie weist dann sogleich auf das Wahre. Und so liegt eigentlich dem Prolog und ganzen Faust schon die Maxime aus Meisters Lehrjahren in ihrer größten Anwendung zum Grunde, daß das Irren nur durch den Irrtum aufgehoben werden könne, das eingebildete, gewollte Übel nur durch das wirkliche, aufgenötigte zu heilen sei. Dies ist also der Grundgedanke: Jedem wirklichen Übel setzt sich sogleich ein eben so wirkliches Wahre gegenüber. Diese beiden jedoch können nicht miteinander streiten. Wohl aber muß das eingebildete Übel sogleich mit dem wirklichen in Berührung und Anstoß kommen, gleichwie sein ihm zur Seite stehendes eingebildete Wahre sogleich mit dem wirklichen Wahren in Konflikt gerät. Vermag nun aber das wirkliche Übel das eingebildete zu verneinen, so ist auch mithin das ihm zur Seite stehende eingebildete Wahre aufgehoben und der echte ursprüngliche Stand ist hergestellt, wonach das wirklich Wahre und Gute neben dem wirklich Falschen und Bösen friedlich nebeneinander bestehen. Nun geht Faust von einem eingebildeten Übel aus, dem ein eingebildetes Wahre zur Seite steht, und gibt sich dadurch dem wirklichen Übel preis. Indem dieses letztere nun das eingebildete Übel wirklich niederkämpft, wird der wahre Zustand enthüllt; in demselben Moment aber scheidet auch jenes reale Übel (dessen Repräsentant Mephistopheles) in seine gesetzmäßige Lage zurück. Und so ist auch im Prolog Mephistopheles nicht als Bekämpfer der wirklichen, echten Vernunft aufgeführt, sondern der Scheinvernunft, und nicht des Zustandes echter Tätigkeit und Willens, sondern falscher Tätigkeit, d. i. Untätigkeit und falschen Wollens. Und er wird vom Herrn auf diesen mittlern Zustand des Strebens, d. i. wo der Mensch zwischen dem Wahren und Guten, Falschen und Bösen mitten inne steht, beschränkt. Denn außerdem gilt bloß der Zustand, den das Wort des Herrn bezeichnet:

Doch ihr, die echten Göttersöhne,
Erfreut euch der lebendig reichen Schöne.
usw.

Wenn also dies das Grundmotiv ist, wodurch das Werk sich in Gang setzt, ausschreitet und wieder in sich selbst zurückkehrt und sich abschließt: so haben wir in dem ersten Teil die Bahn nur halb vollendet, d. i. es sind die Mittel und Schritte gezeigt, wodurch der ideierte Zustand des Wahren und Falschen an Faust aufzuheben ist; wodurch aber jener ideierte Zustand ganz aufhört und der echte Zustand hergestellt wird, diese Entwicklung, dieser Gang und Schluß scheint den Inhalt des zweiten Teils zu machen.

Ich komme nochmals auf das Vorspiel zurück, in Beziehung auf dessen Inhalt ich folgenden Gedanken als die Grundlage halte: Niemand mehr als gerade der dramatische Dichter kommt in den Fall, sein Werk, das er vielleicht nach den höchsten Absichten der Kunst ausgearbeitet, der rohen Gewalt des Augenblicks zu überliefern. Schon dadurch, daß sein Werk der äußern Darstellung, um ganz ausgeführt zu sein, bedarf, ist er genötigt, es fremden Händen zu überlassen, es zu veräußern. Und doch ist es die höchste Eigenschaft der Poesie lebend zu sein und als das Lebendigste, gleich auf der Stelle Wirksame, jeder Gegenwart, sie sei welche sie wolle, sich anzuschließen. Auch darf sie eben hierdurch, wodurch sie sich als eine von allen Absichten einer Kunst unabhängige Eigenschaft hervortut, immer sicher rechnen, eine unfehlbare Wirkung selbst auf die Rohen und Ungebildeten zu machen, indem sie, wenn auch nicht als Kunst wirkend, als heiter anregendes und stimmendes Wesen ihre Kraft nicht verleugnen wird.

So wäre uns also das ganze Wesen der Poesie selbst in Absicht sowohl auf den höchsten Kunstzweck, wodurch sie sich auf sich selbst und die höchsten Erfordernisse in dieser Hinsicht und gerade deshalb oft nur auf ihren eigenen Urheber beschränkt, geschildert, als auch jene andere Eigenschaft bemerkt, der nächsten unmittelbaren, selbst rohen Gegenwart zu gehören, indem sie immer, wenn auch als weiter nichts, doch immer als eine heitere, jedermann durch eine höhere Selbsttäuschung angenehm aufregende Erscheinung unabweislich gewähren wird.

Dieser Grundgedanke wird in den Wechselreden des Theaterdirektors, des Dichters, der lustigen Person entwickelt, indem der Theaterdirektor den nächsten, unabweislich hervordrängenden und als solchen rohen Moment des Bedürfnisses darlegt, der Dichter im höchsten Kunstgefühle und Bewußtsein seiner Absichten das Werk von sich nicht lösen kann, wie es denn von diesen Seiten nie von ihm abzulösen ist, die lustige Person aber den erquicklichen Äther und Geist der Poesie als allgegenwärtige und durchdringende Eigenschaft bezeichnet, die sich selbst da, wo es außerhalb aller Grenzen der Kunst ist, in zerstückten, halben Anregungen wirksam erweist.

Noch eine Vorstellung drängt sich mir hierbei auf: Der rohe Moment ist uns oft die Veranlassung, wenn wir mit Geist ihm uns nahen, einen Vorteil aus ihm zu ziehen, den wir sonst nicht so leicht erreicht haben würden. So ist der geschilderte, miserabele Zustand des Theaters, wo zuletzt nur durch die Masse etwas zu erreichen und zu wirken, Grund, daß eine solche Arbeit wie die Tragödie Faust, in deren Wesen eine verwandte Stückform gleichfalls gegeben, am leichtesten und wirksamsten selbst für die Gegenwart zu entwickeln ist.

Ich müßte mich sehr irren, wenn der Dichter, indem er das Vorspiel dichtete, bei Erwägung der Lage des Theaters im damaligen Augenblick nicht unwillkürlich an dessen Anfänge in früherer Zeit erinnert worden wäre; wodurch er seiner Jugendepoche entgegengeführt wurde, in der das Theater eben dem Puppenspiel, der Marionette und der hiermit genau verbundenen Stückform, wie seiner Wiege, kaum sich entwunden hatte, und höhern Forderungen zueilte.

Diese Ansicht rechtfertigt sich wenigstens durch den Inhalt der Zueignung und wird durch denselben begründet, indem wir in der Zueignung mit Absicht daran erinnert werden, daß der Anfang, der erste Entwurf der vorzulegenden Arbeit in die früheste Epoche fällt; auf welche Epoche der Dichter endlich aus ganz veränderten Lebenszuständen sich zurückgeführt sieht; wovon der äußere Zeitanlaß aus der sich auflösenden Beschaffenheit des deutschen Theaters im Vorspiel, auf die oben entwickelte Weise, uns angegeben und so der Sinn und Inhalt der Zueignung vollständiger entwickelt wird. Dieser in solchem Sinne dargelegte Inhalt des Vorspiels und der Zueignung, wo uns der Dichter damit bekannt machen will, wie der erste Entwurf der gegenwärtigen Arbeit der frühsten Epoche gehört, den er nun glücklich genug ist, bei der neuesten Beschaffenheit des deutschen Theaters, freilich bloß durch einen Rückschritt desselben, wieder aufzunehmen, bringt sich nun mit dem andern Teile des Inhalts von selbst in Verbindung, wo dennoch der Dichter vorhat, dem Gehalte und höchsten Kunstsinne nach ein Werk hervorzubringen, welches keineswegs in jenem Rückschritt des Zeitgeschmacks enthalten sei, sondern, indem es den allgemeinen Wirkungen der Poesie nach, die auf Gegenwart gerichtet sind, den Zeitgenossen nicht vorenthalten bleiben, auch sich durch seine Stückform ihrem Geschmack annähern darf, so soll es dennoch eine Arbeit sein, die von den höchsten Kunst- und Geisteserfordernissen aus selbst vor der untadeligsten Nachwelt bestehen dürfe.

Und hieran schließt sich nun jenes bereits oben zuerst entwickelte äußere Motiv zugleich an, indem angenommen wurde, daß schon von der Zueignung aus die szenische Darstellung beabsicht[igt] sei, die im Vorspiel selbst zur Darstellung gebracht wird, indem wir das Theater, die Zuschauer und die Anordnungen zur szenischen Aufführung hier alle vorfinden. Und so sind uns sämtliche Bedingungen von außen und innen vorgeführt, denen der dramatische Dichter unterworfen ist, die er zu bedenken hat, um sich seinem Ziele zu nähern: Zeit und Verhältnisse, Einflüsse verderbten Geschmacks, theatralische Ausführung, höhere Anforderungen und Zwecke der Kunst und allgemeine sogleich anregende Eigenschaften der Poesie.

Wie nun alles dieses, was als Bedingung vorausgeht, ehe der dramatische Dichter am Ende zu sein glauben darf, zuerst als Motiv selbst benutzt ist, um uns an das eigentliche aufzuführende Stück selbst heranzubringen, ist bereits ausgesprochen worden. Und hiervon scheint abermals das höhere Motiv zu sein, daß der Dichter voraussah, man werde zwar allenfalls sich entschließen sein Werk zu lesen, vielleicht auch zu studieren, aber darzustellen werde man es nicht wagen. Um nun dennoch aber immer lebendig zu erhalten, selbst dem bloßen Leser, daß ein dramatisches Kunstwerk und ein Gedicht nur durch den hinzutretenden Anteil der Zeitgenossen ganz lebendig und wirksam werde, so hat der Dichter diesen Anteil wenigstens noch hinzudichten mögen, da er keine Aussichten hatte, ihn wirklich zu erhalten. Es ist also die Absicht eines Werks ausgesprochen, das sich in jeder Hinsicht abschließt, was ein [dramatisches?] Werk ist und bleibt, wenn es auch kein wirkliches Theater dafür und wahre Teilnehmer gibt. So sind wenigstens diese Erfordernisse in ihm selber angedeutet, wenn sie auch wirklich mangeln sollten!

Nach Erlaubnis Ew. Exzellenz übersende ich diesen Brief unfrankiert. Mein Bruder empfiehlt sich zu Gnaden. Verharrend in tiefster Ehrfurcht,

Ew. Exzellenz, untertänigster
Breslau, den 17./18. Oktober 1820 K. E. Schubarth

Überblick der Motive der Zueignung und des Vorspiels in Goethes Faust

I. Äußeres Motiv.

Zueignung

Wir treffen den Dichter zuerst in seinem Arbeitszimmer, sehen ihn sein frühbegonnenes Werk vornehmen, sich Lage, Zustände, Stimmung, Absicht vergegenwärtigen, und alsdann fortfahren.

Vorspiel

Das Werk ist fertig. Es ist ein dramatisches Werk, das als solches vor aller andern Poesie des Anteils einer versammelten Menge und der Mitwirkung einer andern Kunst, der des Schauspielers, sich nicht entschlagen kann, um sich in jeder Hinsicht als ganz abzuschließen. Wir erhalten demnach hier das ganze Theater vorgeführt: versammelte, der Aufführung gewärtige Zuschauer, die Bühne selbst angedeutet in Vorkehrung und Einrichtung aller Anstalten zur erfolgenden Aufführung. Der Theaterdirektor, der Dichter, die lustige Person in bezüglicher Wechselrede auf sämtliche auszuführende Absichten gerichtet.

II. Innere Motive.

Zueignung

Indem der Dichter, um sich für die Fortsetzung seines Werkes günstig und gemäß zu stimmen, die Gegenwart mit allen ihren Erwerbnissen vergessen muß, deutet er bereits auf einen Gegenstand, für dessen Faßlichkeit er durch eine anschließende Entäußerung unserer gehegten Vorstellungsarten, Meinungen und Ansichten sich allein verbürgen mag.

Vorspiel

Nicht allein indessen für den Inhalt ist unsere Enthaltung von eigenwilligen Vorstellungsweisen erforderlich und genügend, sondern wir haben uns über die vielleicht ebensosehr abweichende Form und durchgeführte Behandlung gleichfalls nicht zu verwundern. Folgende Bedingungen wirken hier ebensosehr für- als gegeneinander, die das Seltsame aufzuklären vermögen:

Durch den rückgeschrittenen Zeitgeschmack sah sich der Dichter in den Stand gesetzt, ein Werk wieder vorzunehmen, das er in Plan und Ausführung in einer Epoche begonnen hatte, wo der deutsche dramatische Dichter seiner Willkür und Erfindung ohne höhere Kunst und höheren Geschmack so ziemlich allein überlassen war. Jenes Werk seiner Form wie innersten Natur nach in einer anscheinenden Unregelmäßigkeit sich bewegend, dürfte vielleicht deshalb als ganz an die vorherrschende Richtung des neuesten Zeitgeschmacks sich anschließend betrachtet und beurteilt werden. Allein mit welcher Gunst es auch von diesen Seiten dem Zeitalter sich annähern mag, so entzieht es sich ihm doch nicht weniger, indem neben und in dieser Form ein höchstes Kunstziel dergestalt durchgeführt ist, daß der Urheber wohl nur auf die allgemeine Wirkung seines Werks, insofern es poetischer Natur überhaupt ist, rechnen wird können. Wird nun deshalb aber Inhalt und höchste Behandlung um so mehr verborgen bleiben, als die Erwartung in der sich hervortuenden Unähnlichkeit von allem Ähnlichen zurückgewiesen wird, so darf der Dichter ferner auch auf die szenischen Zutaten, wodurch ein dramatisches Werk der Poesie allein ganz zu vollenden ist, nicht rechnen. Dieses Mangelnde zu ergänzen, wird uns der ganze Moment selbst, wie jedes dramatische Werk, wenn es auch bereits aus den Händen des Dichters fertig hervorgegangen, einer anderweitigen äußern Darstellung und äußern Anteils nochmals bedürfe, dichterisch herangeführt. Und so schließt sich denn das angegebene äußere Motiv von selbst an die innern Motive an.

Breslau, den 20. Oktober 1820 K. E. Schubarth

II

Unser gegenwärtiges Interesse an Karl Ernst Schubarth (1796–1861) beruht natürlich vor allem auf seinen ungewöhnlichen persönlichen und brieflichen Beziehungen zu Goethe, die 1818 einsetzen und bis kurz vor dem Tode des Dichters andauern. Gewiß ist Schubarth auch für sich betrachtet keine uninteressante Figur, wennschon der gründliche Gelehrte und selbständige Denker in ihm in seinen schriftlichen Äußerungen und im Druck vorliegenden Werken sich nur selten klar und vorteilhaft widerspiegelt. Sein Stil ist umständlich und schwerfällig, und ein Gefühl des Sich-nicht-genug-tun-könnens verleitet ihn zu ermüdenden Wiederholungen. Die abfällige, geradezu unflätige Weise jedoch, in der Friedrich Theodor Vischer in den *Kritischen Gängen* Schubarth selber, sowie seine 1830 erschienenen *Vorlesungen über Goethes „Faust"* abkanzelt, darf uns nicht irremachen. Der streitbare Tübinger Hegelianer konnte es dem nicht minder streitbaren Schlesier natürlich nicht nachsehen, daß derselbe noch in jungen Jahren sich gegen die herrschende Hegelsche Philosophie aufgelehnt hatte. Den Vischerschen Anwürfen gegenüber stehen jedoch wiederholte Ausdrücke hoher Anerkennung seitens Goethes, der in Briefen an Riemer von dem jungen Manne als von „unserm geistreichen, mutigen, rastlosen Schubarth" spricht (3. Januar 1822) und seine Abhandlung über Homer geradezu als himmlisch bezeichnet (28. Oktober 1821), sowie auch die Äußerung Hermann Hettners, der von Schubarth als von dem Lieblingslehrer seiner Gymnasialzeit sagt: „Ich hatte das Glück sein Schüler zu sein. Ich verdanke ihm meine ganze Richtung." (*Deutsche Rundschau,* V, 24)

Jedenfalls war die kleine Schrift *Zur Beurteilung Goethes,* die Schubarth mit einundzwanzig Jahren, noch als Leipziger Student, verfaßte und die 1818 in Breslau erschien, die erste der Betrachtung Goethes und seiner Werke gewidmete Einzelschrift. Von warmer, wennschon durchaus nicht kritikloser Verehrung Goethes getragen, erzielte sie dessen dankbare Anerkennung und die Ermunterung, „auf dem Wege, den Sie eingeschlagen, standhaft zu verharren". Sie wurde so der Ausgangspunkt eines andauernden persönlichen Verhältnisses zwischen dem Dichter und dem jungen Gelehrten; und wenn dieses Verhältnis von dem Höhepunkt regen Gedankenaustausches, den es in den Jahren 1820–21 erreichte, auch bald wieder herabglitt und zeitweise sogar bedenklichen Spannungen von beiden Seiten unterworfen war, so blieben doch Goethes Achtung vor Schubarths Können und Persönlichkeit und des letzteren Verehrung für Goethes Dichtung und Gedankenwelt davon innerlich unberührt.

Schon in dieser Erstlingsschrift Schubarths steht, jedenfalls in den ausgedehnten „Anmerkungen und Belegen", der Faust im Mittelpunkt seines Interesses, und zwar ist es vor allem die Gestalt des Mephistopheles, um deren Ergründung, nicht als eines Störers der von Gott eingesetzten Weltordnung, sondern als einer heilsamen Gegenkraft gegen die frevelnde Anmaßung des Menschen, er sich in immer erneuten Anläufen abmüht. Das zweite Problem, das ihn dann später noch stärker gefesselt hat, die Frage nach der Fortsetzung und dem Ausgang der Dichtung, besteht in dieser ersten Schrift für Schubarth noch nicht. Im Gegenteil, er hält die Dichtung für durchaus abgeschlossen. Zur Strafe für sein überhebliches Begehren im Reiche des Wissens und Erkennens wird Faust durch Mephistopheles in wirkliches Unglück und Elend im Gebiet rein menschlicher Verhältnisse verstrickt und dadurch zur Einsicht seiner falschen Lebensanschauung gebracht.

Diese Auffassung Schubarths bleibt bestehen in der zweiten, bedeutend vermehrten Auflage des Büchleins, die im Sommer 1820 in zwei Bänden erschien. Nicht nur werden die den Faust betreffenden Partien aus der ersten Auflage so gut wie unverändert beibehalten, sondern das, was in diesem Zusammenhang Neues hinzukommt, betont eher noch stärker als vorher das auf Wiederherstellung des Rechten und Natürlichen gerichtete Wesen des Mephistopheles und den durchaus befriedigenden Abschluß der Dichtung. Zur Erhärtung der ersteren Ansicht beruft sich Schubarth nicht nur auf die Worte des Herrn im Prolog oder auf das Selbstgespräch des Mephistopheles am Schluß der Paktszene, sondern auch auf dessen Selbstcharakteristik im Festzug vom 18. Dezember 1818:

> Man sagt mir nach, ich sei ein böser Geist,
> Doch glaubt es nicht! Fürwahr ich bin nicht schlimmer
> Als mancher, der sich hoch fürtrefflich preist.

Was den zweiten Punkt, die Abgeschlossenheit des Werkes, betrifft, so glaubt Schubarth jetzt (II, 229) sogar dartun zu können, „daß eigentlich diejenigen, welche eine Begnadigung des Faust verlangen, eine Unsittlichkeit fordern", und er läßt in einem letzten Abschnitt, „Schlußbemerkungen über Faust", den ganzen ersten Band in die Worte ausklingen:

> Er wird Erquickung sich umsonst erflehn,
> Und hätt' er sich auch nicht dem Teufel übergeben,
> Er müßte doch zugrunde gehn.

Charakteristisch für die Selbständigkeit und den Freimut des jungen Mannes, der im Laufe des Jahres 1819 die Neubearbeitung in handschriftlichen Fassungen zur Beurteilung an Goethe schickt, sind Stellen wie die folgenden, die sich allerdings bereits in der ersten Auflage fanden, aber auch jetzt unverändert beibehalten werden:

„Ich liebe und verehre Goethen um . . . jener tiefen Wahrheiten willen, welche durch sein Leben und seine Werke unstreitig hindurchgehen. Indeß will mir der Weg dennoch nicht gefallen, den er sich genötigt befunden einzuschlagen . . . Es ist jener Weg, daß er das Wahre am Irrtum entwickelt, und zuerst immer recht entschieden geirrt haben muß, um zu erkennen, was Wahrheit sei." (I, 265 f.)

„Von unserm Goethe aber sei es gesagt, daß ich Shakespeare ihm . . . vorziehe . . ." (I, 269)

Und bei einem Vergleich der ersten, Göschenschen Ausgabe von Goethes Dichtungen mit den späteren bei Unger erschienenen Werken urteilt Schubarth: „an Poesie, Gefühl, Wahrheit, Wirklichkeit, Unmittelbarkeit, Leichtigkeit, Produktion stehen sie unendlich hinter den Werken der ersten Epoche." Ja, er behauptet mit heftigem

Ausfall gegen F. A. Wolf, Goethe sei in den Werken der zweiten Epoche im Grund weniger wirklich *antik* als in denen der ersten. (II, 141 f.)

Goethe läßt sich diese und ähnlich freimütige Äußerungen nicht anfechten, und als Schubarth ihm im Mai 1820 den ersten Band des erweiterten Werkes zuschickt, dankt ihm Goethe in dem schönen, mitteilsamen Brief vom 9. Juli 1820. Er hat der lieben Sendung mehrere Abende und Nächte gewidmet und obgleich er davon absieht, „bei einzelnen Stellen meinen motivierten Beifall aufzuschreiben", so versichert er den Verfasser seiner Zustimmung im Ganzen; „denn nicht allein koinzidiert das meiste mit meiner eigensten Vorstellung, sondern auch da, wo Sie an mir auszusetzen haben, wo Sie mir widersprechen, würde sich mit wenigen Worten eine Gleichförmigkeit herstellen". Mit Ungeduld erwartet er den zweiten Teil, „damit er mich noch ganz von dem Interesse des ersten warm finde". Für das „erbauliche Vergnügen", das ihm dieser zweite Teil gewährt, dankt er dann allerdings am 22. August 1820 nur in aller Kürze. Doch bittet er Schubarth um eine kritische Würdigung des von ihm selber sehr geschätzten romantischen Versepos *Olfried und Lisena,* sicher als eine Art Probe für spätere literarische Zusammenarbeit. Denn es kann keinem Zweifel unterliegen, daß, wenn nicht von Anfang an, wie Max Hecker wohl richtig vermutet, Goethe jetzt jedenfalls hofft, in Schubarth eine geeignete junge Kraft zu finden, wie er sie für die geplante Neuausgabe seiner Werke und die Ordnung seines Nachlasses nötig hat. Wäre Schubarth nicht, wie sich bald zeigen sollte, eine so polemische, teils zu Überheblichkeit, teils zu Mißmut, Argwohn und Niedergeschlagenheit neigende Natur gewesen, so wäre er wohl sicher Goethes Eckermann geworden.

Zunächst ist Goethe voller Hoffnung, und als Schubarth für den September seinen Besuch ansagt, schreibt er ihm: „Sie sollen zum schönsten willkommen sein, und wir dürfen uns für beide gar manchen Vorteil von kürzerem oder längerem Zusammensein versprechen." Es trifft sich gut, daß Goethe zur Zeit in Jena weilt, wo er sich ungestört durch Hof und Familie seinem Besucher widmen kann. Und tatsächlich, während der fünf Tage, die Schubarth in Begleitung seines Bruders in Jena zubringt, ist er tagtäglich Goethes

Mittagsgast und, wie die sorgfältigen Tagebucheintragungen beweisen, finden an jedem dieser Tage stundenlange Unterhaltungen statt zwischen dem siebzigjährigen Dichter und dem vierundzwanzigjährigen Besucher. Gleich am ersten Tage trägt Goethe ein: „Kam Schubarth an von Breslau und blieb zu Tische . . . Unterhaltung mit Schubarth, welcher zu Knebel fuhr, abends wiederkam, das Gespräch fortzusetzen." Am nächsten Tage: „Schubarth Mittags zu Tische. Ausführliche Verhandlung über mehrere bedeutenden Gegenstände. Bis Abends 6 Uhr, wo er zu Frommanns ging". Am 26.: „Bei Zeiten mit Dr. Schubarth ausgefahren. Besuch bei Knebel . . . Schubarth zu Tische. Fernere Verhandlung über die litterarischen, sittlichen und theologischen Gegenstände; bis gegen Abend." Am 27.: „Schubarth über griechische und lateinische Studien, . . . fortgesetzte gestrige Unterhaltung über das Fragmentarische des Faust und zu wünschende Vollendung . . . die beiden Brüder zu Tische" und endlich am 28.: „fortgesetzte Unterhaltung über Motive der bildenden Kunst, Religiöses, Philosophisches, Politisches . . . Mittags beide Brüder. Um 4 Uhr zu Knebel. Um 5 Uhr zu Hause. Schlußunterhaltung mit dem jüngeren Schubarth. Abschied".

Aus diesen absichtlich ausführlich, aber noch nicht einmal vollständig wiedergegebenen Eintragungen erkennen wir, daß Goethe sich von Schubarth außerordentlich muß angezogen gefühlt haben und sich augenscheinlich bemühte, ihn in ein tieferes Verständnis seines eigenen Denkens und Dichtens einzuführen. Voll von diesen Eindrücken und Anregungen, die auf den jungen Schubarth ebenso überwältigend als verheißungsvoll eingewirkt haben müssen, kehrt dieser nach Breslau zurück und verfaßt das oben mitgeteilte Schreiben, das fast ausschließlich Betrachtungen über den *Faust* gewidmet ist. Mit ungewohnter Schnelligkeit und in Ausdrücken freudigster Anerkennung antwortet Goethe in dem berühmten, oft zitierten Brief vom 3. November, und für die Heimfahrt nach Weimar am folgenden Tage notiert er im Tagebuch noch obendrein: „Unterwegs Schubarths Betrachtungen über Faust durchgedacht." Man beachte den Ausdruck.

In diesem Briefe schreibt Goethe[1]: „Ihre reichliche Sendung, mein werter Freund, hat mich sehr gefreut, und ich genieße die Frucht eines persönlichen Zusammenseins; wie Sie sichs denken, ist mir alles vollkommen klar.

„Mit Ihren Blättern bin ich dergestalt zufrieden, daß ich wünschte, sie wären gedruckt, ohne irgend eine Abänderung. Haben Sie keine Copie, so schicke ich eine, denn wer weiß, ob es gelänge, sich zum zweitenmal von Grund aus so entschieden auszudrücken.

„Was Sie von Zueignung und Vorspiel sagen, ist untadelig: rührend aber waren mir Ihre Conjekturen über den zweiten Teil des Faust und über die Auflösung. Daß man sich dem Ideellen nähern und zuletzt darin sich entfalten werde, haben Sie ganz richtig gefühlt; allein meine Behandlung mußte ihren eignen Weg nehmen: und es gibt noch manche herrliche, reale und phantastische Irrtümer auf Erden, in welchen der arme Mensch sich edler, würdiger, höher als im ersten, gemeinen Teile geschieht, verlieren dürfte.

„Durch diese sollte unser Freund Faust sich auch durchwürgen. In der Einsamkeit der Jugend hätte ich's aus Ahnung geleistet, am hellen Tage der Welt säh es wie ein Pasquill aus.

„Auch den Ausgang haben Sie richtig gefühlt. — Mephistopheles darf seine Wette nur halb gewinnen, und wenn die halbe Schuld auf Faust ruhen bleibt, so tritt das Begnadigungs-Recht des alten Herrn sogleich herein, zum heitersten Schluß des Ganzen.

„Sie haben mich hierüber wieder so lebhaft denken machen, daß ich's, Ihnen zu Liebe, noch schreiben wollte . . ." (D. h. noch vor dem Aufbruch nach Weimar.)

Nun ist aber das Überraschende, daß fast unmittelbar nach diesem vielversprechenden Meinungsaustausch jedes weitere Eingehen auf Faustprobleme seitens Goethes abbricht, so sehr auch Schubarth bemüht ist, Goethe zu einer zustimmenden oder ablehnenden Rückäußerung zu bewegen zu seinen immer neuen Versuchen, den weiteren Verlauf und Ausgang der Dichtung zu erraten. Briefe Schubarths folgen jetzt in überstürzt rascher Folge. In zum Teil ausgedehnten Schreiben vom 23., vom 25. und vom 26. November kommt er unter anderem immer wieder auf den *Faust* zu sprechen. Im Brief vom 25. November findet sich z. B. der folgende charakteristische Satz: „Wenn ich daher früher den Mephistopheles nur lieb hatte, weil er den Wunderlichkeiten Faustens in den Weg trat, die ich nicht begreifen konnte, und ich mir ihn als ein ganz subjektives Wahnwesen, dessen andere objektive Seite gar kein Teufel sei, gern vorstellte, so kehre ich es um und suche, mich von seiner objektiven Realität als Teufel und Satan recht zu durchdringen." Am 2. Dezember endlich schickt er auf sechs engbeschriebenen Quartseiten Vermutungen über den zweiten Teil, die mit den Worten schließen: „Mögen mir Ew. Exzellenz verzeihen, daß ich mit Mutmaßungen über das seltene Werk Sie und mich doch nur — — hinhalte! Es soll das letzte Mal sein, daß es geschieht." Hier heißt es, in allerdings nicht sonderlich klaren Wendungen, von der Beruhigung Fausts durch Mephistopheles nach den erschütternden Erlebnissen am Ende des ersten Teils: „Was es auch sei, womit er ihn sänftigt, sei es durch gauklerischen Scherz voll Anmut und Lieblichkeit mit einem glücklichen Gewahrwerdenlassen der Kraft, des Frohsinns, des Gewinnes, des Gelingens, der Lust und Fülle in andern: etwas muß es auf jeden Fall sein, wodurch der Freund von jenem trüben Starren auf die gelindere Vergleichung seiner selbst und des Verwandten[2] still und heimlich hingeleitet wird." Jedenfalls muß Mephistopheles versprechen, „keine Abgeschmacktheiten den vorigen gleich zu begehen" und bemüht sich, „seinem Gebieter die trefflichsten und ergötzlichsten Künste vorzuführen". Da der erste Teil die Blocksbergszenen gebracht hätte, „Warum sollte Faust jetzt nicht eine Art von Sommernachtstraum durchleben, nachdem er die lange Nacht überstanden?" Wir erfahren dann, „daß Mephistopheles und Faust im zweiten Teile Kaiser und Reich, dann Italien besuchen und alles Treffliche, Bedeutendste sowohl vom Menschen her als zu Land, Luft und Wasser beschauen". Mephistopheles versucht, durch fromme hübsche Nönnchen den Trieb zum Weibe wieder in Faust zu wecken. Da geschieht „das Unglaubliche, das für unmöglich Gehaltene". Er findet mit einem Male „die verlorene Freundin verändert, erhöht, daneben das Kind!" Gretchen hat es nicht getötet. Sie ist wahnsinnig geworden, weil es ihr (durch Mephistopheles?) geraubt worden ist. Faust „will auf sie zueilen, um sich ihr ewig wieder hinzugeben. Doch nein! das kann er nicht. Nur Vergebung will er flehen und Reue stammeln". Mephistopheles sucht ihn zurückzuhalten und ruft: „Bedenke Mensch, es gilt Zeit und Ewigkeit diesem Beginnen!" Faust läßt sich nicht abhalten. „Laß es immer die Ewigkeit vergelten, erwidert Faust. Nimm immer sie hin, die ich doch nicht verdiene. Allein dieser Augenblick, dieser einzige volle, wo ich die Wahrheit des Besessenen wieder erringe, sei es auch nur als Büßender im nie empfundenen Gefühl der Reue, er sei mein, er verweile und fliehe nicht, wie alles was ich bisher haschte, ohne es doch je zu ergreifen! Zu den Füßen dieser Heiligen will ich flehen, in ihr liebes Antlitz schauen, ob sie mir vergeben, ob noch irgend eine Regung— —Ja, um der Wonne, des Trosts dieser einzigen, letzten, reinen, seligen Augenblicke, Teufel, will ich, muß es denn so sein, gern allen deinen nächsten Schrecknissen angehören!"

„Er stürzt hin, und Mephistopheles blickt grimmig seiner Beute nach, die er trotz ihres augenblicklichen Entrinnens doch noch wiederzuerlangen zählt. Da erbebt es im Grunde, und aus Höhen senkt sich eine Lichterscheinung mit machtvollem Rufe!"

„Es sind drei himmlische Gestalten, die Faust, die Freundin und das Kind schürmend umgeben. Wir wissen nicht, wie es geschieht, doch wir sind am urersten Platze wieder. . . . Faust am Ziel begnadigt, und eben so allen Widersachern vergebend, schaut aus reiner Höhe in den schwülen Tag des Lebens hinein und erkennt nunmehr die labyrinthischen Irrgänge als notwendige sogar, um zum höchsten Geschicke zu gelangen, dessen er jetzt teilhaftig ist."

Es liegt auf der Hand, daß in diesem Ergänzungsversuch vom 2. Dezember 1820 Schubarth bemüht ist, das, was er im Oktober so sehr zu Goethes Zufriedenheit in der Form allgemeiner ethisch-philosophischer Erwägungen ausgesprochen hatte, nun mit den realistischen Motiven eines tatsächlichen dichterischen Handlungsverlaufs auszufüllen, und es ist klar, daß er dabei seine früheren Anschauungen in der „Beurteilung Goethes" preisgibt und statt dessen versucht, sich nicht nur den von Goethe gebilligten Vermutungen seines Oktoberbriefes, sondern auch den in Goethes Antwortschreiben enthaltenen Andeutungen anzupassen. Ja, man darf wohl sicher annehmen, daß die vorherige mündliche Aussprache in Weimar den einen oder anderen Fingerzeig gegeben haben möchte. Jedenfalls bewegt sich die Handlung tatsächlich „auf einem höheren, würdigeren Niveau". Dabei verbleibt Faust, obwohl er eigentliche

Verschuldungen vermeidet, doch, wie er zuletzt erkennt, auf der Bahn des Irrtums. Nur gegen das Ende entfaltet sich die Handlung im Gebiet des Ideellen. Faust löst sich innerlich von Mephistopheles, der sich nunmehr als grimmiger Teufel enthüllt. Er spricht den verhängnisvollen Wunsch nach dem Verweilen des Augenblicks beim Wiederfinden Gretchens in einem Gefühl beseligender Klarheit, und die Handlung schließt in überirdischen Sphären mit der als berechtigt empfundenen Begnadigung Fausts und seiner Vereinigung mit der verklärten Geliebten.

Ganz anders sehen die Dinge aus in dem um ein Jahr späteren Entwurf vom Januar 1822, den Max Hecker mitgeteilt hat. Hier ist alles fast ins Gegenteil verkehrt. Mit fast ostentativer Schärfe greift Schubarth auf die Mephistopheles-Auffassung seiner früheren Anschauungen zurück. Mephistopheles meint es wieder gut mit den Menschen und so auch mit Faust. Durch ihn wird Faust von seinen krankhaften Trieben übermenschlichen Begehrens geheilt und bekennt sich zu einem selbstgefälligen Banausentum in der Sphäre sinnlicher Behaglichkeit und Selbstbescheidung, wo ihm Glück und Erfolg und Ruhm zuteil wird. Dem Herrn gegenüber tritt er dann in der breit ausgeführten Schlußszene durchaus auf die Seite des Mephistopheles, der ihm immer werter geworden sei. Hier wird buchstäblich Ernst gemacht mit den Worten:

> Ich habe mich zu hoch gebläht,
> In deinen Rang gehör' ich nur.

Es ist nicht leicht, eine natürliche Erklärung zu finden für diese launenhaft-verbitterte, Goethe geradezu herausfordernde Umstellung Schubarths, der hiermit wirklich Schluß macht mit seinen Versuchen, Goethe zu einer Gegenäußerung zu bewegen. In der kurzlebigen Zeitschrift *Palaeophron und Neoterpe,* die Schubarth 1823–24 herausgibt und worin eine Reihe von Aufsätzen sich mit Werken Goethes befassen, wird dem *Faust* nur wenig Aufmerksamkeit geschenkt und die Frage von Fortsetzung und Abschluß in keiner Weise mehr berührt. Erst 1830 in seinen *Vorlesungen über Goethes „Faust"* kommt Schubarth wieder auf das einst so leidenschaftlich erfaßte Problem zurück, d. h. zu einer Zeit, wo ihm die Eingangsszene des

Zweiten Teils, die ersten Szenen in der Kaiserlichen Pfalz und die Helena bereits im Druck vorliegen. Was Schubarth hier nun an Vermutungen über den weiteren Verlauf und den Ausgang bringt, wendet sich bei aller Verschiedenheit im einzelnen wieder zu der Auffassung von 1820 zurück. Durch die Erscheinung, allerdings nicht Gretchens, wohl aber eines wunderholdesten Frauenbildes, in dem sich „alles Schöne, Sittliche, Große, Reine, Keusche, Hohe, Liebenswerte, was der Dichter an seine Natalien, Eugenien, Ottilien, Eleonoren einzeln ausgeteilt hat", vereint darstellt, wird Faust klar, „daß das Leben denn doch noch eine höhere und andere Auskunft biete, als die, für welche Mephistopheles ihn gewonnen". Für eine Neugestaltung seines irdischen Daseins kommt ihm diese Einsicht zu spät, aber eine „Begnadigungsszene der höchsten, erhabensten Art eines reuigen, zum Selbstgeständnis des Fehls gelangten Sünders würde sich vor uns entwickeln", und in den himmlischen Sphären werde Faust „auf der Erde Versäumtes bei nunmehr geklärtem und verklärtem Blicke nachzuholen" imstande sein.

Einen allerletzten Versuch der Deutung, der mir soweit unzugänglich geblieben ist, schickt endlich Schubarth an Goethe in einem Briefe vom 4. Januar 1832. Er ist in der Form einer dreizehnten Vorlesung zum Faust, also eine Art Nachtrag zu den zwölf Vorlesungen des Buches von 1830. Dieser Brief Schubarths enthielt zugleich die Mitteilung seiner endgültigen Anstellung am Hirschberger Gymnasium. In einem teilnehmend gütigen längeren Schreiben vom 14. Februar 1832 antwortet Goethe. Was er darin aber wie nebenbei über die Faustbeilage sagt, ist im Grunde ablehnend. Für das Faustbuch von 1830 hatte er sich nur kurz bedankt und hinzugefügt: „Es muß mir immer merkwürdig bleiben, was dieses wundersame Werk aufregt und zu was für Betrachtungen es Veranlassung gibt." Jetzt schreibt er: „Mein Faust ist abgeschlossen; erscheint er dereinst, so werden Sie selbst beurteilen, inwiefern Sie sich meiner Gesinnung und Behandlungsweise genähert oder inwiefern Sie sich davon ferngehalten haben." Wie diese höflich unbestimmten Worte aber gemeint sind, ergibt sich deutlich aus einem ersten Entwurf des Briefes („Briefe" 49, 433), worin es heißt: „Wie ich meinen Faust abgeschlossen habe, sollten Sie dem Dichter überlassen . . . Ihre Fortsetzung ist durchaus prosaisch wirklich; die meine, wie auch schon der Anfang des zweiten Teils poetisch-symbolisch. Doch das sei alles künftigen Tagen vorbehalten."

Zu dem Fortsetzungsversuch vom 2. Dezember 1820 hatte sich Goethe überhaupt nicht geäußert. Er bewahrt Schubarth seine Teilnahme und seine hohe Einschätzung seiner Kenntnisse und Fähigkeiten, aber auf Faustfragen ist er nicht gewillt, sich weiter mit ihm einzulassen. Deutlichst kommt dieser Entschluß zum Ausdruck gleich in dem nächsten Brief Goethes (12 Januar 1821), der auf sein enthusiastisches Zustimmungsschreiben vom 2. November 1820 folgt. Inzwischen sind die obenerwähnten hastig aufeinanderfolgenden Briefe Schubarths vom 23. November bis 2. Dezember eingetroffen, und Schubarth hatte am 25. November geschrieben: „Ew. Exzellenz äußern, Sie sähen das, was ich in meinem vorhergehenden Schreiben über Zueignung und Vorspiel gesagt, am liebsten gedruckt" und hinzugefügt, wie es durchaus den Worten Goethes entsprach: „Sollte indessen wohl das ganze Schreiben unverändert abgedruckt werden? Und wo?" Und Goethe, der vorher sich sogar erboten hatte, eine Abschrift herstellen zu lassen, berührt in seinem eingehenden Antwortschreiben diese Frage überhaupt nicht und vermeidet es offensichtlich, auch nur mit einem Worte anzudeuten, daß es sich in Schubarths Zuschriften doch nicht nur um Homer gehandelt habe, sondern unter anderem und mit an erster Stelle auch um Faust.

Schubarth, der nach den Tagen in Jena und nach Goethes Brief vom 2. November 1820 sich zu ganz anderen Erwartungen berechtigt gefühlt hat, muß tief enttäuscht worden sein. Jedenfalls schreibt er fast umgehend (20. Januar 1821), er habe sich entschlossen, seine, „bisherige literarische Laufbahn aufzugeben", eine Anstellung zu suchen und zu heiraten. Auch sein bilderstürmerischer Ergänzungsversuch vom Januar 1822, mit dem sich Goethe am 11. und 12. Februar beschäftigt haben muß, erzielt kein Wort der Erwiderung. Hatte Schubarth hier, wie ich annehmen möchte, gehofft, durch den Vortrag ausgesprochen ketzerischer Ansichten Goethe zu einer Stellungnahme zu nötigen, die dem früheren Versuch versagt geblieben war, so hatte er sich gründlich getäuscht. Nicht besser erging es ihm mit der Zeitschrift *Palaeophron und Neoterpe,* die er 1823–24 Goethe zuschickt, und die vier Aufsätze zu Goethischen Werken enthielt, wovon einer sich mit Zueignung und Vorspiel zu Goethes Faust befaßte. Charakteristisch für die jetzt an Erbitterung grenzende Mißstimmung Schubarths Goethe gegenüber, die sich auch sonst schon gelegentlich geäußert hatte, sind hier nicht nur eine Reihe scharfer Ausfälle gegen Goethesche Dichtungen, sondern auch der Umstand, daß Schubarth jetzt nicht daran denkt, die von Goethe so hochbelobten Blätter vom Oktober 1820 abzudrucken, wo er doch dazu die beste Gelegenheit gehabt hätte. Ja, in dem Aufsatz über Zueignung und Vorspiel, der ganz andern Inhalts ist als die von Goethe als „untadelig" bezeichneten Ausführungen[3], vermeidet Schubarth offensichtlich auch da, wo seine jetzige Darstellung sich mit der früheren einigermaßen berührt, jede sprachliche Angleichung. In dem umfangreichsten der vier Aufsätze, der unter dem Titel „Tragischer Roman" vor allem *Die Wahlverwandtschaften* behandelt, kommt Schubarth auch auf *Götz, Werther, Clavigo, Egmont, Faust* zu sprechen, deren Gegenstände alle als ungenügende Motive, deren Hauptcharaktere als nicht vollwertig bezeichnet werden. Da heißt es dann (S. 168): „Was sagen wir von Faust? Man braucht ganz und gar nicht teufelhaft gesinnt zu sein, um sich zu entschließen, dem Mephistopheles gegen diesen ganz unzulänglichen Helden Recht zu geben. Schwerlich möchte die eigentlich tragische Situation in irgendeiner dramatischen Produktion zugleich komischer und mehr ins Lächerliche fallend gefunden werden als in dieser."

Auch auf diese Zusendung geht Goethe mit keinem Worte ein, wie denn überhaupt während der Jahre 1823 und 1824 der Briefwechsel vollkommen stockt. Ungünstig auf die Beziehungen Schubarths zu Goethe wirkte es nun weiter ein, daß Goethes Bemühungen, dem jungen Ehemann zu einer bürgerlichen Versorgung zu verhelfen, ergebnislos bleiben, und daß ein Versuch, Schubarth an der Redaktion der neuen Ausgabe der Werke Goethes zu beteiligen, sich wieder zerschlägt. Inzwischen hat Goethe Eckermann nach Weimar gezogen, und die Goethe-Bücher von Zauper, Eckermann, Hinrichs u. a. sind erschienen. Schubarth, der sich zur Zeit kümmerlich als Privatlehrer durchschlägt, verliert Geduld und Selbstbeherrschung und schreibt am 3. Dezember 1826 einen langen, bitterbösen Brief an Goethe voller Klagen, Anklagen und Forderungen, dessen Inhalt in der Weimarer Ausgabe („Briefe", 42, 292 f.) kurz wiedergegeben wird. Goethe habe ihn immer nur hingehalten mit nichtssagenden Wendungen allgemeinster Art. Er habe ihn nie gewürdigt, seine „wahre Meinung" zu erfahren. Er, Schubarth, habe daher jeden weiteren geistigen Verkehr mit Goethe aufgegeben und sich gehütet, sich weiter mit seinen Werken zu beschäftigen. Goethes rasch erfolgende Antwort vom 17. Januar, in der Schubarth als Ew. Wohlgeboren angeredet wird, geht auf diese Vorwürfe mit keinem Worte ein, verspricht aber die von Schubarth geradezu geforderte Unterstützung seiner Bewerbung um eine Anstellung an der Liegnitzer Ritterakademie. Trotz sorgfältigster Vorbereitung seitens Goethes mißlingt auch dieser Versuch.

Traurig, ja geradezu erschütternd wäre es, wenn das einst so schön und hoffnungsfroh begonnene Verhältnis hier seinen unerfreulichen Abschluß gefunden hätte. Das ist glücklicherweise nicht der Fall. Auf einen Versuch Schubarths, Goethe für eine polemische, gegen Hegel gerichtete philosophische Abhandlung zu interessieren, antwortet dieser freundlich, aber ablehnend. Dagegen führt die Veröffentlichung der Schubarthschen *Vorlesungen über Goethes Faust,* deren Widmung Goethe annimmt, und vor allem die endlich erreichte Anstellung Schubarths am Hirschberger Gymnasium nun doch noch zu einem versöhnlichen, menschlich-schönen Ausklang. Einer der ganz späten Briefe des Dichters (14. Februar 1832), der Schubarth als „mein Teuerster" anredet und „Unwandelbar teilnehmend" unterzeichnet ist, atmet warmen Anteil und treue Besorgnis. Rührend wirkt es geradezu, wenn der greise Seelenkenner und Pädagoge dem jungen Stürmer zuletzt den Wunsch zuruft: „Möge Ihnen alles gelingen, welches Sie nach Erkenntnis Ihres Kreises mit gutem Willen und ruhiger Tat unternehmen und wirken." Denn Schubarths unwiderstehliche Widerspruchslust und überstürzte Hast, die keine innere Ruhe und Befriedigung aufkommen ließen, waren es gewesen, die Goethe bereits im Jahre 1822 (5. September) veranlaßt hatten, in einem Brief an Staatsrat Schultz in Berlin, dem er Schubarth empfohlen hatte, wie folgt zu schreiben: „Auch von Schubarth wünscht' ich das Nähere zu hören; schon seit geraumer Zeit fang' ich an, für ihn zu fürchten, er gehört unter die Menschen, dergleichen mir in meinem Leben viel zu schaffen gemacht; man kann sie nicht fördern, ihnen nicht helfen; sie kämpfen sich freilich durch, aber mit Verlust der schönsten Lebenszeit."

Damals hatte Goethe den Plan engerer Zusammenarbeit mit Schubarth sicher schon fallen lassen, und bald danach entscheidet er sich für Eckermann, von dem er am 11. Juni 1823 an Schultz schreibt: „er hat sich gleichfalls an mir herangebildet und möchte zwischen Schubarth und Zauper in die Mitte zu stehen kommen; nicht so kräftig und resolut wie jener, nähert er sich diesem in Klarheit und Zartheit."

III

Die vorstehende kurze Übersicht über das Verhältnis Schubarths zu Goethe macht es klar, daß es starken Schwankungen unterworfen war, sowohl nach der Seite der persönlichen, wie der literarischen Beziehungen. Gewiß ist Schubarth nie an seiner bewundernden Anerkennung Goethes irre geworden, aber von einer wirklichen Sonnennähe dieser seiner Planetenbahn können wir auf Grund der vorliegenden gedruckten und schriftlichen Äußerungen eigentlich nur während der Jahre 1818 bis Ende 1821 sprechen. Schon die von Max Hecker im Rahmen eines Symposiums zeitgenössischer Goetheverehrung mitgeteilten Faustbetrachtungen Schubarths vom Januar 1822 gehören, wie wir gesehen haben, in die nun einsetzende Zeit seiner Verstimmung und Widerspenstigkeit. Goethe hat das, was im Grunde Ausfluß einer Haßliebe schmerzlicher Enttäuschung war, sicher nicht mißverstanden und deshalb auch Schubarth nicht entgelten lassen, jedoch sich eben so beharrlich geweigert, auf dessen andringendes Begehren nach einer Fortsetzung eines Meinungsaustausches im Sinne des vom Herbst 1820 weiter einzugehen.

Die oben mitgeteilten zwei Briefe Schubarths und Goethes bilden demnach für uns, da wir über den genaueren Inhalt der mündlichen Verhandlungen in Jena nichts weiter wissen, den wahrhaft fruchtbaren Höhepunkt der ganzen Beziehungsreihe, und es ist ein glücklicher Zufall, daß es sich hier gerade um den *Faust* handelt. Für Goethe dürften andre Gegenstände der gegenseitigen Aussprache damals weit interessanter gewesen sein; auf Schubarth dagegen haben sicher die Aufschlüsse oder Andeutungen, die ihm über „das Fragmentarische des Faust und zu wünschende Vollendung“ zuteil wurden, den anregendsten Einfluß ausgeübt. Als er, in die Heimat zurückgekehrt, alles überdenkt, was ihm mitgeteilt worden ist, kann er es nicht lassen, den *Faust* wieder vorzunehmen und in ausführlichem Schreiben Goethe mitzuteilen, wie ihm die Dinge nun erscheinen und wie er sich den weiteren Verlauf und Ausgang vorstellt. Hierbei ist festzuhalten, daß, wie oben nachgewiesen, seine eigne vorherige Ansicht grundverschieden gewesen war, während seine jetzige Darstellung das zu verwerten sucht, was er durch Goethe erfahren haben mag.

Es sind zwei voneinander unabhängige Fragen, zu denen sich Schubarth äußert. Die eine, über die innere Bedeutung der Zueignung und des Vorspiels, berührt die eigentliche Faustdichtung nur nach der formalen Seite. Die andre, über den weiteren Verlauf der Handlung im zweiten Teil und die endgültige Lösung, betrifft dagegen grundsätzliche Probleme von höchster Wichtigkeit, über die gerade wieder in letzter Zeit die Meinungen stark auseinandergehen. Der interpretative Wert des Schriftstücks liegt dabei natürlich in der ausgesprochenen, wenn auch nicht uneingeschränkten Billigung, die Goethe der Behandlung der letzteren Frage zuteil werden läßt, und in dem Lichte, das die Schubarthsche Dartstellung auf diejenigen von Goethes eignen Äußerungen wirft, die für sich genommen verschieden gedeutet werden könnten und verschieden gedeutet worden sind.

Erledigen wir der Einfachheit halber zunächst das wenige, was zu den Schubarthschen Äußerungen zu „Zueignung“ und „Vorspiel“ zu sagen ist. Er beginnt mit einer kurzen, knappen Umrißskizze, auf die das Goethische Lobeswort „untadelig“ am ehesten passen dürfte und worin er sehr hübsch sich den Dichter denkt „als Faust für die ersten Szenen sich kostümierend und die lustige Person als Mephistopheles schon gekleidet“. Was er dann weiter in der letzten Hälfte des Schreibens philosophiert über das Verhältnis des dramatischen Dichters und seines Werkes zu den idealen Forderungen hoher Kunst und zu den gröberen Ansprüchen einer tatsächlichen Aufführung und wie er diese Erwägungen auf den *Faust* anwendet, ist nicht uninteressant, aber doch recht weitschweifig ausgeführt. Das Beste daran faßt er dann wieder straffer zusammen in dem zwei Tage später verfaßten „Überblick", mit dem er schließt. Als imaginäres Bühnenbild für das Vorspiel denkt er sich das ganze Theater vorgeführt, auf der einen Seite die der Aufführung gewärtigen Zuschauer, daneben in einem andern Teil des Bühnenlokals, etwa in der Garderobe, die drei Personen im Gespräch. Von Interesse ist auch der innere Zusammenhang, den er zu erkennen vermeint zwischen der primitiven Technik des Puppenspiels, mit dem der Fauststoff im vorgoethischen deutschen Theater verwachsen war, der unregelmäßigen Form des Sturm-und-Drang-Dramas in der Zeit, da Goethe den Stoff zuerst in Angriff nahm, und der wiederum „verwilderten" Form des romantischen Dramas im ersten Jahrzehnt des 19. Jahrhunderts, die Goethe, wie er meint, ermutigt habe, sich dem Werk wieder zuzuwenden, es abzuschließen und zu veröffentlichen. Bedenkt man, wie Schubarth hier, ganz auf sich angewiesen, an der Spitze der späteren Legion von Faustinterpreten marschiert, so gewinnen seine hübschen, auf lebendiger Einfühlung und Vergegenständlichung beruhenden Bemerkungen an Wert und Bedeutung, und man kann wohl verstehen, wie Goethe daran seine Freude haben konnte.

Viel schwieriger und komplizierter, aber auch von ungleich grösserer Wichtigkeit ist die Frage nach den genaueren Beziehungen zwischen Schubarths Ausführungen über Fortgang und Abschluß der Dichtung und Goethes für unsre Wünsche immer noch recht knappen Äußerungen dazu. Tatsächlich enthält ja dieser Brief Goethes an Schubarth die einzigen absolut authentischen Bemerkungen des Dichters über den Gesamtverlauf und die Auflösung der Handlung im zweiten Teil, die auf uns gekommen sind; und diese Bemerkungen betreffen nicht nur Tatsachen des dichterischen Inhalts, sondern sie vermitteln uns, deutlicher als irgendwelche sonstigen überlieferten Berichte, Goethes eigenes ethisches Werturteil über die Gesamtentwicklung und den Ausgang von Fausts irdischem Bemühen. Was wir an anderen Äußerungen ähnlicher Art aus Goethes später Zeit besitzen, besteht fast ausschließlich in Berichten über mündliche Mitteilungen, hauptsächlich seitens Eckermanns, über deren Verläßlichkeit man leicht Zweifel erheben kann, wenn sie zur eignen Auffassung nicht passen, während man sie zu Kronzeugen erhebt, wo das der Fall ist.

In dem Schubarthschen Schreiben finden sich nun Betrachtungen, auf die Goethe in seiner Antwort nicht eingeht, weder zustimmend noch ablehnend. Es gilt das von den allerdings recht vorsichtigen Andeutungen vom Wesen des Mephistopheles als eines Geistes, der im Grunde selber das Rechte und Gute für die Menschen will, womit also Schubarth festhält an seiner oben gekennzeichneten Auffassung in der *Beurteilung Goethes*. Es gilt das weiter von dem von Schubarth breit und in immer neuen Wiederholungen ausgeführten „Grundgedanken", daß Faust im Banne einer falschen, also nur eingebildeten, „ideierten" Anschauung von dem, was im menschlichen Dasein allein begehrenswert, leider aber auch unerfüllbar sei, zur Verzweiflung am Wert des ganzen menschlichen Lebens getrieben werde, daß er aber durch die Verschuldung an Gretchen und ihre Folgen zur Einsicht komme über dieses falsche Paar von Wert und Unwert, von Gut und Schlecht, von Glück und Unglück, an dem er zugrunde zu gehen droht. Denn da er nun das wahrhaft Üble und Schlimme des Lebens kennenlerne, so gehe ihm dadurch auch das Verständnis auf für das gegensätzlich damit verknüpfte wahrhaft Gute und Rechte, das nicht im Streben nach schrankenloser Erkenntnis zu suchen und zu finden sei, sondern im Gebiet des Handelns und der menschlichen Beziehungen zueinander, im Bereich der Pflichten und des Gewissens. Auch hierzu äußert sich Goethe nicht, obwohl er in seiner Antwort sagt: „wer weiß, ob es gelänge, sich zum zweitenmal von Grund aus so entschieden auszudrücken", wobei er den Lesarten der Weimarer Ausgabe nach die Worte „von Grund aus" im Konzept eigenhändig am Rande nachträgt. Mit dieser Wendung dürfte er sich also auf diesen „Grundgedanken" Schubarths beziehen, dessen Darlegung einen beträchtlichen Teil des Ganzen ausmacht.

Durchaus einverstanden dagegen ist Goethe mit der Annahme Schubarths, daß wir im Zweiten Teil Faust, von seinen „ideierten Übeln" geheilt, in die Welt des Wahren und Rechten eintreten sehen, worin er dann, zur „Klarheit" gelangt, den Wunsch nach Dauer und Verweilen ausspreche. Goethe nennt es „sich dem Ideellen nähern und zuletzt darin sich entfalten".

Weiterhin ergibt sich aus Schubarths Brief mit Bestimmtheit (vgl. oben S. 32), daß nicht nur mit der von Mephistopheles nur halb gewonnenen Wette seine Wette mit Faust gemeint ist, sondern auch, daß „jene andere Wette, die der Herr angenommen, unverloren" ist. Auf die Wette mit Faust ist der Goethische Ausspruch: „Mephistopheles darf seine Wette nur halb gewinnen" wohl meist bezogen worden; durchaus aber nicht immer. Ja, es ist zuzugeben, daß, wenn man den Ausdruck „seine Wette" wörtlich nimmt, man ihn auf die Wette beziehen müßte, die Mephistopheles dem Herrn anbietet, da die Wette mit Faust von Faust vorgeschlagen wird, also seine Wette ist. So hat sich z. B. G. W. Hertz verführen lassen, die Goetheworte in diesem Sinne zu interpretieren. In seinem Aufsatz „Fausts letzter Erdentag" (*Germanisch-Romanische Monatsschrift*, XX [1932], 109) sagt Hertz mit direktem Bezug auf diese Stelle: „Mephisto gewinne seine Wette [mit Gott][4] nur halb, und die halbe Schuld bleibe auf Faust ruhen." Eine solche Unsicherheit der Interpretation kann also in Zukunft nicht mehr bestehen.

Vollkommen klar wird weiter, was Goethe meint, wenn er sagt: „Mephistopheles darf seine Wette nur halb gewinnen". Mit dieser Wendung bezieht sich Goethe augenscheinlich auf die Worte Schubarths, daß „indem Mephistopheles seine Wette gewinnt, Faust zugleich der Klarheit entgegengeführt sein muß." Zunächst mag das klingen als wolle Goethe die Wendung Schubarths korrigieren. Wenn wir aber genauer zusehen, ergibt sich, daß sie beide genau das Gleiche im Sinn haben. Denn was Schubarth wirklich meint ist doch, daß Faust die verhängnisvollen Worte spricht, aber eben nicht in Bezug auf irgendwelche Mephistophelischen Güter (Faulbett, Selbstgefallen, trügerischer Genuß), d. h. Mephistopheles gewinnt und Faust verliert nur die zweite Hälfte der Wette. In dem einzigen Sinn jedoch, in dem die Wette ihn verdammen würde, gewinnt Faust. Denn nur für den Fall, daß es Mephistopheles gelingt, Faust seine Straße abwärtszuführen, ihn dahin zu bringen, daß er Staub mit Lust fressen lernt, nur dann soll ja der Herr Faust für verloren an

Mephistopheles abtreten müssen. Halb gewinnen und halb verlieren heißt also in diesem Falle für Mephistopheles verlieren und für Faust gewinnen. Zugleich ergibt sich aber, daß die von Faust errungene Klarheit, die für den Ausgang der Wette entscheidend sein soll, ihm im irdischen Bezirk, im Anschluß an menschliches Erleben zuteil werden soll und nicht erst nach dem Tode in überirdischen Regionen.

Einen ganz besonderen Wert der Schubarthschen Vermutungen über Verlauf und Ausgang der Dichtung im Zweiten Teil und ihrer anerkennenden Bestätigung in Goethes Antwortschreiben sehe ich aber darin, daß auf diese Weise diese in ihrer Ausführlichkeit bedeutenden, ja geradezu einzigen Äußerungen Goethes über die von ihm geplante Fortsetzung des *Faust* erst in ihr rechtes Licht gerückt und so gegen negative Deutungsversuche sichergestellt werden. Denn dadurch werden auch die übrigen, nur mündlich überlieferten Mitteilungen Goethes in ihrer Verläßlichkeit bestätigt. Ich denke vor allem an die zwei häufig angeführten Berichte Eckermanns vom 6. Mai 1827, wo Goethe von Faust sagt, „daß ein aus schweren Verirrungen immerfort zum Besseren aufstrebender Mensch zu erlösen sei" und vom 6. Juni 1831, wo es heißt; „in Faust selber eine immer höhere und reinere Tätigkeit bis ans Ende".

In seinem Buche *Faust der Nichtfaustische* (Halle, 1933) stellt Wilhelm Böhm eine Reihe derartiger Goethescher Äußerungen zusammen, die seine negative Gesamtauffassung stützen sollen. Abschließend sagt er jedenfalls auf S. 114:

> In allen diesen Zeugnissen ist Goethe, wo er in Komparativen spricht, daran gelegen, den Gegensatz und den Fortschritt zwischen dem ersten und zweiten Teil nicht als ein ethisches, sondern als ein stilistisches Problem zu charakterisieren.

In dieser Liste Goethescher Zeugnisse fehlt die letztgenannte Eckermann-Stelle vom 6. Juni 1831, die unbedingt dazu gehört. Doch wohl, weil ihre prägnante Eindeutigkeit keine gegenteilige Interpretation zuließ. Immerhin ist von andrer Seite der Versuch einer Entkräftigung auch dieser Stelle dadurch gemacht worden, daß man in „höhere Tätigkeit" nur Zunahme an Intensität, nicht aber an Wert hat sehen wollen, obgleich das dem natürlichen Wortlaut und besonders dem Zusammenhang, in dem Eckermann die Stelle anführt, durchaus widerspricht. Die beiden andern Stellen, die uns in diesem Zusammenhang interessieren, die Eckermann-Stelle vom 6. Mai 1827 und die Kernstelle des Goethebriefes an Schubarth vom 3. November 1820 hat Böhm in seine Liste aufgenommen und den Versuch gemacht, beide in seinem Sinn zu interpretieren.

Was die Eckermann-Stelle betrifft, so lautet sein Kommentar, wie folgt:

> Zu Eckermann nennt Goethe am 6. Mai 1827 Faust einen aus schweren Verirrungen immerfort zum Besseren aufstrebenden Menschen, der zu erlösen sei, nachdem er im gleichen Zuge den Gang der Handlung als zur Not durch das Wort „vom Himmel durch die Welt zur Hölle" charakterisiert bezeichnet hatte. Aus diesen zwei sich entgegengesetzten Richtungen wird man schwerlich eine Perfektibilität Faustens ablesen können; wohl aber beurteilt Goethe hier beide Gedanken als einseitig und verlangt, daß man sie nur als Erscheinungsformen einer Idee vom Ganzen bezeichnen dürfe; also ist das Wort von dem „immerfort zum Besseren aufstrebenden Menschen" ein Ausdruck für Fausts Dynamik, aber nicht Ethik.

Deutlich und überzeugend ist an diesem Kommentar nur die Absicht, den klaren natürlichen Sinn der Goetheschen Äußerung, wenn nicht in sein Gegenteil zu verkehren, so doch mindestens als ein Zeugnis für irgendwelchen ethischen Fortschritt Fausts unbrauchbar zu machen. Tatsächlich besteht aber zwischen den Worten „Vom Himmel durch die Welt zur Hölle", d. h. also der Schlußzeile des Vorspiels auf dem Theater, von denen Goethe sagt, daß sie den Gang der Handlung bezeichnen, und dem, was er darauf über Fausts Schicksal andeutet, nicht der geringste innere Zusammenhang. Eine solche Parallelisierung in „sich entgegengesetzten Richtungen" wäre nur dann berechtigt, wenn der Gang der Handlung des Dramas mit dem Schicksals- und Entwicklungswege Fausts identisch wäre, wie Böhm in seinem Buche und also auch an dieser Stelle annimmt. Wie sehr aber eine solche Interpretation der Meinung des Dichters Gewalt antut, beweisen die von Böhm allerdings ausgelassenen Worte, mit denen die in Frage stehende Äußerung Goethes einsetzt: „daß der Teufel die Wette verliert, und daß ein aus schweren Verirrungen immerfort zum Besseren aufstrebender Mensch zu erlösen sei, das ist . . . ein wirksamer, manches erklärender guter Gedanke." Es ist klar: Fausts Lebensweg führt nicht in die Hölle, und die Behauptung, daß Goethe Fausts Dynamik, nicht aber seine Ethik habe kennzeichnen wollen, findet keine Berechtigung in dessen Worten.

Gegenüber solchen Versuchen, in den Goetheschen Zeugnissen Worte wie „höher", „reiner", „besser", „aufstrebend" als bloße Ausdrücke für Zunahme an Intensität oder Dynamik zu interpretieren, erweist sich nun Goethes Antwort an Schubarth vom 3. November 1820 als von ausschlaggebender Bedeutung. Denn mit Hilfe des Schubarthschen Briefes, dessen Vermutungen Goethe ausdrücklich als zu Recht bestehend anerkennt, können wir solche Komparative in der vom Dichter beabsichtigten Bedeutung kontrollieren, wie das in keinem andern Fall möglich ist.

Wie schon erwähnt, hat Böhm die betreffende Goethesche Briefstelle ebenfalls in seine Liste aufgenommen, da er glaubt, auch sie seiner negativen Auffassung dienstbar machen zu können. Sein Kommentar lautet, wie folgt:

> Schubarth erhält über seine Konjekturen zum zweiten Teil 1820 die Belehrung: „Daß man sich dem Ideellen nähere, und zuletzt darin sich entfalten werde, haben Sie ganz richtig gefühlt." Wieder ist nicht zu entscheiden, ob Goethe eine Annäherung an das Ideelle durch Emporstufung oder Wiederholung analoger Dinge meint; dann aber schlägt die Wage im letzteren Sinne aus: „Allein meine Behandlung mußte ihren eigenen Weg nehmen: und es gibt noch manche herrliche, reale und phantastische Irrtümer auf Erden, in welchen der arme Mensch sich edler, würdiger, höher, als im ersten gemeinen Teil geschieht, verlieren dürfte."

Was die Schubarthsche Auffassung betrifft, so wird sie in seinem wortreichen und sich in Wiederholungen gefallenden Schreiben durch die folgenden zwei Stellen klar gekennzeichnet:

> Mir scheint der Knoten dergestalt geschürzt zu sein, daß, indem Mephistopheles seine Wette gewinnt, Faust zugleich der Klarheit entgegengeführt sein muß.
>
> Wenn also Mephistopheles nur durch die Vorführung eines Wahren die Wette von Faust gewinnen kann, womit jedoch dieser zugleich in die

Klarheit geführt ist, so ist zugleich jene andere Wette, die der Herr angenommen, unverloren ... Denn kann Mephistopheles die Wette gegen Faust nur [dadurch] gewinnen, daß er aus ihm das obige Wort [Werd' ich zum Augenblicke sagen ...] hervorlockt, kann er dieses Wort aber nur bei einem Wahren, Echten der Natur der Sache nach Fausten entlocken, so ist ja Faust auf dem Punkte zugleich, indem er jenes Wahre erkennt und sein Dauern, d.i. seinen Bestand ausspricht, wo er sein soll.

Mit dieser trotz ihrer Unbeholfenheit klaren Formulierung ist Goethe durchaus einverstanden. Er rekapituliert sie mit der Wendung "Mephistopheles darf seine Wette nur halb gewinnen." Die „Belehrung", die er Schubarth zuteil werden läßt, bezieht sich ausschließlich darauf, daß diese Auflösung des durch die beiden Wetten geschaffenen Problems nicht so leicht und rasch zu erwarten sei, wie jener anzunehmen scheine, sondern daß Faust zunächst noch eine Reihe „herrliche, reale und phantastische Irrtümer" werde durchlaufen müssen. Es ist also durchaus nicht, wie Böhm meint, schwer zu entscheiden, sondern unterliegt im Gegenteil nicht dem geringsten Zweifel, daß die Annäherung an das Ideelle und die endgültige Entfaltung darin einen Aufstieg ins Rechte und Wahre, wie es Schubarth nennt, darstellen, der Faust zuletzt in die Klarheit führen soll. Ja, da Goethe betont, daß Faust die ihm noch bevorstehenden Verirrungen „edler, würdiger, höher" erleben werde, als im Ersten Teil der Fall war, so ist damit in Aussicht gestellt, daß auch sie im Einklang mit des Dichters ethischen Grundanschauungen aufwärtsführende Stufen von Fausts Lebensweg sein werden.

Allerdings konnte Böhm 1933, gleich Pniower und Gräf, auf die er sich beruft, den bis dahin noch unveröffentlichten Schubarthschen Brief nicht kennen, auf den sich Goethe bezieht. Aber selbst die wenigen Stellen, die Pniower und Gräf auf Grund des eingangs erwähnten Hettnerschen Berichts mitteilen, hätten genügend beweisen können, daß es sich für Schubarth durchaus um eine ethische „Emporstufung" handelt und daß Goethe diese Vermutung als zutreffend anerkennt. Jedenfalls erlaubt unsre gegenwärtige Kenntnis des ganzen Briefes nicht mehr irgendwelchen Zweifel daran.

In der Ankündigung der Helena in *Kunst und Altertum* schreibt Goethe: „Darüber aber mußte ich mich wundern, daß diejenigen, welche eine Fortsetzung und Ergänzung meines Fragmentes unternahmen, nicht auf den so naheliegenden Gedanken gekommen sind, man müsse bei Bearbeitung eines zweiten Teils sich notwendig aus der bisherigen kümmerlichen Sphäre ganz erheben und einen solchen Mann in höheren Regionen durch würdigere Verhältnisse durchführen." In gewisser Hinsicht tut Goethe mit diesen Worten Schubarth Unrecht, denn einen Übergang zu würdigeren Verhältnissen nimmt dieser im Jahre 1820 für den zweiten Teil durchaus an. Goethes Worte stammen aber aus dem Jahre 1826, also aus einer Zeit, wo Schubarth tatsächlich mehrfach versucht hatte, den Verlauf einer wirklichen Fortsetzung zu skizzieren, was er ja in unserem Schreiben wohlweislich unterlassen hatte. Diese Fortsetzungsversuche Schubarths gewannen Goethe, wie wir gesehen haben, kein weiteres Interesse ab; ja, sie müssen ihn stark enttäuscht haben, wenn sie, wie in dem von Hecker mitgeteilten Versuch vom Januar 1822, die von Goethe bereits gebilligten Gedankengänge ausdrücklich wieder verlassen und sie in wichtigen Punkten in ihr Gegenteil verkehren. Die von Goethe so warm anerkannten Bemühungen Schubarths um ein tieferes Verständnis der Faustdichtung beschränken sich also durchaus auf das oben mitgeteilte Schreiben vom Oktober 1820. Was Schubarth vorher versucht hatte, vor allem aber, was er nachher versuchte, steht auf einem anderen Blatt. Der Denker in Schubarth hatte vermocht, Goethe Genüge zu tun. Da, wo er bemüht ist, „sich mit dem Verfasser zu identifizieren", versagt er gleich allen andern. Es scheint deshalb auch unwahrscheinlich, daß die so verheißungsvoll beginnenden Beziehungen zu Schubarth auf die „zu wünschende Vollendung" des *Faust,* wie sie dann 1825 in Angriff genommen wird, irgendwelchen greifbaren Einfluß ausgeübt haben.

Zum irdischen Ausgang von Goethes Faustdichtung

(1936)

UNTER den ganz großen Einzelproblemen der deutschen Literatur steht die gedankliche Deutung der Goetheschen Faustdichtung doch wohl an erster Stelle, und unter den vielen umstrittenen Faustfragen kann wiederum keine wichtiger sein als die nach der richtigen, d. h. der dem Dichter vorschwebenden Anschauung von Inhalt, Sinn und Wert der letzten Lebenssphäre Fausts, wie sie sich uns darstellt in der einleitenden Szene des vierten Aktes, vor allem in dem Plan Fausts, das herrische Meer vom Ufer auszuschließen, und im fünften Akt etwa in der ersten Hälfte, bis zum Augenblick, wo Faust sterbend zurücksinkt. Es sind kaum 600 Verse aus den über 12.000 der gewaltigen Dichtung, aber sie enthalten alles, was uns der Dichter mitzuteilen gewillt gewesen ist über Fausts Ergehen und Tun nach dem Verschwinden Euphorions und Helenas. Wörtlich genommen: zwei Tage von wenigen Stunden, der erste und der letzte, als Gesamtbild eines überreichen Menschenschicksals von mehr als einem halben Jahrhundert. Denn wenn Goethe wollte, daß wir uns den Faust des fünften Aktes als Hundertjährigen denken sollten, so können wir uns den Faust des Helena-Erlebnisses doch noch nicht einmal als Fünfzigjährigen vorstellen. Kein Wunder, wenn der Dichter meint, es werde nötig sein, sich auf Miene, Wink und leise Hindeutung zu verstehen; sicher hier mehr als sonstwo in der Dichtung. Zu verwundern braucht man sich also nicht, wenn hier vieles verschieden gesehen, Fehlendes verschieden ergänzt wird. Daß allerdings der eine sich vor schwärzestem Schwarz entsetzt, wo der andere leuchtendes Weiß verherrlicht, ohne daß dies auf fundamental entgegengesetzter Weltanschauung beruht, sondern einfach auf diametral verschiedener Interpretation des Textes, das ist sicher in höchstem Grade bedenklich und schadet dem Ruf der Dichtung als Weltdichtung, über den denn doch das Ausland zu entscheiden hat.

Rein als dichterische Leistung betrachtet, gilt Goethes *Faust* seit mehr als hundert Jahren so gut wie unumstritten als eins der größten Werke der Weltliteratur. Geniale Erfindung, schöpferische Gestaltung und höchste Kunst sprachlicher Darstellung, so wie sie in jedem der großen Einzeldramen, aus denen die gewaltige Dichtung besteht, in reicher Abwechslung in die Erscheinung treten, finden hohe Anerkennung und Bewunderung. Das, was Bedenken und Ablehnung laut werden läßt, ist, um mit Schiller zu reden, der philosophische Gehalt, von dem dieser bereits 1797 sagen konnte: „Kurz, die Anforderungen an den ‚Faust' sind zugleich philosophisch und poetisch, und Sie mögen sich wenden, wie Sie wollen, so wird Ihnen die Natur des Gegenstandes eine philosophische Behandlung auflegen." Goethe gibt in seiner Antwort dem Freunde zu, daß er mit seiner Forderung wohl recht habe, behält sich aber vor, „die höchsten Forderungen mehr zu berühren als zu erfüllen." Dabei ist es denn auch geblieben. Abgesehen von dem Sonnenaufgangserlebnis in der ersten Szene des zweiten Teils und der visionären Wolkensymbolik im Eingang des vierten Aktes enthalten die nahe an 7000 Verse der ersten vier Akte kaum irgend etwas von Belang, das uns einen direkten Einblick in die Welt von Fausts Innerem gewährte. Alles, was er spricht, bezieht sich lediglich auf das, was ihn jeweils als Wunsch oder Erlebnis beschäftigt. Und selbst im fünften Akt sind es eigentlich nur das Erlebnis der Sorge und die testamentarische Rede unmittelbar vor seinem Tode, die das enthalten, was der Schillerschen Forderung einigermaßen gerecht zu werden versucht. Aus der Zeit der abschließenden Arbeit an den beiden letzten Akten (1830-31) sind nur Äußerungen Goethes berichtet, in denen er es als seine Absicht bezeichnet, daß „alles zusammen ein offenbares Rätsel bleibe, den Menschen . . . zu schaffen mache" und worin „sie werden etwas aufzuraten finden". Auch dabei ist es geblieben, und des Hin- und Herratens ist soweit kein Ende abzusehen.

Vor allem sind es die ersten fünf Szenen des fünften Aktes bis zur Grablegung, gegen deren Gedankenwelt die negative Faustkritik in Deutschland sowie im Ausland ihre stärksten Zweifel und Angriffe richtet. Der Umstand, daß diese Tendenz in der Zeit nach dem ersten Weltkrieg einsetzte und, vor allem in nichtakademischen Kreisen, nach dem zweiten Weltkrieg in besonderer Schärfe und weitem Umfang Boden gewann, läßt deutlich erkennen, daß es sich hier um eine instinktive kultur-ethische Reaktion auf die verhängnisvolle inner- und außenpolitische Lage Deutschlands handelt; genau so, wie allerdings in diametral entgegengesetzter Richtung, der politische Aufstieg Deutschlands nach dem deutsch-französischen Kriege von 1870-71 eine ungesund übersteigerte Verherrlichung der Faustgestalt Goethes als eines Symbols des Genius eines mächtig aufstrebenden Deutschland gezeitigt hatte. Maßlosigkeit in der einen wie in der entgegengesetzten Richtung. In beiden Fällen ist auf diese Weise der Zugang zu einer den Absichten des Dichters entsprechenden Auffassung und Würdigung des großen Werkes und seines Helden im Sinne Goethes unendlich erschwert worden.

Um so mehr ist es Gebot der akademischen Lehrer der deutschen Literatur, sich Blick und Urteil durch solchen blinden Eifer nicht trüben zu lassen und gerade bei der Interpretation des irdischen Ausgangs der Dichtung sich um so gewissenhafter all der Mittel zu bedienen, welche unsere hochentwickelte Kenntnis von Goethes Leben, Denken und Schaffen uns zur Verfügung stellt. Gewiß, das Wichtigste ist und bleibt, ein möglichst gründliches und unvoreingenommenes Studium des Textes selber, und zwar nicht nur als gedruckte, sondern auch als lebendige, gesprochene Rede. Aber gerade dem best vorbereiteten und aufmerksamsten Leser werden, vor allem in den Szenen „Mitternacht“ und „Großer Vorhof des Palasts“, Fragen und Bedenken aller Art aufsteigen und sich selbst bei Benutzung der ausführlichsten Kommentare nicht restlos beseitigen lassen. Wie kommt Goethe, allerdings bereits im Anfang des vierten Aktes, auf den überraschenden Gedanken, Faust die ganze zweite Hälfte seines langen Lebens der Gewinnung von Neuland durch die Eindeichung weiter Strecken eines flachen Meeresufers widmen zu lassen? Wie paßt Goethes Äußerung von Fausts „immer höherer und reinerer Tätigkeit bis ans Ende“ zu Mephistopheles

„Man hat Gewalt, so hat man Recht" und zu seinem Pochen auf die Dreieinigkeit von „Krieg, Handel und Piraterie"? Wie kann Faust sich rühmen, „nun aber geht es weise, geht bedächtig", unmittelbar nachdem wir Zeuge des an Philemon und Baucis verübten Frevels gewesen sind? Um Fragen dieser Art im Sinne Goethes beantworten zu können, ohne sich von der jeweiligen Weltlage unserer eignen Epoche verleiten zu lassen, ist es notwendig, nicht nur der uneinheitlichen Entstehung dieses Aktes Rechnung zu tragen, sondern vor allem auch die weite kulturpolitische Gedankenwelt des alten Goethe gebührend zu berücksichtigen, aus der Fausts schöpferische Tätigkeit am Meeresufer hervorgewachsen ist. Sagt Goethe doch selber: „daß ich den Zweiten Teil erst jetzt schreibe, nachdem ich über die weltlichen Dinge so viel klarer geworden, mag der Sache zugute kommen". Was an sich aber für den ganzen Zweiten Teil ein wünschenswertes Verfahren ist, gilt besonders von den irdischen Ausgangsszenen. Hier handelt es sich ja um große Probleme der zeitgenössischen Weltlage, über die sich Goethe im Alter in weitem Umfange, wenn auch leider nie in systematischem Zusammenhang, geäußert hat. Nur der letztere Umstand dürfte es erklärlich machen, daß man bisher dieser Deutungsmöglichkeit so wenig nachgegangen ist.

Ich selber bin auf diese Fragen, soweit sie den irdischen Ausgang betreffen, bereits vor langen Jahren durch eigene Studien, vielleicht mehr noch durch wiederholte seminaristische Übungen auf dem Gebiete englisch-deutscher Literaturbeziehungen geführt worden, die sich häufig auf Goethe erstreckten, besonders im Sinne seiner Weltliteraturgedanken, ohne dabei zunächst irgendwie auf den Faust zu zielen. Zusammenhänge von Goethes Gedanken über England mit dem Ausgang der Faustdichtung stellten sich dabei bald heraus, und in seinen Umrissen hat das Bild, das ich hier allerdings nur knapp skizzieren kann, im Verlauf von etwa dreißig Jahren sich mir immer klarer und klarer entwickelt.

Das, was ich davon hier auf beschränktem Raume vorlegen und beleuchten kann, ist nur ein kleiner Bruchteil des Ganzen. Ich bin aber überzeugt, es werde genügen, die in Frage kommenden Zusammenhänge und Entwicklungslinien klar und deutlich erkennen zu lassen. Natürlich wähle ich aus der Fülle der vorliegenden Äußerungen die beweiskräftigsten und einwandfreiesten Zeugnisse und lasse dabei den Dichter möglichst selbst zu Worte kommen. Um Raum zu sparen und der leichteren Lesbarkeit halber vermeide ich es allerdings oft, längere geschlossene Zitate als solche in Anführungsstrichen zu geben; aber auch da, wo ich davon absehe, folge ich nach Kräften den eigenen Worten und selbstverständlich immer auf das gewissenhafteste dem Sinn des Dichters. Schwierigkeiten machen allerdings die Daten, die nicht immer leicht festzustellen sind. Denn ihre genaue Berücksichtigung halte ich für notwendig überall da, und so auch hier, wo durch Äußerungen Goethes irgendwelche Behauptungen über seine Stellung zu gewissen Problemen erhärtet werden sollen. Bei der Länge seines Lebens, bei der ungeheuren Fülle an Aufzeichnungen und bei den starken Wandlungen, die Goethe in den großen Epochen seines Lebens durchgemacht hat, kann man sonst, wie oft geschieht, so ziemlich alles und im Grunde nichts beweisen. Da ich hier von der Belastung des Textes mit Verweisangaben und Jahreszahlen in der großen Mehrzahl der Fälle absehe, so mache ich um so mehr darauf aufmerksam, daß meine Angaben fast durchgängig den Jahren von 1825 bis zu des Dichters Tode, also der Zeit der abschließenden Arbeit am Zweiten Teil angehören, selten bis etwa 1820 zurückgehen, obgleich gerade in diesen Jahren manches Vorbereitende sich nachweisen läßt, und daß vereinzelte Aussprüche aus noch früherer Zeit stets als solche namhaft gemacht und überhaupt nur dann zugelassen worden sind, wenn sie durch spätere Äußerungen als noch zu Recht bestehend erwiesen werden können.

Ausgehen möchte ich von Ursprung und Entwicklung des Goetheschen Begriffes einer "Weltliteratur". Eine bewußte Betonung der Erwünschtheit eines engeren europäischen literarischen Gemeinschaftslebens läßt sich, von früheren vereinzelten Äußerungen abgesehen, in Goethes Gedankenwelt zurückverfolgen bis in die Zeit des intensiver werdenden Interesses an Byrons Dichtung und Persönlichkeit und der Vorarbeiten für die „Noten und Abhandlungen zum West-östlichen Divan". Immerhin ist es Tatsache, daß die Aufsätze über Manzonis *Carmagnola* und Byrons *Manfred* und *Don Juan* aus den Jahren 1820-21 dem im Lichte der späteren Entwicklung anscheinend so naheliegenden Gedanken noch durchaus fern bleiben. Für seine bestimmtere Herausarbeitung und endgültige Formulierung ist meiner Überzeugung nach Goethes eingehende Beschäftigung mit der französischen Zeitschrift *Le Globe,* die sich durch das ganze Jahr 1826 hinzieht, in erster Linie verantwortlich. Am 1. Januar 1826 erhält Goethe den Jahrgang 1824-25. Fast ununterbrochen ziehen sich nun in den Tagebüchern die Eintragungen hin, nicht nur über sorgfältigstes Lesen, sondern über Studieren, Notieren, Exzerpieren und Übersetzen. Ja, nachdem am 27. Dezember der Eintrag lautet, „Die letzten Blätter des Globe", finden wir am 9., 10. und 13. Januar 1827 Angaben über nochmalige Rückwärtsbetrachtung des schon Gelesenen und unmittelbar danach am 15., im engsten Anschluß an die eben beendete französische Lektüre, „An Schuchardt diktiert bezüglich auf französische und Welt-Literatur", das erste Vorkommen des Wortes bei Goethe und in dem spezifisch Goethischen Sinn. Unter dem 31. Januar berichtet dann Eckermann den oft zitierten Ausspruch: „Nationalliteratur will jetzt nicht viel sagen, die Epoche der Weltliteratur ist an der Zeit, und jeder muß jetzt dazu wirken, diese Epoche zu beschleunigen."

Nun ist aber zu beachten, daß gerade die erste längere Stelle aus dem *Globe,* deren Übersetzung Goethe bereits am 15. Februar 1826 abschließt, eine äußerst wichtige Bemerkung zum Gedanken einer Weltliteratur im Goethischen Sinne enthält. Es handelt sich um einen kleinen Aufsatz aus dem *Globe* vom 8. Februar 1825, in dem Goethes *Faust* trotz des darin waltenden Hexen- und Teufelswesens gegen Angriffe aus dem Lager der französischen Klassizisten energisch in Schutz genommen wird. Im Gegensatz zu der Zeit, „als die Nationen bei sich sozusagen eingepfercht waren", heißt es da in der Goethischen Übertragung: „aber heutzutage, wo . . . die Völker sich wechselsweise zu nähern suchen, heutzutage, wo die Nationen geneigt sind, eine durch die andere sich bestimmen zu lassen, eine Art Gemeinde von gleichen Interessen, gleichen Gewohnheiten, ja sogar gleichen Literaturen unter sich zu bilden: da müssen sie, anstatt ewige Spöttereien untereinander zu wechseln, sich einander aus einem höheren Gesichtspunkte ansehen und deshalb aus dem kleinen Kreis, in welchem sie sich so lange herumdrehten, herauszuschreiten den Entschluß fassen." Zweifellos liegt hier in dieser klaren Ausführung des leider anonymen Franzosen ein starker Anstoß für Goethe vor; allerdings nicht für die Erweckung des Gedankens als solchen, denn Äußerungen dieser Art finden sich wiederholt bei Goethe von etwa 1818 an, wohl aber für seine jetzige bestimmtere Formulierung und Benennung, für die öffentliche Bekanntgabe in *Kunst und Altertum* und für die Überzeugung, daß die Zeit dafür reif sei.

Ich betone diese Zusammenhänge, weil sie anscheinend auch weiterhin nicht ohne Einfluß auf die Entwicklung des Goethischen Weltliteraturgedankens gewesen sind. Goethe kennzeichnet den Charakter der Zeitschrift bereits im Februar 1826 als „absoluten Liberalismus oder theoretischen Radikalismus" und meint, daß man vor den Herren Globisten auf der Hut sein müsse; aber gerade in den für uns vielleicht wichtigsten Jahren von 1827 bis 1829 spricht er sich trotzdem über sie wiederholt lobend aus als über eine Gesellschaft junger energischer Männer von klugem und kühnem Benehmen, aus deren Einsichten wohl Vorteil zu ziehen sei. Dabei betont er als besonders wertvoll, daß die Globisten, wie die Franzosen im allgemeinen, den Begriff der Literatur in einem weiten Sinn anerkannt wissen wollen und in lebendiger Beziehung ins tätige und wirkende Leben der Nation. Statt zahlreicher vereinzelter Belege, in denen Wendungen wie Literatur- und Staatswesen, literarische und wissenschaftliche Bildung, der Weltlauf im realen und idealen Sinne, die große Welt des Handelns u. a. m. eine deutliche Sprache reden, sei hier nur auf den bedeutsamen Brief hingewiesen, den Goethe am 11. November 1829 an Hitzig schreibt als an den Vorsteher der kürzlich gestifteten Berliner Gesellschaft für ausländische schöne Literatur. Gerade wegen dieser im Namen der Gesellschaft angedeuteten Beschränkung weist er darauf hin, „daß die schöne Literatur einer fremden Nation nicht erkannt und empfunden werden kann, ohne daß man den Komplex ihres ganzen Zustandes sich zugleich vergegenwärtige". Denn die französische Poesie sowie Literatur trenne sich „nicht einen Augenblick von Leben und Leidenschaft der ganzen Nationalität". In der deutschen Literatur der Zeit dagegen erklingen ihm im Gegensatz dazu „eigentlich nur Ausdrücke, Seufzer und Interjektionen wohldenkender Individuen". Mit unverkennbarem Bedauern glaubt er feststellen zu dürfen: „kaum irgend etwas geht ins Allgemeine, Höhere; am wenigsten merkt man einen häuslichen, städtischen, kaum einen ländlichen Zustand; von dem, was Staat und Kirche betrifft, ist gar nichts zu merken." In diesem Sinne empfiehlt er es den Berlinern als einen entschiedenen Vorteil des Studiums der französischen Literatur im weitesten Sinne des Wortes, einschließlich der Zeitschriften und Tagesblätter, daß aus der Art, wie sie (die Franzosen) mehr oder weniger günstig von uns denken, wir uns selbst besser beurteilen lernen, „und es kann gar nicht schaden, wenn man uns einmal über uns selbst denken macht".

Hiermit sind wir bereits an dem Punkt in der Entwicklung des Weltliteraturgedankens angelangt, wo es sich nicht mehr nur um Kenntnisnahme, Annäherung und gegenseitige Duldung und Anerkennung handelt, sondern wo der Gedanke des Vorteils gegenseitiger Beeinflussung von Volk zu Volk stärker in den Vordergrund tritt. Von einer charakterlosen Nachäfferei des Fremden, von einem Ideal allgemeiner kosmopolitischer Gleichmacherei oder einer Hintansetzung des Arteignen will dabei Goethe nichts wissen, denn wie er in fast jeder Beziehung in seinen späteren Jahren immer und immer wieder Lebens- und Entwicklungsgesetze der Völker mit denen der Individuen parallel setzt, so hält er auch für die Völker daran fest, daß nur das ihnen wahrhaft zuträglich sein kann, was mit dem Kern ihres Wesens in Einklang zu bringen ist. Ja, ich stehe nicht an, sein berühmtes Wort an Wilhelm von Humboldt, wenige Tage vor seinem Tode, von der Steigerung der natürlichen Anlagen des Menschen voll und ganz auch auf seine Anschauungen vom Wachstum der Völker anzuwenden. Auch hier gilt für ihn: „Das beste Genie ist das, welches alles in sich aufnimmt, sich alles zuzueignen weiß, ohne daß es der eigentlichen Grundbestimmung, demjenigen, was man Charakter nennt, im mindesten Eintrag tue, vielmehr solches noch erst recht erhebe und durchaus nach Möglichkeit befähige."

Spiegelung und Polarität und Steigerung, Lieblingsideen aus der

Sphäre der Naturwissenschaften, die Goethe auch sonst gern auf geistiges Leben überträgt, spielen hier sicher in seine Erwägungen hinein und bestärken ihn in der Überzeugung, mit dem Gedanken einer Weltliteratur, die auch gegenseitige Korrektur einschließt, auf dem rechten Wege zu sein. Er findet es „artig, daß wir jetzt . . . in den Fall kommen, uns einander zu korrigieren", und sieht darin „den großen Nutzen, der bei einer Weltliteratur herauskommt und der sich immer mehr zeigen wird". Und so ergeht nun nach allen Seiten hin die Mahnung, statt aller Kleinkrämerei, alles selbstgefälligen Nörgelns, alles pedantischen Dünkels solle jede Nation ihr Hauptaugenmerk auf das richten, was die andern besonders vorzüglich leisten, um daraus sich das ihr Gemäße, worin sie aber im Rückstand ist, anzueignen und so ihre Entwicklung zu fördern und zu erweitern. Besonders interessant sind in diesem Sinne die zunächst an die englische Adresse gerichteten Ausdrücke, womit er das geistige Hin und Her der Weltliteratur mit dem materiellen Güterverkehr unter den Nationen parallelisiert: Handel, Markt, Waren, Wechseltausch, Geschäft, Verkehr, Absatz, Bilanz, Anbieten, Vermittler, Dolmetscher. Jedenfalls erhärtet solcher Sprachgebrauch im Jahre 1828 einen Bericht aus dem Jahre 1829, wonach Goethe direkt gesagt haben soll: „Der Freihandel der Begriffe und Gefühle steigere ebenso wie der Verkehr in Produkten und Bodenerzeugnissen den Reichtum und das allgemeine Wohlsein der Menschheit." In diesem Sinne heißt es dann im Brief an Carlyle vom 5. Oktober 1830: „Möge Ihnen gelingen, Ihrer Nation die Vorteile der Deutschen bekannt zu machen, wie wir uns immerfort tätig erweisen, den unsrigen die Vorzüge der Fremden zu verdeutlichen."

So entwickelt und erweitert sich der Goethische Weltliteraturgedanke in den Jahren von 1826 bis 1830 schrittweise von Dichtung oder „schöner" Literatur zu nationalem Schrifttum im weiteren Sinne des Wortes, von symphatischer Aufnahme und Anerkennung zu gegenseitiger Förderung und korrigierender Ergänzung, endlich von der Welt der Literatur, selbst im weitesten Sinne, zur Welt aller geistigen Lebensäußerungen in Staat, Gesellschaft und Wirtschaft. Es kommt dabei zunächst nicht darauf an, ob wir diese weltenweite Ausdehnung, bei der aber selbstverständlich der weitere

Berzirk immer auch den ursprünglich engeren als integralen Bestandteil in sich schließt, bewundern oder nicht; für Goethe war es der Weg, den er gerade im Hinblick auf die kulturelle Lage des damaligen Deutschland für den rechten hielt, von dem er sich heilsame Folgen nicht nur für die andern Völker, sondern „als echter Patriot" vor allem auch für das eigne Volk versprach.

In Goethes Ideen über solche lebendigen Wechselwirkungen steht zunächst Frankreich im Vordergrund, mit Italien an zweiter Stelle: leicht verständlich einerseits wegen der Anregungen aus der *Globe*-Lektüre, andrerseits, weil es sich im Anfang ja um mehr oder weniger rein literarische Einflüsse handelt. Auf diesem Gebiet fühlt Goethe mit Genugtuung nicht nur, wie weit die Deutschen den beiden romanischen Nationen voraus sind, sondern auch, wie diese Vorbildlichkeit im Kampf gegen einen überlebten Klassizismus von diesen anerkannt und als Waffe benutzt wird. Besonders die Bemühungen der Franzosen, durch Vereinigung ihres empirischen Sensualismus mit dem „Ideellen", wie es ihnen in der deutschen Philosophie und Dichtung entgegentritt, zu einer Synthese zu gelangen, die er nicht mit ihnen *„eclecticisme"* nennen möchte, sondern, *„totalisme"* oder *„harmonisme"*—diese Bemühungen finden seine uneingeschränkte Anerkennung, müssen sie ihm ja auch geradezu als ein Musterbeispiel von Spiegelung, Polarität und Steigerung erschienen sein. Gewiß, Carlyle und Scott und die Edinburger Zeitschriften sind von 1827 an ebenfalls wichtige Einschläge und nehmen rasch an Umfang und Bedeutung zu, aber bis weit in das Jahr 1829 hinein bleibt Frankreich mit im Vordergrund. Noch Mitte dieses Jahres berichtet Goethe, daß er seit einiger Zeit in das Lesen französischer Bücher „gewissermaßen ausschließlich versenkt" worden sei und spricht, allerdings in einem Briefe an den Grafen Reinhard, mit warmer Anerkennung davon, „wie hoch sich der Franzose geschwungen hat, seitdem er aufhörte, beschränkt und ausschließend zu sein". Neben den *Globe* treten in dieser Zeit für Goethes systematisches Verfolgen der französischen Zustände sogar zwei weitere Blätter, die *Revue française* und der *Temps*. Bereits im folgenden Jahre jedoch, besonders nach der französischen Julirevolution, läßt Goethes Interesse sichtlich nach, und als Anfang 1831 der *Globe* das Organ der Saint-Simonisten wird, hat er anscheinend schon seit Monaten aufgehört, die Zeitschriften zu lesen. Als er 1830-31 an die endgültige Gestaltung von Fausts großem Lebenswerk herantritt, ist Goethes Bild von Deutschlands Stellung im Rahmen einer europäischen Weltliteratur nicht mehr durch die Beziehungen zu Frankreich bestimmt, sondern durch die zu England, die ja inzwischen Jahre lang sich stetig entwickelt hatten und erstarkt und gereift waren.

Wenn wir uns nun diesen „englischen" Interessen Goethes in der Zeit von etwa 1825 an zuwenden, so ist zu berücksichtigen, daß Goethe wohl gelegentlich scharf unterscheidet zwischen englisch, schottisch und irisch, daß er aber doch in der überwiegenden Mehrzahl der Fälle im Einklang mit allgemeinem deutschen Sprachgebrauch englisch im Sinne von britisch gebraucht, ja gelegentlich bewußt oder unbewußt auch Amerikanisches in den Begriff einschließt. Jedenfalls ist soviel sicher, daß in das Bild, das Goethe sich von dem „englischen" Sprach- und Kulturkreis macht, die meisten seiner amerikanischen Anschauungen ungezwungen eingehen. Wenn also in den *Wanderjahren* die fremden Einschläge nach Amerika deuten, so ist das durchaus nicht in einem gegensätzlichen Sinne aufzufassen. Ja, wenn ich das hier vorwegnehmen darf, wir werden am Schluß unserer Betrachtungen wohl sagen dürfen, daß im Bilde von Fausts irdischer Schöpfertätigkeit deutsche, britische, niederländische und amerikanische Züge in großartiger Vision zusammenfließen und so in gewissem Sinne den Zusammenklang nördlich-protestantischen Volkstums symbolisieren, dessen innerer Verwandtschaft sich der alte Goethe durchaus bewußt gewesen ist. Allerdings, ohne dabei zu vergessen, wieviel auf anderen als den hier in Frage kommenden Gebieten und in früherer Zeit er sowohl wie die Deutschen im allgemeinen von dem älteren romanisch-südlichen Kulturkreis, von der Antike ganz zu schweigen, zu lernen und ihm zu verdanken hatten.

Natürlich gehen Goethes englische Interessen, von der Jugend und mittleren Zeit ganz abgesehen, auch in seiner Altersepoche viel weiter zurück als die Jahre, die uns hier besonders interessieren. Aber erst etwa von Byrons Tod 1824 an—und es ist das die Zeit, wo bald danach im Februar 1825 die Beschäftigung mit dem *Faust* wieder einsetzt—beginnt das rasche Anwachsen der Hochflut englisch-amerikanischer Interessen und Beziehungen, wie sie sich für uns besonders in Briefen, Tagebüchern und Gesprächen spiegelt und ununterbrochen anhält bis zum Abschluß der Dichtung. Aus der schier unübersichtlichen Masse stellen auch Bode und Muncker nur eine geringe Ausbeute zusammen, und leider in bunter Folge aus den verschiedensten Zeiten von Goethes Leben, während für unsere Zwecke einerseits gerade die Fülle des Materials, andrerseits aber die zeitliche Beschränkung und Konzentration von besonderer Bedeutung ist. Wie bereits erwähnt, beschränke ich mich im folgenden mit ganz geringen Ausnahmen auf die Zeit von 1820, ja überwiegend von 1825 an, und möglichst auf Aussprüche, die ihre Zusammengehörigkeit mit dem erweiterten Weltliteraturgedanken schon dadurch erweisen, daß Goethe englische Vorzüge entweder ausdrücklich oder wenn stillschweigend so doch deutlich genug in Vergleich setzt mit dem, was er als Schwächen und Rückständigkeiten deutschen nationalen Lebens empfindet.

Da heißt es denn 1827 von den „unzähligen Engländern und Engländerinnen", die im Hause verkehren, daß, wenn man solche Besuche zu nutzen versteht, sie einem doch einen Begriff von der Nation geben, und „so kommt man gar nicht aus der Gewohnheit, über sie nachzudenken". Bereits im folgenden Jahre, wie sich rein zahlenmäßig aus den Briefen und Tagebüchern belegen läßt, erreichen diese Besuche sowie auch alle sonstigen Berührungen mit dem englisch sprechenden Ausland eine Art Höhepunkt, und in einem Brief gerade dieses Jahres findet sich der bekannte Stoßseufzer, „daß die von mir angerufene Weltliteratur auf mich, wie auf den Zauberlehrling, zum Ersäufen zuströmt". Auf diese Weise, durch Beobachtung, Unterhaltung, Korrespondenz und Lektüre, gestaltet sich für Goethe allmählich ein Bild von englischem Leben und Wesen, das Gedankengänge hervorruft, die ihn einst schon 1813 im Gespräch mit Luden zu dem Ausspruch veranlaßt hatten, daß selbst Kunst und Wissenschaft nicht das stolze Bewußtsein ersetzen können, „einem großen, starken, geachteten und gefürchteten Volke anzugehören". Daß er damals, kurz nach dem Zusammenbruch der Napoleonischen Macht, ebenso wie jetzt, England im Sinne hat, bedarf keines Nachweises.

In diesem Zusammenhang wäre man versucht, das ganze Gespräch anzuführen, das Eckermann, doch wohl vereinzelte Äußerungen Goethes zu einem einheitlichen Bilde zusammenziehend, unter dem 12. März 1828 berichtet. „Es ist ein eigenes Ding—liegt es in der Abstammung, liegt es im Boden, liegt es in der freien Verfassung, liegt es in der gesunden Erziehung—genug, die Engländer überhaupt scheinen vor vielen anderen etwas vorauszuhaben . . . was sind das alles für tüchtige, hübsche Leute! . . . Es liegt nicht in der Geburt und im Reichtum; sondern es liegt darin, daß sie eben die Courage haben, das zu sein, wozu die Natur sie gemacht hat. Es ist an ihnen nichts verbildet und verbogen, es sind an ihnen keine Halbheiten und Schiefheiten; sondern wie sie auch sind, es sind immer durchaus komplette Menschen. Auch komplette Narren mitunter, das gebe ich von Herzen zu . . . Das Glück der persönlichen Freiheit, das Bewußtsein des englischen Namens und welche Bedeutung ihm bei anderen Nationen beiwohnt, kommt schon den Kindern zugute, so daß sie sowohl in der Familie als in den Unterrichtsanstalten mit weit größerer Achtung behandelt werden und einer weit glücklich-freiern Entwicklung genießen als bei uns Deutschen." Im Gegensatz dazu klagt er über die Verschüchterung der deutschen Kinder durch die Polizei und schildert die äußere Erscheinung junger deutscher Gelehrter aus einer gewissen nordöstlichen Richtung als „kurzsichtig, blaß, mit eingefallener Brust, jung ohne Jugend". Im Gespräch mit ihnen fühlt er, „daß ihnen dasjenige, woran unsereiner Freude hat, nichtig und trivial erscheint, daß sie ganz in der Idee stecken und nur die höchsten Probleme der Spekulation sie zu interessieren geeignet sind". So kann er es auch nicht billigen, daß man von den studierenden künftigen Staatsdienern gar zu viele theoretische Kenntnisse verlangt, wobei dann „die nötige geistige wie körperliche Energie, die bei einem tüchtigen Auftreten im praktischen Verkehr ganz unerläßlich ist", verloren geht. Goethe schließt das Gespräch damit, daß er lächelnd meint: „Wir wollen indes hoffen und erwarten, wie es etwa in einem Jahrhundert mit uns Deutschen aussieht, und ob wir es sodann dahin werden gebracht haben, nicht mehr abstrakte Gelehrte und Philosophen, sondern Menschen zu sein."

In diesem klassischen Beispiel englisch-deutscher nationaler Spiegelung, absichtlich einseitig vom Standpunkt englischer Vorzüge und deutscher Nachteile, liegt fast das ganze Programm dieser einen Seite Goethischer Weltliteraturbemühungen vor. Ergänzt wird es durch zahlreiche verstreute Äußerungen, wo die Engländer lobend gekennzeichnet werden als praktische, auf das Reale gerichtete Menschen, die in ihrer ruhigen Sicherheit andern Nationen imponieren und ein unerreichbares Musterbild darstellen von dem, was alle Menschen sich wünschen. Eigenschaften, die ihnen nachgerühmt werden, sind Wirklichkeitssinn, praktische Klugheit, weltgeübte Tüchtigkeit u. a. m. Besonders betont Goethe die Fähigkeit, erlangtes Wissen in praktisch fruchtbare Tätigkeit umzusetzen und dadurch Theorie und Praxis gegenseitig zu fördern. „Der Engländer ist Meister, das Entdeckte gleich zu nutzen, bis es wieder zu neuer Entdeckung und frischer Tat führt. Man frage nur, warum sie uns überall voraus sind." Und im Gegensatz dazu: „Die Deutschen . . . besitzen die Gabe, die Wissenschaften unzugänglich zu machen." Äußerungen, die noch ungleich höhere Bedeutung gewinnen, wenn er etwa gleichzeitig von sich selbst sagt: „. . . ich empfinde tief das Glück dessen, der sich zu bescheiden und alles von ihm irgend Entdeckte zu irgendeinem praktischen Lebensgebrauche hinzulenken weiß; wie denn die Engländer hierin unsre unnachahmlichen Muster sind."

Wenn die Engländer, wie andere Ausländer, der neueren deutschen Philosophie nichts abgewinnen können, so liegt das für Goethe nicht an ihnen, sondern daran, daß diese Philosophie nicht unmittelbar ins Leben eingreift und praktische Vorteile sich von ihr nicht absehen lassen; denn Denken und Tun, und Tun und Denken, diese „Summe aller Weisheit", wie es in den *Wanderjahren* von 1829 heißt, sollten wie Aus- und Einatmen, wie Frage und Antwort nie eins ohne das andre sein. So steigern und verdichten sich diese Gedanken endlich zu den folgenden zwei geradezu verblüffenden Aussprüchen, die von Eckermann den Jahren 1828 und 1829 zugewiesen werden: „Während aber die Deutschen sich mit Auflösung philosophischer Probleme quälen, lachen uns die Engländer mit ihrem großen praktischen Verstande aus und gewinnen die Welt." Und in dem oben bereits herangezogenen großen Gespräch vom 12. März 1828: „Könnte man nur den Deutschen, nach dem Vorbilde der Engländer, weniger Philosophie und mehr Tatkraft, weniger Theorie und mehr Praxis beibringen, so würde uns schon ein gutes Stück Erlösung zuteil werden."

Neben diesem Mangel an reger, zielbewußter Betätigung im praktischen Leben sieht Goethe die zweite große nationale Schwäche der Deutschen in ihrer Uneinigkeit, in der „unbezwinglichen Selbstigkeitslust", die sie verhindert einzusehen, „daß ein Individuum sich resignieren müsse, wenn es zu etwas kommen soll". Auch hier wird dieser Zug der Deutschen, die „wie Billardkugeln auseinanderfahren, wenn sie sich berühren", in starken Kontrast gestellt zur Art der Engländer—und in diesem Punkte häufig auch der Franzosen—, „die weit mehr zusammenhalten und sich nacheinander richten". „Wir sind lauter Partikuliers; an Übereinstimmung ist nicht zu denken; jeder hat die Meinung seiner Provinz, seiner Stadt, ja seines eignen Individuums, und wir können noch lange warten, bis wir zu einer Art von allgemeiner Durchbildung kommen." „Nirgends trifft man auf ein redliches Streben, das dem Ganzen und der Sache zuliebe sein eigenes Selbst zurücksetzte." Niemand, meint Goethe, will die Chaussee, den gebahnten Weg verfolgen. „Jeder sucht sich ein Abweglein, als wenn das Leben ein Spazierengehen wäre. Eigentlichst aber ist dies der Fehler der Deutschen, in welchen die Engländer niemals verfallen, auch machen sich die Franzosen der neusten Zeit desselben nicht schuldig." Mit verbißnem Humor sagt er einmal, die Deutschen würden immer noch genug zu tun haben, auch wenn sie aufhörten, sich selbst zu widerstreben. Statt dessen aber gehen sie „jeder seinem Kopfe nach, jeder sucht sich selber genugzutun, er fragt nicht nach dem andern . . . woraus denn . . . viel Treffliches hervorgeht, aber auch viel Absurdes". Diese letztere Stelle beweist schon, was sich von selbst versteht, daß Goethe auch im Alter bei aller Betonung gemeinschaftlichen Zusammenschlusses den hohen Wert eines kräftigen, aber maßvollen Individualismus durchaus anerkannt wissen will und sich nur gegen das wendet, was zersetzende und hinderliche Ausartungen eines an sich gesunden Prinzips sind. Aus diesem Grunde kommen auch auf diesem Gebiete die Engländer seinem Ideal näher als die Franzosen, bei denen die Vereinheitlichung ihm oft zu weit zu gehen scheint. An den Engländern dagegen findet er „vorzüglich bedeutend und schätzenswert . . . die Ausbildung so vieler derber tüchtiger Individuen, eines jeden nach seiner Weise; und zugleich gegen das Öffentliche, gegen das gemeine Wesen: ein Vorzug, den vielleicht keine andere Nation, wenigstens nicht in dem Grade, mit ihr teilt". Wenn gleich diese wichtige Stelle aus einer früheren Zeit, aus dem historischen Teil der *Farbenlehre* von 1810 stammt, so unterliegt keinem Zweifel, daß sie auch der Ansicht des Dichters in seinen letzten Jahren durchaus entspricht.

In Goethes Gedanken über deutsche und englische Nationaleigenschaften nimmt dann ein weiteres Element einen wichtigen Platz ein, das von höchster Bedeutung ist: das Meer.

Eine beherrschende Rolle fällt im *Faust* dem Meere zunächst im Ausgang der Klassischen Walpurgisnacht zu, und hierfür ist es G. W. Hertz gelungen, enge Zusammenhänge nachzuweisen mit dem naturwissenschaftlichen Denken und Sinnen Goethes um das Jahr 1830, die „den innern Blick des Dichters aufs Meer hinausführten". Die Frage jedoch, wie und wann das Meer zu einer gleich bedeutsamen Sphäre im irdischen Ausgang der Dichtung im vierten und fünften Akt geworden ist, diese Frage ist im Grunde überhaupt noch nicht aufgeworfen worden. Was da an möglichen Anregungen zusammengestellt worden ist von Julius Cäsar und Kaiser Probus an bis auf Friedrichs des Großen Entwässerungs- und Siedlungsarbeiten in den Oderbrüchen und die in Pückler-Muskaus „Briefen eines Verstorbenen" geschilderte Gründung von Portmadoc in Wales[1], das alles bleibt doch recht an der Oberfläche und berührt wichtige Seiten des Problems überhaupt nicht. Die für *Dichtung und Wahrheit* bestimmte Inhaltsangabe von 1816 verbindet die Gewinnung großer Güter durch Faust in keiner Weise mit dem Meeresufer. Im Gegenteil, das alte Schloß, dessen Besitzer in Palästina Krieg führt, ist durchaus „binnenländisch" gedacht und wird wohl meist an den Rhein verlegt. Paralipomenon 62 (nach Witkowski) enthielte dann ein späteres Vorschieben nach dem Meere zu: „Fausts Forderungen Zugestanden Herr des Delta . . . Gewinn gegen das Meer." In dem späten Schema vom 16. Mai 1831 endlich, in dem Fausts Anspruch auf die unfruchtbaren Meeresufer zum ersten Mal erwähnt wird, allerdings zu einer Zeit, wo der fünfte Akt in allen Hauptzügen bereits fertig war, ist dann der Deltagedanke, ebenso wie in der Dichtung selber, wieder fallen gelassen worden. Was von den älteren Kernszenen des fünften Aktes—„Mitternacht", „Großer Vorhof des Palastes" und „Grablegung"—aus der „besten Zeit" stammen mag, kann jedenfalls, ebenso wie die über dreißig Jahre alte Intention einer Philemon-und-Baucis-Szene, noch nichts enthalten haben, was sich auf die Tätigkeit am Meere beziehen konnte.

Sehen wir uns nun nach Goethischen Äußerungen um, über das Meer und seine Rolle im menschlichen Dasein, so ergibt sich gerade für die Jahre von 1828 bis 1831 eine überraschende Fülle von Aussprüchen, die alle im Meere eine wunderbare Quelle von Kraft, Energie und Gesundheit im Leben der Menschen und Völker preisen und dementsprechend den Meeresanwohnern außerordentliche Vorzüge vor den Binnenländern zuschreiben. Ich kann auch hier wieder nur einige wenige besonders interessante Bemerkungen anführen, die für sich selbst sprechen sollen.

Daß gerade hier von manchem Gedanken die Wurzeln sich ziemlich weit zurückverfolgen lassen (man vergleiche z. B. auch das *Achilleis*-Fragment oder *Alexis und Dora),* erhärten einzelne frühere Äußerungen. So z. B. in *Dichtung und Wahrheit,* wo Goethe von seinem jugendlichen Enthusiasmus für den „herrlichen" Justus Möser spricht: „Zur Sprache kommt der Konflikt Englands und der Küsten, der Häfen und des Mittellandes; hier werden die großen Vorteile derer, welche der See anwohnen, herausgesetzt und ernstliche Vorschläge getan, wie die Bewohner des Mittellandes sich dieselben gleichfalls zueignen könnten." Oder, wenn es im Shakespeare-Aufsatz von 1813 heißt: „Überall ist England, das meerumflossene, . . . nach allen Weltgegenden hin tätige", so hatte ja auch schon Wilhelm Meister betont, daß Shakespeare „für Insulaner geschrieben habe, für Engländer, die selbst im Hintergrunde nur Schiffe und Seereisen, die Küste von Frankreich und Kaper zu sehen gewohnt sind". Ja, in einer allerdings ungedruckt gebliebenen Stelle zu „Dichtung und Wahrheit" läßt sich Goethe zu dem Ausspruch hinreißen, daß es allen Bewohnern der Mittelländer an Einbildungskraft fehle und daß die See, Küste und Inseln dazu gehörten, daß Dichter sich hervortun. In ähnlichem Sinne beglückwünscht er dann später (1821) den Verfasser einer ziemlich mittelmäßigen Dichtung, „daß er von Jugend auf ein Seeanwohner gewesen", und meint, es sei „vielleicht die jugendliche Anschauung des Meeres, die dem Engländer, dem Spanier so große Vorzüge über den mittelländischen Dichter gibt". Von Byron z. B. sind ihm besonders Seestücke im Gedächtnis, „wo hin und wider ein Segel herausblickt . . . , so daß man sogar die Wasserluft mit zu empfinden glaubt", und ein Jahr darauf heißt es: „Lord Byron, der täglich mehrere Stunden im Freien lebte, bald zu Pferd am Strande des Meeres reitend, bald im Boote segelnd oder rudernd, dann sich im Meere badend und seine Körperkraft im Schwimmen übend, war einer der produktivsten Menschen, die je gelebt haben." Im Anschluß hieran berichtet dann Eckermann, Goethe habe die Meinung geäußert, „daß er alle Insulaner und Meeranwohner des gemäßigten Klimas bei weitem für produktiver und tatkräftiger halte als die Völker im Innern großer Kontinente". Etwa gleichzeitig mit solchen Äußerungen liest Goethe nicht nur, sondern studiert Werke wie Dupins *Voyages dans la Grande-Bretagne,* Catteau-Callevilles *Tableau de la Mer Baltique* und Walter Scotts *Life of Napoleon,* wovon er trotz oder gerade wegen seiner typisch englischen Einstellung schreibt: „wie er, übern Kanal herüberschauend, dieses und jenes anders ansieht als wir auf unserem beschränkten Platz im Kontinent, das ist mir eine neue Erfahrung, eine neue Welt-Ein- und Ansicht." Rechnet man hierzu weiter das Tagebuch Herzog Bernhards über seine amerikanische Reise und Ludwig Galls Buch über die Auswanderung nach den Vereinigten Staaten, so finden wir, daß auch dieser Zweig unseres Interessenkomplexes etwa 1827-28 beherrschend in den Vordergrund tritt.

Nur andeuten kann ich, obgleich es durchaus hierher gehört, daß in dieser Zeit Goethe auch alles mit besonderem Eifer verfolgt, was sich auf Ebbe und Flut, auf Wasserschäden, Springfluten und Überschwemmungen bezieht sowie auf die Folgen solcher Wirkungen in der Form sandig-unfruchtbarer Uferstrecken und Dünen oder ungesund-sumpfiger Niederungen wie bei Venedig oder Missolunghi. Sind dies alles doch die bedrohlichen Äußerungen und üblen Folgen der zwecklosen Kraft des ungebändigten Elementes, die der Menschengeist sich bemühen muß zu zähmen und dienst- und fruchtbar zu machen, wenn seine hohen Vorteile in weitestem Umfang zugänglich gemacht werden sollen. So erklärt sich dann weiter das in diesen späten Jahren immer reger werdende Interesse an Eindeichungen, Trockenlegungen, Ansiedlungen auf neugewonnenem Boden sowie andrerseits an Schiffahrt, Leuchttürmen und Kanälen, wovon sich eine stattliche Liste mit zum Teil interessanten Nebenbemerkungen zusammenstellen ließe. Leider muß ich mir versagen, selbst auf Goethes besonders intensive Anteilnahme an der 1829 geplanten Regulierung der Wesermündung und der Bremer Hafenbauten näher einzugehen. Jedenfalls klingt es fast ergreifend, wenn er schreibt: „Müssen wir doch so viel von den englischen Docks, Schleusen, Kanälen und Eisenbahnen uns vorerzählen und vorbilden lassen, daß es höchst tröstlich ist, an unsrer westlichen Küste dergleichen auch unternommen zu sehen.“ Denn das Wichtigste dabei ist eben nicht das Interesse des Wasserbauingenieurs oder Großunternehmers, wie gewisse Kreise es wahr haben möchten. Das Wichtige ist, daß Goethe schreibt: „Ich habe kein anderes Interesse als das allgemein Deutsch-Kontinentale“; denn es „muß uns höchst wichtig sein, eine Unternehmung, die der Weser erst ihre Würde gibt, vorschreiten zu sehen; und wenn an jenem westlichen Ende etwas Bedeutendes der Art eingeleitet wird, so muß es bis zu uns herauf in die Werra bis Manfried wirken“. D. h. es muß dem Binnenlande wenigstens etwas von den Vorteilen des Wohnens am Meere zuführen, nicht nur in Bezug auf Handel und Gewerbe sondern auch von des Meeres weiten Horizonten, befreiendem Atem und belebender Kraft. Das „höchst tröstlich“ ist weder greisenhafte noch preziöse *niaiserie*, sondern innige Genugtuung des „echten Patrioten“ über einen Schritt näher zu dem, was er nur im Jahre vorher als zu erhoffende Erlösung bezeichnet hatte.

Verse wie 11143 ff. (Die Sonne sinkt, die letzten Schiffe, Sie ziehen munter hafenein . . .) enthüllen ihre tiefere Bedeutung für Goethe selber erst, wenn sie im Zusammenhang mit dem geschilderten Hintergrund seiner Meeresgedanken gelesen und gefühlt werden. Der Brief des Grafen Sternberg vom 29. Oktober 1830 mit der lebendigen Schilderung der Insel Helgoland, von dem Goethe in seiner Antwort vom 4. Januar 1831 sagt, daß durch ihn seine „Einbildungskraft in jene Gegenden (die Nordsee also mit der ostfriesischen Küste) versetzt ward und sich mit Felsen und Wellen, Schiffen und Abenteuern eine Zeit lang zu beschäftigen hatte", dieser Brief mag wohl, wie G. W. Hertz nachzuweisen versucht, auf den Abschluß der klassischen Walpurgisnacht im Ägäischen Meere bestimmend eingewirkt haben. Jedenfalls aber dürften die angeführten Worte auch mit dem Abschluß des irdischen Ausgangs der Faustdichtung in Verbindung zu bringen sein. Ja, dieser etwaige Doppelbezug auf die Welt des Meeres an den zwei wichtigen Stellen des Werkes, deren endgültige Gestaltung zeitlich ja ganz nahe beieinander liegt, hätte einen ganz besonderen Reiz; denn sicher muß sich in Goethes Denken und Schaffen um die Wende von 1830 auf 1831 das biologische Interesse an der Leben zeugenden Kraft des Meeres aufs engste berührt haben mit dem, was er in kulturpolitischem Sinne als seine hohen Werte einschätzt. Selbst der neptunistische Geologe dürfte hierbei irgendwie mit im Spiele sein. Der begeisterte Anruf des Thales ans Meer,

> Ozean, gönn uns dein ewiges Walten . . .
> Du bist's, der das frischeste Leben erhält,

gilt ja wortwörtlich im Sinne Goethes auch für das Reich, das Faust den Wellen abringt und in ein Gartenland für ungezählte Tausende tätigfreier Ansiedler umwandelt.

Ich muß gestehen, daß ich durch diese letzten Ausführungen eigentlich zu früh mich habe ablenken lassen von der rein objektiven Zeichnung des Goethischen Gedankenhintergrunds; und doch ist da noch das eine oder andre nachzuholen. Vor allem die viel umstrittene und nicht ganz leicht zu beantwortende Frage nach dem Freiheitsmotiv in der letzten Vision Fausts, in der Gegenwart und Zukunft ineinanderfließen. Daß der Wunsch vom freien Volk auf freiem

Grunde in keinem engeren Sinne politisch zu fassen ist, sollte sich von selbst verstehen. Für freie Verfassungen, republikanische Einrichtungen oder parlamentarische Regierung hat Goethe trotz des stark sozialen Grundtons und mancher toleranten Äußerung seiner späteren Jahre nie irgendwelche Neigung bekundet, und im Hinblick auf Jeremy Bentham hat er sich noch 1830 abfällig über einen Greis ausgesprochen, der es sich einfallen läßt, am Ende seiner Laufbahn radikal zu werden. Andrerseits sind zwei Dinge unleugbar. „Frei“ ist ein Lieblingswort Goethes, das er überaus häufig und fast stets im Sinne von etwas Wünschenswertem gebraucht, und gerade in seiner Bewertung englisch-amerikanischer Dinge spielt Freiheit eine wichtige Rolle. Neben tüchtig, tätig, gesund und einigen andern Ausdrücken, die häufig wiederkehren, wo es sich um die lobende Charakteristik der guten Seiten des „englischen“ Wesens handelt, erscheint auch „frei“ in zahlreichen Wendungen, wie das freie Meer, der freie Geist, freier Amerikaner, Freiheit und Klarheit, freiere Erziehung, in freier Luft, persönliche Freiheit, selbst die freie Verfassung. Ja, auch da, wo das Wort nicht vorkommt, läßt sich bei solcher Gelegenheit der Gedanke einer Freiheit von unnatürlichem Zwang fast stets nachweisen; oder liegt ein Freiheitsgedanke etwa nicht in Wendungen wie „Courage haben, das zu sein, wozu die Natur sie gemacht hat“ oder „Shakespeare zum Ahnen zu haben und den Ozean zu den Füßen“? Soweit ich sehen kann, beherrscht den Goethischen Freiheitsbegriff bei aller Unbestimmtheit und Wandelbarkeit immer der Gedanke des Fehlens eines falschen Druckes oder Zwanges, also der Möglichkeit gesunder Entwicklung und Betätigung, allerdings zugleich stets mit Rücksicht auf die durch die Stellung im Ganzen gebotenen Grenzen. Auf staatliche Dinge angewandt setzt das voraus, wie Goethe oft betont, daß weder von oben, durch selbstische Machthaber, noch von unten, durch eine revolutionäre Masse, ungerechter Druck ausgeübt wird, der notwendig Gegendruck erzeugt. Das ist es ja zuletzt, was Goethe an einem „freien“ Amerika ernsthaft scherzend rühmt, wenn er im Vergleich mit der alten Welt sagt:

Amerika, du hast es besser
Als unser Kontinent, das alte,

Hast keine verfallene Schlösser
Und keine Basalte.

Auf der neuen Welt ruht nicht die tote Hand einer nicht mehr zum Leben berechtigten Vergangenheit, und, um es knapp zu sagen, sie sitzt nicht auf einem Vulkan, der von unten Umsturz droht[2]. Ob das im staatlichen Leben eines Volkes nun viel oder wenig bedeuten mag, Goethe hat es sicher schon für sehr viel gehalten, und die „Freiheitsvision der Perfektibilisten", wie es von mancher Seite spöttisch genannt wird, dürfte im Hinblick auf diese seine englisch-amerikanischen Anschauungen doch auf einer leidlich soliden Basis beruhen. Auch sollte nicht übersehen werden, daß, da auch Mephistopheles von freiem Meer und freiem Geiste spricht, gerade hierdurch der Kontrast von zügelloser Willkür (Mephistopheles ist ja doch Plutonist) und gesetzlich-gerechtem Vorgehen unterstrichen wird.

Wie aber steht es um Gerechtigkeit im Schaffen und Herrschen Fausts? Gewiß, er spricht ganz am Anfang, wo sein Werk erst als Plan vor ihm liegt, von einem freien Geist, der alle Rechte schätzt. Beweist nicht aber, was in seinem Reiche vor sich geht, eher das Gegenteil? Des Mephistopheles zynische Lehre von der Dreieinigkeit von Krieg, Handel und Piraterie, das gewaltsame Verfahren gegen Philemon und Baucis und die blutigen Menschenopfer bei der Eindeichung des Landes, von denen die alte Baucis wissen will, sind sie nicht die Hauptsteine des Anstoßes für eine befriedigende Interpretation des fünften Aktes als eines Aufstiegs Fausts zu immer höherer und reinerer Tätigkeit? Sind sie nicht zugleich die Kronzeugen derer, die in Faust am Meeresufer nichts sehen wollen als einen verbrecherischen Ausbeuter und unverbesserlichen Gewaltmenschen oder bestenfalls Abenteurer? Was die durch nichts erhärteten Verdächtigungen der fromm-abergläubischen Baucis betrifft (auch ihre allerdings derbkomische Vorgängerin im Vorspiel von 1802 zetert grundlos über Hexerei, Klauen und Pferdefuß), so können sie in dem von ihr gemeinten Sinne unmöglich ernst genommen werden, wenn auch sicher das gewaltige Werk schwere Verluste an Menschenleben mit sich gebracht haben mag. Wie könnte man es sonst auch verstehen, daß ein ruchloser Opferer menschlicher Existenzen es anscheinend Jahre lang nicht über sich gebracht hat, noch dazu bei Philemons augenfälliger Bereitschaft zum Tausch, sich trotz Baucis' Widerstreben des kleinen Besitztums zu bemächtigen?

Wenn wir nun aber an die gemachten Ausstellungen, soweit sie entschieden berechtigt sind und das sich vor uns auftuende Bild tatsächlich entstellen, vom Standpunkt des hier dargelegten Ideenhintergrundes herantreten, so ergibt sich auch hier, als ob geradezu die Probe auf das Exempel gemacht werden sollte, eine völlig einheitliche und überzeugende Interpretation. Es wäre nämlich durchaus irrig, auf Grund unsrer obigen Ausführungen in Goethe einen einseitigen, kritiklosen Bewunderer Englands sehen zu wollen. Für uns hat es sich ja soweit immer nur um den Gedanken der Weltliteratur gehandelt, der die gegenseitigen Vorzüge hervorhebt, um von ihnen zu lernen, von Schwächen und Fehlern aber absieht, da durch ihre Betonung wohl Feindseligkeit aber nicht Annäherung gedeihen kann. Für ein genaueres Eingehen auf diese Seite von Goethes Beurteilung des englischen Nationalcharakters ist hier nicht der Ort; schon deswegen nicht, weil bei schärferer Herausarbeitung der zeitlichen Folge sich ergibt, daß die große Mehrzahl der ablehnenden Urteile nicht dem Alter angehört, mit dem wir zu tun haben, sondern der mittleren Zeit, in der Goethes Bewunderung für Napoleon ihm den englischen Gegner eher in ungünstigem Lichte erscheinen ließ. Wenn auch Goethes negative Kritik längst nicht so scharf ist wie z. B. die Herders, so hören wir doch deutlich und des öfteren von patriotischem Starrsinn, von Mangel an eigentlicher Reflexion, von politischer Heuchelei, von Eigennutz, von Ungerechtigkeit gegen das Ausland, von Ahnenstolz, von allzu scharfem Parteiwesen, von einem „operosen" Aufgehen in irdischem Tun und Treiben u. a. m. Weit wichtiger aber für unsere Zwecke sind die Fehler der Engländer, die sozusagen die Kehrseite ihrer Tugenden sind, mit ihren großen Unternehmungen zusammenhängen, ja zum Teil vielleicht unvermeidlich sind. Ich erinnere hier an „Das Übel, was du tun mußtest" in Paralipomenon 30 (bei Witkowski), was wohl mit Recht auf Elemente der Staatskunst Friedrichs des Großen bezogen worden ist, die sicherlich neben verwandten englischen Zügen in die Gestaltung unserer Szenen mit hineingespielt haben mögen. Im Falle Philemon und Baucis liegt aber sicherlich kein Übel vor, das im Zusammenhang mit dem großen Werke hätte getan werden müssen, und Goethe selbst weist im Alter auf die im Guten wie im Schlechten naheliegenden Parallelen zum Schaffen Friedrichs des Großen nie hin. Für irgendwie bedeutsam für die endgültige Gestaltung unserer Szenen kann ich also Einflüsse aus der Welt Friedrichs nicht halten, eher in Bezug auf den ursprünglichen Plan.

Die Hauptvorwürfe, die Goethe gegen die Engländer erhebt, da, wo ihre Ziele und Interessen in Frage kommen, sind Selbstsucht, Grausamkeit, Brutalität, ja Unmenschlichkeit, vor allem in der Behandlung der Eingebornen in den von ihnen eroberten Gebieten, wenn nicht auch der Irländer. Bekannt ist, wie Goethe dem anglikanischen Bischof Lord Bristol, der ihm die durch den *Werther* verursachten Selbstmorde vorwirft, unter anderem die viel tausend Schlachtopfer entgegenhält, die dem englischen Handelssystem zu Gefallen umkommen und über die der Bischof und seine Kirche sich nicht aufregen. Der Vorgang gehört ins Jahr 1797. Um so bedeutsamer ist es, daß Goethe ihn gerade 1830 Soret ausführlich erzählt. Weiter führten die Ansprüche der Engländer auf Herrschaft zur See besonders zur Zeit der Napoleonischen Kontinentalsperre zu einem unausgesetzten Kaperkrieg, unter dem die neutralen Staaten und so auch Deutschland auf das empfindlichste zu leiden hatten. Zumindest damals, wie auch oft genug später, wäre wohl kein Mephistopheles nötig gewesen, die Engländer der Dreieinigkeitslehre von Krieg, Handel und Piraterie zu bezichtigen und diese zu eigner Rechtfertigung anzuführen. Und endlich sind die brutal-rücksichtslosen Austreibungen (*evictions*) der armen irischen Pächter infolge des berüchtigten *absentee-landlord*-Systems auch in England selber aufs schärfste verurteilt worden. In der von Goethe leidlich regelmäßig verfolgten *Edinburgh Review* brachten z. B. die Jahre 1825 bis 1829 nicht weniger als fünf ausführlichere Aufsätze über diese Verhältnisse unter Titeln wie *Absenteeism, Relation of Landlord to Tenant, Ireland: Its Evils and their Remedies.*

Jedenfalls handelt es sich hier um Dinge, über die Goethe sowohl durch Unterhaltungen wie durch Lektüre vollkommen unterrichtet gewesen sein muß. Auch sind gerade diese beiden Motive—Krieg,

Handel und Piraterie und Philemon und Baucis—in dem hier angedeuteten Sinne schon von anderer Seite als auf England bezüglich erkannt worden; das erstere bereits von Düntzer, der schon 1854 auf das „pfiffige englische Seewesen“ hinweist, ohne damit bei den bekannteren Kommentatoren, mit Ausnahme von Harnack, Anklang zu finden. Mehr als nur diese beiden Motive sucht durch englische Parallelen zu erklären die schon berührte Arbeit von Gregor Sarrazin: *Ein englisches Urbild für Goethes Faust* (1912), von der man annehmen muß, daß sie in der Faustkritik kaum bekannt geworden sei, da sie an etwas abseits liegender Stelle erschien (*Internationale Monatsschrift,* VI, 111–26) und der Ausbruch des Weltkriegs Gedankengängen dieser Art nicht günstig gewesen sein mag. Immerhin bleibt es verwunderlich, daß die Ausführungen Sarrazins, denen Muncker 1916 restlos beistimmte, in der eigentlichen Faustliteratur gar keine Wellen geschlagen haben und sich niemand veranlaßt gesehen hat, den angedeuteten Zusammenhängen nachzugehen, um sie entweder zu entkräften oder in erweiterter Problemstellung zur Geltung zu bringen. Meine eignen Studien nach dieser Seite hin waren damals bereits seit einigen Jahren im Gange und lagen in ihren Grundzügen fest. Wennschon die mir damals zu Gebote stehenden Belege im Vergleich zu meinen jetzigen Sammlungen dürftig genannt werden mußten, so gestatteten sie mir doch, in einer Versammlung der *Modern Language Association of America* in Indianapolis im Dezember 1912 den hiesigen Fachkollegen meine Ansichten vorzulegen in der Form eines Vortrags über *Goethe's Opinion of English Life and Character and the Scenes at the Seashore in the Second Part of Faust.* Daß für eine Veröffentlichung die Sache damals noch nicht spruchreif war, dessen war ich mir wohl bewußt, und bald kam der Krieg, brachte die Arbeit zum Stillstand und untergrub die Freude daran auf Jahre. Trotzdem ließ ich mich bewegen, im Goethejahr 1932 in einer als Jahrhundert-Gedächtnisfeier für Goethe und Walter Scott gedachten Sitzung der *Modern Language Association* in der *Yale University* in einer der Veranstaltung entsprechenden Form meine inzwischen erweiterte Anschauung als „Der Weisheit letzter Schluß“ vorzutragen. Aber erst im Winter und Frühling 1935 gestattete mir ein halbjähriger Urlaubsaufenthalt in Deutschland, meine Untersuchungen in Weimar und in Frankfurt einigermaßen abzuschließen, obgleich ich selbst dann manches, wie die Hüttnerschen Berichte aus England aus den Jahren 1814 bis 1829 und die in Frage kommenden Handexemplare in Goethes Bibliothek, nicht so gründlich durchmustern konnte, wie ich das gern getan hätte. Allerdings könnten kleine Nachbesserungen hier oder da an dem Gesamtbild, wie es sich allmählich klarer und klarer herausgearbeitet hat, nichts mehr verändern.

Der Fehler Sarrazins war vor allem der, daß er wohl ganz richtig darauf hinwies, wie Goethe in seinen letzten Lebensjahren sich mit besonderer Vorliebe mit England beschäftigt habe und daß eine „eigentümlich englische Atmosphäre" in den in Frage kommenden Szenen sich fühlbar mache, daß er aber diesen Einsichten in keiner Weise weiter nachging sondern sich auf einen entschieden überbetonten, ja mitunter gewaltsamen Vergleich der Gründung und Lage von Portmadoc mit der Landschaft und den Vorgängen im fünften Akt versteifte, was selbst da Bedenken und Widerspruch hervorrufen muß, wo man seiner allgemeineren These beipflichtet.

Für die oben aufgeworfene Frage nach Gerechtigkeit und Ungerechtigkeit, um zu ihr zurückzukehren, ergibt sich jedenfalls folgendes. Für Goethe ist Gerechtigkeit im staatlichen und gesellschaftlichen Leben oberstes Prinzip, ja im Grunde aufs engste mit seinem Freiheitsbegriff verwandt, wenn nicht geradezu damit identisch. Im ersten Akt wird Gerechtigkeit vom Kanzler als des Herrschers höchste Tugend bezeichnet; denn für den, der die Macht hat, ist bei starkem Wollen die Verführung zu Ungerechtigkeit und Gewalt die bedenklichste und am schwersten zu vermeidende Gefahr. Wenn also Goethe überzeugt war, daß auch die Engländer trotz ihrer Ruhe und Überlegung in ihren an sich wertvollen Unternehmungen dieser Versuchung nur zu oft erlegen waren, so würden sicher auch die Deutschen bei ihrem Eintritt in die große Welt des Handelns diesem Erbübel aller Gewalthaber nicht entgehen. So richtet der Dichter hoch und deutlich die Warnungstafeln auf, wenn man sie so nennen will, die unbedingt in das umrissene Gesamtbild gehören, wenn es vor sentimentaler Einseitigkeit bewahrt und zur Höhe eines wirklich berechtigten Lebensideals gesteigert werden sollte. Nur so gewinnt

Goethe das Recht, von einer zumindest als Wunschbild immer höheren und reineren Tätigkeit Fausts zu sprechen, wenn auch das klar erkannte Ideal in der Wirklichkeit, wie in allem menschlichen Tun, nicht rein zum Ausdruck gelangt. In beiden Fällen, was doch zu bedenken ist, ist es jedenfalls Mephistopheles, der entweder selbstherrlich vorgeht oder den Verführer spielt und beidemal gegen Fausts Wunsch und Willen handelt. Dem Piratenevangelium gegenüber, mit dem Gewalt als Recht verteidigt wird, gibt Faust—ein sonderbarer Schwärmer von ruchlosem Ausbeuter!—seine Mißbilligung deutlich, wenn auch schweigend, zu erkennen, und im Falle von Philemon und Baucis läßt man es ihm nicht gelten, daß er die Tat bereut und ungeschehen machen möchte, noch ehe er von dem tragischen Ausgang eine Ahnung hat und sie verflucht, als der ihm bekannt wird. Er, der von einem luftigen Ausschau in den Lindenbäumen sein Werk genießerisch überblicken wollte, muß seine Willkür mit dem Verlust des Augenlichtes büßen. Kann ein Dichter eine deutlichere Sprache reden, besonders wenn er sie vorher schon, in der kleinen Welt, in der Gretchentragödie, bei überraschend ähnlichem Verlauf mit gleicher Schärfe gesprochen hat?

Eigentlich bin ich hier am Ende meiner Darlegungen und muß, um den Umfang eines Zeitschriftenaufsatzes nicht ungebührlich zu überschreiten, es der Hauptsache nach meinen Lesern überlassen, die aus dem geschilderten Tatbestand sich ergebenden Anwendungen auf die Dichtung, von denen soweit ja nur wenig kurz berührt worden ist, selber vorzunehmen. Einerseits handelt es sich dabei um das äußere Bild von Landschaft, Bauten und Tätigkeiten, zunächst also um Meeresufer, Dünen, Ebbe und Flut, die Errichtung von Deichen, das Ziehen von Gräben, um Trockenlegung, Urbarmachung und Besiedlung des dem Meere abgerungenen Erdreichs, danach um Anlage eines großen schiffbaren Kanals, eines Hafens mit allem, was dazu gehören mag, um Schiffe und Schiffahrt und Seehandel. Andrerseits aber handelt es sich, was ungleich wichtiger ist, um soziale und ethische Elemente, die teils der geschaffenen Wirklichkeit, teils Fausts Zukunftsvision angehören: um praktisch-tüchtigen Sinn, der chaotisch-elementare Wildheit in Ordnung und Fruchtbarkeit verwandelt, um Pioniergeist von kühnem Wagemut und ausdauerndem

Fleiß, um Verlockungen zu Ungerechtigkeit und um unberechtigtes Herrschergelüst, aber auch um Absage an jugendliches Ungestüm, um Unerschrockenheit bei Unheil, selbstsicheres Vertrauen auf die Natur und eigene Kraft, einen stark diesseitigen Wirklichkeitssinn und endlich um freudige Bejahung eines Lebens bei Mühe und Arbeit, in freier Tätigkeit und in gemeinsamen Zusammenstehn bei Not und Gefahr. Soweit nun auch von verschiedenen Seiten dem Dichter Anregungen zur Zeichnung dieser Welt zugeflossen sind, vor allem aus Holland und Friesland, aus amerikanischem Pionierleben, von den Küsten der Nord- und Ostsee, aus seiner eignen Überzeugung von der im deutschen Volke schlummernden Kraft und Tüchtigkeit, so unterliegt doch keinem Zweifel, daß der bei weitem wichtigste und das Ganze in Grundton und Einzelzügen am meisten bestimmende und gestaltende Einfluß, besonders in Bezug auf Fausts letzte testamentarische Rede und ihre sozial-ethischen Ideale, auf des Dichtergreises intensiver Beschäftigung mit England beruht, auf dem Vergleich englischer Energie und Wirksamkeit im großen tätigen Leben mit einer allzu subjektiven und spekulativen Zersplitterung und Wirklichkeitsentfremdung im deutschen Leben seiner Zeit und auf der Hoffnung, das deutsche Volk aus dieser „ideellen" Einseitigkeit heraus- und einer vollen, gesunden Entfaltung aller seiner reichen Kräfte entgegenzuführen, im Reiche der Tat nicht minder als in dem des Geistes.

Aus der Fülle weiterer Gedanken, die sich hieraus ergeben und für die Interpretation der ganzen Szenengruppe oder verschiedener Einzelzüge maßgebend sind, beschränke ich mich auf das Notwendigste und Nächstliegende, und auch hier notgedrungen nur andeutungsweise.

Das Wichtigste ist doch wohl die rein objektive und in diesem Sinne unanfechtbare Begründung und Unterstützung, welche die „orthodoxe" Interpretation von Fausts Lebensweg erfährt. Unter dem hier vertretenen Gesichtspunkt stellt sich dieser Weg tatsächlich „bis ans Ende" als ein aufsteigendes Streben nach immer höherer Lebenserfüllung dar und entspricht so durchaus Goethes eignen klaren Worten, im Einklang mit der Voraussage des Herrn im Anfang (324ff.), der Lebensbejahung Fausts in der Mitte (4684-85) und der Botschaft der Engel am Ausgang der Dichtung (11936-37). Goethes Einschätzung und Bewertung ist so gesichert. Wer sich damit nicht abfinden kann, hat es mit Goethe, nicht mit seinen Erläuterern zu tun.

Es ist weiter klar, warum, wie von mancher Seite gefragt worden ist, Goethe seinen Faust zu schöpferischer, ihn wenn auch nur in Qual und Glück befriedigender Tätigkeit nicht in seine Studierstube zurückführen konnte. Gewiß, auch der Gelehrte und Künstler kann und soll schöpferisch tätig sein, doch die hier nachgewiesene, dem Schluß zugrunde liegende Idee hätte so unmöglich dargestellt werden können, wäre eher geradezu *ad absurdum* geführt worden.

Von einem Aufgehen in einem materialistisch-industriellen Großunternehmertum kann nicht die Rede sein. Charakteristisch genug fehlt in all den zahllosen Äußerungen über englisches Leben und Wesen aus den letzten zehn Jahren von Goethes Leben, so auch in allen oben beigebrachten Belegen, so gut wie jeder Bezug von nur irgendwelcher Bedeutung zur englischen Industrie, die doch damals schon stark im Aufblühen begriffen war. Auch die Hüttnerschen Berichte gehen auf diese Dinge so gut wie gar nicht ein, das heißt denn doch, sie interessierten weder Karl August noch Goethe irgendwie besonders. Selbst Fragen der Technik stehen überraschend im Hintergrund im Vergleich zu Wissenschaft, Kunst, Reisebeschreibungen, Geschichte und vor allem Blumenzucht und Gartenbau. Ganz dementsprechend enthält auch Fausts letzte große Lebenssphäre nichts, was auf Fabrik- oder Maschinenwesen deuten könnte. Ackerbau und Viehzucht, Schiffahrt und Handel, durch Alter geadelte Kulturarbeiten der Menschheit, beherrschen ausschließlich das Bild, wo sich in des Wortes schönster Bedeutung die Erde mit dem Meer versöhnt. Statt Schornsteine und Rauchwolken starren Masten und wehen Wimpel; die Erzeugnisse fremder Weltgegenden, die der große Kahn in Kisten, Kasten und Säcken heranführt, sind sicher keine Maschinen; Hacke, Schaufel und Spaten klingen nicht nach Dampfbetrieb; und Sprachrohr und Pfeife (11143 und 11281), um das nebenbei zu sagen, spielen in der Schiffahrt wohl eine natürlichere Rolle als im Fabrikhof.

Auch der Weg aus der Antike der Helena zu einem nach allen

Weltgegenden tätigen England dürfte sich bei näherem Zusehen nicht so phantastisch und widerspruchsvoll erweisen, wie es kurzsichtigen Nörglern scheint. So verschieden die beiden Welten sind, so sind sie doch beide für Goethe gekennzeichnet als Meereswelten, voller Kraft, Größe, Gesundheit, Wirklichkeitssinn, Tüchtigkeit. Die Antike war eben für Goethe weit mehr als ästhetische Schönheit, und England, wie wir gesehen haben, weit mehr als ein Handels- und Krämervolk. Auch sind und bleiben ja Griechenland und England bis zuletzt nebeneinander die beiden großen nationalen Kulturen, denen Goethe hohe Bewunderung zollt. Sie müssen sich also schon irgendwie miteinander vertragen. Da Goethe von seiner Faustdichtung mitunter als von ernst gemeinten Scherzen spricht, so möchte ich auf die Gefahr hin, ernst genommen zu werden, darauf hinweisen, daß von Sparta durch Arkadien hindurch über Missolunghi und Venedig, die Hochalpen überquerend, eine auffallend gerade Linie durch Holland oder Friesland nach England führt, und falls Herr Sarrazin, wenn er noch lebt, hinzusetzen wollte: und zwar geradenwegs nach Portmadoc, so müßte ich ihm geographisch gesprochen recht geben. Ob dem großen Kartenfreund nicht auch dieser Einfall gekommen sein sollte? Ich hätte ihn mögen schmunzeln sehen.

Weit von allem Scherz entfernt jedoch ist ein letzter überaus wichtiger Gedanke, der nicht unerwähnt bleiben darf. Wenn mit Fausts schöpferischer Tätigkeit und besonders seiner letzten großen testamentarischen Rede der Dichter sich besonders an die Deutschen seiner Zeit wendet, also eine wenn auch noch so lebenswahre und fruchtbare, doch aber volk- und zeitbedingte Botschaft verkündet, die er weder den Engländern seiner Zeit noch den Deutschen unsrer Zeit zugerufen hätte, wo bleibt dann der große, allgemeingültige, für alle Menschen aller Zeiten immer gleiche Ewigkeitswert—wenn es uns ansteht, von menschlichen Dingen so hohe Worte zu gebrauchen—, den eine ganz große Weltdichtung neben all ihrem besonderen Zeitwert haben muß? Die Antwort liegt wohl schon darin, daß Ewiges nur im Symbol ausgedrückt werden kann, nur im Gleichnis. Der Symbolwert aber von Fausts großem Ringen und Schaffen, wenn wir von seinem speziellen Inhalt absehen und nur Form und Geist ins Auge fassen, dieser Symbolwert ist bei aller Einfachheit so voller Sinn und Adel und Kraft, daß, zum mindesten in der irdischen

Sphäre, auf die wir uns hier beschränken, eine großartigere Formulierung menschlichen Strebens kaum denkbar ist. Weder die Symbolik der Baukunst von Grundmauer, Turm und Pyramide noch die Symbolik des Ackerbaus von Pflügen, Säen und Ernten scheint so zwingend und ausdrucksvoll wie die von dem Ringen mit der Meerflut und dem Schaffen von Neuland. Daß Goethe beim Gestalten der Meeresszenen sich dieser Symbolik klar bewußt gewesen ist, beweist, wenn bei einer so stark symbolischen Dichtung wie dem Zweiten *Faust* es sich nicht von selbst versteht, einerseits die überwiegend ethisch eingestellte Sprache der Verse 10202-21, andrerseits der in Goethes letzten Lebensjahren bemerkenswerte Gebrauch von Ausdrücken aus der Welt des Meeres und der Schiffahrt in den bildlichen Wendungen seiner Rede. Heißt es doch selbst noch in dem schon erwähnten letzten Brief an Wilhelm von Humboldt, und zwar vom *Faust* selber, er fürchte, in den Wirren des Tages möchte das Werk „an den Strand getrieben, wie ein Wrack in Trümmern daliegen und von dem Dünenschutt der Stunden zunächst überschüttet werden".

Mit Menschengeist und Menschenmut die drohenden Elemente bändigen, nicht eigentlich schwächen, damit sie menschlichem Dasein, im Stofflichen wie im Sittlich-Geistigen, förderlich und dienstbar werden; dem Chaos Fuß für Fuß den Boden abgewinnen und ihn zu Gärten und Feldern des Lebens gestalten; gewonnenes Neuland, sei es der Erde, sei es des Geistes, gegen ewig lauernde Rückfälle und Einbrüche schützen, in gemeinschaftlichem Verein, das Los des einen untrennbar verknüpft mit dem des anderen, ja mit dem aller—darf das nicht gelten als ein verpflichtendes Ideal für alle Schaffenden auf allen Gebieten menschlichen Strebens zu allen Zeiten? Heißt das nicht in den Worten des mehr als Achtzigjährigen „den Geist dahin lenken, wo die Menschheit sich in ihrer höchsten Würde zeigt"?

Und wenn die Würde einer herben Männlichkeit im Grundton dieser Lebensbotschaft uns einen Mangel an Anmut und Wärme empfinden läßt, so erklingt nur um so berechtigter und eindringlicher aus der Symbolwelt der letzten Szene, die außerhalb der uns gesteckten Grenze liegt, der Preis des Ewig-Weiblichen, der alles heilenden und überwindenden Liebe.

Weitere Betrachtungen zum irdischen Ausgang

(1951)

In dem vorstehenden Hauptaufsatz zur Problematik des irdischen Ausgangs von Goethes Faustdichtung war ich bemüht, die sozialethischen Anschauungen des alten Goethe nachzuweisen, aus denen heraus er dazu kam, Fausts Eintritt in das „handelnde Leben“ (vgl. Schillers Brief vom 26. Juni 1797) gerade so darzustellen, wie das im vierten und fünften Akt der endgültigen Gestaltung des Zweiten Teils geschieht und in diesem Zusammenhang darzutun, wie hoch der Dichter den von Faust mit den Worten „Hier möcht' ich kämpfen, dies möcht' ich besiegen“ aufgestellten Plan der Gewinnung von fruchtbarem Erdreich durch Eindeichung des flachen Meeresufers in seiner sozialen Bedeutung einschätzte. Ich hatte vorgehabt, die Gelegenheit des Neudrucks zu benutzen, um den Aufsatz über die zwei genannten Hauptabsichten hinaus, zu vertiefen und erweitern, besonders im Hinblick auf die hohe Bedeutung, sei es nach oben oder nach unten, die Fausts tätigem Leben am Meeresufer allgemein zugeschrieben wird für die endgültige Gesamtbewertung seines Wesens, Strebens und Tuns. Die Einverleibung des für diesen Zweck bestimmten Materials in das feste Gefüge des fertigen Aufsatzes erwies sich aber dermaßen schwierig und zeitraubend, daß ich mich entschloß, diese weiteren Betrachtungen zu einem eignen nachträglichen Aufsatz zusammenzufassen, der allerdings die Kenntnis des Hauptaufsatzes zur Voraussetzung hat, da er sich nicht selten direkt auf dessen Ausführungen bezieht.

Jede der Weltliteratur angehörende große Dichtung unterliegt im Wandel der Zeiten Auffassungen und Beurteilungen, die je nach der

Epoche und der völkischen Kultur, der sie entstammen, weit auseinandergehen können. Das sind ihre Schicksale. *Habent sua fata libelli.* Solchen relativen Wertungen gegenüber, die oft mehr über ihre eignen Urheber aussagen als über die Dichtung und ihren Dichter, ist es die Aufgabe einer auf Wissenschaftlichkeit Anspruch erhebenden Kritik, möglichst unvoreingenommen das herauszustellen und zu verlebendigen, was den Dichter selber bei der Schöpfung seines Werkes beseelt hat, und was er bemüht gewesen ist, auch in seinen Lesern oder Hörern wachzurufen.

Ich stelle deshalb der nachhaltigeren Zusammenwirkung halber hier die klarsten und überzeugendsten Aussagen zusammen, die der Dichter teils selber außerhalb seines Werkes gemacht, teils innerhalb desselben einzelnen Gestalten in den Mund gelegt hat und die ihrer Verwendung nach uns erkennen lassen, wie der Dichter seinen Helden gesehen hat und also auch wir ihn sehen sollten.

Der Herr: Wenn er mir jetzt auch nur verworren dient
(308)

Und steh beschämt, wenn du bekennen mußt,
Ein guter Mensch in seinem dunklen Drange
Ist sich des rechten Weges wohl bewußt
(327-29)

Die Engel: Diesen Seelenschatz erbeuten
(11946)

Gerettet ist das edle Glied
Der Geisterwelt vom Bösen.
Wer immer strebend sich bemüht,
Den können wir erlösen.
(11934-37)

Mephistopheles [weder als Versucher noch als Spötter]:
Der mir so kräftig widerstand
(11591)

Mir ist ein großer Schatz entwendet;
Die hohe Seele, die sich mir verpfändet,
(11829-30)

Faust: Was bin ich denn, wenn es nicht möglich ist,
Der Menschheit Krone zu erringen?
(1803-4)

Du [Erde] regst und rührst ein kräftiges Beschließen,
Zum höchsten Dasein immerfort zu streben.
(4684-85)

Goethe: ein aus schweren Verirrungen immerfort zum Besseren aufstrebender Mensch (zu Eckermann am 6. Mai 1827)

in Faust selber eine immer höhere und reinere Tätigkeit bis ans Ende (zu Eckermann am 5. Juni 1831)

Wenn diesen leidlich einheitlichen Aussagen gegenüber die neueren Vertreter einer negativen Faustkritik in dem Helden der Dichtung einen bloßen Abenteurer, gewissenlosen Gewaltmenschen, gewinnsüchtigen Großunternehmer und ruchlosen Verbrecher sehen wollen, so klafft da ein so fundamentaler Widerspruch, daß man das Gefühl nicht los wird, es geht hier gar nicht so sehr um die Beurteilung der Faustgestalt als um eine Verdächtigung der weltlich-humanen Lebensanschauung Goethes, die der Faustdichtung zugrunde liegt. Abgesehen von der verwunderlichen, später eingehend zu erörternden Selbstkritik Fausts im Gespräch mit der Sorge (11433ff.), können solche negative Beurteilungen von Fausts Charakter sich einen Anschein von Berechtigung nur dadurch geben, daß fast alles, was zu Fausts Gunsten spricht, unterdrückt oder entkräftet wird, während alles, was ihm nachteilig ist, gesteigert und in den Vordergrund gerückt wird, und daß in den nicht seltenen Fällen, wo, objektiv betrachtet, die Möglichkeit verschiedener Interpretationen zuzugeben ist, die für Faust ungünstige Auffassung als gesichert angesehen wird. Vgl. z. B. die Anschuldigungen der Baucis, Fausts Erblinden oder den von Mephistopheles prophezeiten Untergang von Fausts Schöpfung. Ein solches Verfahren widerspricht aber, falls wir nach dem Goetheschen Sinn seiner Dichtung suchen, in Anbetracht der uns bekannten Auffassung des Dichters den Anforderungen einer gesunden, kritischen Interpretation. Natürlich ist zuzugeben, daß oft auch seitens der Verteidiger Fausts das entgegengesetzte Verfahren, so sehr es den Intentionen des Dichters an und für sich näher kommen mag, allzu nachsichtig gehandhabt worden ist. Eine mit einseitiger Bewunderung gesehene Lieblingsgestalt ihres Schöpfers ist der Goethesche Faust nicht. Mehr als einen warmen

Achtungserfolg erzielt er bei seinem Dichter besonders im zweiten Teil der Dichtung nur äußerst selten.

Aufmerksame Leser der vorstehenden Tabelle werden sich gewundert haben, daß in dem ersten Ausspruch des Herrn nur der konzessive Vordersatz erscheint, nicht aber der Nachsatz „So werd' ich ihn bald in die Klarheit führen", der für den hier verfolgten Zweck besonderen Wert zu haben scheint und in diesem Sinne bei der Besprechung von Fausts Sterbestunde auch fast immer angeführt wird. Dabei wird aber übersehen, daß, als der Herr diesen Ausspruch tut, noch von keiner Wette die Rede ist. Er sieht in Faust einen, der ihm dient, wenn auch zur Zeit noch in Unklarheit, und deutet an, wie er auf die weitere Gestaltung von Fausts Lebensweg einzuwirken gedenkt. Als aber Mephistopheles auf Fausts Unterliegen wetten will, falls der Herr ihm nur erlauben wolle, Faust seine Straße sacht, also ungestört, zu führen, verzichtet der Herr auf die geplante erzieherische Einwirkung auf Faust mit den Worten: „Nun gut, es sei dir überlassen!" Mephistopheles soll freie Hand haben; Faust ganz auf sich selbst angewiesen sein. Hauptziel der dramatischen Handlung ist also nicht, daß Faust, um seine Wette zu gewinnen und die Zuversicht des Herrn zu rechtfertigen, eine Stufe idealer menschlicher Vollkommenheit, letzter Klarheit über Sinn und Ziel menschlichen Lebens und Strebens erreichen soll. Ziel der Handlung, vom Herrn aus gesehen, ist vielmehr der Ausweis, daß Mephistopheles nicht imstande sein wird, Faust als einen *ad hoc* gewählten Vertreter einer irrenden und strebenden Menschheit für sich und seine Weltanschauung zu gewinnen. Man verbaut sich aber den Zugang zu einer im Sinne Goethes gerechten Würdigung von Fausts Streben und Schaffen, wenn man es an idealen Forderungen höchster und umfassendster Vollendung menschlichen Lebens und Strebens mißt, oder jedenfalls, wenn man das, was ihm daran abgeht, als Beweis für die Fragwürdigkeit, wenn nicht Wertlosigkeit, ja, Verwerflichkeit seines ganzen Seins und Tuns ansieht. Es gilt das natürlich vor allem für Fausts Tätigkeit am Meeresufer in der ganzen zweiten Hälfte seines langen Lebens. Ein Versuch, den Wert oder Unwert dieser gewaltigen aber durchaus realistisch gesehenen Leistung durch einen Vergleich mit der wirklichkeitsfernen Utopie der ästhetischen Briefe des jungen Schiller ins rechte Licht zu stellen, läßt demnach von vornherein keinen anwendbaren Aufschluß erwarten.

Näher kommen wir dem Wert und der Bedeutung dessen, was hier am Anfang des vierten Aktes Faust und seinem Dichter vorschwebt, wenn wir uns zunächst klarmachen, in welchem Umfang hier sich alles in schroffem Widerspruch zu dem entwickelt, was die Welt eines Mephistopheles ausmacht, und wie sehr der Dichter bemüht ist, uns diesen Gegensatz möglichst zu verdeutlichen.

Ähnlich wie in der ersten Szene des zweiten Teils, wo sich Faust, allein inmitten einer großartigen Gebirgswelt, im symbolischen Erleben des Sonnenaufgangs und seiner Spiegelung im Wasserfall hohem, aber menschlich beschränktem Streben widmet, so werden hier die symbolischen Wolkenbilder Helenas und Gretchens für Faust zu einem Erlebnis, das Gefühle in ihm wachruft, die weit abliegen von den Absichten, mit denen dann Mephistopheles wieder an ihn herantritt, und er widmet sich im weiteren Verlauf ihres Gesprächs auch diesmal einem hohen, aber irdisch-menschlich beschränkten Wollen. Wenn in diesem Gespräch Faust mit sichtlicher Freude und im Widerspruch zu den plutonischen Behauptungen des Mephistopheles das stille, stete Schaffen der Natur beim Gestalten der Erdoberfläche preist, und wenn er weiterhin, als Mephistopheles von den Kriegsnöten des Kaisers spricht, mit schlichten Worten warmen Mitgefühls sagt, „Er jammert mich, er war so gut und offen," so sind das Töne eines wärmeren, weicheren Fühlens, wie wir sie außerdem im ganzen zweiten Teil der Dichtung wohl vergeblich suchen würden. Im Zusammenhang mit dem sonstigen, noch genauer zu musternden Verhalten Fausts in dieser Szene sollten solche Worte uns doch wohl erkennen lassen, daß die liebliche Vision Gretchens nicht buchstäblich das Beste von Fausts Innerem mit sich fortzieht, so daß nichts zurückbleibt als „ein sittliches Vakuum, das Schrecken erregt" (Jockers).

So sehr der Gegensatz von Neptunismus und Plutonismus, von Evolution und Revolution ein Lieblingsgedanke Goethes war, so erscheint das geologische Gespräch von Faust und Mephistopheles nicht nur um seiner selbst willen an dieser Stelle. Mephistopheles brüstet sich mit dem Anteil, den die Teufel bei der Entstehung der Erdoberfläche gehabt hätten, und indem er auf die wilden Felsmassen der Hochgebirgslandschaft hinweist, triumphiert er:

> Wir sind die Leute, Großes zu erreichen;
> Tumult, Gewalt und Unsinn! Sieh das Zeichen!
> (10126-27)

Auch Faust trägt sich mit dem Gedanken, „Großes zu erreichen“:

> Dieser Erdenkreis
> Gewährt noch Raum zu großen Taten.
> Erstaunenswürdiges soll geraten,
> Ich fühle Kraft zu kühnem Fleiß.
> (10181-84)

Aber auf Kühnheit, Fleiß und einen genau durchdachten Plan,

> Von Schritt zu Schritt wußt' ich mir's zu erörtern,
> (10232)

nicht auf Gewalt, setzt Faust seine Hoffnung und sein Vertrauen. Ja, dieser Plan beruht letzten Endes auf der Bekämpfung von Tumult, Gewalt und Unsinn. Denn das ist es, was Faust bei der Beobachtung von Ebbe und Flut als einen Kampf von Erde und Meer empfunden hat, dessen Sinn- und Nutzlosigkeit ihn, der eben erst in der Antike als einem Reich von Ordnung, Maß und Schönheit geweilt hat, geradezu erschreckt:

> Was zur Verzweiflung mich beängstigen könnte!
> Zwecklose Kraft unbändiger Elemente.
> (10218-19)

Wenn Faust von seinem Plan zu Mephistopheles sagt

> Das ist mein Wunsch, den wage zu befördern!
> (10233)

so betont das herausfordernde „wage“, im Sinne von „Wenn du den Mut dazu hast“, mit besonderem Nachdruck den Gegensatz zwischen mephistophelischem Zerstörungswillen und dem von Faust geplanten schöpferischen Aufbau. Ich sehe es als ein klassisches Beispiel für das Verdächtigungsverfahren negativer Kritiker an, wenn auch an dieser Stelle, wo der Dichter sich mit seinem Helden eins fühlt und ihm Worte in den Mund legt, die ihm aus dem Herzen kommen, der Antrieb zu Fausts großem Unternehmen nicht in hohem, edlem Willen gefunden wird sondern in egoistischem, bis zur Wut gesteigertem Ärger über die Willkür des Meeres, der gegenüber er sich ohnmächtig fühlt.

Gewiß, Fausts Plan ist nicht uneigennützig. In seinen Gedanken liegen ideeller und realer Gewinn nahe beieinander. Durch das zu schaffende Neuland hofft er, in den Besitz großer Landstrecken zu gelangen.

Herrschaft gewinn ich, Eigentum.
(10187)

Wie hoch aber der Dichter Wert und Bedeutung des Faustischen Kampfes mit den Elementen einschätzte, kann neben dem schon im Hauptaufsatz darüber Gesagten noch stärker erhärtet werden durch den Hinweis auf Goethes „Versuch einer Witterungslehre", mit der er zum Anfang des Jahres 1825 beschäftigt war. Es war das die Zeit, in der er sich zur Verlegung von Fausts letztem Schaffen ans Meeresufer entschlossen haben muß, falls er es nicht schon vorher getan hatte. Denn obgleich die Sammelhandschrift (H 2) von 1825–26 die ersten drei Szenen des fünften Aktes noch nicht enthält und erst mit dem Gespräch mit der Sorge einsetzt, und auch Fausts testamentarische Rede in ihr nur in der dürftigen, fünfzeiligen Fassung erscheint, so finden sich in ihr doch schon die Verse (11539-50), die das im Kampf mit dem Meere geschaffene Neuland voraussetzen.

In dieser kleinen Schrift spricht Goethe von den Elementen als kolossalen Gegnern des Menschen und von ihrer Bekämpfung durch den Menschen. Er führt den Gedanken genauer aus in Bezug auf die Bekämpfung des Meeres, das gerade im Winter 1824-25 durch gewaltige Springfluten, besonders in den Nordseeländern, ungeheuren Schaden angerichtet hatte. Unter der Überschrift „Bändigen und Entlassen der Elemente" heißt es da:

Es ist offenbar, daß das, was wir Elemente nennen, seinen eignen wilden wüsten Gang zu nehmen immerhin den Trieb hat. Insofern sich nun der Mensch den Besitz der Erde ergriffen hat und ihn zu erhalten verpflichtet ist, muß er sich zum Widerstand bereiten und wachsam erhalten. . . . Die Elemente daher sind als kolossale Gegner zu betrachten, mit denen wir ewig zu kämpfen haben, und sie nur durch die höchste Kraft des Geistes, durch Mut und List, im einzelnen Fall bewältigen. Die Elemente sind die Willkür selbst zu nennen. . . . Herz und Geist erhebend ist dagegen, wenn man zu schauen kommt, was der Mensch seinerseits getan hat, sich zu waffnen, zu wehren, ja seinen Feind als Sklaven zu benutzen.

In den Anmerkungen zum 40. Bande der Jubiläums-Ausgabe S. 334 weist nun der Herausgeber Max Morris, und zwar mit Recht, darauf hin, daß die Partie, der die angeführten Stellen angehören, durch Sprachgewalt hervorrage. Er fügt dieser Bemerkung nichts weiter hinzu. Da aber die Arbeit an dem „Versuch" fast genau in die Zeit fällt, in der Goethe an die endgültige Gestaltung des 5. Aktes ging, so ist es sehr wahrscheinlich, daß die erhöhte Gefühlsanteilnahme, die sich in der gehobenen Sprache kundgibt, daher rührt, daß hier dem Dichter Faust als ein solcher Bekämpfer des Meeres vorschwebt. Ja, es ließe sich denken, daß dies die Keimzelle ist, welcher der Gedanke, Fausts letzte Tätigkeitssphäre an des Meeres Ufer zu verlegen, entsprossen sein mag.

Das Gespräch zwischen Faust und Mephistopheles gibt aber noch weiteren Aufschluß über den Geist, in dem Faust seine Herrschaft in dem zu schaffenden Neuland auszuüben gedenkt oder jedenfalls sie später tatsächlich ausübt. Den Vorschlag des Mephistopheles, sich seine Welt nach dem von Ludwig XV. in Paris und Versailles gegebenen Vorbild zu schaffen, weist Faust verächtlich zurück. Das Besitztum, in dem wir dann im fünften Akt den gealterten Faust wiederfinden, zeigt denn auch tatsächlich eine Gestaltung, die im Einzelnen in beabsichtigtem Gegensatz zu dem von Mephistopheles geschilderten französischen Hofleben des 18. Jahrhunderts steht. Wenn da Mephistopheles „Am lustigen Ort ein Schloß zur Lust" in den Mittelpunkt des von ihm geschilderten Bildes stellt, so vertritt seine Stelle in Fausts Welt ein vornehmer, aber ernster Arbeit gewidmeter Palast. Statt des gekünstelten Versailler Parks mit seinen „Schnurwegen" und „kunstgerechten Schatten", dehnt sich ein weiter Ziergarten aus, den sich deutsche Leser in abwechslungsvoller Natürlichkeit und farbigem Blütenreichtum vorstellen werden. Statt des von Mephistopheles geschilderten Kaskadensturzes mit seinen spielerischen Wasserkünsten erstreckt sich ein „großer, gradgeführter Kanal", der das Meer bis in die nächste Nähe des Palastes heranführt, aber nicht der weit abseits liegende Verkehrshafen ist. Wenn es von den Wasserkünsten heißt: „Da zischt's und pißt's in tausend Kleinigkeiten", so heißt es von dem schiffbaren Kanal: „Wo jetzt das Ruder emsig spritzt". Alles in allem ein Wohn- und Regierungssitz von fürstlichem Ausmaß, gekennzeichnet durch Größe und Weite, Würde und Schönheit. Wenn Knechte und Arbeiter in dem Palast untergebracht sind, so sind es wenigstens keine Lakaien und Hofschranzen. Von „vertraut-bequemen Häuslein" mit „Schönen im Plural" findet sich keine Spur. Fausts engere Umwelt, in der alle weiblichen Wesen fehlen, trägt einen Zug von fast mönchisch-spartanischer Strenge. Den beiden Frauen, in deren Armen er höchste Liebeshuld genossen hat, und von denen er in der Wolken-Vision am Anfang des vierten Aktes Abschied nimmt, wahrt er die Treue. Was endlich sein Verhältnis zu seinen Untertanen betrifft, so gewährt uns die Dichtung keinen direkten Einblick. Mephistopheles spricht von der Bevölkerung der von ihm geschilderten Hauptstadt als „Ameis-Wimmelhaufen" und läßt ihren Herrscher sagen:

> Und wenn ich führe, wenn ich ritte,
> Erschien' ich immer ihre Mitte,
> Von Hunderttausenden verehrt.
>
> (10152-54)

Faust lehnt das als unbefriedigend ab; aber erst am Schluß seiner testamentarischen Rede, unmittelbar vor seinem Tode, erfolgt hier das Gegenbild:

> Solch ein Gewimmel möcht' ich sehn,
> Auf freiem Grund mit freiem Volke stehn.
>
> (11579-80)

Erst wenn bei einem gefühlsbetonten „solch" die Absage an den mephistophelischen „Ameis-Wimmelhaufen" mitschwingt, erhält diese und mit ihr die folgende Zeile, die ja oft als der letzte und innerste Schlüssel zur Erlösung Fausts angesehen wird, ihre volle Kraft und Wucht.

In Wirklichkeit entspricht aber eine so scharf formulierte Auffassung weder dem Wortlaut der Dichtung noch der diesen Wortlaut ausdrücklich bestätigenden Äußerung des Dichters zu Eckermann über den „Schlüssel zu Fausts Rettung". Was da für Wert oder Unwert von Fausts Leben als entscheidend bezeichnet wird, ist nicht eine Art Todesstunden-Erleuchtung, so wirkungsvoll auch, im Hinblick auf die Wette, eine solche Zuspitzung auf einen letzten, höchsten Augenblick die Bedeutsamkeit dieser Todesstunde erhöht. „Wer immer strebend sich bemüht" weist aber auf Fausts ganzes Leben hin oder, wenn das zuviel gesagt ist, jedenfalls auf sein Leben im zweiten Teil der Dichtung, nachdem er sich von den zwei Zusammenbrüchen seiner ersten Lebenshälfte—in der Nacht vor Ostern als Ausgang der Wissenstragödie und nach dem schrecklichen Ende der Liebestragödie—soweit erholt hatte, um ein neues Leben beginnen zu können. Vor allem aber muß der Schlüssel zur Rettung Fausts Geltung haben für die zweite Hälfte seines langen Lebens, als Schöpfer und Herrscher im Palast am Meeresufer. Hier aber stellen sich einem unmittelbar überzeugenden Nachweis von Art und Ziel seines Strebens, auf das alles ankommen soll, unerwartete Schwierigkeiten entgegen, ja, wir fühlen uns zu der Annahme gezwungen, daß bei aller genialen Großartigkeit des fünften Aktes und vor allem der Sterbeszenen dem greisen Dichter mehr als ein Notabschluß der gewaltigen Dichtung nicht vergönnt gewesen ist. Ähnlich wie in *Wilhelm Meisters Wanderjahren,* mit deren Werdegang und letztem Schicksal der *Faust* eine Reihe der verwunderlichsten Parallelen aufweist, unterbinden auch hier Hindernisse innerer und äußerer Art eine nach Inhalt und Ausmaß zu erwartende Darstellung der letzten, ausgedehntesten und im Hinblick auf den eigentlichen Schluß wichtigsten Sphäre von Fausts Leben. Als Goethe im Februar 1825 die Arbeit am zweiten Teil in Angriff nahm, lagen ihm weitgehende und in vielem der endgültigen Gestaltung nahekommende Niederschriften vor für das Helena-Drama des dritten Aktes und für den Schlußakt, und er wandte sich zunächst deren weiteren Ausgestaltung zu. Das Helena-Drama erreichte bald seinen vollen, ebenmäßigen Ausbau. Vom fünften Akt aber gelang nur der Abschluß der Szenen „Mitternacht", „Großer Vorhof des Palastes" und „Grablegung", und Goethe fühlte mit Genugtuung, daß, falls eine wirkliche Vollendung des ganzen

Werkes ihm nicht mehr gelingen sollte, wenigstens die zwei Partieen, die ihm am meisten am Herzen lagen und die, wie er wiederholt hervorhob, zum größten Teil noch „der besten Zeit" angehörten, der Nachwelt gesichert wären. In diesem Gefühl unternahm er weiterhin zunächst die Fertigstellung des ersten und zweiten Aktes; Faust am Kaiserhof und die klassische Walpurgisnacht. Dann aber unterbrachen die Arbeit an der zweiten Fassung der *Wanderjahre* und die Abhaltungen durch die Arbeit an der Ausgabe letzter Hand den Fortgang der Vollendung des *Faust.* Erst während der allerletzten Arbeitsperiode in den Jahren 1830 und 1831 wendet sich Goethe den beiden letzten Akten zu, um die gewaltige Lücke auszufüllen, die da zwischen Fausts Rückkehr aus Griechenland und seiner Todesstunde im höchsten Alter („100 Jahre alt") klafft. 1830 entstehen die ersten drei Szenen des fünften Aktes, die Philemon-und-Baucis-Episode. Durch diese wird aber die etwa fünfzig Jahre lange Lücke nicht um einen Tag verringert und inhaltlich tritt uns Faust nicht in seinem „Herz und Geist erhebenden" Ringen mit dem Meere entgegen, sondern als gequälter, mit sich und seiner Umwelt zerfallener Greis. Nur indirekt erfahren wir aus dem Bühnenbild und aus den Worten von Philemon und Mephistopheles, wie das gewaltige Werk „von Schritt zu Schritt" aus den kleinsten Anfängen hervorgewachsen ist. Über den Geist jedoch, in dem Faust sich als handelnder, schaffender und herrschender Mensch bewährt hat, bleiben wir im Dunkeln. Dies nachzuholen und uns Fausts Tätigkeit am Meeresufer in ähnlicher Fülle und Lebendigkeit wie sein Tun und Denken am Kaiserhof und in Griechenland erleben zu lassen, dafür, darf man annehmen, muß der Dichter beim Planen des zweiten Teiles den vierten Akt in Aussicht genommen haben. Wie wir glauben nachgewiesen zu haben, bildet die einleitende Szene im Hochgebirge eine vielversprechende Vorbereitung und Motivierung für die Darstellung Fausts im Hochgefühl seines Schaffens und Herrschens am Meeresufer. Nun aber geschieht fast genau, was in den *Wanderjahren* geschah. Dort unterläßt Goethe die nach der Anlage des Werkes zu erwartende Wiedervereinigung Wilhelms mit dem Kreis um Lothario und Natalie und Wilhelms endgültige Aufnahme in den engeren Bund der Auswanderer und verwendet den dafür zur

Verfügung stehenden Raum auf die Schilderung belangloser Nebensächlichkeiten, so daß sich Wilhelm durch einen Friedrich in die Ziele für das zu gründende überseeische Gemeinwesen einweihen lassen muß. Hier versagt sich Goethe jede unmittelbare Darstellung von Fausts Wirken, und wir müssen versuchen, uns aus den Worten eines Philemon und Mephistopheles ein Bild zu machen von der Art und Weise von Fausts Vorgehen. Darauf aber kommt alles an, wenn wir von einem immer höheren und reineren Streben überzeugt sein sollen. Den vorgesehenen Raum—der vorliegenden Ausfüllung nach sind es an 700 Zeilen—widmet der Dichter einer bis in die belanglosesten Einzelheiten eingehenden Schilderung der kaiserlichen Entscheidungsschlacht, deren Gewinn durch die Zauberkünste des Mephistopheles dazu führt, daß Faust mit dem von ihm begehrten öden Meeresstrand belehnt wird. Die bloße Tatsache vom glücklichen Ausgang der Schlacht und der erfolgten Belehnung wäre mit leichteren Mitteln zu bestreiten gewesen. Ja, wir würden sie Philemon gern aufs Wort glauben (11115-18), dem wir, wie die Dinge liegen, weit Wichtigeres glauben müssen.

Diese ungern gemachten Ausführungen über das Versagen des vierten Aktes—es war das Letzte von Goethes Arbeit am *Faust*—mögen zu Recht bestehen oder nicht; man mag ihnen beipflichten oder sie grundsätzlich als eine Versündigung am Dichter und an seinem großen Werke verurteilen. Unleugbare Tatsache ist jedenfalls, daß die so geschaffene Lage ein ungezwungenes und klares Verständnis der Dichtung im Sinne der Auffassung des Dichters selber außerordentlich erschwert und einer negativen Beurteilung in bedauerlicher Weise Vorschub leistet. Da dies aber sicherlich nicht die Absicht Goethes gewesen sein kann, so dient ein unverhüllter Hinweis auf das Unterbliebene und auf die dadurch geschaffene Unsicherheit der Interpretation der Dichtung nur zu ihrer volleren und klareren Wirkung. Denn unter diesen Umständen erwächst uns die Pflicht, das Wenige, was im vierten und fünften Akt wirklich zur Sprache kommt, um so sorgfältiger auf „Wink und Andeutung" hin zu befragen. Und das soll hier, wenn auch in aller Kürze, versucht sein.

Die einleitende Szene im Hochgebirge bietet außer dem oben

schon erwähnten, vom Dichter mit besonderem Nachdruck betonten Widerspruch zwischen dem, was Mephistopheles vertritt und vorschlägt und dem, wozu sich Faust bekennt und was er später verwirklicht, noch einige weitere Ausbeute. Faust spricht durchaus mit edlem Ernst und wohltuender Wärme, und wenn sich seine Rede an zwei Stellen zu leidenschaftlicherem Nachdruck steigert, so verfällt sie doch nie in Exaltation oder prahlerische Übertreibung. Obgleich er gesteht, daß er sich von dem Gelingen seines Planes Herrschaft und Eigentum verspricht, so fehlt doch weiterhin jeder Bezug auf solchen persönlichen Vorteil. Was ihn antreibt, ist außer der erstrebten Bändigung von „Tumult, Gewalt und Unsinn" ein Widerwille gegen Häßlichkeit—„Der wüsten Strecke widerlich Gebiet"—und Unfruchtbarkeit—„Unfruchtbar selbst, Unfruchtbarkeit zu spenden". Das Gebaren der das flache Ufer überflutenden Wogen empfindet er als „Übermut", der einem „freien Geist, der alle Rechte schätzt", zuwider ist. Wenn Mephistopheles dann im weiteren Verlauf des Gesprächs den Kaiser als einen schildert, der es versucht habe, zu „regieren und zugleich genießen", erwidert Faust:

> Ein großer Irrtum. Wer befehlen soll,
> Muß im Befehlen Seligkeit empfinden.
> Ihm ist die Brust von hohem Willen voll,
> Doch was er will, es darf's kein Mensch ergründen
> . . . .
> So wird er stets der Allerhöchste sein,
> Der Würdigste—; Genießen macht gemein.
> (10252-59)

Als Mephistopheles andeutet, daß ein Krieg im Gange sei, sagt Faust:

> Schon wieder Krieg! Der Kluge hört's nicht gern.
> (10235)

und dem Vorschlag des Mephistopheles gegenüber, daß sie sich in der bevorstehenden Schlacht zu Gunsten des Kaisers beteiligen sollten und Faust den Feldherrn spielen, verhält sich dieser, der noch nicht sieht, worauf Mephistopheles hinaus will, ablehnend, durchaus im Sinne der von ihm soweit an den Tag gelegten Würde und Überlegung. Er erwidert:

> Was kann da zu erwarten sein?
> Trug! Zauberblendwerk! Hohler Schein.
> (10299 f.)

und:

> Das wäre mir die rechte Höhe,
> Da zu befehlen, wo ich nichts verstehe!
> (10311-12)

Als ihm klar wird, worum es sich nach dem Plan des Mephistopheles handelt, nämlich um seine Belehnung mit dem Meeresstrande als Lohn für die zu leistende Unterstützung, beharrt er wohl auf seiner Ablehnung des Befehls; im übrigen aber fügt er sich in die ihm zugedachte Rolle, ähnlich der, die er im ersten Akt am Kaiserhof gespielt hatte: er, dem Anschein nach der große Magier, Mephistopheles, sein dienender Gefährte. Er bietet dem Kaiser die Dienste der von Mephistopheles herbeigeschafften drei Gewaltigen an; als der Feind sich in Bewegung setzt, rät er dem Kaiser, den Befehl zum Angriff zu geben; er bemüht sich, die „Kriegslisten" des Mephistopheles dem Kaiser durch allerhand ablenkende Erklärungen möglichst unverfänglich erscheinen zu lassen und dient so den Interessen des Kaisers, wie seinen eignen. Darüber hinaus aber erstreckt sich seine Beteiligung am Verlauf der Schlacht nicht, und es ist schwer verständlich, wie man dem gegenüber sagen kann, daß er mit dem Kaiser „Schindluder treibt" und: „Er übernimmt nicht nur die Führung der Schlacht sondern gefällt sich bald derart in der neuen Rolle, daß er einen Lügentrick nach dem andern inszeniert." (Jockers)

Rechnen wir zu allen diesen Zügen, in denen sich Fausts geistige Verfassung beim Eintritt in seine große letzte Lebenssphäre ausspricht, noch die schon oben erwähnte Freude über das stille Schaffen der Natur und sein warmes Mitgefühl für den Kaiser in seiner bedrohlichen Lage, so ergibt sich für Faust an diesem wichtigen Wendepunkt seines Lebens ein gewiß nicht makelloses aber doch verheißungsvolles Bild von hohem und doch beherrschtem menschlichen Streben, an dem nur Bedenken erregt, daß er trotz seines Widerwillens gegen mephistophelische Zauberei sie doch während der Schlacht zu seinem und des Kaisers Vorteil unterstützt und noch weit davon entfernt ist, sich endgültig von ihr loszusagen. Immerhin gehört auch so dieser Widerwille zu den verheißungsvollen Zügen; denn er verleiht den späteren Worten Fausts am Ende seines Lebens unmittelbar vor dem Ringen mit der Sorge,

> Noch hab ich mich in's Freie nicht gekämpft.
> (11403)

neben ihrem negativen Sinn auch die positive Glaubwürdigkeit, daß auch wirklich gekämpft worden ist.

In diesem Zusammenhang sei nochmals auf die schon oben erwähnten Worte verwiesen, mit denen Faust dem Mephistopheles sein Vorhaben ankündigt. Die da betonte Einschränkung auf den irdischen Bezirk und menschliche Tüchtigkeit ist für einen Faust ein nicht zu übersehender Zug von Entsagung und deutet nicht nur auf die Absage an eine alles Menschenmaß übersteigende Sucht nach dem Unendlichen sondern doch wohl auch an die Erreichung endlicher Ziele durch übernatürliche Mittel. In diesem Sinne entspricht schon diese Ankündigung dem im fünften Akt tatsächlich Erreichten und dem Wunsch nach dem noch Unerreichten:

> Er stehe fest und sehe hier sich um;
> Dem Tüchtigen ist diese Welt nicht stumm.
> (11445-46)

und:

> Könnt' ich Magie von meinem Pfad entfernen,
> Die Zaubersprüche ganz und gar verlernen.
> (11404-5)

Die soweit nachgewiesenen Übereinstimmungen im Verhalten Fausts in den einleitenden Szenen des vierten Aktes und an seinem letzten Erdentag im fünften Akt beantworten uns aber noch nicht die wichtigste der sich uns aufdrängenden Fragen, das heißt die nach dem Geist und der Gesinnung, von denen Faust sich leiten läßt bei der Ausübung herrscherlicher Macht, wie sie naturgemäß in der von ihm geschaffenen neuen Welt ihm zufällt. Wie oben schon erklärt, liefert uns die Dichtung darüber nicht die geringste unmittelbare Auskunft. Wir bleiben angewiesen auf diese wenigen zeitlich um ein Menschenleben auseinanderliegenden Szenen und auf das, was eine aufmerksame, nicht vorsätzlich verdächtigende Interpretation uns aus den geschilderten Ereignissen und gesprochenen Worten erschließen läßt.

Das Gespräch im Hochgebirge liefert uns jedenfalls zwei bedeutsame Anhaltspunkte: in der Schilderung von Ebbe und Flut die Stelle, wo Faust das Überspülen des flachen Ufers durch die Meeresflut mit „Übermut" vergleicht, der

> Den freien Geist, der alle Rechte schätzt, . . .
> In's Mißbehagen des Gefühls versetzt.
> (10203-5)

und nicht viel später Fausts Bekenntnis zu einem idealen Herrschertum, in dem der Befehlende „im Befehlen Seligkeit empfinden" muß, das mit den Worten schließt „Genießen macht gemein", das heißt, verwischt den Abstand zwischen Herrscher und Beherrschten.

Vereint man diese wenigen aber klaren Andeutungen zu einem Gesamtbild, so ergibt sich das Ideal eines Herrschers, in dem ein auf sittlich hohe Ziele gerichtetes Wollen sich paart mit Strenge gegen sich selbst, wie gegen die Untergebenen und mit dem Streben nach Gerechtigkeit in der Ausübung seiner Macht. So sehr ich überzeugt bin, daß das gezeichnete Bild sich zumindest als ein Wunschbild Fausts aus den Worten der Dichtung selbst erweisen läßt, so kann ich mir doch nicht versagen, auch auf den in den Kommentaren angeführten Ausspruch Goethes in seinen *Maximen und Reflexionen* zu verweisen. Denn wenn Goethe da von dem Verhältnis von Herrschen und Genießen sagt, „Herrschen und genießen geht nicht zusammen. Genießen heißt, sich und anderen in Fröhlichkeit angehören; herrschen heißt, sich und anderen im ernstlichsten Sinne wohltätig sein", so stimmen die beiden Stellen in ihrer gedanklichen Fassung so auffallend überein, daß man nicht umhin kann, die eine als bewußtes Vorbild der anderen zu empfinden. Daß Fausts Herrscherideal das eines selbstherrlichen Alleinherrschers ist, gereicht ihm als einem Mann der Renaissance und noch dazu auf einem von ihm selbst dem Meere abgerungenen Lande natürlich nicht zur Unehre. Auch nimmt man gewöhnlich an, was Goethe hier vorgeschwebt habe, sei das Bild Friedrichs des Großen gewesen, der ja auch mit den von ihm unternommenen Entwässerungsarbeiten in den sumpfigen Oderbrüchen als Vorbild gedient haben mag für Fausts allerletzten Plan der Trockenlegung eines sich an den Dünen hinziehenden Sumpfes. Wenn dem so ist, so weicht Faust, und auch das nicht zu seiner Unehre, von seinem Vorbild darin ab, daß er kein Verlangen nach kriegerischem oder irgendwelchem sonstigen Ruhm hat:

> Schon wieder Krieg? Der Kluge hört's nicht gern.

und:

> Die Tat ist alles, nichts der Ruhm.

Zu seinen Ungunsten spricht allerdings hier wie immer seine Verbindung mit Mephistopheles und von nun an auch die mit dessen drei Gewaltigen, die wir alle vier im fünften Akt als in seinem Dienste stehend wieder antreffen.

Fragen wir uns nun, wie sich das dem Anfang des vierten Aktes entnommene Bild von Fausts Herrscherideal zu dem verhält, was uns im fünften Akt engegentritt, so ist zunächst kaum ein stärkerer Gegensatz denkbar. Mephistopheles, der mit seinen drei Gewaltigen von einer im Dienste Fausts mit zwei Schiffen unternommenen Seefahrt mit zwanzig Schiffen zurückkehrt, verkündet statt eines freien Geistes, „der alle Rechte schätzt",

> Das freie Meer befreit den Geist . . .
> Man hat Gewalt, so hat man Recht . . .
> Krieg, Handel und Piraterie
> Dreieinig sind sie, nicht zu trennen.
> (11177-88)

Faust gibt sein Mißfallen deutlich zu erkennen, so daß die drei Gewaltigen sich über den schlechten Empfang beklagen, der ihnen statt des zu erwartenden Dankes zuteil wird. Er äußert sich aber nicht, und wir erfahren bald, in was für einem jämmerlichen, krankhaft verbitterten Zustand er sich befindet. Die anhaltende Weigerung von Philemon und Baucis, ihm im Tausch gegen ein schönes Gut im neuen Land ihr kleines Besitztum auf den Dünen abzutreten, zusammen mit dem häufigen Glockenläuten in der den beiden Alten gehörenden Kapelle, das ihm seiner Ohnmacht neckisch zu spotten scheint, hat ihn allmählich aller Selbstbeherrschung beraubt. Er klagt dem Mephistopheles seinen jämmerlichen Zustand und läßt sich von diesem überreden, die zwei alten Leute gewaltsam in die ihnen zugedachte neue Wohnung zu setzen. Die Anwesenheit des nach langen Jahren zu einem Besuch der Alten zurückgekehrten Wanderers vereitelt jede Möglichkeit einer unbehinderten Ausführung des geplanten Gewaltakts. Es kommt zum Kampf, und Mord und Brand vernichten drei Menschenleben sowie die Hütte, die Kapelle und die von Faust vor allem begehrten uralten Linden. Faust verflucht Tat und Täter, gewinnt aber im Kampf mit der ihn beschleichenden Sorge seine Fassung zurück. Obgleich erblindet und überschattet vom Gefühl des herannahenden Todes, erwacht in ihm wieder ungebrochen sein hohes Wollen und treibt ihn, als gelte es, die begangene Untat durch erneutes schöpferisches Streben zu sühnen, zu Anordnungen, deren Ausführung er zwar nicht länger verwirklichen kann, die ihn aber zum letztenmal die Seligkeit schaffenden Befehlens genießen lassen.

> Genügt ein Geist für tausend Hände.
> (11510)

In diesen Worten erklingt wieder fast Zug für Zug Fausts Ideal eines Alleinherrschertums, wie wir es im Hochgebirge am Anfang des vierten Aktes kennengelernt hatten, und wie wir deshalb annehmen dürfen, daß er diesem Ideal während der langen Jahre seines Schaffens am Meeresufer als seinem letzten Leitstern nachgestrebt hat. Daß Goethe mit diesen stolzen Worten am Ende von Fausts Leben nicht eine tadelnswerte Ich-Besessenheit hat kennzeichnen wollen sondern eine von ihm selber geteilte Auffassung hohen Herrschertums, beweist außer dem oben angeführten Zitat aus den *Maximen und Reflexionen* der Umstand, daß die letzten vier Verse der zitierten Textstelle in der Fassung von 1826 noch fehlten und erst 1830 oder 1831 eingefügt worden sind, also gerade in der letzten Zeit von Goethes Leben, aus der sein Ausspruch stammt von der immer höheren und reineren Tätigkeit Fausts bis ans Ende.

Für Fausts Streben nach Gerechtigkeit und Wohlwollen in der Ausübung seiner Macht finden wir im fünften Akt keine ähnlich klare Äußerung Fausts. Die wichtigste unmittelbare Auskunft über diese Hauptfrage erwächst uns aber in nicht mißzuverstehender und nicht zu verdächtigender Weise gerade aus seinem Ringen mit sich selbst, das der Anordnung der Gewalttat gegen Philemon und Baucis vorangeht. Faust versucht das Ungerechte des ihn krankhaft quälenden Verlangens nach dem kleinen, nicht zu seinem Bereich gehörenden Besitztum weder zu verheimlichen noch zu beschönigen. Er bekennt, als er dem Mephistopheles das Elend seines Zustands klagt, sowohl dessen Unerträglichkeit wie Unwürdigkeit:

> Mir gibt's im Herzen Stich um Stich,
> Mir ist's unmöglich zu ertragen!
> Und wie ich's sage, schäm' ich mich.
>
> (11236-38)

Wir wissen nicht, wie lange er mit sich mag gekämpft haben. Realistisch gesehen, möchten es Jahre gewesen sein, bis er endlich den Kampf aufgibt und sich vor seinem Gewissen damit zu rechtfertigen sucht,

> Daß man zu tiefer, grimmiger Pein
> Ermüden muß, gerecht zu sein.
>
> (11271-72)

Diese überaus wichtige Stelle, der die negative Kritik meist aus dem Wege geht, soll hier nicht hervorgehoben werden als einer aus einer Reihe von mildernden Zügen, die Goethe offensichtlich der Darstellung von Fausts sittlichem Unterliegen eingefügt hat, um uns zu überzeugen, daß es sich hier nicht um einen an sich bösen Willen oder ein abgestumpftes Gewissen handelt sondern um die Verirrung eines guten Menschen, der erst nach langem Ringen mit sich selbst unterliegt. Worauf es mir hier ankommt, ist der gerade in diesem Geständnis seines Versagens enthaltene Nachweis, daß Faust in seiner Tätigkeit als Herrscher zumindest bestrebt gewesen ist, gerecht zu verfahren, und daß der bloße Gedanke, diesem Gebot in diesem Falle untreu werden zu können, ihn fast unerträglich peinigt. Wenn dem gegenüber eine negative Kritik mit Recht darauf hinweist, daß die gute Absicht nicht als Beweis gelten könne für ihre Verwirklichung, so stehen uns glücklicherweise zur Erhärtung von Fausts gerechtem

Regiment gültige Zeugnisse zu Gebote. Gerade Philemon und Baucis, die die Ungerechtigkeit Fausts, wenn auch gegen seinen Wunsch und Willen, mit dem Leben büßen müssen, zeugen für ihn. Philemon, der doch genau gewußt haben muß, wie Faust erst seine Arbeiter und später seine Kolonisten behandelte, bedauert noch in seinem hohen Alter, daß seine schon vorgerückten Jahre ihn bei der Inangriffnahme des großen Werkes daran verhindert hätten, selbst mit Hand anzulegen,

> Älter war ich nicht zu Handen,
> Hilfreich nicht wie sonst bereit
>
> (11087-88)

und als Faust ihm seinen Tauschvorschlag gemacht hat, hat ihn kein Gedanke an ein willkürliches und tyrannisches Regiment Fausts abgehalten, den Plan vorteilhaft und verlockend zu finden. Noch in dem Gespräch mit dem Wanderer kommt sein Bedauern darüber zum Ausdruck, daß Mißtrauen und Widerwille der Baucis ihn veranlaßt haben, den Plan fallen zu lassen.

> Hat er uns doch angeboten
> Schönes Gut im neuen Land!
>
> (11135-36)

Ja, selbst Baucis, die dem Wanderer allerhand Gruselmärchen über das Zustandekommen der Dämme und Kanäle zu berichten weiß, bringt gegen den Plan eines Tausches nur die Unsicherheit der dem Meere abgerungenen Erde vor:

> Traue nicht dem Wasserboden,
> Halt auf deiner Höhe stand!
>
> (11137-38)

Gegen Faust als Herrscher im Verhältnis zu seinen Untertanen hat auch sie nichts einzuwenden. Ihre Worte:

> Wie er sich als Nachbar brüstet,
> Soll man untertänig sein.
>
> (11133-34)

umschreibe ich so: „Wie sehr er auch damit großtut, daß wir ja doch Nachbarn seien, so sollen wir ihm doch seinen Willen tun, als ob wir seine Untertanen wären." Jedenfalls bezieht sich das, was Baucis im Sinn hat, ausschließlich auf sein wiederholtes Drängen auf Annahme des von ihm vorgeschlagenen Tausches. Das entlastende Zeugnis der beiden Alten liefert uns so den besten Beweis für die Richtigkeit unseres auf Grund anderer Indizien gewonnenen Bildes von Fausts Herrschertum: autokratisch und streng, aber von hohen Zielen geleitet und gerecht, also im Einklang mit der bereits zitierten Definition Goethes: „Herrschen heißt, sich und anderen im ernstlichsten Sinne wohltätig sein", das heißt, zum eignen und der anderen Wohl tätig sein. Selbstverständlich ist dieses Faust vorschwebende Ideal bei seiner Auswirkung in der realen Welt nicht nur all den inneren und äußeren Hemmungen und Vereitelungen unterworfen gewesen, denen alles menschliche Tun ausgesetzt ist, sondern der bloße Umstand, daß Mephistopheles und seine drei Helfershelfer die ganze Zeit über die Hand im Spiel gehabt haben, erregt schwere Bedenken. Selbst wenn wir annehmen dürfen, daß Faust noch so sehr bemüht gewesen sein mag, das, was diese vier an Gewalt und Zauberei personifizieren, möglichst in Schach zu halten, so ist es sicher nicht ohne Übergriffe ihrerseits hergegangen. Daß aber trotz ihrer Machereien Fausts Schaffen und Regieren alles in allem und zwar, je länger es dauerte, umsomehr, als gerecht und wohltätig gewirkt haben muß, dafür sind eben Philemon und Baucis einwandfreie Zeugen. Die Gruselmärchen, welche Baucis dem Wanderer auftischt, verraten sich deutlich als abergläubische Entstellungen notwendiger Nachtarbeit und unvermeidlicher schwerer Opfer an Menschenleben. Richtig erfühlt sind jedoch die Bedenken der frommen Frau, die ihr auch nach langen Jahren noch zu schaffen machen. Ihre Anklagen betreffen aber nur die frühe Zeit des Schaffens der Dämme und Kanäle. Nur im Präteritum sagt sie:

Denn es ging das ganze Wesen
Nicht mit rechten Dingen zu.

(11114-15)

Gegen die spätere Zeit der Urbarmachung und Besiedlung der neuen Erde und die in dem entstehenden Gemeinwesen ausgeübte Autorität Fausts hat auch sie nichts vorzubringen.

Hat man nun aber, nicht ohne Mühe und Zug für Zug, ein Bild

gewonnen von dem, was der Grundcharakter von Fausts Planen, Schaffen und Herrschen seit seiner Belehnung mit dem Meeresstrande gewesen sein muß, so scheint das Ganze zunächst Lügen gestraft durch die unmittelbare Wirklichkeit der drei Philemon-und-Baucis-Szenen. Man meint, die beiden Szenengruppen in keinem andern als einem sich gegenseitig ausschließenden Widerspruch gelten lassen zu können. Dazu stimmt aber doch wieder nicht, daß wir ja einige der wertvollsten Züge unseres Bildes von Fausts Herrschertum gerade den Philemon-und-Baucis-Szenen verdanken; ja, sie enthalten tatsächlich alles, was wir von dem großartigen Gelingen von Fausts Bekämpfung von Tumult, Häßlichkeit und Nutzlosigkeit durch Ordnung, Schönheit und Fruchtbarkeit wissen.

Mephistopheles: Die hohe Weisheit wird gekrönt,
Das Ufer ist dem Meer versöhnt;
Vom Ufer nimmt, zu rascher Bahn,
Das Meer die Schiffe willig an.
(11222-25)

Philemon: Das Euch grimmig mißgehandelt,
Wog' auf Woge, schäumend wild,
Seht als Garten Ihr behandelt,
Seht ein paradiesisch Bild.
. . . .
Schaue grünend Wies' an Wiese,
Anger, Garten, Dorf und Wald. —
. . . .
Rechts und links, in aller Breite,
Dichtgedrängt bewohnten Raum.
(11083-106)

Lynkeus: In dir preist sich der Bootsmann selig,
Dich grüßt das Glück zur höchsten Zeit.
(11149-50)

In grellem Kontrast zu diesen Verkündigungen von schönstem Gelingen und Erfolg wirkt die seelische Zerrissenheit Fausts geradezu erschütternd. Die beiden Pole seines Herrscherwillens—Selbstherrlichkeit und Gerechtigkeit—stehen hier in unlösbarem Widerspruch, und dieser Einsicht gegenüber ist er fassungslos:

Des allgewaltigen Willens Kür
Bricht sich an diesem Sande hier.

(11255-56)

Wenn Faust später und zwar unmittelbar vor seiner testamentarischen Rede sich anscheinend zu ungerechtem Befehlen hinreißen läßt, wie wenigstens von negativer Seite gegen ihn geltend gemacht wird, so liegen die Dinge da anders. Es handelt sich da um die Beschaffung von Arbeitern für den Abzugskanal, der den Sumpf entwässern soll, von dem die Verpestung alles schon Errungenen droht. Der erblindete Faust ruft da seinen Aufseher und gibt ihm, in dem er nicht Mephistopheles vermutet, den Befehl:

Wie es auch möglich sei,
Arbeiter schaffe Meng' auf Menge,
Ermuntre durch Genuß und Strenge,
Bezahle, locke, presse bei!

(11551-54)

Es sind das Worte, die an das Verfahren preußischer und anderer Werbeoffiziere des achtzehnten Jahrhunderts zur Beschaffung junger Männer für den Militärdienst erinnern sollen, und nach denen Mephistopheles sicher in der ersten Zeit des großen Unternehmens in den umliegenden Gebieten Arbeiter für Faust angeworben hat. Jetzt aber steht Faust vor ganz anderen Verhältnissen. Das blühende Land ist dicht besiedelt und staatlich organisiert, und es handelt sich um einen Kanalbau, der zur gesundheitlichen Sicherung des Landes notwendig ist. Unter diesen Umständen fühlt sich Faust sicher berechtigt, diejenigen jungen und, wie wir jetzt sagen würden, abkömmlichen Männer, die sich nicht freiwillig stellen, anwerben zu lassen und im Notfall direkt zur Arbeit zu befehlen. Ich betone diesen Unterschied, weil man, und doch wohl zum Teil auf Grund dieses an den Aufseher ergangenen Befehls, dem Staate Fausts als einem abschreckenden Vorbild schlimmster Auswüchse eines modernen Industrialismus den Vorwurf macht, auf Arbeitszwang und Massenarbeit zu beruhen. Doch davon später.

Ich mag die Betrachtung der Philemon-und-Baucis-Episode nicht schließen, ohne eine Stelle zu erwähnen, die meist zu Fausts Gunsten interpretiert wird und mir deshalb nicht gleichgiltig sein sollte. Ich meine die Verse, in denen Faust nach der Schilderung des Brandes der Linden durch Lynkeus, als er aber noch ahnungslos ist von den Vorgängen in der Hütte, sich damit tröstet, daß statt der geplanten Gerüste in den Kronen der Bäume ein Luginsland leicht zu errichten sei, von dem aus er dann auch die neue Wohnung sehen könnte, in der die beiden Alten ihren Lebensabend froh beschließen würden. So ausgedrückt, spräche das diesen Worten zugrundeliegende Gefühl der Freude über das Gelingen dessen, was ihm ja bei seinem Tauschvorschlag sicher vorgeschwebt hatte, zweifellos zu seinen Gunsten. Woran er aber tatsächlich denkt, ist das alte Paar,

> Das, im Gefühl großmütiger Schonung,
> Der späten Tage froh genießt.
>
> (11348-49)

Er empfindet also die gewaltsame Überführung der beiden alten Leute in eine neue Wohnung als „großmütige Schonung". Das normale Verfahren, von dem er sie verschont hätte, wäre demnach die rohe Austreibung von Haus und Hof gewesen (wie sie allerdings die armen irischen Pächter oft genug erlebten). Den Ausführungen des Hauptaufsatzes nach hatte Goethe solche bedauerlichen Schicksale bei der endgültigen Gestaltung des Philemon-und-Baucis-Motivs im Auge, und ich glaube bestimmt, daß nur so, oder allenfalls in Verbindung mit der Reimsuggestion Wohnung: Schonung, die unbewußte Verhäßlichung der zwei Zeilen sich erklären läßt, die als einer der mildernden Umstände für Fausts Verhalten beabsichtigt waren.

Die angestellten Betrachtungen zu den ersten Hälften des vierten und fünften Aktes entstammen dem Versuch, aus ihnen soviel als möglich einen Einblick zu gewinnen in das von Goethe nicht direkt dargestellte Denken und Tun Fausts in der langen Zeit seines Lebens am Ufer des Meeres. Die Ansicht, daß die ersten drei Szenen des fünften Aktes, vor allem die Szene „Palast" mit der Rückkehr des Mephistopheles mit den erbeuteten Schiffen und Fausts schließlichem Befehl zur gewaltsamen Durchführung des Wohnungstausches, für diesen Zweck genügten, das heißt, daß Goethe sie als typisch für Fausts gesamtes Schaffen wolle angesehen wissen oder zumindest für das, was zuletzt aus seinem Tun und aus ihm selber geworden sei, widerspricht allem, was die Dichtung sonst über sich, und der Dichter über sie, aussagt, so diametral, daß nur die ärgsten der grundsätzlich negativen Kritiker sich zu ihr bekennen.

Aber nicht nur das von Goethe Unterlassene sondern auch das aus frühen Konzeptionen und Niederschriften Beibehaltene schafft Widersprüche und Schwierigkeiten und erschwert so eine sich selbst bekräftigende Interpretation und Auffassung. Es gilt das besonders von der Selbstcharakteristik Fausts in seinem Gespräch mit der Sorge in der Szene „Mitternacht", also unmittelbar nach seiner Verfluchung der an Philemon und Baucis verübten Untat. Sein ganzes Leben überschauend sagt da der Hundertjährige:

> Ich bin nur durch die Welt gerannt;
> Ein jed' Gelüst ergriff ich bei den Haaren,
> Was nicht genügte, ließ ich fahren,
> Was mir entwischte, ließ ich ziehn.
> Ich habe nur begehrt und nur vollbracht
> Und abermals gewünscht und so mit Macht
> Mein Leben durchgestürmt; erst groß und mächtig,
> Nun aber geht es weise, geht bedächtig.
> (11433-40)

Wie schlagend sich auch durch Parallelstellen nachweisen läßt, daß der alte Goethe hier an seinen eignen Sturm und Drang gedacht hat, so ändert das doch nichts an der Tatsache, daß in diesen Worten fast alles, sowohl im Ganzen genommen wie im Einzelnen, dem widerspricht, was wir aus der Dichtung über Fausts Leben erfahren. „Ich bin nur durch die Welt gerannt", sagt der, der mindestens die Hälfte seines langen Lebens in zäher Ausdauer der Verwirklichung eines gewaltigen Unternehmens gewidmet hat. „Nun aber geht es weise, geht bedächtig", sagt der, der eben einer der schwersten Verirrungen seines Lebens erlegen ist. „Ein jed' Gelüst ergriff ich bei den Haaren", sagt der, der eben erst nach langem Kampfe mit seinem Gewissen sich zu gewaltsamem Vorgehen gegen die beiden Alten hat verführen lassen. Natürlich sieht die negative Kritik diese Worte Fausts als vollgültigen Beweis an für dessen überzeugende Charakteristik als eines gewissenlosen Gewaltmenschen, dem sein ganzes Leben lang—„weise und bedächtig" fühlt er sich ja erst in der

Stunde seines Todes—selbstische Willkür Gesetz seines Handelns gewesen ist. Es dürfte sich deshalb lohnen, die Kernstellen von dem unbedenklichen Ergreifen jedes Gelüstes genauer ins Auge zu fassen. In der Zeit seiner Verbindung mit Mephistopheles sind es vier Gelüste, von denen Faust leidenschaftlich gepackt wird: Gretchen, Helena, der Kampf mit dem Meere, das Besitztum von Philemon und Baucis. Was Helena betrifft, so ist der erste Antrieb zu ihrer Gewinnung kein Gelüst Fausts sondern des Kaisers. Bei der Zaubererscheinung von Paris und Helena läßt sich aber Faust tatsächlich zu einer versuchten gewaltsamen Besitznahme des Idols hinreißen, die sich als ein bei den Haaren Ergreifen bezeichnen ließe, die aber Faust beinahe sein Leben hätte kosten können. Das Phantom „entwischt" ihm, er läßt es aber *nicht* „ziehn" sondern richtet nun sein ganzes Sinnen auf die Gewinnung der—im Sinn der Dichtung—wirklichen Helena. Die aber weilt im Hades und „bei den Haaren" ist da nichts zu ergreifen. Erst nach Überwindung großer Schwierigkeiten und Gefahren tritt die Heroine im dritten Akt auf, um auch da erst durch Huldigung und Liebeswerben gewonnen zu werden. Über Fausts Kampf mit dem Meere ist oben genug gesagt worden, um klar zu machen, daß zu seiner Gewinnung vorsichtiges Planen und lebenslanges Bemühen erforderlich waren.

Was endlich Gretchen und die Linden auf der Düne betrifft, so mögen einige kurze Zitate ihre eigene, nicht mißzuverstehende Sprache reden.

Für Gretchen:

> Hör, du mußt mir die Dirne schaffen!
> (2619)

> Und du? Was hat dich hergeführt?
> Wie innig fühl' ich mich gerührt!
> (2717-18)

> Fort! Fort! Ich kehre nimmermehr!
> (2730)

> Ich weiß nicht, soll ich?
> (2738)

Wald und Höhle (als Flucht vor Gretchen):

> Was muß geschehn, mag gleich geschehn!
> Mag ihr Geschick auf mich zusammenstürzen
> Und sie mit mir zugrunde gehn.
>
> (3363-65)

Für Philemon und Baucis:

> O! Wär' ich weit hinweg von hier!
>
> (11162)
>
> Mir ist's unmöglich zu ertragen!
> Und wie ich's sage, schäm' ich mich.
> Die Alten droben sollten weichen,
> Die Linden wünscht' ich mir zum Sitz.
>
> (11237-40)
>
> Des allgewaltigen Willens Kür
> Bricht sich an diesem Sande hier.
> Wie schaff ich mir es vom Gemüte!
> Das Glöcklein läutet, und ich wüte.
>
> (11255-58)
>
> Daß man, zu tiefer, grimmiger Pein,
> Ermüden muß, gerecht zu sein.
>
> (11271-72)

Nur eine grundsätzlich negative Einstellung zu Faust kann angesichts solcher Worte sagen: „Unbedenklich, wie er Gretchen nahm, streckt er die Hand aus nach dem Besitztum der beiden Alten." Bedauerlich aber ist es, daß eine dem Sinn der Dichtung und der Absicht des Dichters so zuwiderlaufende Auffassung in den Worten Fausts am Ende seines Lebens eine scheinbare Unterstützung finden kann.

Die Szene mit der Sorge gehört, wie schon mehrfach erwähnt, zu dem ältesten Bestand des zweiten Teils der Dichtung und müßte also in einer ersten Niederschrift um 1800 entstanden sein. Wie Goethe sich damals das Tun und Treiben Fausts am Kaiserhof, in seiner Vereinigung mit Helena und vor allem bei seiner Gewinnung großer Güter, wie es in der Skizze von 1816 heißt, im Einzelnen gedacht haben mag, wissen wir nicht. In der Skizze, wo es Mephistopheles ist, der in Faust „Lust zum Besitz" erweckt, ist von einem großen kulturellen Unternehmen keine Rede, wohl aber von Besitzergreifung durch Zauberei, Gewalt und kriegerische Unternehmungen, also gerade durch die Mittel, gegen die der spätere Faust im Hochgebirge seinen Widerwillen bezeugt. Auch wird der Faust des ersten Teils in der frühen Zeit seiner Verbindung mit Mephistopheles Perioden gekannt haben, in denen er tatsächlich seine Tage in wildem Taumel durchstürmt hat, und an sie mag er denken, um der Sorge gegenüber sich als einen Menschen darzustellen, der für sie immer unerreichbar gewesen wäre. Dramatisch ist der enge Anschluß der 1830 oder 1831 gedichteten Philemon-und-Baucis-Szenen an die längst vorhandenen Schlußszenen überaus wirksam. Sowohl ethisch wie theatralisch ist das Aufsteigen der Sorge und ihrer grauen Geschwister aus dem Rauch und Dunst des verglimmenden Brandes von höchster Bedeutsamkeit, gedanklich werden aber dadurch unlösbare Schwierigkeiten und Widersprüche erzeugt, die der weltanschaulichen Gesamtwirkung der Dichtung von unheilbarem Nachteil gewesen sind und wohl bleiben werden. Ein immer höheres und reineres Streben Fausts bis ans Ende läßt sich in einem wortwörtlichen Sinn für den Verlauf seines ganzen Lebens gewiß nicht nachweisen. Auch für den Faust des zweiten Teils gelten die Worte nur, wenn man den Blick auf die verschiedenen Erlebnissphären richtet und von vereinzelten Abweichungen und Verirrungen absieht, denen der Mensch ausgesetzt ist, „solang er strebt". Daß sie aber für die großen Gebiete seines Tuns und Strebens, die er durchläuft, berechtigt sind, soll im weiteren Verlauf dieser Betrachtungen nachgewiesen werden.

Ganz abwegig und in klarem Widerspruch zu einer unvoreingenommenen Interpretation von Fausts Äußerungen und Verhalten in den irdischen Ausgangsszenen ist die Vermutung, die Welt, die sich Faust am Meeresufer geschaffen hat, sei gedacht als abschreckendes Beispiel eines vom Dichter geahnten und alle wahre Humanität bedrohenden industriellen Großunternehmertums mit einer hochentwickelten Technik und entsprechendem Arbeiterelend. Dem, was gegen eine solche Verdrehung oder Verdächtigung des im Text geschilderten Zustands schon im Hauptaufsatz gesagt ist, möchte ich hier nur noch hinzufügen, daß die Ausrüstung von Fausts Arbeitern mit Hacke, Schaufel und Spaten ebenso wenig auf technische Hilfsmittel hinweist, wie auf irgendwelche kriegerischen Unternehmungen. Massen von Arbeitern will er angeworben wissen aber nicht, um durch sie lukrative Massenarbeit herstellen zu lassen, sondern weil die Anlage von Dämmen und Kanälen nur auf diese Weise erzwungen werden kann. Wenn in seiner testamentarischen Rede Faust sich an der Vorstellung seines Landes und Volkes entzückt, so verschmelzen für ihn Gegenwart und Zukunft, Wirklichkeit und Vision:

> Grün das Gefilde, fruchtbar; Mensch und Herde
> Sogleich behaglich auf der neusten Erde,
> Gleich angesiedelt an des Hügels Kraft,
> Den aufgewälzt kühn-emsige Völkerschaft.
> (11565-68)

Die „neuste" Erde, könnte man meinen, bezöge sich nur auf den Zuwachs an Land, der durch die Entwässerung des Sumpfes gewonnen werden soll, aber in den folgenden Zeilen ruht Fausts Blick schon wieder auf den das Land gegen das Meer schützenden Dämmen, worin ich, nebenbei gesagt, einen von mehreren Beweisen dafür sehe, daß mit dem „Gebirge", an dem sich der Sumpf hinzieht, die Dünen gemeint sind und nicht ein Gebirgszug jenseits der Dünen im Innern des Landes. Jedenfalls aber könnte ich bei dem Bild von Mensch, Herde und Behagen weit eher an die arkadische Landschaft des dritten Aktes denken als an Massenbetrieb mit Dampfmaschinen und zusammengepferchten Arbeitermassen. Pastorale Züge dieser Art tauchen allerdings nur ganz vereinzelt auf in dem Bilde, das wir im letzten Akt von Fausts Schaffenskreis erhalten als einer Welt angespannter und unermüdlicher Anstrengung und Wachsamkeit. Auch in den eben angeführten Zeilen erscheint das fast befremdende „behaglich" ja nur, um sogleich wieder dem Grundakkord eines „kühn-emsig" Platz zu machen, das genau dem „kühnen Fleiß" entspricht, womit im vierten Akt im Gespräch mit Mephistopheles Faust sein großes Vorhaben angekündigt hatte. Nur gilt das, was da auf den Herrschersinn *„eines* Geistes" beschränkt blieb, jetzt von der Gefolgschaft der „tausend Hände". Neben Kühnheit und Fleiß ist es Klugheit, der eine gleich wichtige Stelle unter den Haupttugenden dieser faustischen Welt eingeräumt ist: „Kluger Herren kühne Knechte", „betätigend mit klugem Sinn", „was ich kühn ersann". Es paßt diese Trias, verbunden mit „tüchtig und frei", durchaus zu der englisch-amerikanisch gefärbten, rationalistisch-pragmatischen Diesseitigkeit, die Fausts letztes Schaffen in denkbar schärfstem Kontrast zu der Geisteswelt kennzeichnet, in der wir ihn beim Beginn der Dichtung kennengelernt haben.

Was in jener ausschließlich auf Überirdisches und Außerweltliches gerichteten Gedanken- und Gefühlswelt Faust beherrscht hatte, war ein dämonisch-übermenschliches Streben gewesen, auf dem Wege magischen Verkehrs mit einer Geisterwelt die Erkenntnis letzter Daseinsrätsel erzwingen zu wollen. Dieses geistige Titanentum, das die Einen erschreckte und abstieß, die Anderen mit bangender Bewunderung hinriß, erwies sich allzubald in seiner krankhaften Überreiztheit als die Zurückweisung, die es durch den Erdgeist erfuhr, den grausam Ernüchterten erst an den Rand der Selbstvernichtung und endlich in nicht geringerer Überreiztheit zur Verfluchung des ganzen irdischen Daseins führte.

Wenn es nun auch beim Erlebnis des Sonnenaufgangs am Anfang des zweiten Teils die Erde ist, die dem von Sonnenlicht Geblendeten aber nun nicht mehr Verzweifelnden den neuen Willen zum Leben entlockt,

> Du, Erde, warst auch diese Nacht beständig
> Und atmest neu erquickt zu meinen Füßen,
> Beginnest schon, mit Lust mich zu umgeben,
> Du regst und rührst ein kräftiges Beschließen,
> Zum höchsten Dasein immerfort zu streben. —
> (4681-85)

so bleiben Fausts Erleben und Tun drei lange Akte hindurch doch noch in weitestem Umfang im Bereich magischer Vorgänge; und die Szenen am Kaiserhof enden mit einer Fausts Leben gefährdenden Katastrophe, und die im Griechenland der Helena mit dem tragischen Verlust Helenas und ihres Sohnes. Ein dauerndes und fruchtbares Ansiedeln in diesen Gebieten wird jedenfalls vereitelt, und erst nun, aber nun auch unwiderstehlich und Schaffenslust zeugend treten die Erde und irdisches Bemühen in die ihnen lange verweigerten Rechte.

Nur wenn wir uns diese stürmische Vergangenheit Fausts mit

ihren wiederholten tragischen Fehlschlägen klar vergegenwärtigen, können wir den Wert oder Unwert seiner letzten Lebenssphäre am Ufer des Meeres im Sinne des Dichters gerecht beurteilen. Wie schon eingangs betont, handelt es sich nicht um die Gestaltung eines idealen, an sich höchsten Strebens nach einer vorbildlichen Meisterung der Problematik menschlichen Lebens. An einem solchen Ideal oder auch nur an Goethes eignem Leben gemessen, läßt das, was Faust als Schöpfer seines Neulandes ist und denkt und tut, sicher manches zu wünschen übrig. Gemessen aber an seinem früheren unsteten Tun, ist sein letztes Schaffen und Planen eine Tätigkeit, die im Verlaß auf menschliche Kraft und Tüchtigkeit und in der Einschränkung auf den Bereich irdischer Möglichkeiten nicht nur Ordnung aus Chaos und Fruchtbarkeit aus Verwüstung schafft, sondern auch ihren Schöpfer einen neuen Glauben an Welt und Menschenleben gewinnen läßt.

Wenn ich hier von dem Gewinn von Fausts letzter Tätigkeit spreche, beziehe ich mich nicht nur und auch nicht in erster Linie auf die Krönung, die sein Werk erst in der Stunde des Todes durch sein Bekenntnis zu einem altruistischen Gemeinschafts- und Verantwortlichkeitsgefühl erfährt. Es ist das eine Stufe ethischer Gesinnungsentwicklung, deren hohe Bedeutung für Beurteilung von Fausts innerem Lebensgewinn gewiß nicht unterschätzt werden darf, die aber entwürdigt und nicht an Wert gesteigert wird, wenn man in ihr als dem Ergebnis einer unvermittelten Todesstunden-Erleuchtung den ausschließlichen ethischen Zuwachs eines bis dahin wertlosen, ja unwürdigen Lebens sehen will.

Nun ergibt aber die dichterische Konzentration all der irdischen Vorgänge von Fausts letzter Lebenshälfte auf seinen Todestag bei genauerem Zusehen die bedenklichsten chronologischen Unstimmigkeiten, ja Unmöglichkeiten. Unter diesen Umständen ist es ein berechtigtes Interpretationsverfahren, alles, was uns der Dichter über die langen Jahre von Fausts Schaffen am Meere zuerst im vierten und dann im fünften Akt mitteilt oder erraten läßt, so über den ganzen Zeitraum zu verteilen, daß das Erstere uns ein Bild der Anfänge und der frühen Jahre des Unternehmens gewährt, während das Letztere, also vor allem die Philemon-und-Baucis-

Tragödie und in ihrem Gefolge der Kampf mit der Sorge und weiterhin die Demokratisierung von Fausts Herrscherideal den späteren Jahren zuzuweisen ist. So etwa muß sich Goethe die Entwicklung seines Helden vorgestellt haben, wenn er in ihr „eine immer höhere und reinere Tätigkeit" bis ans Ende sieht. Das „höher" kann sich dabei nicht einfach auf gesellschaftlich-ästhetisches Niveau beziehen, wie die Verdächtigungs-Kritik es will, denn so gesehen, kann sich Fausts Neuland mit seinen Siedlern nicht mit dem deutschen Kaiserhof des Mittelalters oder dem spartanischen Königstum Helenas messen. Was aber dieser leidich primitiven Welt der faustischen Schöpfung im Vergleich mit seinem früheren Tun tatsächlich höheren Wert verleiht, ist der Umstand, daß hier zum ersten Male Faust sich nicht mit leidenschaftlichem Ungestüm und auf mehr oder minder magischem Wege einen Besitz erzwingen will, zu dem ihm außer der Intensität seines Wollens jede innere Vorbereitung und Berechtigung fehlt. Gewiß, Faust ist ein genialer Ausnahmemensch aber selbst dem Genie fallen Leistungen, die uns wie Wunder anmuten mögen, nicht wie reife Früchte unversehens in den Schoß.

Bei seinem Schaffen am Meeresufer fehlt es Faust gewiß nicht an genialem Selbstvertrauen und hohem Wollen. Er ist sich aber der großen Schwierigkeiten seines Vorhabens vollauf bewußt und rechnet für ihre Überwindung nicht nur auf Mut und Kühnheit sondern auch auf Fleiß. Nicht durch ein Wunder sondern Schritt für Schritt soll das im Geist Geschaute verwirklicht werden. Ist das an sich schon ein hoher ethischer Gewinn, so gilt auch das gesteckte Ziel nicht persönlichem Genuß- und Glücksgefühl sondern dem Schaffen positiver Lebenswerte von Fruchtbarkeit und Schönheit.

Daß Faust bei diesem Schaffen wie jeder Architekt und Baumeister zunächst mehr an das Haus denkt, das er bauen will, als an die Menschen, die er bergen soll, ist selbstverständlich. Unrichtig aber ist die Behauptung, der Gedanke an die menschliche Verwertung des von ihm Geschaffenen komme Faust erst in der Stunde des Todes. Als er zu Mephistopheles von den Gerüsten spricht, die er in den Ästen der Linden bauen wolle, sagt er, er wolle auf diese Weise

Dem Blick eröffnen weite Bahn,
Zu sehn, was alles ich getan,
Zu überschaun mit einem Blick
Des Menschengeistes Meisterstück,
Betätigend mit klugem Sinn
Der Völker breiten Wohngewinn.
(11245-50)

Auch ohne Berufung auf das eben Gesagte über die Verwertung solcher Auskünfte über Fausts Schaffen am Meere beweisen diese Worte, daß ihm sein Tun als Ganzes im Dienst der Gewinnung von Wohnräumen für übervölkerte Gebiete gestanden habe. Die letzte schöne Krönung dieses seines Tuns, der Gedanke der Fürsorge für das Glück und der Anerkennung der Rechte seiner Untertanen beruht also auf keiner plötzlichen und paradoxen Gefühlsaufwallung, sondern auch sie erblüht gleich dem physischen Neuland Schritt für Schritt aus einer anfänglich wohl ungeklärten aber in ihrem Verlauf in einem ethischen Sinn „immer höheren" Tätigkeit.

Was nun die „immer reinere" Art von Fausts Tun betrifft, so dürfte Goethe dabei vor allem an den allmählichen Verzicht auf die Zuhilfenahme der Magie gedacht haben, denn auch in dieser Hinsicht lassen die fünf Akte des zweiten Teils der Dichtung eine deutlich aufsteigende Linie erkennen. Im ersten Akt nehmen magische Vorgänge einen breiten Raum ein, und Faust selber spielt die Rolle des Magiers sowohl in der Mummenschanz-Szene wie in der Beschwörung von Helena und Paris nach seiner Rückkehr aus dem Reich der Mütter. Der zweite und dritte Akt spielen durchaus in einer magischen Traum- und Zauberwelt, obgleich hier Faust selber an deren Gestaltung keinen Anteil hat. Im vierten Akt gehören Fausts Wolken-Tragewerk und die Siebenmeilenstiefel des Mephistopheles noch zur Zauberwelt des Helena-Aktes. Die späteren optischen und akustischen Kriegslisten zu Gunsten des Kaisers werden von Mephistopheles inszeniert. Faust gibt sich nur den Anschein, der ausübende Magier zu sein, um so als der Erretter des Kaisers zu gelten und mit dem Meeresstrand belehnt zu werden. Im fünften Akt sind die irdischen Szenen vollständig frei von magischen Vorgängen. Die Sorge und ihre Geschwister sowie die Lemuren als Totengräber sind als Gespenster zu verstehen, und Faust denkt zunächst an die Belästigung durch dämonische Wesen und gespenstische Vorgänge, wenn er sagt: „Noch hab' ich mich ins Freie nicht gekämpft." Da er aber unmittelbar danach fortfährt—

> Könnt' ich Magie von meinem Pfad entfernen,
> Die Zaubersprüche ganz und gar verlernen—
> (11404-5)

so drückt sich hier, also irgendwann in der späteren Zeit seines Herrschertums am Meere die Sehnsucht aus, frei zu sein von allem Übernatürlichen und von vernunftwidrigem Denken und Tun.

> Stünd' ich, Natur, vor dir ein Mann allein,
> Da wär's der Mühe wert, ein Mensch zu sein.
> (11406-7)

In diesem Sinne versagt er sich den Versuch, die Sorge durch ein Zauberwort zu verscheuchen, um ihr ganz auf sich selbst gestellt entgegenzutreten. Selbst Mephistopheles sagt und tut in diesen Szenen nichts, was auf Magie gedeutet werden könnte. Seine Berichte über den Flottenkrieg und über die Vorgänge auf der Düne sind frei von jeder Andeutung von Magie.

Faßt man die beiden so nachgewiesenen Entwicklungsreihen, die Goethe als „eine immer höhere und reinere Tätigkeit" Fausts kennzeichnet, zu einer Einheit zusammen, so ergibt sich auf Grund von Entsagung ein Wachstum an ethischem Wert, das wir wohl als die Vermenschlichung eines großartigen aber unfruchtbaren Übermenschentums bezeichnen dürfen. In des Wortes bester Bedeutung ist das sozial gesehen Verbürgerlichung, sicherlich aber kein Abstieg ins Philistertum. Fausts unerschrockener Kampf mit der Sorge und der gewaltige Willensaufschwung des Erblindeten und vom Tode Überschatteten legen strahlendes Zeugnis ab dafür, daß ihm auch in der irdischen Beschränkung, zu der er sich zuversichtlich bekennt, das Beste seines Faustischen Selbstvertrauens und Wagemuts ungebrochen verblieben ist.

Hiermit bin ich am Ende meiner Betrachtungen zum irdischen Ausgang von Goethes Faustdichtung und voraussichtlich auch aller weiteren Bemühungen auf dem Gebiet der Goetheforschung. Mit dem Abschluß dieser letzten Arbeit im Jahre 1951 schließt für mich ein halbes Jahrhundert im Dienste Goethes, wenn ich seinen Beginn mit dem Erscheinen meines ersten Goethe-Aufsatzes im Jahre 1901 ansetze.

Was das Sonderergebnis dieser letzten Arbeit betrifft, so ist es nicht unwürdig, den Abschluß dieser langjährigen Beschäftigung mit Goethe zu bilden. Die Faustdichtung hat von je im Mittelpunkt meines Lehrens und Forschens im Dienste Goethes gestanden, und für ein im Sinne Goethes wahres Verständnis dieser Dichtung und ihres Helden ist eine willige Anerkennung der Worte, mit denen Goethe den stetig wachsenden ethischen Wert von Fausts Leben würdigt, eine notwendige Vorbedingung. In Fausts Gespräch mit der Sorge und in seiner testamentarischen Rede, in denen der weltanschauliche Gedankengehalt des Werkes zu abschließendem Ausdruck kommt, handelt es sich für Goethe um ein Vermächtnis, das zunächst an sein eignes Volk gerichtet ist. In ihm rechnet er ab mit dem unkritischen Geniekultus seit dem Sturm und Drang und der Vernachlässigung von Gegenwart und Wirklichkeit in der Romantik, und es hängt alles davon ab, wem er diese Warnungen und Mahnungen in den Mund legt: ob einem unverbesserlich egoistischen Abenteurer oder aber einem hochbegabten genialen Menschen, der, im Reiche theoretischen Denkens in seinen übermenschlichen Erwartungen grausam enttäuscht, an jedem Wert des Lebens und an sich selbst verzweifelt, dann aber im Bereich praktischen Tuns den Glauben an Sinn und Wert des Lebens und menschlicher schöpferischer Tätigkeit zurückgewinnt.

Ich kann nicht erwarten, daß ich mit meinen Ausführungen denen etwas zu sagen habe, die—meist *in majorem ecclesiae gloriam*—zu den grundsätzlichen Verneinern und Verdächtigern der Faustgestalt gehören, wage aber zu hoffen, daß die, welche ich meine Weggenossen nennen darf, in dem hier Gebotenen neue Anhalts- und Stützpunkte für unseren gemeinsamen Glauben finden mögen.

II

Criticism and Research

Eckermanns Gespräche mit Goethe

(1925)

UNTER allen Büchern über Goethe dürfen Eckermanns *Gespräche mit Goethe in den letzten Jahren seines Lebens* beanspruchen, das berühmteste und jedenfalls das am häufigsten zitierte zu sein. Als die ersten beiden Teile im Jahre 1836 erschienen, war das einstimmige Urteil gerade derer, die Goethe in seinen letzten Jahren am nächsten gestanden hatten, daß hier in Sinn und Ausdruck das denkbar Mögliche erreicht sei an Treue und Zuverlässigkeit in der Wiedergabe der Worte Goethes und der Lebendigmachung seines Wesens. Wenn man darnach auf lange Zeit hin Eckermann überhaupt etwas vorwerfen zu müssen glaubte, so war es eher, wie z. B. in den bekannten Urteilen Heines und Hebbels, der Verzicht auf jede Selbständigkeit, mit dem er sich zum bloßen Echo oder Sprachrohr des verehrten Meisters gemacht habe.

Ernstere Zweifel an der fast unbeschränkten Wirklichkeitstreue, die man den Gesprächen beimaß, wurden erst laut, als durch die allmähliche Veröffentlichung der Briefe und vor allem der Tagebücher Goethes eine genauere Nachprüfung mancher Angaben Eckermanns ermöglicht wurde und sich dabei bald Unstimmigkeiten herausstellten, besonders in Bezug auf Daten und verschiedene Tatsachen oder Geschehnisse. Von diesem Gesichtspunkt aus war wohl Heinrich Düntzer der erste, der kritische Bedenken laut werden ließ, als er für den Brockhaus'schen Verlag es übernahm, die sechste Auflage des Werkes (1885) mit einer Einleitung und mit Anmerkungen zu versehen. Er schreibt da: „Aus dem Versuche der Erläuterung ergab sich auch oft die Berichtigung; denn nicht allein hat sich Eckermann selbst in seiner Bearbeitung mehrfach geirrt, ja einzelnes ist an ganz falsche Stellen geraten, sondern manchen Äußerungen Goethes liegt eine Verschiebung des Tatsächlichen zu Grunde." Auch wußte man ja, daß der dritte, erst 1848 veröffentlichte Teil des Werkes in zahlreichen Gesprächen eingestandenermaßen nicht auf eignen Aufzeichnungen Eckermanns beruhte, sondern auf denen von Friedrich Soret, dem mit Goethe und Eckermann in regem Verkehr stehenden französischen Erzieher des Erbprinzen. Dieser Teil konnte also von vornherein—auch schon wegen des stark angewachsenen Zeitabstandes zwischen den Erlebnissen und der Veröffentlichung—weniger Anspruch auf volle Verläßlichkeit machen.

Die späteren Herausgeber der Gespräche, so Ludwig Geiger, H. H. Houben und besonders Eduard Castle in der sehr zu empfehlenden „großen", d. h. kommentierten Ausgabe, die bei Bong in Berlin erschienen ist, haben dann mehr und mehr im einzelnen Berichtigungen bringen können, Unstimmigkeiten nachgewiesen und auch allgemeinere Zweifel laut werden lassen. Trotzdem dürfte Professor Petersen nicht so unrecht haben, wenn er in seiner gleich zu nennenden Abhandlung betont, daß selbst bis in die neueste Zeit hinein, nachdem die Tagebücher und Briefe Goethes längst vollständig vorlagen, die Berichte Eckermanns als authentische Lebenszeugnisse immer noch mit den Briefen auf gleiche Stufe gestellt werden, und, daß man bei nachweisbaren Versehen eher geneigt sei, eine Gedächtnistäuschung des alten Goethe anzunehmen als eine falsche Überlieferung seitens Eckermanns. Im weiten Kreise der Goethe-Freunde ist das sicher noch der Fall. Wenn aus keinem anderen Grunde, so doch mindestens infolge der Urteile über Eckermann und seine Gespräche, wie sie sich in vielen der weitestverbreiteten Werke über Goethes Leben und Schaffen finden, wie z. B. bei Bielschowsky, Engel, Witkowski, Gundolf und anderen mehr. Gundolf (7. Aufl., S. 746) bezeichnet die Gespräche geradezu als „ein Evangelium, d. h. die von der Gegenwart des Verkünders selbst unmittelbar hervorgebrachte, mit ihr durchdrungene, von ihr untrennbare Stimme einer heiligen Gestalt." Heinemann z. B. ist allerdings vorsichtiger, Geiger spricht bei aller Hochschätzung Eckermanns und seiner

Leistung bereits eingehend von den „schweren Mängeln" des Buches, und Chamberlain und Emil Ludwig schlagen sogar einen befremdenden, an Geringschätzung grenzenden Ton an.

In allerletzter Zeit, leider allerdings unter dem Obwalten ungünstiger Zufälle und Kreuzungen, haben sich nun zwei Forscher, denen wertvolles, bisher unzugängliches handschriftliches Material zur Verfügung stand, eingehend mit Eckermanns Verhältnis zu Goethe beschäftigt. Bereits im März 1923 berichtete Julius Petersen in der Preußischen Akademie der Wissenschaften über die Ergebnisse langjähriger, eingehendst-analytischer Untersuchungen der Eckermannschen Gespräche auf ihre Glaubwürdigkeit hin. Die Arbeit selbst mit einem umfangreichen Apparat von Verweisen, Belegen, Tabellen erschien dann im August 1924 in den Abhandlungen der Akademie als Nr. 2 der philosophisch-historischen Klasse unter dem Titel, *Die Entstehung der Eckermannschen Gespräche und ihre Glaubwürdigkeit.* Etwa um diese Zeit jedoch gelang es H. H. Houben, Teile des Eckermannschen Nachlasses im Besitz eines Neffen Eckermanns aufzuspüren, darunter beträchtliche Reste seiner lange für vernichtet gehaltenen Tagebuchaufzeichnungen, deren Benutzung natürlich für die Untersuchung Petersens von hoher Wichtigkeit gewesen wäre. Unter Verwendung dieses neuen Materials, das er in diesem Zusammenhang zum Abdruck bringt, veröffentlichte Houben Ende 1924 (das Vorwort ist vom November datiert) sein Buch *J. P. Eckermann. Sein Leben mit Goethe,* das allerdings von der Untersuchung Petersens nicht nur in seiner Zielstellung—es ist der erste Band einer zweibändig gedachten Lebensgeschichte Eckermanns—sondern auch in Ton und Methode grundverschieden ist. Houben hat nun aber wieder bei seiner Arbeit Petersens Abhandlung noch nicht einsehen können. Nur in einigen während des Druckes hinzugefügten Anmerkungen hat er sich noch auf ihre Ergebnisse beziehen können, und auch in einer zweiten, als „durchgesehen" bezeichneten Auflage, die allein mir vorgelegen hat, scheinen keine weitern Zusätze gemacht worden zu sein (Leipzig, Haessel, 1925. xxi, 365 S.). Auf Grund dieser Houbenschen Veröffentlichungen hat dann endlich Petersen seine Untersuchung mit den neuen Tagebuchfunden verglichen und mit einer Reihe von Zusätzen und Abänderungen, in denen er sich mit Houben auseinandersetzt und dem neuen Tatbestand Rechnung trägt, als zweite, vermehrte und verbesserte Auflage in Buchform erscheinen lassen als zweites Heft der von ihm und Friedrich Panzer begründeten *Deutschen Forschungen* (Frankfurt a. M., 1925, 174 S.)

Mit begreiflicher Genugtuung vermag Petersen im Vorwort zu dieser zweiten Auflage zu berichten, daß sein Verfahren und dessen Ergebnisse die schwere Probe, auf die sie durch die neuen Funde gestellt worden seien, gut bestanden hätten, und daß die Berichtigungen, die im einzelnen notwendig waren, einen sehr geringen Raum einnehmen im Verhältnis zu den Bestätigungen, die auf Grund des neuen Materials eingefügt werden konnten. Man denkt bei dem ganzen Verlauf unwillkürlich an die Scherersche Analyse des Urfaust und den bald danach unerwartet aufgefundenen Text.

Zu bedauern ist es jedenfalls, daß die Wege dieser zwei wichtigen Eckermann-Forschungen in so eigentümlicher Weise aneinander vorbeiführen mußten. Denn auch durch die rasche Veröffentlichung der zweiten Fassung von Petersens Arbeit ist soweit kein gesichertes Endergebnis erzielt. Houben, der in seinem Bande das Leben Eckermanns nur bis zum Tode Goethes verfolgt, verweist in seinem Vorwort folgendermaßen auf den noch zu erwartenden zweiten Band: „Eckermanns Leben für Goethe aber spinnt sich bis zu seinem eigenen Tode fort. . . . Über diese nachgoethische Zeit . . . über Entstehung, Niederschrift, Herausgabe, Art und Technik seiner ‚Gespräche mit Goethe' . . . liegt noch ein so weitschichtiges Material vor, daß ich dieser zweiten Epoche eine besondere Schilderung zu widmen gedenke." In einer Anmerkung auf S. 110 verweist er außerdem auf eine noch für 1925 in Aussicht gestellte, soweit aber noch nicht erschienene Neubearbeitung seiner Ausgabe der Gespräche (bei Brockhaus), in der er darlegen will, wie weit die Ergebnisse seiner eignen Arbeit mit denen Petersens übereinstimmen oder von ihnen abweichen. Andrerseits betont auch Petersen, daß über die zwischen ihm und Houben noch bestehenden Differenzen nach Erscheinen von dessen zweitem Bande noch zu reden sein dürfte. Das Eckermann-Problem, dessen Bedeutung sowohl für die Goethe-Forschung wie auch für die ganze, große Goethe-Welt kaum überschätzt werden kann, dürfte deshalb in allernächster Zeit kaum seine endgültige Lösung finden, soweit eine solche überhaupt möglich sein dürfte. Denn durch die neu aufgeworfenen Fragen werden sich sicher auch eine Reihe weiterer Arbeiter auf den Plan locken lassen. Um so mehr steht zu hoffen, daß die durch Petersen, wenn auch nicht geschaffene, so doch stark vermehrte Skepsis inzwischen nicht zu weit um sich greift und ungerechtfertigte Vermutungen und Befürchtungen in den Kreisen verbreitet, die nicht selber imstande sind, sich mit den wirklichen Ergebnissen seiner Untersuchung vertraut zu machen. Es stehen hier doch zu hohe Werte auf dem Spiel, als daß man selbst bei einer notwendig werdenden Neueinschätzung nicht auf äußerste Besonnenheit und Vorsicht dringen sollte.

So sehr nun aber auch zugegeben werden muß, daß Petersen mit Eckermann nicht nur mit peinlichster Gewissenhaftigkeit, sondern sogar mit einer gewissen Schärfe verfährt, so sehr ist andrerseits anzuerkennen, daß er überall da, wo es sich um die positive Seite von dessen Leistung handelt, sich nicht nur mit Vorsicht und Besonnenheit, sondern auch mit Achtung und Wohlwollen äußert und wiederholt Worte warmer Anerkennung findet für die unanfechtbare Bedeutung und den hohen Wert des uns von Eckermann überlieferten Goethe-Bildes. Ich möchte das ausdrücklich betonen und komme weiter unten darauf zurück, da ich in vereinzelten Äußerungen, die mir zu Ohren und zu Gesicht gekommen sind, allerdings eine Neigung zu unberechtigter, aber deshalb nicht weniger gefährlicher Alarmierung gespürt habe. Petersen (vgl. S. 144) trennt eben „chronistische Zuverlässigkeit", die dem tatsächlichen Verlauf einer Begebenheit und dem tatsächlichen Wortlaut einer Rede so genau entspricht, als das bei menschlicher Vermittlung erwartet werden kann, von der „Glaubwürdigkeit innerer Wahrheit", deren Kriterien einzig in der Folgerichtigkeit und Überzeugungskraft des geistigen Zusammenhanges bestehen. Von diesem Gesichtspunkte aus macht er nun allerdings gegen Eckermanns chronistische Verläßlichkeit gewichtige Einwände, und zwar nicht nur in bezug auf die Datierungen der Gespräche, den Wortlaut der Reden und vereinzelte Versehen und Fahrlässigkeiten. Auf Grund einer umfassenden Belesenheit und Sachkenntnis in den betreffenden Gebieten und unter Verwendung der feinsten Mittel und Mittelchen sprachlicher und gedanklicher Scheidekunst versucht er bis ins einzelnste nachzuweisen, wo längere Perioden zwischen Gespräch und Aufzeichnung gelegen haben müssen, wo für ganze Partieen überhaupt keine zuverlässigen Notizen bestanden haben können, wo Äußerungen vorwärts und rückwärts in andere Zusammenhänge gerückt worden sind, wie einzelne Gespräche auf diese Weise mosaikartig zusammengesetzt, andere nach Grundsätzen künstlerischer Ausarbeitung vereinheitlicht und erweitert, einige sogar, wenn auch im Sinne wahrer Goethischer Anschauung und Ausdrucksform, mehr oder weniger frei erfunden sind. Zu diesem Behufe hat er sogar die Möglichkeit einer Anwendung der Sieversschen schallanalytischen Methode in Erwägung gezogen, um Goethes von Eckermanns Wortlaut zu unterscheiden, da Goethes Ausdrucksform der Beckingschen Personalkurve I angehört, während Eckermann den Typus II vertreten soll. Wenn sich dabei herausgestellt hat, daß im allgemeinen alle größeren Reden, die Goethe in den Mund gelegt sind, sich nur nach Beckingkurve II lesen lassen, so ist das im Grunde beinahe selbstverständlich, da sie ja notgedrungen nur im Durchgang durch Eckermanns Sprechweise haben zu Papier gebracht werden können. Interessant ist der Umstand, daß Sievers selbst, beim Nachprüfen einer Reihe charakteristischer kürzerer Aussprüche, in einzelnen derselben echt Goethische Sprechmelodie festgestellt hat. So z. B. in Sätzen wie: „Menschen sind schwimmende Töpfe, die sich an einander stoßen" oder „Wer Schauspieler bilden will, muß unendliche Geduld haben" oder „Sobald wir dem Menschen die Freiheit zugestehen, ist es um die Allwissenheit Gottes getan", die sich also Eckermanns Gedächtnis so scharf müssen eingeprägt haben, daß sie bei der schriftlichen Aufzeichnung nicht erst den Weg durch seine eigne unbewußte Ausdruckform zu nehmen hatten. Man sieht, es ist das Bestreben Petersens gewesen, nach allen Seiten hin und mit jeder irgendwie Erfolg versprechenden Methode dem Kompositionsverfahren Eckermanns auf den Grund zu kommen, und er erzielt auf diese Weise einerseits in systematischem Zusammenhang, andrerseits in scharfer Begründung von Fall zu Fall ein Endergebnis, das im großen Ganzen dem entspricht, was Castle in der Einleitung zu der Bongschen Ausgabe (S. xviii-xix) im Jahre 1916 formuliert hatte.

Dabei stellt allerdings Petersen, wie schon angedeutet, an Eckermann entschieden schärfere Forderungen als Castle oder gar Houben. Wenn nach Castle es öfters fraglich ist, wem ein Gedächtnisfehler zur Last zu legen sei, ob Goethe oder Eckermann oder einem Dritten, auf den sich dieser beruft, so ist Petersen—besonders in der ersten Ausgabe—stets geneigt, Eckermann für verantwortlich zu halten. Es gilt das z. B. von all den Irrtümern (S. 7 ff.), die Schiller betreffen, gegen den Eckermann allerdings eine gewisse Eingenommenheit gehabt zu haben scheint; aber auch sonst, wo über bloße Vermutungen nicht hinauszukommen ist, werden die verschiedenen Möglichkeiten wohl immer zu Eckermanns Ungunsten entschieden, wie z. B. in den folgenden Anmerkungen: S. 90:13; 132:101, 102; 133:104. In der zweiten Fassung sind in solchen Punkten hie und da Milderungen eingetreten (so z. B. S. 84 und 134).

Es muß eben festgehalten werden, daß es Petersens Ziel in erster Linie war nachzuweisen, in wie weitem Umfang es unberechtigt sei, den Eckermannschen Gesprächen fast unbegrenzte Zuverlässigkeit zuzuschreiben. Bei einer solchen Aufgabenstellung mußten notwendigerweise die negativen und bedenklichen Seiten des Problems in den Vordergrund rücken und können so beim Leser leicht einen beunruhigenden Gesamteindruck hinterlassen. Deshalb möchte ich nochmals auf einige von den Stellen hinweisen, in denen Petersens positive Bewertung der Gespräche zum Ausdruck kommt. Nach Aufzählung der oben erwähnten Unrichtigkeiten, die Schiller betreffen und die meiner Ansicht nach durchaus nicht alle auf Eckermanns Schuldkonto zu kommen brauchen, fährt Petersen fort: „Die Zahl der Berichtigungen und Bedenken wäre noch wesentlich zu vermehren; aber selbst verhundertfacht gäbe sie durchaus kein Recht, Eckermanns Goethegespräche in Bausch und Bogen als unzuverlässig zu verwerfen. Denn das Zweifelhafte wird aufgewogen durch das erdrückende Gewicht anderer Stellen, deren überzeugende Echtheit durch übereinstimmende Zeugnisse anderer Gesprächsteilnehmer, vor allem Goethes selbst, in glänzender Weise bestätigt wird." Und auf den letzten Seiten seiner Abhandlung, die der künstlerischen Leistung Eckermanns gelten, findet sich die folgende Stellungnahme: „Es wäre ein Unrecht, ihn (Eckermann) einseitig als Gewährsmann wörtlicher Zuverlässigkeit zu kritisieren und damit einem Gericht zu unterstellen, das für seinen Fall nicht zuständig ist.“ Petersen möchte die Gespräche nicht neben die Briefe, wohl aber neben Goethes Selbstbiographie stellen und ihnen denselben Titel geben: Dichtung und Wahrheit. Ja, er meint, im Sinne dessen, was Goethe als wahrhaft echt, d. h. als förderlich galt, „tragen Eckermanns Gespräche in ihrer Wirkung den Beweis der Echtheit. Auch aus ihnen leuchtet . . . der Abglanz einer Hoheit, die . . . höchste Vollendung des Menschlichen auf Erden gewesen ist.“

Damit ist denn als Endergebnis auch dieser scharf analytischen Durchmusterung von Eckermanns Werk der eigentliche innere Wert des prächtigen Buches unangetastet geblieben.

Anders steht es allerdings—und darauf einzugehen, darf ich nicht unterlassen—mit dem gewagten Versuch, den Petersen in seinem siebenten Kapitel gemacht hat, auf Grund seiner Analysen jedes einzelne Gespräch auf den relativen Grad seiner Glaubwürdigkeit oder Verläßlichkeit einzuschätzen. Er nimmt zu diesem Zwecke sechs verschiedene Grade oder Stufen an (I–VI), die einer gleichen Anzahl von Entstehungsschichten entsprechen. Am einen Ende dieser Reihe ständen also Gespräche, die sich so gut wie decken mit einer unmittelbar nach der Unterhaltung gemachten Niederschrift, am anderen Ende fänden sich bloße Erinnerungsversuche, die jeder dokumentarischen Unterlage entbehren und fast als freie Erfindungen bezeichnet werden müßten. In einer leicht übersichtlichen Tabelle (S. 137 ff.) werden nun in der von Eckermann gewählten Reihenfolge alle Gespräche nach ihren Daten verzeichnet und ein jedes der einen oder anderen Gruppe zugewiesen, wobei noch innerhalb jeder Gruppe ein höherer und ein geringerer Grad von Zuverlässigkeit mit a und b unterschieden wird (1a, 1b, u. s. w.). Diese Tabelle enthält demnach zu praktischer Benutzung für jedes einzelne Gespräch das Ergebnis der zur Anwendung gebrachten Kriterien. Hier würde man sich Rat holen, wenn man sich über die Verwendbarkeit einer bestimmten Stelle oder Angabe vorsichtig vergewissern möchte. Gespräche in Gruppe I könnten Zuverlässigkeit beanspruchen in bezug auf Datierung, Inhalt und Wortlaut, solche in Gruppe II in bezug auf den Wortlaut, nicht auf das Datum, in Gruppe III umgekehrt, bis endlich Gruppe VI Unzuverlässigkeit in allen drei Punkten bedeuten würde. In der überwiegenden Mehrzahl von 204 aus 238 Gesprächen glaubt der Verfasser, ein gegebenes Gespräch einer der sechs Gruppen und zwölf Untergruppen zuweisen zu können. Nur in 34 Fällen wird Unsicherheit zwischen zwei verschiedenen Gruppen angedeutet. Wenn aber die angewandte Methode so feine Bewertungsunterschiede zuläßt, dann, scheint es mir, hätte die Analyse eigentlich noch weitergeführt werden sollen, bis zu dem Versuch, in längeren, nachweisbar zusammengesetzten Gesprächen die einzelnen Partieen auseinanderzuhalten, da dieselben mitunter sicherlich verschiedenen Entstehungsschichten angehören. So aber erhalten einzelne Teile Bewertungen, die für sie allein genommen nicht zutreffen, und es liegt auf der Hand, daß schon dadurch die praktische Verläßlichkeit der Tabelle stark eingeschränkt wird. Daß nun die Tabelle in zahlreichen Fällen das Richtige trifft, bin ich gern bereit zuzugeben. Jedenfalls mahnt sie den wissenschaftlichen Arbeiter, der sich ihrer bedient, zu vorsichtiger Verwendung von Eckermanns Angaben überall, wo ihnen besondere Beweiskraft zugeschrieben werden soll für an sich fragliche und anderweitig nicht zu belegende Dinge.

Andrerseits aber muß gerade an dieser Tabelle die Kritik einsetzen, der die Petersenschen Ergebnisse durch die neuaufgefundenen Tagebuchreste unterworfen sind; und da ist der Tatbestand doch recht beunruhigend. Gewiß kann Petersen mit Genugtuung darauf hinweisen, daß alle von Houben zugänglich gemachten Aufzeichnungen Eckermanns solchen Perioden seines Verkehrs mit Goethe angehören, für die auch er auf Grund seiner Kriterien die gleiche Sachlage konstatiert hat, und es ist das kein geringer Beweis für die Richtigkeit und sorgfältige Anwendung des von ihm eingeschlagenen Verfahrens, soweit die allgemeinere Erörterung von Eckermanns Arbeitsweise in Frage kommt. Ganz anders aber liegen die Dinge für die versuchte Bewertung der Einzelgespräche. Ohne mich für die absolute Richtigkeit der von mir immerhin sorgfältig vorgenommenen Zählungen verbürgen zu wollen, finde ich—und geringe Verschiebungen würden daran nichts Wesentliches ändern—daß etwa 54 Gespräche durch die Eckermannschen Aufzeichnungen betroffen werden. Von diesen 54 sind nun nicht weniger als 21 in der zweiten Ausgabe einer anderen Gruppe zugewiesen worden als in der ersten, wobei ich von Verschiebungen zwischen (a) und (b) innerhalb derselben Gruppe ganz absehe. Von diesen 21 Gesprächen erscheinen jetzt 12 mit erhöhter, 9 mit verminderter Zuverlässigkeit. Das sind natürlich gewaltige Verschiebungen; denn man muß sich fragen, ob für die anderen Gruppen von Gesprächen, für die ebenfalls erwiesenermaßen Aufzeichnungen bestanden haben, die Einschätzungen nicht im gleichen Verhältnis verändert werden müßten, wenn die Tagebücher plötzlich ans Licht kämen. Für den Zweck der Einzelbewertung haben also die verwendbaren Kriterien doch nicht ausgereicht, das heißt, es ist mit ihrer Hilfe anscheinend ein Unmögliches versucht worden, und ich weiß nicht, ob wir auch in solchem Fall bewundernd mit Manto sagen sollen: „Den lieb' ich, der Unmögliches begehrt"?

Grundverschieden von der Abhandlung Petersens, nicht nur in bezug auf den Gegenstand, sondern auch auf Anlage und Darstellung, ist das Buch Houbens. Unterhaltend und lebendig geschrieben, wennschon mitunter in allzubehagliche Weitschweifigkeit verfallend, wendet es sich an das große Publikum aller derer, die sich der Gespräche wegen auch für Eckermann um seiner selbst willen interessieren, und ich bin sicher, es wird in diesen Kreisen mit Genuß und Vorteil gelesen werden. Zugleich behandelt der Verfasser viele Einzelheiten mit wissenschaftlicher Genauigkeit und wirft so manches neue Licht auf die Beziehungen Goethes und seines Jüngers. Vor allem hat der Band für die Goethe-Forschung Wert durch den erstmaligen Abdruck der erwähnten Tagebuchaufzeichnungen und einer Reihe weiterer Briefe Eckermanns. Vom Standpunkt wissenschaftlicher Verwendung aus würde man dieses neuaufgefundene Material allerdings gern im Zusammenhang überblicken, während es hier in den Verlauf der Lebensschilderung verwoben erscheint. So findet man z. B. die Tagebuchnotizen (hauptsächlich aus den Jahren 1829, 1830 und 1831) auf S. 152f (?) 166ff., 247ff., 265ff., 274, 278ff., 421ff., 446ff., 521ff. Eine auf all diese Erstdrucke verweisende Tabelle wäre für den zweiten Band zu empfehlen.

Interessant ist in Houbens Buch, wie er sich, im Gegensatz zu Petersen, bei jeder Gelegenheit seines Helden und Schützlings annimmt. So betont er, daß auch Eintragungen in Goethes Tagebüchern nicht über alle Zweifel des Irrtums erhaben sind und ebenfalls kritisch gemustert werden müssen; und in bezug auf die allerdings überraschend geringe Fürsorge Goethes für das finanzielle Fortkommen seines treuen Mitarbeiters geht er mit Goethe etwa eben so scharf ins Gericht wie Petersen mit Eckermann betreffs jeder Unzuverlässigkeit seiner Angaben. Man darf deshalb gespannt sein, wie sich Houben in seinem noch ausstehenden zweiten Band und der angekündigten Neuausgabe der Gespräche zu solchen strittigen Punkten stellen wird.

So viel ist sicher, es geht unbedingt nicht länger an, sich in bezug auf Eckermanns Gespräche mit Goethe gewissen Einsichten zu verschließen und an den alten Anschauungen weiter festzuhalten, die in breiten Kreisen gang und gäbe sind. Wenn wir ganz absehen von vereinzelten Irrtümern und Unklarheiten, die allem Menschenwerk anhaften, und hie und da von kleinen Zügen der Eitelkeit und Selbstgefälligkeit, so dürfte folgendes für gesichert anzusehen sein. Eckermanns Buch ist zunächst, was er allerdings in der Vorrede von 1836 deutlich selbst sagt, keine nur annähernd vollständige, tagebuchartige Darstellung seines ganzen, weit ausgedehnten Verkehrs mit Goethe. Goethe bucht an die 1000 Besuche, Eckermann keine 250. Weiter sind die Datierungen der Gespräche und also auch der darin erwähnten Geschehnisse durchaus nicht immer zuverlässig, so daß sie nicht einfach als chronologische Beweise für den Verlauf von Goethes Leben und Schaffen gelten können. Auch können, trotz der wunderbaren Einfühlung in Goethes Ausdrucksweise, die sich Eckermann allmählich erworben hatte, und trotz seines sicher vorzüglichen Gedächtnisses die Goethe zugewiesenen Reden durchaus nicht immer, weder dem Wortlaut noch dem Verlauf nach, als zuverlässige Wiedergaben des wirklich Gesagten angesehen werden. Dafür hat Eckermann viel zu unregelmäßig Tagebuch geführt. Endlich ist der alte Goethe, den Eckermann vor uns hinstellt, durchaus nicht der ganze Goethe in all dem Wechsel und Widerspruch seiner mitunter dämonischen Launen und Stimmungen. Absichtlich hat Eckermann sich auf *die* Seite seines Wesens beschränkt, nach der wir uns angewöhnt haben, von dem Olympier zu sprechen, der in Fassung und Überlegenheit auf Menschen und Menschentun herabblickt. Gewiß ist das der für die Nachwelt wichtigste „alte Goethe", als der er selbst fortzuleben und fortzuwirken hoffte, der Goethe fast aller veröffentlichten Altersbriefe, der Dichter der Alterswerke (allerdings mit Ausnahme mancher Lyrica und Xenien), der Schilderer seines eigenen Lebens in Dichtung und Wahrheit. Was in dem Bilde jedoch fehlt, ist alles, was wir aus sonstigen Quellen über den leidenschaftlichen, den sarkastischen, den zornigen, den unzugänglichen, den niedergeschlagenen Goethe wissen, den natürlich auch Eckermann zu unzähligen Malen muß kennengelernt haben.

Schon aber dieser idealisierende Zug einer großartigen Einseitigkeit, soweit das geschaffene Bild eben nur Teilbild, nicht aber falsch ist, ist schon mit mindestens gleichem Rechte auf der Kredit- wie auf der Manko-Seite von Eckermanns Konto zu buchen. Ihm kam es eben vor allem darauf an, und das zweifellos im Einverständnis mit dem Wunsch des Meisters selbst, diesen der Nachwelt lebendig zu erhalten als den Denker und Weisen, als den Künder des Lebens und Lehrer der Menschheit, so wie er selbst ihn gekannt, bewundert und verehrt hatte. Und diese Aufgabe, die Eckermann alles in allem glänzend gelöst hat, hätte sich nicht vertragen mit tagebuchartiger Genauigkeit. Sie erforderte nicht nur treueste Hingabe, sondern auch künstlerische Gestaltungskraft. Denn je mehr sich Eckermann in seiner Verlebendigung Goethischer Wesensart und Gedankenwelt von der bloßen Tatsächlichkeit entfernte, desto mehr entzückt und befriedigt uns, um diese Betrachtungen mit Petersens schönen Worten zu schließen, das „Fortschreiten von Materie zu Geist, von Stoff zu Gestalt, von Chronik zu Mythos, von passiver Registratur zu schöpferischer Anschauung, von zerstreuter Vielheit zu lebensvoller Einheit, von zufälliger Wirklichkeit zu künstlerischer Wahrheit."

In diesem Sinne ist und bleibt Eckermann der verläßliche Führer zu einem bedeutsamen Teil von Goethes gewaltiger Hinterlassenschaft, zu seiner Altersweisheit. Möge der Streit um ihn ihm nur um so zahlreichere Jünger zuführen!

Neue Faustkommentare

(1925)

Goethes Faust. Erklärt von Adolf Trendelenburg. 2 Bde. Berlin und Leipzig, 1921-22.

Goethes Faust. Kritisch durchgesehen, eingeleitet und erläutert von Robert Petsch. Leipzig, o. J. [1923].

Goethes Faust. Herausgegeben von Georg Witkowski. 7te, durchgearbeitete Auflage. 2 Bde. Leipzig, 1924.

Wir verdanken den letzten drei, vier Jahren zwei wissenschaftlich wertvolle Neuausgaben von Goethes *Faust,* sowie die erneute Durcharbeitung einer der am weitesten verbreiteten älteren, und es bedeutet das einen erheblichen Zuwachs zu den allgemeiner zugänglichen Hilfsmitteln für Studium und Genuß des Werkes. Die wichtigsten der jetzt noch nicht veralteten Kommentare und Ausgaben, so vor allem die von Erich Schmidt, Otto Harnack, Minor, Calvin Thomas, Witkowski, Julius Goebel, Alt und Traumann, erschienen in den Jahren von 1887 bis kurz vor Ausbruch des Krieges. Seitdem ist aber eine stattliche Folge von zum Teil wichtigen Einzeluntersuchungen veröffentlicht worden, und es ist gerade die Berücksichtigung dieses jüngeren Materials, was den vorliegenden Ausgaben ein gut Teil ihres Wertes verleiht, besonders für diejenigen Arbeiter, denen die neuere Spezialliteratur in größerem Umfang nicht zugänglich ist.

Adolf Trendelenburg, der hochverdiente, im Jahre 1844 geborene klassische Philologe, Archäologe und Schulmann, hat sich erst während des Krieges, in hohem Alter, aber mit bewundernswerter Energie und Selbständigkeit der wissenschaftlichen Erforschung von Goethes *Faust* zugewandt. Vorarbeiten, die allerdings fast ausschließlich den Zweiten Teil der Dichtung betreffen, ließ er 1919 unter dem Titel

Zu Goethes Faust erscheinen. Nach seinen eigenen Worten hofft der Herausgeber, seine Ausgabe möge vor allem dem Zweck dienen, „das deutsche Nationaldrama in Kreise zu tragen, die aus Furcht vor seinen Schwierigkeiten sich ihm bisher verschlossen". Aber diese Einstellung auf die Bedürfnisse des allgemeinen Lesers hat ihn nicht verhindert, selbständig auf hauptsächlich solche wissenschaftlichen Probleme der Fausterklärung einzugehen, wie sie ihn im Hinblick auf seine eigentlichen Fachstudien besonders anziehen mußten, und er verwendet, nicht ohne eine gewisse selbstbewußte Unterstreichung der Eigenart seines Verfahrens, seine reichen Kenntnisse auf dem Gebiet der antiken Kunst und Literatur, um Motive und Gestalten der Dichtung, die auf solche Anregungen zurückgehen, schärfer zu erklären oder ihnen neue Seiten abzugewinnen. Wo solche Interessen ins Spiel kommen, wie vor allem natürlich im Zweiten Teil, da entfaltet sich die durch Wärme und Fülle des Tones gekennzeichnete Darstellungskunst des Verfassers oft zu erfreulichen Vorteil. So z. B. in der inhaltlich wie formell gleich wertvollen Art, wie er weit ausholend die griechisch-erotische Atmosphäre der Schlußszenen der „Klassischen Walpurgisnacht" zur Geltung bringt, mit ihrem Hymnus auf Schönheit, Liebe und Fruchtbarkeit (II, 154-68). In den Anmerkungen, die fortlaufend auf jeder Seite den Text begleiten und mitunter fast überwuchern, tut eine allzu behagliche Breite der Behandlung allerdings mitunter zu viel des Guten.

Dieser breiten Ausführlichkeit an manchen Stellen steht aber an anderen Punkten eine überraschende Kurzsilbigkeit, wenn nicht Schweigsamkeit, gegenüber. Alles, was sich z. B. auf den Einfluss der vorgoethischen Faustliteratur bezieht, ist fast ganz bei Seite geschoben. Selbst für die einleitende Situation in der Szene „Nacht", wo Faust seiner Verzweiflung über all' sein wissenschaftliches Bemühen Ausdruck verleiht, bleiben Marlowe und das Puppenspiel, die vorbildlich eingewirkt haben, unerwähnt, während die bekannte Radierung Rembrandts ausführlich beschrieben wird, obwohl sie „nur geringe Ähnlichkeit mit unserer Szene" aufweist. Der auf dem Osterspaziergang beschriebene alchemistische Versuch (1042-47) wird auf vier vollen Seiten erörtert, aber auf die Goethe von Frankfurt her so wohlbekannte Paracelsische Literatur wird nicht eingegangen, und die schlagenden Parallelstellen in Goebels Faustausgabe und bei Agnes Bartscherer bleiben ungenutzt. Eine ausgesprochene, an sich durchaus berechtigte Vorliebe für die Betonung bildhafter Anlehnungen führt (I, 124 ff.) zu einer peinlich detaillierten Schilderung des Hexenbildes von Michael Herr, der volle neun Textseiten gewidmet werden, während literarische Quellen und Vorbilder der neueren Zeit, sowie auch aufhellende Parallelen aus den sonstigen Werken Goethes, ganz stiefmütterlich behandelt werden. Solcher Ungleichheiten nach der Plus- wie nach der Minus-Seite hin finden sich so überraschend viele und auffallende, daß man bei aller Wertschätzung des tatsächlich Gebotenen doch oft das absichtliche oder unabsichtliche Fehlen wichtiger Dinge störend empfindet.

Auch die äußere Einrichtung der Ausgabe bringt manches Neue, über dessen Vorteile oder Nachteile man verschiedener Meinung sein kann. Wie schon erwähnt, begleiten die sehr ausführlichen Anmerkungen den Text Seite für Seite, was seit Loeper und Schröer wohl nicht wieder versucht worden ist und die Benutzung der Ausgabe zum Zweck ungestörten Genusses der Dichtung so gut wie ausschließt. Die einleitende Darstellung wird für den Ersten Teil zusammenhängend gegeben, für den Zweiten Teil dagegen jedem der fünf Akte einzeln vorangestellt, wobei dann immer ein festes Schema eingehalten wird: Arbeit des Dichters, die Personen, die Örtlichkeiten, der Gang der Handlung, Einzelheiten. Dieses Verfahren, das beim ersten Blick recht pedantisch anmutet, entschädigt andererseits durch unleugbare Klarheit und Übersichtlichkeit. Durchaus nicht befreunden kann man sich dagegen mit der Verszählung. Hier schien es, als ob die in rein äußerlichen Dingen dieser Art so wünschenswerte Gleichförmigkeit durch die Weimar-Ausgabe ein für allemal zum Vorteil rascher Orientierung in den verschiedensten Ausgaben festgelegt sei. Trendelenburg jedoch, der dazu noch die Akte des Zweiten Teils in „Szenen" und „Auftritte" einteilt, fängt für alle solche Unterabschnitte die Verszählung immer wieder von neuem an. Auf diese Weise werden vier- und fünfstellige Zahlen wohl vermieden, aber dafür die Vor- und Rückwärts-Verweise selbst innerhalb der Ausgabe bedeutend erschwert, der erhöhten

Schwierigkeit des Vergleiches mit anderen Ausgaben nicht zu gedenken. Gewiß ist anzuerkennen, daß die entsprechenden Zahlen der Weimar-Ausgabe oben auf jeder rechten Seite erscheinen, aber auch so ist da, wo es sich um einen bestimmten Einzelvers handelt, nur zu häufig lästiges Auszählen unvermeidlich.

Alles in allem trägt so die Trendelenburg'sche Ausgabe einerseits den Charakter wertvoller, wissenschaftlich fördernder Selbständigkeit, andererseits aber auch den einer stark ausgeprägten, wenig vorteilhaften Eigenwilligkeit. Jedenfalls, und das ist doch wohl die Hauptsache, liegt dem positiven Gesamtergebnis nach eine Arbeit vor, die dem Literaturfreund in gewinnender Form reiche Anregung gibt zu tieferem Eindringen in Gestaltung und Bedeutung der Dichtung, zugleich aber auch dem wissenschaftlichen Arbeiter viel des Fördernden zu bieten hat.

Die wertvolle, von Robert Petsch besorgte Ausgabe des Leipziger Bibliographischen Instituts weicht innerlich und äußerlich von der eben besprochenen in vieler Hinsicht ab. Hat Trendelenburg vor allem den großen Kreis gebildeter Leser im Auge, so wenden sich bei Petsch jedenfalls die Anmerkungen, die entschieden die bedeutende Hauptleistung der Ausgabe bilden, ihrer ganzen Anlage nach vorwiegend an den Faustforscher, der dazu noch zu ihrer gedeihlichen Benutzung eine umfangreiche Auswahl aus der wissenschaftlichen Goethe-Literatur in handlichster Nähe haben muß. Im allgemeinen ist der Plan der älteren Harnack'schen Ausgabe des gleichen Verlags beibehalten; so z. B. auch die sparsamen Fußnoten knappster Wort- und Sachbestimmung, die nur die Erleichterung oberflächlichster Lektüre verfolgen. Aber schon die Einleitung, die zum Teil in engem Rahmen und bei gedrungenem Ausdruck leidlich schwierige Probleme philosophisch-ästhetischer Interpretation aufgreift, macht schon weit höhere Voraussetzungen; und noch anders steht es um die auf den Text folgenden Teile der Ausgabe. Da bringen volle 60 Seiten den vollständigen Abdruck der Paralipomena, von denen doch nur ein Bruchteil allgemeineres Interesse besitzt, während z. B. der „Urfaust", der den ernsteren Literaturfreund vor allem interessieren muß, nicht zum Abdruck kommt. Die

Anmerkungen aber müssen den allgemeinen, Hilfe und Aufklärung suchenden Leser, ja nicht nur ihn, nicht selten direkt irritieren, wenn sie aus bloßen Verweisen auf die wertvolle Bibliographie (S.541-46) oder sonstige oft nicht leicht zugängliche Literatur bestehen, wie z. B. im Falle von V. 1612, 1656, 2254, 2702, 6734, 7253, 9164, 11217, 11372. Gewiß wäre es grundfalsch, den Eindruck zu erwecken, als ob dies die allgemeine oder überwiegende Haltung der Anmerkungen wäre. Zum Beleg des Gegenteils verweise ich nur auf so klar darstellende, ja zum Teil stimmungsvolle Anmerkungen wie z. B. die zu V. 426, 5520, 8840, 8928 und viele andere. Nur scheint hier Klarheit über das Arbeitsziel zu fehlen. Die Anmerkungen bringen durchaus nicht wie bei Trendelenburg eine ausführliche Behandlung einer gewissen Auswahl bevorzugter Fragen und Motive. Sie beruhen im Gegenteil auf einer gleichmäßig gewissenhaften, dabei aber durchaus selbständigen Durcharbeitung der gesamten einschlägigen Literatur und geben ihre Ergebnisse in kräftigst konzentrierter Form, etwa nach dem Verfahren Erich Schmidts in der Jubiläums-Ausgabe. Das Resultat davon ist nun aber, daß vieles Exakt-Technische, was eigentlich in einen rein wissenschaftlichen Sonder-Kommentar gehört, wie z. B. den Minors, oder aber in das Gebiet der Fachzeitschriften, sich hier zum Nachteil der Gesamtwirkung in die Erläuterungen einer Ausgabe drängt, die den schönen Schlußworten der Einleitung nach doch in erster Linie einem allgemeineren kulturellen Zweck dienen soll. Das Unerquickliche des so geschaffenen Zustandes wird nun im Falle der vorliegenden Ausgabe noch ungleich erhöht durch ein so einseitig auf Raumersparnis angelegtes Druckbild, daß man wünschen möchte, gesundheitsamtliche Verbote hätten hier ein Wort mitzureden: 54 Zeilen feinsten Druckes auf einer Duodez-Seite, die etwa 42 vertragen kann; alles in fortlaufenden Zeilen ohne jeden Absatz außer für neue Szenen, und dabei das Ganze durchsetzt mit Titeln, Zahlen, Klammern, Anführungsstrichen, Typenwechsel, Siglen und Abkürzungen aller Art. Selbst die Verweiszahlen sind nicht durch stärkeren Druck hervorgehoben, und oben auf den Seiten wiederholt sich nur die nichtssagende Angabe „Anmerkungen des Herausgebers", nicht aber erscheinen die jeweiligen Verszahlen, wie das bei jeder mir augenblicklich vorliegenden Ausgabe der Fall ist. So kann man manchmal lange suchen, bis man endlich findet, daß es für eine bestimmte Zeile—keine Anmerkung gibt. Es mag pedantisch klingen, bei einer inhaltlich so wertvollen Leistung, wie es die Petsch'schen Anmerkungen sind, solchen Nachdruck auf etwas rein Äußerliches zu legen. Mir ist aber wirklich ein solches Augenpulver seit Jahren nicht unter die—Lupe gekommen; denn ohne diese mag man sich tatsächlich nicht längere Zeit mit diesen Seiten beschäftigen. Hier müßte bei einer Neuauflage unbedingt Wandel geschaffen werden, wenn die Ausgabe die verdiente Verbreitung finden soll. Ungerecht wäre es jedoch, dieser Ausstellung nicht auch die Bemerkung hinzuzufügen, daß sie in keiner Weise auf Einleitung und Text Anwendung hat, ja daß auch in den Anmerkungen der Druck als solcher vorzüglich sauber und scharf ist.

Die Textgestaltung folgt dem Beispiele Erich Schmidts in der Jubiläums-Ausgabe, wenn schon mit leichten Änderungen in der Zeichensetzung, wie z. B. in 507, 718. Für bedauerlich halte ich deshalb in 1696 den Versuch der Wiedereinführung von „betriegen“, das augenscheinlich weder handschriftlich, noch in den Ausgaben von 1808 und 1816 sich findet und nach Erich Schmidts Vorgang, der es schon in der Weimar-Ausgabe als „unerträglich im Reim auf ‚belügen‘ “ bezeichnete, in allen neueren Ausgaben beseitigt worden ist.

Was die Einleitung anbetrifft, so vermag ich ihr nicht die gleich hohe Bedeutung beizumessen wie den Anmerkungen. Verwunderlich ist der Irrtum oben auf S. 42, wo es vom Abschluß des Zweiten Teils heißt: „Ende November ließ er das Paket versiegeln und öffnete es auch nicht wieder.“ In Wirklichkeit (vgl. Gräf, 1950 und 1965) wurde das Paket Mitte August versiegelt und Anfang Januar 1832 wieder geöffnet, da Goethe es im Verlauf des Monats Ottilien vorlas. Auch die Behauptung oben auf S. 43 entspricht nicht dem Verlauf des Zweiten Teils: „Mephistopheles tritt von Akt zu Akt mehr zurück und ist im letzten Aufzug nur noch ein von oben herab behandelter Diener, nichts weniger als ein Gegenspieler des Helden.“ Ein eigentlicher Gegenspieler des Helden ist nun Mephistopheles im Zweiten Teil überhaupt nicht; aber am ehesten doch noch, wenigstens versuchsweise, am Anfang des vierten Aktes, den er dann noch in seinem weiteren Verlauf fast gänzlich beherrscht. Und was den fünften Akt betrifft, so ist Mephistopheles jedenfalls alles andere als ein Diener, der gehorchen gelernt hat, wenn er auch noch so sehr von oben herab behandelt wird. Ich muß überhaupt gestehen, daß die Analyse des Zweiten Teils (S. 43-48) mir zu stark eingestellt erscheint auf den Erweis klar ersichtlicher Folgerichtigkeit und Abrundung des Ganzen in seiner äußeren und inneren Entfaltung. Nicht, daß ich dieser Auffassung an sich unsympathisch gegenüber stünde. Nur meine ich, daß sie nicht versuchen darf, zu viel zu erweisen, da sie sonst im Grunde der gegnerischen Auffassung in die Hände arbeitet. Daß Faust z. B. „nach dem Kaiserhof strebt, um sich im Dienste der Majestät tätig zu erweisen", erscheint mir als eine gänzlich unbegründete Annahme. Sicher hat der Kaiserhof auch nicht entfernt etwas mit dem „höchsten Dasein" in 4685 zu tun. In den älteren Plänen ist es Mephistopheles, der dahin lockt und treibt. Er hat „die große Welt" von vornherein in sein Programm aufgenommen, und in diesem Sinne ergibt sich auch in der vollendeten Dichtung am ungezwungensten der Übergang vom Ersten zum Zweiten Teil. Auch die wiederholte Betonung des „Ringens der zwei Seelen" (im Hinweis auf 1112ff.) als Leitmotiv der inneren Handlung im Zweiten Teil, verbunden mit einer gewissen Parallelisierung zwischen diesem Ringen und dem zwischen Faust und Mephistopheles, schafft mehr Schwierigkeiten als Klarheit. Zum mindesten wäre dann doch die Frage, welche der beiden Seelen in 11466ff. und in der „Weisheit letztem Schluß" die Oberhand behält. Doch wohl kaum die, welche die Welt des Irdischen als „Dust" empfindet und sich nach „den Gefilden hoher Ahnen" sehnt. Gewiß, Fausts letzte innere Kämpfe erhärten in großartiger Steigerung seinen unverwüstlichen Idealismus, sein ungebrochenes Vorwärtsstreben und seinen Glauben an Zweck und Wert solches Strebens zum „höchsten Dasein"; aber es ist ein ausgesprochen diesseitiger, rein menschlicher Idealismus, wie das Petsch ja auf Seite 33 auch betont, und seine Leiden und Freuden entquellen dieser Sonne, dieser Erde, dieser Welt. Weder Schiller noch Kant würden sich meinem innersten Gefühl nach von diesem typisch Goetheschen Ausgang der großen Dichtung gänzlich befriedigt gefühlt haben.

ENDLICH sei mit kurzen Worten auf die Neuauflage der altbewährten Ausgabe von Witkowski hingewiesen. Jede Arbeitsbibliothek wird natürlich die neuen Ausgaben von Trendelenburg und Petsch ihren Beständen einverleiben müssen, aber unsere Studenten, soweit sie über die Benutzung der englisch kommentierten Ausgaben hinausstreben, werden wir nach wie vor am vorteilhaftesten auf Witkowski verweisen. Denn in den zwei zusammen über 1000 Seiten starken Bänden findet sich so ziemlich alles beisammen, was zu einem ersten gründlichen Eindringen in Werden und Sein des Goetheschen *Faust* notwendig ist. Außer dem eigentlichen Text erscheint hier der ganze „Urfaust", das Fragment von 1790 und das Helena-Bruchstück von 1800, die sämtlichen Paralipomena, eine nach allen Seiten der Faustforschung hin reichgegliederte Einleitung von über 160 Seiten, eine sorgfältig ausgewählte Bibliographie, 225 Seiten eingehender Anmerkungen (die 80 Seiten bei Petsch entsprechen allerdings dem Umfang nach fast zwei Dritteln davon) und nun in der Neuauflage noch ein äußerst willkommener Bilderanhang von durchaus gelungenen Wiedergaben von 48 Bildern, von denen mehr oder minder feststeht, daß sie auf die dichterische Gestaltung bestimmter Motive befruchtend eingewirkt haben. Auch ist der Druck gegen früher größer und offener geworden, wodurch die leichtere Lesbarkeit beträchtlich gewonnen hat. Berücksichtigt man dazu den äußerst mäßigen Preis, zu dem die Ausgabe in Halbleinen und in einem Band zu haben ist (es gibt auch bessere Ausstattungen), so muß man schon gestehen, daß, wo für Arbeitszwecke nur *eine* Ausgabe in Frage kommt, die Wahl kaum zweifelhaft sein kann. Dabei haben die Anmerkungen noch den großen Vorteil, daß Stellen aus anderen Werken, die zur Erklärung herangezogen werden, meistens, wenigstens im Auszug, abgedruckt und nicht nur in Form von Verweisen genannt werden.

Auch zeigt die Neuauflage, obwohl sie vom Bilderanhang abgesehen über die vierte Auflage von 1912 nicht viel hinausgeht, doch an zahlreichen Stellen die mehrende und nachbessernde Hand des Herausgebers. Paralipomena und Bibliographie sind vermehrt, und Einleitung und Anmerkungen zeigen hie und da einen neu eingeschobenen Passus.

Als empfindlicher Nachteil, der auch in der Neuauflage nicht behoben ist, verdient der Umstand Erwähnung, daß die Zählung der Paralipomena in keiner Weise Rücksicht nimmt auf die Zählung Erich Schmidts in der Weimar-Ausgabe und von Morris in seinen Erläuterungen in den *Goethe-Studien*. Da bei Witkowski außerdem noch die Anordnung von der bei Erich Schmidt abweicht, so ist der Versuch, ein gegebenes Stück mit der Weimar-Ausgabe oder mit Morris zu vergleichen, oft unglaublich zeitraubend. Hier hat Petsch in den Anmerkungen für die in der Weimar-Ausgabe vorkommenden Stücke ihre dortige Nummer in Klammer hinzugefügt. Noch bequemer wäre es wohl, wenn die ältere Nummer neben der neugewählten gleich im Druck der Paralipomena selbst erschiene. Was die Anordnung betrifft, so scheint mir die bei Petsch, die sich an die von Erich Schmidt eingeführte anlehnt, für die praktische Benutzung übersichtlicher als die von Witkowski vorgenommene Dreiteilung in nicht aufgenommene Bruchstücke, Entwürfe und Skizzen, die innerlich Zusammengehöriges an zwei oder mehr Stellen verteilt.

Auf Einzelheiten einzugehen hat keinen Zweck bei einer wissenschaftlichen Arbeit, die volle zwanzig Jahre ausgedehnteste Benutzung erfahren hat. Ich erwähne nur ein paar kleine Versehen, die mir zufällig aufgestoßen sind. Die Art und Weise, in der in Bd. II, S. 20 Fausts Erwähnung getan wird als „des kühnsten unter den Schülern des Paracelsus" wirkt, fürchte ich, irreführend.—In der Bibliographie, Nr. 150, lies Rickert statt Rückert.—In Nr. 214 besteht eine Verwechslung zwischen dem auch als Einzeldruck verbreiteten Aufsatz Lichtenbergers in der *Revue germanique* von 1905, der den angegebenen Titel trägt, und dem Buche von 1916, dessen Untertitel lautet: Essai de critique impersonelle.—In der Anmerkung zu 1039 sollte es heißen: das „rötliche" (nicht „weibliche") Quecksilberoxyd.

Zu hoffen wäre, daß auf Grund all dieser aufschlußreichen, aber doch wissenschaftlich schwer belasteten Ausgaben endlich auch dem deutschen Volke eine Faust-Ausgabe beschert würde, die in Einleitung und Anmerkungen gewiß auf den gesicherten Ergebnissen der Einzelforschung beruhen müßte, äußerlich aber sich von aller unverhüllten Gelehrsamkeit vornehm zurückhielte. In gewissem Sinne hat wohl Karl Alt in seiner bei Bong erschienenen Ausgabe einen solchen Plan im Sinn gehabt; seinen Anmerkungen fehlt aber die Wärme und Fülle der Darstellung, die bei strengster Vermeidung aller Schönschreiberei hier erforderlich wäre. Gewiß eine schwierige, aber im Hinblick auf das, was Ernst Traumann in seinem Kommentar in diesem Sinne erstrebt und geleistet hat, nicht unmögliche Aufgabe. Zudem eine Aufgabe, an deren Lösung auch das Ausland in weitem Umfang lebhaftes Interesse besitzt, soweit es tiefer einzudringen versucht in das, was Goethes *Faust* den Deutschen und der Welt bedeutet, und doch mit gutem Recht keine Neigung zu den nackten Tatsachen und oft verwirrenden Widersprüchen der exakten Faustforschung verspürt. Hoffentlich würde dann auch eine solche Ausgabe dem Goetheschen Werke, innerhalb der von ihm so warm verfochtenen „Weltliteratur" zu willigerer Anerkennung und tieferer Wirkung verhelfen.

Faustischer Glaube

(1939)

H. A. Korff. *Faustischer Glaube: Versuch über das Problem humaner Lebenshaltung.* Leipzig, Weber, 1938. 168 Seiten.

Der bekannte Leipziger Literarhistoriker, der sich während der letzten fünfzehn Jahre in einer Reihe von Veröffentlichungen mit der Ideenwelt der deutschen Klassik und vor allem Goethes auseinandergesetzt hat, ist dabei immer wieder bemüht gewesen, den ideellen Gehalt der Faustdichtung zu erfassen und darzustellen, in seiner typisch-symbolischen Bedeutung für die Welt- und Lebensanschauung Goethes und seiner Zeit, sowie in seiner Anwendbarkeit auf die großen Menschheitsprobleme der Gegenwart. Das vorliegende Faustbuch bildet eine Art abschließender Zusammenfassung der Gedankengänge und Deutungsversuche, wie sie vorliegen in *Humanismus und Romantik* (1924) mit dem bezeichnenden Nebentitel „Die Lebensauffassung der Neuzeit und ihre Entwicklung im Zeitalter Goethes", in der *Lebensidee Goethes* (1925), vor allem aber in den zwei soweit erschienenen Bänden vom *Geist der Goethezeit* (1923 und 1930). In charakteristisch strenggegliedertem systematischem Aufbau, wie er auch die früheren Darstellungen Korffs kennzeichnet, wird jetzt der Versuch gemacht, den letzten Sinn der Faustgestalt und Faustdichtung herauszustellen, in dem Faust als ein exemplarischer Vertreter rein humaner Lebenshaltung und ihrer Problematik aufgefaßt wird.

Unter humanem Menschentum, dem Wort „human" eine ganz bestimmte, historisch-methodologische Bedeutung gebend, begreift Korff den Teil der abendländischen Menschheit, der der Religion, mithin der christlichen Religion, entwachsen ist; genauer genommen, den Teil dieses Teils, der nicht einfach gedankenlos dahinlebt, sondern der sich Rechenschaft zu geben versucht vom Sinn und Wert des Lebens, ohne sich dabei der Stütze einer geoffenbarten metaphysischen Weltordnung zu bedienen. Ja, selbst diese Definition bedarf noch insofern einer weiteren Einschränkung, als humane Lebenshaltung nicht nur zur Religion im Gegensatz steht, sondern auch zu jeder philosophischen Metaphysik (S. 116). Dabei ist Korffs humaner Mensch, so widerspruchsvoll das klingen mag, einerseits ein ausgesprochen geistiger, theoretischer, also in diesem Sinne philosophischer Typus, wie er andrerseits kein „Freigeist", sondern im weiteren Sinne des Wortes ein religiöser Mensch ist, dem ein tiefes „Gefühl für unser Umgebensein von Transzendenz" innewohnt. Auch dieser humane Mensch ist gläubig, insofern er erfüllt ist vom Glauben an den immanenten Wert des Lebens, d. h. an die Möglichkeit eines sinnvollen menschlichen Daseins auch für den nur auf sich und seinen Geist gestellten Menschen. Leider herrscht gerade in dem zweiten Kapital von der „Erschütterung des Lebensglaubens," in dem der humane Menschentypus gegen verwandte und entgegengesetzte Typen abgegrenzt wird, in dem Gebrauch der leidlich komplizierten Terminologie nicht der Grad von Klarheit und Eindeutigkeit, der das Werk als Ganzes auszeichnet. Der stete Wechsel von human, faustisch, faustisch-human, geistig-human, religiös, echt-religiös, naiv-religiös, vor allem aber der Gebrauch von naiv, das bald naiv-religiös, bald naiv-human bedeutet, hinterläßt selbst bei aufmerksamem Lesen—oder gerade da—ein Gefühl der Unsicherheit.

Die Deutung Fausts als eines „Hochbilds humanen Menschentums" (S. 160) stellt uns nun natürlich vor die Frage, an der auch Korff nicht vorübergegangen ist, inwieweit der Faust der Dichtung mit der Gesamtheit humanen Menschentums identifiziert, also auch sein Schicksal als typisch für das der Gattung angesehen werden kann; denn gewiss gibt es auch andere Spielarten des echt humanen Menschen, die uns nicht faustisch anmuten. Goethe, selbst ein leuchtender Vertreter humaner Lebenshaltung, hat auch andere Arten des Typus gestaltet in seinen Werken und in seinem Leben. Das spezifisch Faustische sieht Korff in den Dämonieen Fausts, in der Grenzenlosigkeit seiner Wünsche und Erwartungen (S. 32), in der dunklen Zwangsläufigkeit seines Lebensdranges, die ihn „bis zum letzten Atemzuge zu einem dämonischen Sturm- und Drang-Menschen macht" (S. 162). Schildert nun aber die Faustdichtung die „Tragödie" eines humanen Menschen, so fragt sich doch, ob auch ein anderer, ebenso ernster und starker, aber individuell weniger belasteter humaner Menschentypus das Leben gleicherweise tragisch erfahren muß, ob die schmerzlichen Enttäuschungen hochgespannter Lebenserwartungen, die keinem humanen Menschen erspart bleiben können, auch ihn bis an den Rand der Verzweiflung führen müssen.

Tritt uns denn nun aber wirklich, wie Korff meint, Faust vom Beginn der Dichtung an als humaner Mensch entgegen? Oder wird er erst dazu in ihrem Verlauf? Gewiß, der Faust, der in der Nacht vor Ostern sein Geschick verwünscht, hat den Glauben seiner Jugend hinter sich gelassen, durchaus aber nicht, um sich daraufhin gläubig dem Leben anzuvertrauen, sondern um als spekulativ metaphysischer Erkenntnissucher letzte, überiridische Einsichten zu gewinnen, erst durch Studium, nun durch Magie; und als auch dies ihm nicht gelingt, ist er alsbald so sehr von dem notwendig unbefriedigenden, quälenden Charakter menschlichen Lebens überzeugt, daß er entschlossen ist, Erlösung von seiner Unerträglichkeit im Freitod zu suchen. Da es Erinnerungen an die lange verschütteten religiösen Erlebnisse seiner Jugend sind, die ihn von diesem letzten Schritt zurückhalten, so überkommt ihn noch einmal eine solche seelische Weichheit und Aufgeschlossenheit, daß er beim Osterspaziergang uns tatsächlich wie ein Neugeborener entgegentritt und, ins Haus zurückgekehrt, sich noch einmal zur christlichen Offenbarung des Überirdischen hingezogen fühlt. Als, wie zu erwarten, auch dieser Versuch mißlingt, ergreift ihn unter den Pfeilen von Mephistopheles' Spott der momentan zurückgedämmte Lebensüberdruß nur um so gewaltsamer. Es kommt zu der wilden Verfluchung des Lebens, und das Bündnis mit Mephistopheles, das zur gemeinsamen Weltfahrt führt, wird von Faust geschlossen, nicht wie in der alten Sage und wie Korff es will (S. 42, 46, 49), weil Faust sich davon eine ersehnte Erweiterung seiner natürlichen Beschränkungen oder sonst irgend etwas an sich Begehrenswertes davon verspricht. Sinnlos (S. 50) ist der Pakt deshalb durchaus nicht, denn *was* sich Faust verspricht, ist ein Taumel aufregender Abenteuer und Zerstreuungen, die er dem

Teufel schon zutraut, und durch die er sich betäuben und das beschämende Fiasko seines ganzen Lebens und Strebens vergessen möchte. Korff, der in Faust von Anfang an den enttäuschten, innerlich aber doch lebensgläubigen, *humanen* Menschen sieht, versucht wohl darzutun, der wahre Grund des Paktes läge, wennschon versteckt und unbewußt, in Fausts Hoffnung, „trotz alledem, mit Teufelshilfe innerlich einmal befriedigt zu werden."

Charakteristisch genug aber muß er für eine solche Ansicht seine Beweisstellen aus der recht problematischen Partie von Zeile 1770-1867 nehmen, die im „Fragment" von 1790 ganz unvermittelt in der großen Lücke des Urfaust erscheint und in Italien zweifellos aus Voraussetzungen heraus entstanden ist, die mit dem späteren Plan des vollendeten Ersten Teils nicht übereinstimmen. Töne, die wenigstens vorübergehend nach humaner Lebensgläubigkeit klingen, findet Faust erst in „Wald und Höhle" und wenn es sich in der Faustdichtung, wie ich gern zugebe, um die Rechtfertigung von Fausts humanem Lebensglauben handelt, so hat dem erst die Widerlegung seines Lebensunglaubens voraufzugehen, von der eigentlich erst im Zweiten Teil die Rede sein kann.

Jedenfalls gewinnt die gerade jetzt wieder stark umstrittene Frage nach der „Entwicklung" Fausts und nach dem Wert seines Tuns, besonders gegen das Ende seines Lebens, besondere Wichtigkeit für die Korffsche These von der Rechtfertigung des humanen Menschen. Eine Aufwärtsentwicklung Fausts zu einem von tiefer, lebensgläubiger Befriedigung erfüllten Lebensabschluß hatte Korff im *Geist der Goethezeit* vertreten (II, 412 und 415) und zwar trotz der stark von ihm betonten Tragik der einzelnen Lebenserfahrungen in den drei Sphären der Liebe, der Schönheit und der schöpferischen Tätigkeit und trotz der unnachsichtig be- und verurteilten Irrungen und Verfehlungen Fausts, der auf Grund eines erdrückenden Sündenregisters sogar als „Verbrecher" bezeichnet wurde. An dieser Auffassung hält die gegenwärtige Darstellung mit geringen Akzentverschiebungen fest. Die negativen Elemente werden weniger stark, die positiven etwas stärker hervorgehoben; das Wort „Verbrecher" findet sich jedenfalls nicht mehr. Mit seiner Anerkennung des tragischen Adels (S. 9) und der Gottwohlgefälligkeit (S. 18) des humanen

Menschen, wie er im Faust verkörpert ist, tritt Korff offensichtlich der Böhmschen These von der Degeneration Fausts aufs Schärfste entgegen, und ich muß es deshalb bedauern, daß er Böhm trotzdem für den Neuland schaffenden Faust am Meeresufer die Bezeichnung „Unternehmer" zugibt (Böhm, 58-59; Korff, 94), die jedenfalls in dem von Böhm beabsichtigten Sinne der Herabwürdigung nicht zutrifft. Ein großes, kühnes Unternehmen macht seinen Schöpfer noch lange nicht zu einem „Unternehmer", und Herrschaft und Eigentum sind etwas ganz anderes als Unternehmergewinn im Rahmen des modernen Kapitalismus (S. 94).

Die Entwicklung Fausts zu größerer Klarheit und Weisheit setzt Korff durchaus nicht gleich mit „Vervollkommnung" im Sinne der Erreichung eines Schlußergebnisses von absoluter Klarheit und Irrtumslosigkeit. Faust bleibt strebender, kämpfender Mensch bis ans Ende, und „es irrt der Mensch, so lang er strebt." Ja, Korff gibt nicht zu, daß die drei von Faust durchlaufenen Sphären der Liebe, der Schönheit und der schöpferischen Tat eine an sich aufsteigende Linie bezeichnen, sondern behauptet, daß sie alle drei als gleichwertig, allerdings auch jede einzelne als hochwertig zu betrachten seien; nur „innerhalb jeder Gruppe schreitet die Handlung offenbar von etwas Niederem zu etwas Höherem fort". Aber selbst wenn man Korff diese Gleichwertigkeit theoretisch und als im Sinne Goethes zugeben dürfte, so ergibt sich trotzdem doch für Faust eine aufsteigende Kurve von der einen zur andern durch die Art, wie er eine jede erlebt und in sich aufnimmt. In der Liebe handelt er gegen Gewissen und bessere Einsicht, im Reiche Helenas in stürmischer Leidenschaftlichkeit, zur schöpferischen Tat aber schreitet er mit klar bewußter Zielsetzung.

In „der Weisheit letztem Schluß", der Vision des sterbenden Faust von einem Ideal „tatkräftigen Gemeinschaftssinnes" sieht Korff, auch hier in scharfem Gegensatz zu Böhm, eine neue, vierte „Hochform faustischen Erlebens", von der er sagt: „Dann aber kommen plötzlich ganz ungewohnte Töne aus seinem Munde." Da allerdings dieses neue Ideal, das in der Sphäre schöpferischer Tätigkeit an die Stelle der ursprünglichen „Werkbesessenheit" tritt, nur Vorgefühl bleibt, so hat es die Probe der Verwirklichung nicht zu bestehen. Korff ist überzeugt, auch dieses Erlebnis würde für Faust tragisch, d. h. in Enttäuschung enden infolge des „notwendig tragischen Rhythmus eines faustischen humanen Lebens" (S. 99f.). Ob *jedes* wahrhaft humanen Lebens, bleibt unentschieden.

Nicht recht klar wird mir Korffs endgültige Bewertung von Fausts Lebensausgang. Einerseit betont er nicht nur das Tragisch-Enttäuschende des faustischen Erlebens in jeder der drei Sphären seiner Erfahrung, sondern auch für die Dichtung als Ganzes ihren notwendigen Charakter als „Tragödie" (S. 57), denn Faust bleibe bis zuletzt „unbefriedigt jeden Augenblick". Andererseits wieder sieht er im Abschluß von Fausts Leben statt tragischen Untergangs sieghafte Selbstbehauptung, höchste Daseinsvollendung (S. 113), tiefe Befriedigung gerade im Hochgefühl des Strebens, Kämpfens, Weiterschreitens (S. 121), worauf die Aufnahme in den Himmel folgt, nicht als die eines begnadigten Sünders, sondern als eines Lieblings Gottes (S. 18 und 151). Unbefriedigtsein ist doch nur tragisch, solange es wie im Anfang der Dichtung zur Entmutigung und Verzweiflung führt, nicht aber, wenn es als Ansporn wirkt zu unentwegtem Weiter- und Vorwärtsstreben. Ein solches wäre ja überhaupt nicht denkbar, wenn je der Augenblick eines voll und ganz Befriedigtseins einträte. „Unbefriedigt jeden Augenblick" soll doch im Grunde nur sagen: keinen Augenblick *so* befriedigt, um zu wünschen, daß es immer so bleiben solle. In diesem Sinne stellt sich die Zeile auf die gleiche Linie wie „Werd' ich zum Augenblicke sagen . . ." und „Wie ich beharre, bin ich Knecht." Zuzugeben ist jedenfalls, daß überscharfe, nur logisch richtige Formulierungen dem wirklichen, halb bewußt-, halb unbewußten-Verlauf seelischer Zustände nie gerecht werden können.

Besonders gedanken- und aufschlußreich ist Korffs letztes, 30 Seiten langes Kapitel, das unter der Überschrift „Humane Theologie" den zwei großen metaphysischen Szenen der Dichtung, dem „Prolog im Himmel" und der überirdischen Schlußszene, eine eingehende Analyse widmet. Beiden Szenen wird „lediglich Gleichniswert" zugesprochen (S. 127), und Korff sieht in ihnen eigentlich nur die Selbstrechtfertigung Fausts. Theologie im Sinne einer geoffenbarten Glaubenslehre gibt es allerdings für Faust so wenig wir für Goethe und für den humanen Menschen im Allgemeinen; aber *wenn* ihnen einmal ihre Wünsche und Hoffnungen sich über das Irdische hinausschwingen sollten, um, sozusagen wider Willen, „in die Ewigkeit zu schweifen", so ist Korff der Meinung, daß sie sich in ruhiger Unbesorgtheit eine *solche* humane Theologie schaffen, sich einen *solchen* humanen Gott vorstellen und so ihrer Überzeugung bildhaft-symbolischen Ausdruck geben würden, daß ihr humaner Lebensweg auch einer transzendenten Rechtfertigung gewärtig sein darf, die allerdings „in Wahrheit nur des *Dichters* Glaube über seinen Helden ist". (S. 131)

Die großen Linien dieser Korffschen Auffassung des faustischen Lebens und seines tieferen Sinnes bilden auch für den, der in manchen und durchaus nicht unwesentlichen Einzelfragen anders sieht oder anders urteilt, eine warm zu begrüßende Deutung der Dichtung. Ernste und rückhaltlose Anerkennung der Verschuldungen und tragischen Enttäuschungen von Fausts Leben ist hier wohltuend gepaart mit einer gleich ernsten und rückhaltlosen Anerkennung der heroischen Größe und des idealen Wertes dieses Lebens, wenn wir es als Ganzes betrachten, seinen Anfang, Verlauf und Abschluß in Eins zusammenschauen. Sollen wir uns einmal ganz großer Dichtung gegenüber lehrhaft äußern—und warum nicht?—so kommen das Warnende und das Anspornende in dem gewaltigen Bilde gleicherweise zu ihrem Recht. Den Trennungsstrich allerdings zwischen faustischem Glauben und Christentum zieht Korff jetzt weit stärker, als er das früher getan hatte. Der letzte Satz des Buches lautet: "Wenn man . . . die hier aufgeworfenen Probleme nach ihrer ganzen Grundsätzlichkeit betrachtet, so stehen sich ‚Fausts Glaube' und das Christentum genau so unerbittlich gegenüber wie Faustsage und Goethes große Dichtung." Dem ist sicher nichts entgegenzusetzen, solange es sich um ein kirchlich-dogmatisches, übernatürlich geoffenbartes Christentum handelt. Aber zu bedenken ist doch, daß Goethe zwischen seinem eignen humanen Glauben und dem ethischen Kern einer christlichen Lebensanschauung keinen solchen Trennungsstrich setzte.

Ein eigentlicher Faustkommentar ist Korffs Buch ebensowenig wie eine ästhetische Würdigung der Dichtung. Die universelle, ideelle Durchleuchtung von Fausts Leben in seinen fundamentalen Beziehungen zu den Mächten des Lichtes und der Finsternis, der Lebensbejahung und der Lebensverneinung, das allein ist das Ziel des Werkes. Gestalten, Episoden, Szenen, ganze Akte, die von diesem Blickpunkt aus keine Ausbeute versprechen, bleiben unberührt oder werden kaum erwähnt. Gott und Mephistopheles, Faust, Gretchen und Helena sind im Grunde die einzigen Gestalten, die in Frage kommen. Wagner, der Baccalaureus, Homunculus und all die anderen Nebenfiguren scheiden aus. Die vier dem Euphorion gewidmeten Zeilen (S. 89f.) besagen nichts, und selbst Philemon und Baucis bleiben namenlos als „die beiden Alten, die Fausts Nachbarn sind" (S. 96). Was den Verlauf der Handlung betrifft, so beschränken sich die Ausführungen auf den Prolog im Himmel, die beiden großen Eingangsmonologe, den Teufelspakt, „die drei Tragödien", Fausts Selbstbehauptung im Andrang der Sorge und endlich den himmlischen Epilog. Beide Wagnerszenen, die Schülerszene, Auerbachs Keller, Mummenschanz und Kaiserhof, die klassische Walpurgisnacht und die Kriegsszenen des vierten Aktes—sie alle würde man so gut wie vergebens suchen, und selbst die behandelten Szenen werden nur selten und wie im Vorübergehen in ihren dichterischen oder rein menschlichen Werten berührt. Eine ähnliche straffe Beschränkung herrscht in Bezug auf die Berücksichtigung der sonstigen Goethe- und Faustliteratur. Wo sie ablehnend oder zustimmend gestreift wird, geschieht es ohne Anführung eines Namens, Beleges oder Verweises. Selbst Äußerungen Goethes zu den in Frage kommenden Lebensproblemen werden nur vereinzelt verwendet.

Mögen diese Ausführungen, die sich mir gegen meine ursprüngliche Absicht einer kürzeren Anzeige des Werkes fast aufgedrängt haben, den Grad des Interesses beweisen, das es mir abgenötigt hat. Jedenfalls liegt hier ein Deutungsversuch von imponierender Geschlossenheit vor, mit dem sich die Faustkritik, soweit sie dem Ideengehalt der Dichtung nachgeht, wird gründlich auseinandersetzen müssen.

Ein neuer *Faust*

(1939)

Goethe: Faust und Urfaust. Erläutert von Ernst Beutler. Leipzig, Dieterich (1939). lxxviii und 646 S.

Auf die Hochflut von Faustausgaben während der ersten drei Jahrzehnte des Jahrhunderts, etwa von Pniowers Ausgabe von 1903 bis zu den Erläuterungen von Theodor Friedrich von 1932, ist seitdem eine wohltuende Ebbe gefolgt. Weder die wortreich kommentierte Ausgabe von Ebering (1934, 2. Ausg. 1936), noch die kleine Textausgabe von Petsch und Blumenthal (1938) berühren die Faustforschung, und die allerdings außerordentliche Bedeutung der Faustbände der Welt-Goethe-Ausgabe (1937) betrifft nur das Gebiet der Textgestaltung.

Der jetzt vorliegende Band von Ernst Beutler, dem auch hierzulande wohlbekannten Direktor des Frankfurter Goethe-Museums, ist so seit geraumer Zeit der erste Versuch, im Rahmen einer Ausgabe die Dichtung auf Grund eingehender selbstständiger Studien zu erläutern und zu würdigen.

Bei Gelegenheit einer Besprechung der Ausgaben von Petsch, Trendelenburg und Witkowski (7. Aufl. 1924) äußerte ich mich im Jahrbuch 1924 der *Monatshefte* wie folgt:

> Zu hoffen wäre, daß auf Grund all dieser aufschlußreichen, aber doch wissenschaftlich schwer belasteten Ausgaben endlich auch dem deutschen Volke eine Faustausgabe beschert würde, die in Einleitung und Anmerkungen gewiß auf den gesicherten Ergebnissen der Einzelforschung beruhen müßte, äußerlich aber sich von aller unverhüllten Gelehrsamheit vornehm zurückhielte.

Es gereicht mir zur Freude, sagen zu können, daß die Beutlersche Ausgabe diesem Wunsche in weitem Umfang entspricht. Hier ist eine

Ausgabe, die bei einer aufschlußreichen Einleitung von 70 Seiten und 113 Seiten gehaltvoller Anmerkungen doch die ihr zugrunde liegende Gelehrtenarbeit in so anregender, lesbarer und geschmackvoller Form zur Geltung bringt, daß man an der bloßen Hantierung des Bandes, der auf jeder Seite zu verweilendem Genuß einlädt, seine helle Freude hat. Der Verlag hat zu dieser erfreulichen Gesamtwirkung durch Typenwahl, Druckbild und Einband (allerdings empfindlich weiß) ebenso verständnisvoll beigetragen wie der lebendige, anschauliche Stil des Verfassers, der vor allem in der Frankfurter Goethe-Welt wie kein anderer zu Hause ist und seine sichtliche Freude hat, wenn er bei dem alten Herrn des Zweiten Teils lebendige Bezüge zur Kind- und Jugendzeit hervorheben kann. Unverständlich bleibt mir allerdings, warum dann gerade in *diesem* Faust kurze Liedverse (S. 55f., 133, 145) wie in einer auf äußerste Raumersparnis bedachten Anthologie doppelspaltig gedruckt sind; ein Verfahren, das ich in keiner anderen Ausgabe finde, auch bei Reclam und Ullstein nicht. Ich muß schon gestehen, diese Seiten laden nicht zum Verweilen ein.

Was den zugrundegelegten Text betrifft, so folgt Beutler der Heckerschen Revision in Band 12 und 13 der Welt-Goethe-Ausgabe, und zwar auch in ihren fraglichsten Neuerungen; so vor allem in dem trotz Heckers Begründung unangebrachten Wechsel von *ergetzen* (4mal) und *ergötzen* (8mal) in Teil II und der ebenso unnötigen Wiedereinführung von *betriegen* in 1139, 1696 neben betrügen in 7209, 7799, 10735: Unstimmigkeiten, die gerade in der Beutlerschen Ausgabe schlecht am Platze sind und die schon Erich Schmidt in der Weimar-Ausgabe beseitigt hatte. Bloßer Druckfehler ist natürlich *Göttern* st. *Götter* in 6302; nebenbei gesagt, eins der verschwindend wenigen Versehen in dem vorzüglich gedruckten Buch.

Der neue Text wirkt überraschend auf den Faustkenner, der sich durch die beiden Ausgaben von Erich Schmidt, durch Petsch und Witkowski, die man zum Nachschlagen am häufigsten benutzt, an das Gesicht dessen gewöhnt hat, was ich die Vulgata nennen möchte. Gräf im Inselverlag und Curt Noch in der Propyläen-Ausgabe hatten allerdings durch die weitgehende Auslassung von Apostrophen (z. B. *hatt, gierger, habens, dus*) vorgearbeitet. aber Hecker geht in einer konsequent durchgeführten Modernisierung außerordentlich viel weiter, so daß manche Stellen der Dichtung einen fast fremd anmuten. Man vergleiche z. B. 7906-7 oder 11885-87 und die eingehenderen Angaben in dem Aufsatz „Zur Textgestaltung der neueren Faustausgaben".

Mag nun im Welt-Goethe ein letztes Wort zur Gestaltung eines neuzeitlichen Fausttextes gesprochen sein oder nicht (die Namen Hecker, Kippenberg, Petersen und Wahl als Herausgeber sollten es verbürgen), so haben wir jedenfalls alle Ursache, Beutler dankbar dafür zu sein, daß er uns diesen wichtigen Text leicht und bequem zugänglich macht. Die Bändeder Welt-Goethe-Ausgabe sind nicht gerade billig, vor allem aber ist ihre kritische Benutzung durch das gänzliche Fehlen von Zeilen-Zahlen und von Akt- und Szenenangaben am Kopf der Seiten sehr erschwert, und während auch Beutler keine fortlaufende Zeilenzählung hat, so nennt er doch für jede Seite die erste und letzte Zeile und macht so ein Hin- und Hervergleichen leicht genug.

Der Herausgeber muß sich allerdings erst in letzter Stunde zu dem Heckerschen Text entschlossen haben, zumindest erst, als die Einleitung und die Anmerkungen schon gedruckt waren. Nur so kann man es sich erklären, daß die in Einleitung oder Anmerkungen zitierten Textstellen die Formen der Vulgata aufweisen, also *hatt', gier'ger, haben's, du's,* während der Text alle diese Apostrophe wegläßt. An drei Stellen bringt diese Ungleichmäßigkeit sogar bedenklichere Abweichungen mit sich (4915, 7545, 11885 ff.).

Über Einzelheiten in Einleitung und Anmerkungen, wozu dies und das zu sagen wäre, will ich mich möglichst kurz fassen, um Raum zu gewinnen zu einer eingehenderen Stellungnahme zu einigen Fragen, die mit Beutlers Grundeinstellung zu der Dichtung zusammenhängen.

In dem Abschnitt „Die magische Welt" (S. xviiff.) und dem entsprechenden Teil der Anmerkungen vermisse ich jede Erwähnung Plotins und des Neuplatonismus. — War das Puppenspiel wirklich nur „erheiterndes Spiel für Kinder" (S. xxxvii)? — Warum wird der Ausdruck „Freiheitsvision" beibehalten, da Beutler ihren Kern doch im Gemeinschaftsgedanken, „Dienst am Volk", sieht (xlv)?

— „Sucht“ Faust den Hof des Kaisers (lv)? — Reinsten Genuß von Shakespeares Dramen sah der alte Goethe nicht, „wenn man sie für sich rezitiere“, sondern wenn einem vergönnt war, sie „sich mit geschloßnen Augen . . . rezitieren zu lassen“ (lvii). — „Den ganzen 2. Akt“ nimmt die Klassische Walpurgisnacht denn doch nicht ein (lxi). — Wieso tragen Lastkähne „Reichtümer auf Kanälen aus dem Innern des Landes“ herbei (lxxi)? — Daß einem älteren Plan für den Schluß der Dichtung, auf den die Paralipomena 230-32 (bei Hecker) hinweisen, die Idee zugrunde gelegen habe, „daß Christus durch seinen Kreuzestod auch Fausts Seele erlöst habe“, halte ich für alles andere als „ offenbar“ (lxxvi). — Für die Annahme, daß der Schlaftrunk von Mephisto herrühre und Gift sei, gibt der Text nicht den geringsten Anhalt (S. 552). — Überraschend ist die Annahme, daß Lilith in der Walpurgisnacht an die Stelle der ursprünglich geplanten Satanshuldigung getreten sei als „weiblich-sinnliches Symbol des dämonisch Bösen“. Grund dafür ist wohl der Wunsch, in Lilith, Galatea und der Madonna drei Gipfel weiblicher Symbolik zu gewinnen (S. xliv u. 557). — Die Worte des Kanzlers: „Ihr hegt euch an verderbtem Herzen“ werden hier wie auch sonst meist sicher nicht richtig erklärt, dagegen z. B. von CalvinThomas meinem Gefühl nach richtig übersetzt: „You (gentlemen) are taking up with a depraved heart“ (i. e. Mephisto). Ebenso Lichtenberger: „Vous tous vous avez des complaisances pour un coeur corrompu“ (S. 570). — Wenn Goethe in Bezug auf das Entstehen des Homunculus von einer „Mitwirkung“ Mephistos spricht, so ist das doch nicht Vaterschaft (S. 585). — Der Anfang der Goldnen Bulle, Omne regnum divisum contra se desolabitur, zitiert Matth. XII, 25, kann also an sich nicht übersetzt werden: „Das ganze Reich ist zerrissen und verödet.“ Luther sagt: „Ein jegliches Reich, so es mit ihm selbst uneins wird, das wird wüste“ (S. 627). — Daß in der Szene in des Gegenkaisers Zelt die Fürsten „ihre Stücke aus dem Leib des Reiches herausreißen“ mag von dem Erzbischof gelten, sicher aber nicht von den vier weltlichen Fürsten. Des Kaisers „verdrießliche“ (nicht „verzweifelte“) Schlußworte gelten ausschließlich der Habsucht der Kirche (ebd.).

Doch das sind Kleinigkeiten, denen eine Fülle des Anregenden und Wertvollen gegenübersteht. Auf die gefällige Form der Darstellung habe ich schon hingewiesen. Alles mutet einen frisch und neuartig an, auch wo es sich um Bemerkungen handelt, die in den meisten Ausgaben nachgelesen werden können. Dinge, die zur Welt des Theaters, der Kunst, der Kulturgeschichte, der englischen Literatur gehören, liegen dem Herausgeber besonders und bringen feine Beobachtungen, treffende Formulierungen mit sich. Manche Abschnitte der Einleitung und manche Ausweitungen in den Anmerkungen sind zu richtigen kleinen Kabinettstückchen abgerundet, wie z. B. über Marlowe (zu 354ff.) über Homunculus (zu 6835) oder über Galatea auf der Barockbühne (zu 8478).

Um aber dem Kern der Beutlerschen Faustauffassung nahe zu kommen, zitiere ich aus dem Eingang der Einleitung (S. xiii): „So ist Goethes *Faust* aus dem Gesetz seines Werdens heraus eine religiöse Dichtung. Als solche muß die Tragödie gedeutet und verstanden werden. Ihre Problematik liegt in ihrem Begriff der Religion." Beutlers eigne Weltanschauung, von der aus er sich so der Dichtung nähert und ihr Wesen nach der ethisch-religiösen Seite hin zu fassen bemüht ist, beruht, bei einer freien humanen Geistigkeit von Weite und Tiefe, in Fragen der Religion auf konfessionell-christlicher Grundlage, und es ist von Wert und Interesse zu sehen, wie diese einheitliche Grundeinstellung sich in Auffassung, Interpretation und Bewertung einzelner Stellen, Gestalten und Ideen ausspricht.

In der Anmerkung zu Fausts großem Fluch findet sich für Z. 1604 die Erklärung von „jener höchsten Liebeshuld" als „Liebe Gottes", mit dem Vermerk, daß es sich in den drei letzten Zeilen des Fluches um die „Verfluchung der vier christlichen Kardinaltugenden" handle. Aber schon die Gliederung der Zeilen: *Fluch sei ... Fluch ...* und wieder: *Fluch sei ... Fluch ... Und Fluch ...* macht klar, daß Z. 1604 zum Vorhergehenden gehört und nicht zum Folgenden, und daß nach dem Mammon, wie zu erwarten, Wein und Liebe verwünscht werden und dann erst Hoffnung, Glaube und Geduld. Gewiß predigt die mittelalterliche Kirche auch die vier Haupttugenden der platonisch-aristotelischen Ethik, aber als weltlichsittliche Tugenden, während sowohl bei Augustin wie bei Thomas von Aquino die eigentlichen kirchlichen Kardinaltugenden Glaube, Liebe und Hoffnung sind.

S. xlviiif. heißt es von Mephisto sicher mit Recht „Wenn sein Spiel nicht Stellen hat, wo es dem Zuschauer kalt über den Rücken läuft, ist die Rolle in unzureichenden Händen", obwohl dieser Stellen nicht allzu viele sind. Wenn es aber zugleich von seinem Wesen im Allgemeinen heißt, er sei „das Böse schlechthin, kosmische Macht, satanischer Fürst, Widerpart Gottes und des Menschen. So muß er auf der Bühne stehen", so widerspricht die Einseitigkeit dieser Charakteristik nicht nur der Dichtung sondern auch der uns überlieferten Auffassung des Dichters von Mephisto als Bühnenfigur. Man vergleiche z. B. Witkowski in seiner bei Reclam erschienenen Bühneneinrichtung des *Faust,* S. 16.

Ähnlich werden auch für Faust immer und immer wieder die dunklen Züge seines Wesens und Tuns mit schroffsten Wendungen betont und so zu einem Gesamtbild gestaltet, für das sich nur ganz vereinzelt Andeutungen von Größe oder Würde finden. Im Gegensatz zu der dämonischen Wirkung, die von Marlowes Drama ausgehe (S. xxxiii) erschüttere der Goethische Faust uns eigentlich niemals, „fraglich, wie weit überhaupt die Sympathien der Hörer mit dem Helden gehen". Unverständlich ist mir die Annahme (S. xlvii), der Osterspaziergang offenbare Fausts „Vereinsamung unter den Menschen. Weder an ihrem einfachen Daseinsglück, noch an der Frühlingsfreude hat er Anteil". Trotz aller selbstquälerischen Grübeleien, die Faust auch hier befallen, beweist nicht nur die Szene selbst, sondern auch die Stimmung, in der er nach Hause zurückkehrt, das Gegenteil. S. xlii heißt es von Faust, dem „Vertreter der sündigen aber strebenden Menschheit", Gott „führt ihn in Versuchung, läßt ihn fallen und wieder fallen, aber am Ende doch der Gnade und Erlösung von Gott her teilhaftig werden." So formuliert entspricht aber der Satz beinahe der Böhmschen These vom Niedergang Fausts, der immer tiefer und tiefer fällt. Das ist durchaus nicht Beutlers Auffassung. Es paßt aber sonderbar dazu, daß z. B. S. liv bei der Erzählung der Gretchenhandlung der Mephisto abgezwungene Versuch, mit Gefahr des eigenen Lebens die Geliebte zu retten, übergangen, dagegen die ganze Gretchenhandlung einfach als „Tragödie der Untreue“ bezeichnet wird (S. lii), was sie sicher nur in sehr bedingtem Sinne ist. Auch wenn Beutler (S. lxxi) von Faust spricht als „dem Greis, der sein Leben im Bund mit dem Satan durchmessen“ oder (S. 556) Faust von Mephisto auf den Blocksberg führen läßt, „damit er der letzten satanischen Weihen teilhaftig werde“, so sind das Wendungen, die absichtlich oder unabsichtlich den Anschein erwecken, als ob Faust eben auch ein satanisches Leben geführt habe.

In Bezug auf die Hütte auf der Düne heißt es (S. lxxi): „Unbedenklich streckt er die Hand danach aus, wie er Gretchen nahm“. In Wirklichkeit tut er aber weder das eine noch das andere unbedenklich, sondern beides nur nach schwerem Kampf mit der Versuchung. Ähnlich zugespitzt heißt es S. 629, daß „die Schuld für die Katastrophe der beiden Alten allein bei Faust zu suchen ist; jede andere Deutung ist abwegig“, und zur Erhärtung dieses Urteils wird angeführt, daß Goethe zu Eckermann gesagt habe, Faust sei in seinem Begehren nach der Hütte der beiden Alten trotz aller ihm gehörigen Schätze der Welt „dem israelitischen König Ahab nicht unähnlich, der nichts zu besitzen wähnte, wenn er nicht auch den Weinberg Naboths hätte.“ Dieser durchaus berechtigte Ausspruch Goethes belegt aber nur das den beiden wirklich Gemeinsame: „Im Reichtum fühlend, was uns fehlt“. Das ist menschliche Tragik, nicht Schuld. Mephistos hämische Worte (11286-87) hingegen besagen, daß hier wie dort das Besitztum des Armen der Selbstsucht des Reichen zum Opfer fällt. Beide Aussprüche bestehen gewiß zu vollem Recht: Faust gleicht Ahab in seiner Unzufriedenheit und seinem ungerechten Begehren, und die Hütte gleicht dem Weinberg in ihrer Unsicherheit vor selbstsüchtiger Macht. Wo dann aber die wirkliche Schuld beginnt, sind die beiden Vorgänge grundverschieden, und Beutler hätte gut getan, so wie die Hiob-Stellen zum „Prolog im Himmel“ die Verse aus dem Buch der Könige abzudrucken. Zunächst ist Faust entschieden der Schuldigere: er gibt den Befehl zur Enteignung, was Ahab nicht tut. Während dann aber Ahab sich gewissenlos des durch Naboths Ermordung erlangten Besitzes erfreut, verflucht Faust die Tat, die den beiden Alten das Leben kostet. Es heißt durchaus nicht Fausts Schuld verringern, wenn man bei einem Vergleich richtig liest und nachprüft, wie weit er zutrifft.

In der Anmerkung zu 12097 meint Beutler: „Hier zum ersten Mal fällt das Wort *Reue.*" Augenscheinlich bezieht er sich damit nur auf Fausts Erlösung; denn am Ende der Belehnungsszene kommt das Wort mit Nachdruck von den Lippen eines hohen Vertreters der Kirche, und zwar gerade in Verbindung mit *Sünde* und *Gnade.* Sehen wir aber genauer zu, so besteht die hier vom Kaiser geforderte Reue einfach im Abtreten von Ländereien und Einkünften, im Erbauen einer Kirche und in Lieferungen an Geld und Materialien:

Die Reue spricht sich aus, und du wirst Gnade finden.

Mit dieser breit ausgeführten Ironie auf die Reue-Auffassung einer ihres Amtes wenig würdigen Kirche (vgl. auch 2836 u. 6106) schließt der 4. Akt, unmittelbar vor dem 5., der die Abrechnung über Fausts Leben und Streben nach einer ganz anderen, durchaus Goethischen Anschauung bringen soll, in der für Reue allerdings wenig, für immer erneutes Vorwärts- und Aufwärtsstreben aber umso mehr Platz ist, und Liebe an die Stelle der Gnade tritt.

Am Schluß der Einleitung (S. lxxvii) wird der bekannte Bericht Eckermanns angeführt, wonach Goethe sagt, die Verse 11934-41 seien der „Schlüssel zu Fausts Rettung" und stünden „mit unserer religiösen Vorstellung durchaus in Harmonie, nach welcher wir nicht bloß durch eigene Kraft selig werden, sondern durch die hinzukommende göttliche Gnade", worauf Beutler fortfährt: „Diese Äußerung ist deutlich genug. Es ist durchaus Goethisch, daß das Letzte die Gnade ist. Von einer Selbstvollendung Fausts ist nicht die Rede". Hierzu möchte ich bemerken: Von einer Selbstvollendung ist gewiß nicht die Rede, wohl aber von Selbstvervollkommnung als einem hemmungsreichen, ununterbrochenen Werdegang, in dem der Strebende sich einem unerreichbar fernen Ziele entgegenmüht; denn in Goethes Worten liegt der *Nachdruck* entschieden auf der eigenen Kraft, dem unermüdeten menschlichen Streben. Nur so hat das *„nicht bloß* durch eigene Kraft" einen Sinn. Ja, die Verkündung,

Wer immer strebend sich bemüht,
Den können wir erlösen

wird für mich erst dadurch „durchaus Goethisch", daß in ihr zugleich auch zwei andere mitklingen: Den, der nicht strebt, können auch wir nicht erlösen, und: wo wir erlösen *können,* da *müssen* wir es auch. Ohne diese Folgerungen entbehrt das *können* jeder tieferen Bedeutung. Der Beutlerschen Auffassung nach aber bewährt sich Faust vor Gott erst, wenn er in der Todesstunde „sich vom eigenen Ich gelöst hat und dienende Stufe für das Volk geworden ist" (S. lxxiv). Ähnlich heißt es im Vorwort (S. vi): „Der Gegenwart wird der Weisheit letzter Schluß Fausts einzig beseligender Augenblick, sein Dienst am Volk, sein". Er bewährt sich demnach vor Gott nicht durch Wahrheitssuchen, Schönheitssehnsucht und Tatendrang, sondern durch „Selbstüberwindung, eine christliche Tugend, und findet *eben deshalb*[1] Gnade", also im Grunde nicht, weil er einer gewesen ist, der sich immer strebend bemüht hat.

Auch die letzten Zeilen der Dichtung von allem irdisch Unzulänglichen, das im Jenseits Ereignis, Vollendung wird, werden zu eng gedeutet auf die Erlösung Fausts durch göttliche Gnade. Wenn in diesem Sinne das „Unbeschreibliche" als eben diese Gnade bezeichnet wird, so tut das den unendlich weit ausgreifenden Zeilen Gewalt an.

Irgendwie hängt nun mit dieser Bewertung von Fausts Leben und Streben, die—ich gebe das gerne zu—nicht *so* einseitig-negativ ist, wie die herangezogenen Stellen es möchten erscheinen lassen, Beutlers sonderbare Auffassung von Fausts ganzer Tätigkeit am Meeresufer zusammen. Hier bin ich unmöglich imstande, ihm zu folgen; denn hier handelt es sich nicht um unvermeidlich subjektive Bewertungen des in der Dichtung Vorliegenden, sondern um die Frage nach dem, was im Sinne Goethes tatsächlich vorliegt. Beutler, der die Idee einer Höherentwicklung Fausts vertritt, sieht in dessen Plan von der Bezähmung des Meeres und dem Schaffen von Neuland tatsächlich etwas Großes, schöpferisch Wertvolles. Er erkennt an, „daß Faust sich in erneuter Wandlung befindet, die Seele sich weitet, Gefühl und Wollen sich steigert". Faust hilft dem Kaiser „und erbittet zum Lohn die Herrschaft über den weiten Strand. Hier schafft er sich sein Reich . . . Wälder grünen, Getreidefelder wogen, Dörfer sind erstanden, wo einst Meer war". (S. lxxi)

Dadurch, „daß er das Land selbst schafft, über das er herrschen wird," erhält sein Streben „eine besondere Größe und Würde" (S. 619). Dann aber in der Anmerkung zu Z. 11114, d. h. zu der alten Baucis durchaus berechtigten Behauptung: „Denn es ging das ganze Wesen / Nicht mit rechten Dingen zu" heißt es: „Diese Stelle, wie die Verse 11123-31 (d. h. der Baucis weitere Behauptung: „Tags umsonst die Knechte lärmten" u. s. w.) und Mephistos Worte 11544ff. (daß alles vom Meere wieder würde verschlungen werden) ergeben, daß es sich nicht um eine wirkliche . . . Kolonisation handelt, sondern Mephisto hat . . . eine Scheinkolonisation geschaffen, die nach Fausts Tod wieder in das Meer sinkt . . . Für die Handlung und den Gehalt des Stückes ist das indes gleichgültig. Denn nicht die wirkliche Welt, sondern allein Fausts Seele ist der Schauplatz der Handlung, und nicht darauf kommt es an, ob wirklich kolonisiert wird oder nicht, sondern allein darauf, daß Faust in seiner Gesinnung die entscheidende Wandlung erlebt, für das Volk und nur um des Volkes willen kolonisieren zu wollen".

Zugegeben, daß es in erster Linie auf die innere Entwicklung Fausts ankomme, die seinem Streben und Schaffen zugrunde liegt, so ist doch der Gedanke, daß er bis zuletzt im Irrtum darüber bleibt, daß das von ihm geschaffene Werk, dem er sein Leben geweiht hat, dem er bis zum letzten Atemzuge treu bleibt und aus der Überzeugung von dessen Fortbestand und Weiterentwicklung zu einem wahren Volksstaat er seine letzte Kraft zieht—der Gedanke, daß das alles eine kolossale Selbsttäuschung, ein Blendwerk des Teufels sei, alles außer dem bei Philemon und Baucis angerichteten, doch wohl als wirklich gedachten Unheil (oder hat Mephisto auch die beiden Alten nur geschaffen, um sie zerstören zu können?)—dieser Gedanke hat für mich etwas Revoltierendes, Unerträgliches. Dazu kommt, daß die Worte Mephistos, die es mitbeweisen sollen, es nicht einmal andeuten. Im Gegenteil, sie haben nur Sinn, wenn es sich *nicht* um eine von ihm geschaffene Scheinwelt handelt. Denn wieso brauchte er sich sonst auf die zerstörenden Elemente zu berufen (Flut und Sturm)? Wieso könnte er sich brüsten, mit allem, was da Faust geschaffen, habe er nur ihm in die Hände gearbeitet? Wieso könnte der Wasserteufel einen Schmaus erwarten, wenn nichts da ist? Wieso könnte Mephisto über eine Vernichtung triumphieren, wenn überhaupt nichts bestanden hat? Mir will es scheinen, als ob Beutler hier aus irgend einem Grunde in eine Sackgasse geraten sei, aus der er nun nicht herauskönne. In einem Aufsatz: „Der zweite Teil von Goethes Faust" im *Goethe-Kalender* für 1937, S. 92, hatte Beutler die Landgewinnung und Kolonisation als wirklich angesehen, das Land also auch als von wirklichen Menschen besiedelt, und doch auf Grund von Mephistos Prophezeiung angenommen, daß es nach Fausts Tode auch wieder ins Meer versinke—also auch seine Siedler elendiglich ersaufen, daß also Fausts Worte von einem freien, glücklichen, werktätigen Volk, „das auf dem Lande siedelt, das er dem Meere abgewonnen hat" wie blutiger Hohn klingen müssten und, von allen Wetten abgesehen, Mephisto tatsächlich über Fausts großes Lebenswerk trimphiere. Es muß sich dann diese Annahme doch als zu ungeheuerlich erwiesen haben. So sucht nun Beutler diesen zweiten Ausweg, den, soweit ich sehe, keiner vor ihm gegangen ist. Der „Schöpfungsgenuß", den Faust zuletzt erleben soll, muß nun auf einer unglaublichen Selbsttäuschung beruhen, die Fausts Verzweiflung bedeutet hätte, wenn er sich ihrer bewußt geworden wäre; denn mit all seinen hohen Plänen, unbeugsamem Willen und rastlosem Schaffen ein ganzes Leben lang hätte er in Wirklichkeit nichts erreicht, als den Tod dreier guten Menschen zu verschulden, sonst aber sei das Ende gewesen:

> und es ist nichts geleistet!
> Was zur Verzweiflung mich beängstigen könnte.

Und das in einer Schaffenssphäre, von der ich doch glaube, einwandfrei nachgewiesen zu haben,[2] wie hoch Goethe sie bewertete, und wie eng sie verwachsen war mit den wichtigsten kulturpolitischen Anschauungen und Hoffnungen seines Alters. Daß er gerade dieses Schaffen seines Helden in seinem letzten Vermächtnis als eine Fata Morgana des Teufels hingestellt habe, ist ein Unding. Sonderbar fällt dabei auf, daß Beutler, der sonst für die Anschauungskomplexe Goethes, die im *Faust* ihren Niederschlag gefunden haben, ihre Zusammenhänge mit des Dichters Leben, Lektüre, Kunst- oder Natureindrücken aufzuzeigen bemüht ist, für das

Schaffen Fausts am Strand des Meeres mit keinem Wort andeutet, wie Goethe wohl dazu gekommen sei, gerade dieses Gebiet für Fausts Eingehen in das Reich der Tat zu wählen.

Und wozu das alles, dem natürlichen Sinn und Verlauf der Dichtung zuwider? Im Grunde doch nur, weil die alte Baucis, da sie *fromm* ist, auch großes menschliches Schaffen muss richtig verstehen und bewerten können und weil Mephisto, weil er das absolut *Böse* ist, unmöglich zum Gelingen eines Wahren und Guten darf beigetragen haben.

Ich weiß, daß es sich hier, zum großen Teil wenigstens, um Dinge handelt, die man wohl mit tiefster Überzeugung aussagen, von denen man aber nur in den seltensten Fällen einen andern überzeugen kann. Auch wäre unrecht, diese Besprechung eines wertvollen Buches auf einen so negativen Ton ausklingen zu lassen. Ganz gegen meine ursprüngliche Absicht, eine warm und anerkennend gehaltene kürzere Anzeige zu schreiben, bin ich so ausführlich und polemisch geworden, und ich kann nur sagen—so widerspruchsvoll das klingen mag—daß der Grund dafür in meiner wahren Freude an dem im Ganzen so schönen Buch und in meiner hohen Achtung vor der Gelehrsamkeit und dem Menschentum seines Verfassers zu suchen ist. Was mir bei einem andern *Faust* und bei einem andern Herausgeber kein Kopfzerbrechen gemacht hätte, das ist mir hier eben nahe, wahrscheinlich zu nahe gegangen.

Zur Textgestaltung der neueren Faustausgaben

(1940)

DER Wortindex zu Goethes *Faust*[1], der bereits im Dezember 1933 in Angriff genommen wurde und bis Mitte 1935 so gut wie fertiggestellt war, wird in nächster Zeit erscheinen und denjenigen Personen und Anstalten zugehen, die im Jahre 1936 unserer Einladung zur Vorherbestellung Folge leisteten. Sonderdrucke des hier vorgelegten Aufsatzes werden den Indexbänden beigelegt werden. In demselben wird der Versuch gemacht, in einer Art Rechenschaftsablage über das dem Index zugrunde liegende Verfahren eine Reihe von Fragen und Problemen zu erörtern, die sich im Verlauf der Arbeit herausstellten und die, auch an und für sich betrachtet, ein allgemeineres Interesse beanspruchen dürfen.

I

Um von vornherein reinen Tisch zu machen, möchte ich zuerst auf einige uns wohlbewußte Inkonsequenzen unseres Verfahrens hinweisen, zu denen wir uns wohl oder übel entschließen mußten. Es betrifft dies 1. die verschiedenen Beugungsformen, in denen ein Substantiv, Adjektiv oder Verb vorkommt, 2. die Bedeutungsunterschiede, mit denen entweder ein und dasselbe Wort oder Homonyme im Text vorkommen, 3. die Zeilennachweise für Wörter, die mehr als etwa 400mal vorkommen. Herr Joos in seiner technischen Einleitung stellt diese Dinge klar, besonders was den ersten Punkt betrifft.

Gewiß wäre unsere Arbeit leichter gewesen, wenn jedes Substantiv, Adjektiv und Verb nur in seiner Nennform angegeben wäre mit den dazugehörigen Zeilenverweisen, aber ohne Rücksicht darauf, ob es sich um Singular oder Plural, um Komparativ oder Superlativ, um Präsens oder Präteritum, um Infinitiv oder Partizip handelt. Zu einem derartig vereinfachten Verfahren konnten wir uns nicht entschließen. Es schien uns das Verfahren eines Wörterbuches zu sein, dessen Wert dann aber eben in den Bedeutungserklärungen liegt, nicht aber das eines Wortindex, der von aller Interpretation absieht, dafür aber die rein formalen Elemente des Sprachguts in vollem Umfang übersehen lassen soll. Anderseits jedoch schien es mit Rücksicht auf den Umfang des Buches unausführbar, jede einzelne Form genau nach allen Einzelheiten von Geschlecht, Fall und Zahl, bzw. Person, Zahl, Zeit und Aussageweise festzulegen. Wir wählten also ein mittleres Verfahren, das dem Wunsch nach letzter Genauigkeit wohl bis zu einem gewissen Grad entgegenkommt, ohne ihn allerdings restlos zu erfüllen.

Ähnlich lavierend haben wir uns in Bezug auf Bedeutungsunterschiede verhalten. Hier allerdings lagen die Dinge umgekehrt. Wenn der Index alle Interpretation ausschließen sollte, so hätten wir ja mit gutem Recht von *jeder* Trennung gleichgeschriebener Wörter, ob Homonyme oder nicht, absehen können und z. B. die Belege für *dauern, Chor, Gericht* u. a. durcheinandergehen lassen. Das haben wir nicht für angebracht gehalten, und wir haben demnach selbst für Partikeln wie *um, da, denn, über* u. a. zwischen Präposition, Adverb oder Konjunktion unterschieden. Wo nun hier im einzelnen die Grenze zu ziehen war, war schwer zu sagen. Für Wörter wie z. B. *Schatz, Schein, schließen, schlingen* haben wir auf Bedeutungsunterschiede nicht hingewiesen, bzw. nicht angegeben, in welcher ausschließlichen Bedeutung das betreffende Wort vorkommt. Da in Fällen dieser Art die verschiedenen Bedeutungen oft eng miteinander verknüpft sind und ineinander übergehen, so hätten wir nur zu bald vor der Aufgabe gestanden, eigentlichen und bildlichen Sinn eines Wortes und andere feinere Bedeutungsabstufungen auseinanderzuhalten, was entschieden nicht in unser Bereich gehört. Ganz haben wir solche Entscheidungen auch so nicht vermeiden können. Wir trennen z. B. für *gleich* das Adverb der Zeit (= *sogleich*) von dem Adjektiv (= *gleichmäßig*) und sind also genötigt gewesen, Stellung zu nehmen zu Zeilen wie z. B.:

180 Noch sind sie gleich bereit, zu weinen und zu lachen
6073 Damit die Wohltat allen gleich gedeihe

Die Kommentare gehen auf solche Dinge nicht ein; aber man braucht sich nur ein paar der zuverlässigsten Übersetzungen anzusehen, um sich zu überzeugen, wie hier die Auffassungen zuständiger Beurteiler auseinandergehen. Wir haben beide Fälle im Index unter *gleich* als Adverb der Zeit eingetragen. Vielleicht wäre es ratsam gewesen, in solchen Fällen in irgendeiner Weise auf den fraglichen Charakter einer Entscheidung hinzuweisen. Man vergleiche z. B. *Mittel* für 6330. Im Ganzen glaube ich allerdings, daß wir auf diesem Gebiet trotz der damit verbundenen Unsicherheiten doch etwas weiter hätten gehen können, als es der Fall ist. So in den Abschnitten über *wo, wenn, wer, welch* usw. Hier läßt z. B. bei *welch* unsere Aufzählung nicht erkennen, daß das in beiden Teilen häufig vorkommende Wort fast ausnahmslos auf Verwendung in Ausrufen beschränkt ist.

Dies bringt mich auf den dritten der drei oben angeführten Punkte: die rein summarischen Angaben für Wörter häufigsten Vorkommens. Etwas derart war unvermeidlich. Auch der eingefleischteste Verfechter lückenloser Vollständigkeit hätte wohl den Kopf geschüttelt zu seitenlangen Zahlenreihen über 2024 Vorkommnisse von *und* oder 2550 von *ich*. Irgendwo mußte eine Grenze gezogen werden, und wir zogen sie in der Nähe von 400 Vorkommnissen eines Wortes, nicht rein willkürlich, sondern weil sich in der Nähe von 400 die zwei Gruppen ausführlicher und summarischer Behandlung am natürlichsten zu scheiden schienen. Auf diese Weise sind die Buchungen von Wörtern wie *doch, so, wie, zu* u. a., die stark differenzierte, wenn auch mitunter ineinanderfließende Bedeutungen und syntaktische Verwendungen aufweisen, ganz undurchsichtig geblieben. Bei *was* z. B. läßt sich demonstrativer (= *das, was*), relativer und interrogativer Gebrauch nicht unterscheiden; bei *haben* und *werden* das Hilfsverb nicht von dem selbständigen Zeitwort. Anderseits aber können ebenfalls häufig vorkommende, aber doch beträchtlich unterhalb der 400-Grenze bleibende Wörter wie *dein* (253), *hier* (250), *daß* (208) und sicher manche anderen gleicher Art zeilenmäßig verfolgt werden, obgleich sie weit weniger Ausbeute versprechen in Hinsicht auf wichtigere und interessantere Differenzierungen. Zugegeben, daß schwer vorauszusagen ist, was im einzelnen Falle für einen Benutzer des Index das Wichtigere oder Interessantere ist, so hätte sich doch wohl durch Verwendung eines weniger mechanischen Kriteriums die Teilung zwischen zeilenmäßiger und nur summarischer Darstellung vorteilhafter durchführen lassen. Denn wenn für eine Reihe von unproblematischen Wörtern mit Vorkommniszahlen von etwa 150–350 das vereinfachte Verfahren angewandt worden wäre, so hätte der gewonnene Raum der ausführlicheren Darstellung von reicher differenzierten Wörtern zugute kommen können, ohne daß dadurch der Gesamtumfang des Buches vermehrt worden wäre. Ich hoffe, daß es uns in nicht allzu ferner Zeit gelingen möge, das auf diesem Gebiet Unterlassene wenigstens in seinen wichtigsten Zügen ausarbeiten zu lassen als eine Art Nachtrag zum Index, wie er jetzt vorliegt.

Diese offenherzigen Betrachtungen, für die ich persönlich verantwortlich bin, sollen weder eine *captatio benevolentiae* unseren Kritikern gegenüber sein, noch sollen sie den nach meinem Ermessen außerordentlich hohen Gesamtwert des im Index tatsächlich Gebotenen beeinträchtigen. Im Gegenteil, bereits beim Durchblättern der ersten Fassung des Manuskriptes habe ich gestaunt über die Reichhaltigkeit und Übersichtlichkeit seines Inhalts, sowie über die vielen fein überlegten Kunstgriffe, mit denen Raum gespart und Fülle gewonnen worden ist. Ich darf dieses Staunen auch ganz unverfroren aussprechen, da ich bis zu dem Augenblick, wo dieses gewaltige Stück entsagungsreicher Gelehrtenarbeit in all seinen vorzüglichen Eigenschaften bereits auf dem Papier stand, nicht mehr als ein lebhaft interessierter Zuschauer, bestenfalls eine Art „silent partner“ gewesen bin.

Was ich aber klarmachen will, ist, daß wir im Verlauf der Arbeit viel gelernt haben: manches, was wir in dem Gebotenen auch noch haben zur Geltung bringen können, aber auch manches, was uns erst klar wurde, als es dafür schon zu spät war. Diese ungenutzt gebliebenen Einsichten sollen aber denen nicht vorenthalten bleiben, die vielleicht nach uns etwas Ähnliches in Angriff nehmen möchten. In unserem Vorwort weisen wir darauf hin, daß wir ursprünglich auch

Schillers *Wallenstein* nach seinem Sprachschatz zu analysieren vorhatten, diesen Plan aber zunächst aufgeben mußten. Es ist zur Zeit niemand hier, der auf seine Ausführung Prioritätsansprüche erhöbe. Sollten sich also an anderer Stelle die geeigneten Arbeitskräfte für ein solches oder ähnliches Unternehmen finden, so würden wir dies auf das Wärmste begrüßen und nur zu gern nach Kräften fördern helfen.

Der Löwenanteil an der eigentlichen Arbeit, die den Index geschaffen hat, ist, wie eben angedeutet, von den Herren Joos und Twaddell geleistet worden, und ich muß betonen, daß die Anordnung der Verfassernamen auf dem Titelblatt des Buches, in Bezug auf die ich einfach vergewaltigte Minorität darstelle, sich bestenfalls nur durch die alphabetische Reihenfolge rechtfertigen läßt. Von einleitenden Besprechungen abgesehen, begann mein eigener Arbeitsbeitrag erst, als das Druckmanuskript bereits im Werden war. Strittige oder sonst irgendwie unsichere Punkte wurden mir zur Begutachtung und wohl auch meist zu endgültiger Entscheidung vorgelegt, worauf ich dann das fertige Manuskript einer laufenden Durchsicht zu unterziehen hatte. Da ich aber für Rechtschreibung, Lesarten, Bedeutungsunterschiede und Ähnliches die letzte Verantwortung trage, so versuche ich im Folgenden, Bericht zu erstatten über diese Dinge, die, wie jeder Eingeweihte weiß, gerade für den Fausttext voll zahlloser Schwierigkeiten und Unsicherheiten sind. Dankend möchte ich dabei erwähnen, daß Herr Joos durch den Scharfblick und die Umsicht, womit er bei der ihm zufallenden Herstellung des Manuskriptes Fragwürdigkeiten und Unstimmigkeiten dieser Art aufstöberte, mir nicht nur die eigene Arbeit wesentlich erleichterte, sondern auch in zahlreichen Fällen erst auf Dinge aufmerksam machte, die bei einer noch so sorgfältigen Durchsicht des fertigen Manuskriptes schwer zu entdecken gewesen wären.

II

Die folgenden Ausführungen sollen klarmachen, in welchem Umfang und bis zu welchem Grade die Fixierung eines einwandfreien, allgemeingültigen Fausttextes nicht nur ein äußerst schwieriges, sondern letzten Endes geradezu unlösbares Unternehmen ist. Ehe ich aber auf diese Dinge eingehe, dürfte es sich der Einfachheit und Raumersparnis halber raten, für die häufigst zu nennenden Ausgaben, bzw. ihre Herausgeber eine Reihe von Abkürzungen aufzustellen, die teils allgemein gebräuchlich, teils *ad hoc* gewählt sind.

F I — Faust I.

F II — Faust II.

H — Wenn nicht anderweitig bezeichnet, die Haupthandschrift H für F II. Für F I ist, von Kleinigkeiten abgesehen, eigentlich nur die Walpurgisnacht handschriftlich erhalten.

C — Die Cottasche Ausgabe letzter Hand in Großoktav (1828 ff.). Unterscheidung von der Ausgabe in Kleinoktav (C^1) ist für unsere Zwecke unwesentlich.

WA — Die Weimar-Ausgabe, die in Erich Schmidts Redaktion F I in Bd. 14 (1887) und F II in Bd. 15 (1888) bringt (15^1: Text; 15^2: Lesarten und Paralipomena).

JA — Die Jubiläums-Ausgabe des Cottaschen Verlags. F I in Bd. 13, F II in Bd. 14 (1906), beide Bände von Erich Schmidt.

Sch — Erich Schmidt als Herausgeber der Faustbände von WA und JA.

Wk — Witkowski, bzw. die 9 Auflagen seiner Ausgabe. Wk^1 (1906) bis Wk^8 (1929) bei Hesse in Leipzig, Wk^9 bei Brill in Leiden.

Gr — Gräf, bzw. die von ihm besorgte Ausgabe des Insel-Verlags (1909 ff.), von uns in dem Druck des 95. bis 104. Tausend (etwa 1928) und dem des 156. bis 158. Tausend (1939) benutzt.

PA — Die Propyläen-Ausgabe (1909 ff.), zuerst im Verlag von Georg Müller in München, später im Propyläen-Verlag in Berlin. F I in Bd. 17 (1912), F II in Bd. 44 (1931). Für F I nennt sich kein Herausgeber; für F II zeichnet Kurt Noch.

Tr — Trendelenburg, bzw. seine zweibändige Faustausgabe (1921–22) im Verlag von Walter de Gruyter und Co., Berlin und Leipzig.

Pe — Petsch, bzw. seine Ausgabe im Leipziger Bibliographischen Institut, die wir in der 2. Auflage von 1925 benutzten. Identisch mit Bd. 5 der Festausgabe des Verlags (1926).

Hr — Hecker, bzw. der von ihm eingehend revidierte Fausttext in den

WGA — Bänden 12 und 13 der Welt-Goethe-Ausgabe der Stadt Mainz und des Goethe- und Schillerarchivs zu Weimar (1932 ff.). Wir benutzten die Ausgabe in Fraktur vom Jahre 1937.

V Vulgata. *Ad hoc* gewählte bequeme Bezeichnung der Ausgabengruppe JA Wk Pe Tr und in zweiter Linie WA Gr PA, die bei allen Abweichungen im Einzelnen doch einheitlich wirken, wenn man sie mit den radikalen Neuerungen bei Hr vergleicht.

Für nur selten herangezogene Ausgaben, wie die von Pniower (1903), Harnack (1908), Alt (1927) u. a. bedarf es keiner Abkürzungen, und was die jüngsterschienene Ausgabe von Beutler (Leipzig, Dieterich, 1939) betrifft, so ist ihr Text identisch mit dem von Hr und bedarf also keiner besonderen Anführung.

Für C ist daran zu erinnern, daß diese „Vollständige Ausgabe letzter Hand", soweit der *Faust* in Frage kommt, streng genommen diese Bezeichnung nur für F I verdient, der 1828 im 12. Bd. (C 12) veröffentlicht wurde. Von F II dagegen erschien noch zu Goethes Lebzeiten und unter seiner Aufsicht nur der Anfang des 1. Aktes (bis Z. 6036), ebenfalls in C 12, und der 3. Akt auch 1828 in Bd. 4 (C 4). F II als Ganzes wurde bekanntermaßen wohl noch 1832, aber erst nach Goethes Tod im 41. Bd. (C 41) als der *Nachgelassenen Werke* erster Band veröffentlicht. Dieser Umstand ist für die Textgeschichte der neueren Faustausgaben von Bedeutung geworden; denn Sch in WA, wie jetzt auch Hr in WGA, folgen für F II dem Text von C nur für die ebengenannten, noch bei Goethes Lebzeiten veröffentlichten Partien, während für die Hauptmasse von F II die Handschrift H als Vorlage gilt. Sie rührt zwar nicht eigenhändig von Goethe her, weist aber so zahlreiche Spuren seiner Durchsicht und Nachprüfung auf, daß sie als Textgestaltung letzter Hand angesehen werden darf. Da nun die Gepflogenheiten der Cottaschen Druckerei in einer Reihe von Punkten nicht mit Goethischem Brauch übereinstimmten, so ergeben sich aus diesem Stand der Dinge gewisse Ungleichmäßigkeiten. Sch in WA und mehr noch in JA hat sich nicht gescheut, in solchen Fällen ausgleichend zu verfahren. Hr jedoch, der betont, er folge H „treuer, als es bisher geschehen ist" behält Unstimmigkeiten dieser Art bei, worauf ich weiter unten noch zurückkommen werde.

Wir gingen bei unserer Arbeit zunächst von der 8. Auflage von Wk aus und zwar in stetem Vergleich mit WA. In fraglichen Punkten berücksichtigten wir außerdem vor allem C, JA, Gr und Pe. Zugang zu H fehlte uns natürlich, mit Ausnahme der wenigen in Faksimile-Wiedergabe veröffentlichten Teile,[2] doch wurden wenn nötig die Lesarten von WA Bd. 15 zu Rate gezogen, die allerdings trotz ihres hohen Grades von Ausgiebigkeit und Zuverlässigkeit mitunter doch versagten. Mit andern Worten, unser Index-Text—und damit meine ich den Text, den man gewinnen würde, wenn man sich ihn rückläufig aus dem Index herstellte—repräsentiert einen Text der Vulgata-Gruppe, der allerdings sorgfältiger und einheitlicher modernisiert und normalisiert ist, als das bei irgend einem der vorliegenden Vulgata-Texte der Fall ist, und zwar auf Grund der 11. Auflage des Großen Duden von 1934.

Die beiden Faustbände der WGA aus dem Jahre 1932 (in Antiquaschrift, statt wie später in Fraktur) waren uns unzugänglich geblieben, und wir lernten diese wichtige Textrevision erst in der Ausgabe von 1937 kennen, d. h. also zu einer Zeit, als unser Manuskript bereits fertig vorlag. Wir haben es trotzdem an eingehenden Vergleichungen mit diesem neuen Fausttext nicht fehlen lassen und bei einer letzten Durchsicht des Druckmanuskripts, ja zum Teil während des Korrekturlesens an einzelnen Punkten Nutzen daraus gezogen. Aber auch wenn wir Hr von Anfang an zur Hand gehabt hätten, wären wir bei unserem ursprünglichen Plan verblieben, dem Index eine Art von synoptischem Vulgata-Text in gereinigter und vereinheitlichter Form zugrunde zu legen. Von den zahlreichen und oft weitgehenden Neuerungen bei Hr ist zur Zeit noch nicht abzusehen, ob und in welchem Umfange sie allgemeine Anerkennung finden und die Textgestaltung neuer Ausgaben bestimmen werden. Anderseits sind es gerade die wichtigsten der Vulgata-Ausgaben, an deren textliche Umgestaltung nicht zu denken ist, mit denen Lehrer und Forscher auf Jahre hinaus werden arbeiten müssen. Es gilt das vor allem von WA wegen ihres Variantenapparats und von JA, Wk, Pe und Tr wegen ihrer ausgiebigen und wertvollen Kommentare, von allen fünf aber schon deshalb, weil sie die für Lehr- und Forschungszwecke unerläßliche Zeilenzählung haben (Tr wenigstens annähernd), die man gerade bei Hr schmerzlich vermißt[3]. Gerade den Benutzern dieser Ausgaben wird also der Faustindex in erster Linie zu dienen haben. Ein anderes Verfahren als das von uns eingeschlagene wäre also zur Zeit kaum zu rechtfertigen.

Daß wir uns in erster Linie für Wk entschieden, war dem Umstand zuzuschreiben, daß von den vier genannten Ausgaben die von Wk, die in dreißig Jahren neun immer wieder neu bearbeitete Auflagen durchlaufen hat, anscheinend die weiteste Verbreitung und Benutzung hat. Auch vermuteten wir, daß infolge wiederholter Durchsicht und Nachbesserung der Text gerade dieser Ausgabe besonders zuverlässig sein dürfte. Darin haben wir uns allerdings getäuscht. Die meisten, ja man darf ruhig sagen, alle neueren Faustherausgeber haben bei ihren Versuchen, Zeichensetzung und Rechtschreibung einerseits zu modernisieren und anderseits zu normalisieren, gewisse Unausgeglichenheiten nicht vermeiden können. Ich meine damit nicht Abweichungen der Ausgaben untereinander. Die sind bis zu einem nicht geringen Grade unvermeidlich. Nicht nur hat eine verschiedene Bewertung auseinandergehender Lesarten der Handschriften und Drucke häufiger, als man gewöhnlich annimmt, zu verschiedenen Lesungen geführt. Auch die vorgenommenen Modernisierungen waren abhängig von Regeln und Vorschriften, die sich nicht nur von Jahrzehnt zu Jahrzehnt veränderten, sondern auch an vielen Punkten zwei oder mehr Schreibweisen als gleichberechtigt zuließen. Auch machte es einen Unterschied, ob die Modernisierung pietätvoll nur das Notwendigste berühren oder aber grundsätzlich in allen Punkten durchgeführt werden sollte. Keine zwei Herausgeber, die ihren Text selbständig bearbeiteten, konnten also zu den gleichen Ergebnissen kommen. Hier aber spreche ich von Widersprüchen verschiedenster Art innerhalb eines gegebenen Textes, die, weil die einzelnen Fälle meist weit auseinanderliegen und jeder einzelne für sich genommen einwandfrei erscheint, auch bei sorgfältiger Durchsicht leicht übersehen werden. Unausgeglichenheiten dieser Art fanden sich nun im Text von Wk weit häufiger als in den anderen Ausgaben der benutzten Gruppe: ein Umstand, dessen wir uns erst recht bewußt wurden, als die ganze Arbeit des Ausschreibens, der Verzettelung und der Alphabetisierung schon beendet, der Würfel also bereits geworfen war. Vielleicht verdanken wir es dieser unangenehmen Entdeckung, daß wir umso sorgfältiger bemüht gewesen sind, Unstimmigkeiten dieser Art auszumerzen und einen möglichst einheitlich gestalteten Text zu gewinnen.

Einen Einblick in diese Dinge, der für die meisten Leser dieses Aufsatzes überraschend sein dürfte, mag die folgende Zusammenstellung einiger symptomatischen Fälle gewähren. Dabei ist es nur recht und billig, darauf hinzuweisen, daß gar manches von dem, was hier für Wk nachgewiesen wird, auch für die anderen Ausgaben zutrifft.

Auf bloße Druckfehler will ich nicht eingehen, obgleich auch die in Wk arg ihr Wesen getrieben haben. So z. B. sind die Druckfehler der 8. Auflage in der 9. wohl verbessert worden, dafür aber die doppelte und dreifache Anzahl neuer an ihre Stelle getreten, die auch in einem im Auslande gedruckten deutschen Buche nicht hätten dürfen stehen bleiben. Schwer zu rechtfertigende Formen, die allerdings vielleicht nicht als Druckfehler anzusehen sind, haben sich durch alle 9 Auflagen hindurch erhalten, wie z. B. *Mauerpfeiler* (st. *Mauernpfeiler*) in 3817, *allsofort* (st. *alsofort*) in 8023, *bemost* (st. *bemoost*) in 11313. Auch von den meisten der folgenden Unausgeglichenheiten gilt, daß sie sich durch alle Auflagen hindurch gleichmäßig erhalten haben.

C druckt *an's, durch's* usw., und WA behält diese ältere Schreibweise bei. Wk modernisiert durchgehends, übersieht aber z. B. *an's* in 2851.

Bunt durcheinander gehen *heut* und *heut'* (vgl. z. B. 5124 und 6017 mit 6701 und 6734), *lang* (Adv.) und *lang'* (vgl. 2507 mit 10529), *gnug, Gnüge* und *g'nug, G'nüge* (vgl. 3251 und 7181 mit 591 und 1738). Neben *zum ersten Mal* in 4353 findet sich *zum erstenmal* in 10367, neben *das erstemal* in 3041 *das letzte Mal* in 2192. Für adverbielles *grad* schreibt Wk regelmäßig *grad',* doch aber *grad* in 8020. Neben dreimaligem *zu Hauf* (z. B. 7602) findet sich viermal *zuhauf* (z. B. 5852). (In 8779 behält allerdings auch Hr, mit Absicht (?), *zu Hauf* bei). Neben *dadrinne* in 3304 steht *da drinne* in 9070, neben *dadroben* in 3442 *da droben* in 4764, ohne daß eine verschiedene Betonung am Platze wäre. Tatsächlich fehlt in diesem Punkte allen Ausgaben sowohl ein in sich einheitliches Verfahren wie auch ein ersichtliches Unterscheidungsprinzip. Auch stimmen keine zwei untereinander überein. Der Index bucht alle Vorkommnisse als zwei Wörter.

Weiter finden sich nebeneinander *aufs neu* in 4234 und *aufs neu'* in 6046, *zu nichte* in 519 und *zunicht* in 11388, *durcheinander* in 145 und *durch einander* in 870, *rings umher* in 1833 und *ringsumher* in 6478.

Unklarheit herrscht in der Schreibung von *solang(e)*. Die neueren Vorschriften fordern *ein* Wort, außer wenn besonderer Nachdruck auf *so* liegt. Wk behält hier trotzdem die getrennte Schreibweise von C und WA bei, ohne Rücksicht darauf, ob *so* besonders zu betonen ist, wie mindestens in 316 und 5360, oder nicht. Die anderen Ausgaben weichen beträchtlich voneinander ab, und in sich ganz systematisch und einheitlich finde ich nur Pe. Selbst Hr hat wohl richtig *so lang* in 5360, aber *Solange* in 316, obleich hier ebenfalls *so* zu betonen ist.

In *Hülfe, hülfsbereit* usw. hat die große Mehrzahl der Herausgeber von C bis Hr die ältere, Goethische Schreibweise beibehalten. Sonderbarerweise ging JA von *ü* zu *i* über, obgleich *ergetzen* unverändert beibehalten wurde. Dieses Verfahren wählte auch Wk, von der 1. Auflage an. Trotzdem ist aber bis in die letzte Auflage hinein *hülfreich* in 10890 und 11088 stehen geblieben. Der Index bucht alle Formen mit *ü*.

Bei apokopierten Substantiven setzt Wk, wie V mit Ausnahme von Gr und PA allgemein, den Apostroph. Also *Lieb', Kron'* usw. Dagegen findet sich *Ruh* (z. B. 646) neben *Ruh'* (z. B. 2642), *Hauf* (3958) neben *Hauf'* (5755), und *zehen Jahr* (361) neben *Drei Jahr'* (2005).

Auch bei den Verbalformen ist die Verwendung des Apostrophs nicht einheitlich. Die 2. Person sing. des Imperativs schreibt Wk den neueren Regeln gemäß auch bei schwachen Verben, die *e*-Formen zulassen, ohne Apostroph. Also *reich, sag, fühl* usw. Trotzdem finden sich nicht allzu selten Fälle wie *sag'* (2336, 3906), *befrei'* (TT 72), *führ'* (325) usw.

5860 schreibt Wk kühnlich, wohl als einziger, *veracht* (= *verachtet*), eine durchaus natürliche, lautlich richtige und nicht mißzuverstehende Zusammenziehung, die allerdings selbst von Hr vermieden wird, der fast alle Apostrophe wegläßt, die zur Verhütung von Mißverständnissen nicht nötig sind. Daneben behält nun aber Wk die unschönen und lautlich unmöglichen Formen *angemäst't*

(2128) und *zugericht't* (2651) bei. Der Index vereinheitlicht natürlich, bleibt aber bei *t't* als der allgemein üblichen Form.

Diese Liste ließe sich leicht noch eindrucksvoller gestalten, besonders wenn für jede Fragwürdigkeit nicht nur ein oder zwei Beispiele angeführt würden, sondern die ganze Reihe der in vielen Fällen sehr zahlreichen Belege. Aber auch so dürfte sie genügen, um einen bedenklich uneinheitlichen Stand der Dinge nachzuweisen, der, wie gesagt, bei Wk beträchtlich weiter geht als in den anderen Ausgaben, aber selbst bei Hr, der in diesen Dingen äußerst wachsam und systematisch verfahren ist, nicht ganz beseitigt ist. Daß der Index auf diesem Gebiete zukünftigen Herausgebern von größtem Vorteil sein wird, liegt auf der Hand. Dabei sind wir in diesen Ausführungen noch längst nicht am Ende der sich hier aufdrängenden Fragen.

III

Ein für den Index besonders unbequemes Kapitel bildet die Frage des Getrennt- oder Zusammenschreibens von Verb und adverbieller Bestimmung; denn auch Brauch und Vorschrift lassen hier viel Spielraum. Auch in solchen Fällen, wo die neueren Regeln *ein* Wort vorschreiben, bleibt WA öfters bei der älteren, getrennten Schreibweise von C; also z. B. *dahin zu fließen* (719), *Was dahinter steckt* (4887), *entgegen schlug* (7072). In den weitaus meisten Fällen kommen solche Wendungen in Satzstellungen vor, die Verb und Adverb notwendig voneinander trennen; also z. B. *Nun, Fauste, träume fort* (1525) oder *Die Erde grünte, blühte mir entgegen* (6798) oder *Er trug uns auf . . . / Bei dir zu stehn* (10452). Dem Herausgeber machen diese Fälle keine Schwierigkeiten. Er braucht ja nicht zu sagen, ob er sie als trennbare Verben auffaßt oder nicht. Der Indexer aber hat zu entscheiden, ob er als Stichwörter Verb und Adverb getrennt eintragen soll oder aber zusammengesetzte Verben, also in diesem Falle *fortträumen, entgegengrünen, entgegenblühen, beistehen.*

Wir waren in dieser Frage von vornherein den Angaben bei Duden weitgehend gefolgt und sind darin durch das Verfahren von Hr bestärkt worden. Letzterer schreibt z. B. *durcheinandergehn* (870. V: *durch einander gehn*) oder *hinauf- und vorwärtsdringt* (1093. V:

hinauf und vorwärts dringt). Mit verschwindenden Ausnahmen, die sich der Regel nicht gut fügen wollten, haben wir im Index ohne Rücksicht auf die Schreibweise von Wk zusammengesetzte Verben angesetzt (1) für die bei Duden S. 1, Anm. 1 gegebene Liste von Vorsilben, (2) nach den Angaben Dudens im Wörterverzeichnis selbst, also besonders bei *daher, dahin, dahinter, empor, einher, entgegen; herab, hinein* usw.; *hinweg, umher, vorwärts, weiter* und bei allen Verbindungen von *her* und *hin* mit Präpositionen, wie *herbei, hinauf* usw. Für 6570: *Blick' ich hinauf, hierher, hinüber* buchen wir sogar *hierherblicken,* obgleich *hierher* (nach Duden) keine verbalen Zusammensetzungen eingeht.

Unter *vorwärts* unterscheidet Duden *vorwärts gehn, vorwärts bringen* in sinnlicher von *vorwärtsgehn, vorwärtsbringen* in übertragener Bedeutung, und dementsprechend schreibt Hr in 4153 *vorwärts gehn,* dagegen *vorwärtsdringen* in 1093 und 1857, obgleich weder 4153 noch 1093 eindeutige Fälle sind. Es kommen noch zwei Fälle vor—3874 und 9381—und für den ersteren jedenfalls wäre der Regel nach *vorwärts gelangen* anzusetzen. Ich weise hier darauf hin, weil wir die Unterscheidung nicht gemacht, sondern alle fünf Fälle als zusammengesetzte Verben gebucht haben.

Für *fort* macht Duden die mir völlig unverständliche Unterscheidung *fortblasen = wegblasen,* aber *fort blasen = weiterblasen,* die von keinem Wörterbuch anerkannt wird und derzufolge man auch *fort fahren* und *fort setzen* schreiben müßte. Wir haben in allen Fällen von *fort* + Verb ohne Rücksicht auf die Bedeutung *weg* oder *weiter* zusammengesetzte Verben eingetragen. Erwähnen möchte ich hier, daß Hr in 4685 verwunderlicherweise statt der immer und immer wieder zitierten, geradezu ehrwürdig gewordenen Zeile: *Zum höchsten Dasein immerfort zu streben* jetzt liest: *immer fortzustreben,* eine ohne zwingende Begründung unannehmbare Änderung.

Anders und schwieriger liegen die Dinge bei *hin* und *her* und *hin* und *wi(e)der,* da hier nach allgemein anerkanntem neuzeitlichen Brauch die Bedeutung von der Schreibweise abhängt. Duden unterscheidet (1) *hin und her laufen* = ohne Ziel, hierhin und dorthin und (2) *hin- und herlaufen* = hin und wieder zurück. Im Faust finden sich drei Fälle: 9150, 9251, 10387. Die ersten zwei gehören offenbar zu (1).[4] Weniger eindeutig ist 10387 in F II, Akt IV. Die Boten des Kaisers, auf Kundschaft ausgeschickt, berichten zurückkehrend:

> Glücklich ist sie uns gelungen,
> Listig, mutig, unsre Kunst,
> Daß wir hin und her gedrungen.

So in C, WA und V, auch Wk. Abweichende Lesarten gibt WA nicht. Hr dagegen druckt jetzt *hin- und hergedrungen* und interpretiert demnach: ins feindliche Gebiet und wieder zurück. Einwenden läßt sich dagegen nichts, denn die Schreibungen der Handschriften und frühen Drucke sind in fast allen solchen Fällen schwankend und ohne grundsätzliche Bedeutung. Anderseits paßt zu dem, was folgt, eher noch besser die Bedeutung: im Gebiet des Feindes hierhin und dorthin, Umschau haltend. Jedenfalls behält der Index die ältere Schreibung bei.

Noch komplizierter sind die Fälle von *hin und wi(e)der*. Der Unterschied von *wider* und *wieder* ist allgemein anerkannt (was er zu Goethes Zeit noch nicht war) und macht meist keine Schwierigkeit. Für *wieder* scheidet Duden jedoch *wiederbringen* = zurückbringen von *wieder bringen* = nochmals bringen, und die Anwendung dieser Unterscheidung ist durchaus nicht eindeutig einfach in Fällen wie

> Dergleichen Märchen seh' ich oft entstehn
> Und plötzlich wieder untergehn.
> (ll. 7819-20)

> Die Götterbilder standen groß—
> Zerstörte sie ein Erdestoß;
> Längst sind sie wieder eingeschmolzen.
> (ll. 8310-12)

Aus Rücksicht darauf, daß alle mir zugänglichen Ausgaben (auch Hr) in beiden Fällen getrennt schreiben, haben wir weder *wiederuntergehn* noch *wiedereingeschmolzen* angesetzt, obgleich besonders Letzteres die nach obiger Regel einzig richtige Schreibung wäre.

Für *hin und wi(e)der* + Verb unterscheidet Duden (1) *hin und wider springen* (= hin und her, ohne Ziel, herum), (2) *hin- und widerspringen* (= hin- und herspringen, hin und zurück) und (3) *hin und wieder springen* (zuweilen, ab und zu). Ich zähle im *Faust* 8

Vorkommnisse (1186, 1264, 2598, 6179, 7307, 10149, 10150, 10590). C hatte in all diesen Fällen *wieder,* ohne damit eine besondere Bedeutung verknüpfen zu wollen, und Sch hat diese Schreibweise in WA mehrfach beibehalten; so z. B.,

> Sei ruhig Pudel! renne nicht hin und wieder!
> (l. 1186)

Alle neueren Ausgaben, auch Sch in JA, haben hier natürlich geändert. Von den andern sieben Fällen sind aber durchaus nicht alle so einfach wie 1186, und die Ausgaben gehen ziemlich auseinander. Unklar bleibt mir, weshalb in 6179, 7307 und 10590, wo V und fast alle neueren Ausgaben einhellig *wider* schreiben und dies durchaus dem natürlichen Sinn der Stellen entspricht, Hr jetzt *wieder* ansetzt. Wenn in der Leda-Vision Fausts in der „Klassischen Walpurgisnacht" (7307 ff.) es im Gegensatz zu dem einen Schwan, der rasch durch alle fortsegelt, von den übrigen heißt:

> Die andern schwimmen hin und wider
> Mit ruhig glänzendem Gefieder,
> Bald auch in regem prächtigen Streit,
> Die scheuen Mädchen abzulenken.

so ist der natürliche Sinn doch wohl der, daß sie hin und her schwimmen, erst ruhig, dann in aufgeregtem Scheinkampf, und nicht, daß sie hin und wieder, d. h. ab und zu ruhig schwimmen und ab und zu so, als ob sie miteinander kämpften. 10590 f. beschreibt Mephisto dem Kaiser eine Art Fata Morgana:

> Da schwanken Städte hin und wider,
> Da steigen Gärten auf und nieder—

Hier entspricht das Bild mit seinem Auf und Ab und Hin und Her durchaus den Zeilen 1264 f. im Gesang der „Geister auf dem Gange":

> Schwebet hin, schwebet wider,
> Auf und nieder,

wo auch Hr *wider* schreibt. Ganz ähnlich wirft Faust 6179 dem Mephisto sein ausweichendes *Hin- und Widergehn* vor, während ich mir unter *Hin- und Wiedergehn* nichts Rechtes vorstellen kann.

Gewiß nicht uninteressant, aber wohl noch weniger eindeutig bestimmbar, ist die Frage, wie nach mephistophelischer Auffassung in der Hexenküche Cupido, der sich in Faust bald regen soll, seine Sprünge vollführt.

> Und bald empfindest du mit innigem Ergetzen,
> Wie sich Cupido regt und hin und wider springt.
> (l. 2597f.)

Soweit meine physiologisch-psychologischen Einsichten reichen, ließe sich hier für jede der drei Schreibweisen „ein kräftig Wörtchen" sagen. Hr schreibt hier *hin- und widerspringt.* Wir haben jedenfalls keinen triftigen Grund finden können, hier und in den anderen Fällen von *hin und wider* die Schreibungen von Wk und V nicht beizubehalten.

Zu bemerken ist in diesem Zusammenhang noch, daß das Ansetzen eines zusammengesetzten Verbs im Index natürlich auch das Zusammenschreiben von Adverb und Verb überall da zur Folge hat, wo ersteres im Satzgefüge unmittelbar vor dem letzteren zu stehen kommt. Wir schreiben also z. B., durchaus nicht immer mit Wk und V übereinstimmend: *zurückeschlingt* (141), *hinauf- und vorwärtsdringt* (1093), *dem Tag entgegenruht* (4631), *zu uns herniederwendet* (4698), *rings umhergesandt* (5631) usw. Die einzelnen Ausgaben gehen hier stark auseinander, und in den genannten fünf Beispielen stimmt nur Hr durchgehends mit uns überein. Daß allerdings auch der Index nicht in allen Fällen dieser Art ganz einheitlich verfährt, sei zum Schluß zugegeben.

In den meisten anderen Fragen, die grundsätzliche Dinge von häufigem Vorkommen betreffen und in denen Hr Neuerungen einführt, die von Wk und V weit abweichen, sind wir bei der Tradition verblieben. Das heißt durchaus nicht, daß wir nicht in manchen dieser Punkte Hr zustimmten, sondern zunächst nur, daß wir uns auch hier von den oben dargelegten allgemeinen Erwägungen haben leiten lassen.

So verbleibt der Index in der Apostrophenfrage bei der allerdings immer noch recht ausgiebigen Verwendung von Apostrophen in Wk JA Pe Tr, die aber im allgemeinen den letzten Ausgaben der Regelbücher entspricht. Wir schreiben also *Aug', leis', heil'gen, beiseit', eh', ich seh', bracht', wär', trat'st, mir's, verzeih's* usw. Mit der Apostrophen-Fülle von C und WA verglichen (z. B. *in's, vor'm, g'rad', folg'* als Imp.) ist das immerhin eine größere Sparsamkeit. Beträchtlich weiter sind dann schon Gr und PA gegangen. Während aber Gr z. B. noch *mein' Tage, Pfifferling', glaub'n, wie's, Phöbus'* beibehält, läßt PA auch hier die Apostrophe fallen, behält sie aber ihrerseits doch meist bei, wo sonst doppeldeutige Formen entstanden wären; also: *den liebt' er gar nicht wenig* (2213) oder *Schafft' er uns nur zu Hof willkommne Gaben* (4943). Hr, der fast alle Apostrophe ausmerzt, scheut sich auch vor solchen Fällen nicht, solange nur der Zusammenhang die Bedeutung klarmacht, etwa wie beim Vorlesen oder wenn von der Bühne her gesprochen. 481 schreibt er z. B.,

Du mußt! du mußt! und kostet' es mein Leben!

weil auch das Präsens hier nicht sinnwidrig wäre (PA schreibt selbst hier *kostet*). Wenn er anderseits 4943 *Schafft* ohne Apostroph schreibt, so bleibt unklar, ob er es als Präsens auffaßt oder als Präteritum (H: *Schafft,* C12 *Schafft',* C41 *Schafft,* WA *Schafft'*!). Ein derartig radikales Verfahren findet in den Regelbüchern keine Unterlage, eher schon in dem Druckverfahren mancher Verlage oder der Eigengesetzlichkeit eines Dichters. So finde ich z. B. in George-Drucken von Bondi Formen wie *seh ich, neigt ich, heilgen, Aug, ohn, eh,* aber selbst hier nur *war's, ich's,* usw.

Recht uneinheitlich sind die Ausgaben in der Behandlung von Fällen wie z. B.:

238 An Tier und Vögeln (C WA Wk Pe). JA Gr: Tier'; Hr: Tier-
1972 Gesetz' und Rechte (alle). Hr: Gesetz
5112 in Laub und Gängen (C WA JA Wk Pe). Gr Hr: Laub-
7105 in Fels- und Höhlen (WA Wk Gr Hr). C JA Pe: Fels

Unsicherheiten bestehen hier überall. Der traditionellen Schreibung nach könnte 5112 eher *in Laubgängen* bedeuten als *in Lauben und Gängen*. Auch in 7105 könnte bei der Schreibung *Fels* ebenfalls Endiadys anzunehmen sein (= *in Felshöhlen*). Auch hier haben wir gefühlt, daß der Index Kritik und Interpretation befördern, aber nicht üben soll, und haben in jedem Falle das erste Glied als Plural gebucht.

Ein weiteres schwieriges Kapitel, worin Hr grundsätzlich Neuerungen einführt, sind die gerade im *Faust* so häufigen Doppeladjektive, von denen das erste unflektiert bleibt, sodaß oft kaum zu sagen ist, ob es adverbiell oder adjektivisch zu verstehen ist. Diese Bindungen erscheinen in F I, wofür sie besonders charakteristisch sind, immer ohne Bindestrich und gehören gerade in ihrem leise unbestimmten Schweben mit zu den edelsten sprachlichen Schönheiten der Dichtung. Man denke nur an *ewig schnell* (258), *lebendig reich* (345), *lieblich helle* (688), *unbegreiflich hold* (775), *heilig rein* (2715), *grau leibhaftig* (2750), *töricht furchtsam* (2758), *dumpf hohl* (3230) u. a. m. Gewiß, diese Schreibweise entspricht kaum den neuzeitlichen Regeln, die strenggenommen entweder Kuppelung (falls man *und* einsetzen kann) oder Zusammenschreiben fordern (falls das erste Adjektiv adverbiell gebraucht ist). Wer will aber entscheiden, ob *unbegreiflich hold* bedeuten soll: unbegreiflich und hold oder aber: in unbegreiflichem Maße hold? Und wer mag sich Bindestrich-Adjektive in Gretchens lieblich schlichter Rede denken? In all den genannten Fällen, mit Ausnahme nur von *lieblich helle,* das er beibehält, setzt Hr nun Bindestriche, die mir ebenso wenig notwendig als schön erscheinen. In F II liegen die Dinge anders. Stimmung und Ausdruck sind hier meist anderer Art, weniger fließend und ahnen lassend, mehr fest umrissen und klar durchsichtig. Es ist eben doch ein anderes, ob Gretchen sich „ein töricht furchtsam Weib" nennt, ober ob Helena als „zehenjährig-schlankes Reh" oder als „siegend-unbesiegte Frau" bezeichnet wird. Hier hat nun auch Goethe in solchen Wendungen nicht selten den Bindestrich verwendet, obgleich z. B. nicht in den zwei eben hier angeführten Stellen. Er tut es erst in der späten Arbeitszeit; denn während die 265 Verse der Helena von 1800, die eine Reihe von Doppeladjektiven aufweisen, noch jeden derartigen Bindestrich vermeiden, finden sich in ihnen in C4 schon drei *(sträubig-hohem, blutig-trüben, ewig-unselige*), in C41 gar vier *(flüchtig-leise*), und das ist die Gestalt dieser Verse in WA und V geblieben. Hr fügt nun weiter hinzu *fruchtbar-weites* und sogar *raschgeschäftiges,* obwohl hier die Schreibweise von C4 und C41 (*rasch-geschäftiges Eiligtun*) durchaus einwandfrei ist. Ebenso trennt er weiterhin das schöne *holdmildestes* in *hold-mildestes.* In *ewig-unselige* läßt er dagegen den Bindestrich weg und schreibt *ewig Unselige.* Wie weit in solchen Fällen die Ausgaben auseinandergehen, belege die folgende Übersicht für diesen einen Fall:

C 4	das Verwerfliche	ewig-unselige (so)
C 41 WA	" "	, Ewig-unselige
JA Wk Gr Pe	" "	, Ewig-Unselige
PA	" "	, Ewig Unselige
Hr	" "	, ewig Unselige

Einer so unseligen Serie von Mutationen gegenüber freut man sich, daß wenigstens *Das Ewig-Weibliche* von seinem ersten Auftreten in H an sich allen Herausgebern zum Trotz in unberührter Würde erhalten hat—bis man in Hr nachschlägt und *Das Ewigweibliche* findet!

Jedenfalls ist der Index auch hier bei den Schreibungen von Wk verblieben, die sich meist mit WA und fast immer mit den anderen Ausgaben von V decken. Gerade deshalb aber möchte ich hervorheben, daß die Änderungen in Hr in vielen Fällen sichtlich auf Grund feiner Einfühlung und reiflicher Erwägung vorgenommen worden sind, während die traditionellen Fassungen, nicht in F I, wohl aber in F II, mitunter wirklich recht verbesserungsbedürftig sind. So z. B. 8783:

Erobert', marktverkauft', vertauschte Ware du!

wofür Hr schreibt: *Erobert-marktverkauft-vertauschte.* Ein besonders schönes Beispiel der Neuerungen bei Hr bieten die Zeilen 7906-7. Man vergleiche:

V Du, Brust-Erweiternde, im-Tiefsten-Sinnige,
Du, ruhig-Scheinende, gewaltsam-Innige,

mit der neuen Schreibweise bei

Hr Du Brusterweiternde, im Tiefsten Sinnige,
Du Ruhigscheinende, Gewaltsam-Innige.

Man beachte aber auch, wie hier die Veredlung durch Ausmerzen, nicht aber durch Einsetzen von Bindestrichen erzielt worden ist. Wir haben uns nicht versagen können, hier der Neugestaltung bei Hr zu folgen.

Ich vermag im Augenblick nicht zu sagen, ob die Doppeladjektive in Goethes Dichtersprache und Prosaschriften schon einmal im Zusammenhang sind untersucht und gewürdigt worden. Wenn nicht, so glaube ich, daß hier ein interessantes ästhetisch-sprachliches Problem vorliegt, das es sich lohnen dürfte, im Hinblick auf frühere, zeitgenössische und spätere deutsche Dichtung zu untersuchen.[5]

Was die in beiden Teilen der Dichtung überreiche Fülle an zusammengesetzten Substantiven betrifft, so ist Hr hier mit gutem Recht den entgegengesetzten Weg gegangen und hat zahlreiche Bindestrichformen durch Zusammenschreibungen ersetzt. Dutzende zusammengesetzter Substantive, wie z. B. *Bergeshöhn, Erquickungstrank, Schmalpfeiler, Teufelsliebchen, Gedankenfabrik, Siegerschar* usw. usw. erschienen in C und auch noch in WA mit Bindestrichen, die dann in V beseitigt worden sind. Hierin geht Hr nun sehr viel weiter. Er schreibt nicht nur *Himmelsmanna, Hexenfexen, Gespenstgespinsten,* sondern auch *Urväterhausrat, Abendsonneglut, Geistermeisterstück, Ururenkelin, Bürgernahrungsgraus, Mitternachtsgeborne* usw. Überraschenderweise hat er *In Brudersphären Wettgesang* unberührt gelassen, obgleich der Sinn hier unbedingt eine Art weitausgreifender Zusammensetzung fordert. Wenn wir auch in all diesen Fällen bei den Schreibungen von Wk und V geblieben sind, ist das gerade auf diesem Gebiet nicht ohne Bedauern geschehen.

Weitgehende Schwankungen finden sich, wie zu erwarten, noch von C her in Bezug auf Groß- oder Kleinschreiben, besonders bei substantivisch gebrauchten Adjektiven. So finden sich noch in allen Ausgaben von V die unmittelbar aufeinanderfolgenden Zeilen (9106-8):

> Uns, den schwangleichen, lang-
> schön-weißhalsigen, und ach!
> Unsrer Schwanerzeugten.

Soweit ich sehe, hat hier kein Herausgeber geändert, als ob man eine Unterscheidung habe sehen wollen zwischen der (großgeschriebenen) Königin und ihren (kleingeschriebenen) Dienerinnen. Hier hat endlich Hr gleichmäßig großgeschrieben, und wir sind ihm hierin gefolgt.

In Z. 9005 schreibt Wk von der ersten Auflage an:

Ist e i n e r Herr? sind's Räuber viel, verbündete?

C und Wa hatten *Verbündete,* und alle Herausgeber hielten daran fest auf Grund eines Vermerks von Sch in WA, daß Goethe in einer Hs. eigenhändig *v* in *V* geändert habe. Auch wir hatten, hierdurch veranlaßt, *Verbündete* angesetzt, obgleich das Wort offenbar adjektivisch gebraucht ist. Der Umstand, daß jetzt Hr mit dem gesamten handschriftlichen Material vor sich und trotz des Vermerks von Sch die Kleinschreibung übernimmt, hat auch uns bewogen, nicht von Wk abzuweichen.

Mangel an Übereinstimmung herrscht weiter in Bezug auf *der, die, das* und *ein, eine, ein,* wenn die betreffenden Formen mit besonderem Nachdruck gebraucht werden. Die neueren Regeln schreiben Sperrdruck vor, und Wk und Pe verfahren danach durchgehends; vollständig einwandfrei allerdings nur Pe, da Wk 1988 E i n e n (st. e i n e n) und 3736 E i n e m (st. e i n e m) schreibt, als nähme er an, daß, von Personen gebraucht, die substantivischen Formen großgeschrieben werden müßten, was nicht der Fall ist. Älterem Brauch nach wurde Nachdruck (mindestens bei *ein*) durch Großschreiben bezeichnet. Dies war die Schreibweise von C, die nicht nur WA beibehielt, sondern auch Gr und die nun selbst Hr wiedereinführt, obgleich sie seinem Grundsatz der Befolgung neuzeitlicher Rechtschreibung nicht entspricht und am Anfang eines Satzes oder einer Verszeile ihre Bedeutung verliert. JA verfährt ganz unsystematisch und sieht in F I von der Bezeichnung besonderen Nachdrucks fast ganz ab. Vgl. z. B. 1557 und besonders 3985 und 4230. Demonstrativ gebrauchter Formen von *der* finden sich, soweit ich sehe, vier, die durch den Druck hervorgehoben sind: 4230, 4725, 5294, 5367. Auch hier findet sich einheitlicher Gebrauch von Sperrdruck nur bei Wk und Pe. Die andren Ausgaben gehen auseinander und verwenden neben Sperrdruck auch Großschreiben (WA Hr in 5294), Schrägdruck (Gr) oder sehen von jeder Bezeichnung ab (JA in 4230). Ob bei Hr in 4725 *Der* als gesperrt gelten soll, vermag ich nicht zu entscheiden. Mir scheint es so, aber Beutler hat es augenscheinlich als ungesperrt genommen. Ganz unbezeichnet geblieben sind von C her einige Fälle, die zweifellos nachdrückliche Betonung fordern; so z. B.,

3470 Daß ich dich in der Gesellschaft seh'.
11247 Zu überschaun mit einem Blick

Nur Gr und Hr schreiben *Einem* auf Grund einer eigenhändigen Niederschrift Goethes (vgl. Schr. d. G.-G. 42, 5). Der Index verfährt hier nicht konsequent. Wir geben wohl die gesperrten Formen von *der* an, weisen aber auf die von *ein* (es sind ihrer 21) nicht besonders hin.[6] Es gilt das auch von den nicht gerade seltenen Fällen, wie z. B. 1224ff. (*Wort, Sinn, Kraft, Tat*), 4797 (*Schuldig*), 6216 (*Mütter*) usw., wo die verschiedensten Wörter durch Sperrdruck als besonders bedeutsam im Text hervorgehoben sind.

Weitgehende Abweichungen finden sich auch im Klein- oder Großschreiben von *ihr, euch, euer* usw. in der Anrede. U schrieb alle Anrede-Pronomen klein, ob Singular oder Plural. In F erscheinen *Er* und *Sie* (3. sg.), aber die *ihr*-Formen werden nicht unterschieden. Das bleibt auch in C so. Ja, was *Er* und *Sie* betrifft, geht C meist wieder auf den Brauch von U zurück. Die neueren Ausgaben von WA ab verfahren, soweit ich sehe, einheitlich und konsequent im Gebrauch von *Er* und *Sie,* zeigen aber weitgehendste Abweichungen in Bezug auf *ihr* oder *Ihr,* obgleich sie im Prinzip die Unterscheidung des Klein- und Großschreibens anerkennen. Ein bekannter Einzelfall ist 4915: *Ihr hegt euch an verderbtem Herzen,* wo Harnack (Bibliogr. Inst.) und Pe *Euch* schreiben. Aber im ganzen Vorspiel auf dem Theater z. B., so wie später in der Wagnerszene herrscht größte Unklarheit. Im Vorspiel zähle ich 24 Fälle von *ihr, euch, euer,* in C und WA sämtlich kleingeschrieben. In der Mehrzahl der Fälle ist nicht eindeutig zu unterscheiden, ob der Direktor sich an den ihm gegenüberstehenden Dichter wendet oder sich auf die Dichter im allgemeinen bezieht. Tatsächlich zielt er ja doch meist auf beide. Zumindest aber 85 (*Drum seid nur brav und zeigt Euch musterhaft*), 133 (*Was fällt Euch an? Entzückung oder Schmerzen?*) und 236 (*Die Sterne dürfet Ihr verschwenden*) sind direkt und ausschließlich an den Dichter des Vorspiels gerichtet. Trotzdem behalten JA, Wk, Gr, Tr u. a. auch hier die Kleinschreibung bei. Umgekehrt schreiben Pe und Hr groß mit Ausnahme der Zeilen 127, 210-11, 216, 220, die zweifellos sich auf mehr als eine Person beziehen, und vermeiden so nachweisbare Unstimmigkeiten. Pe schreibt auch 236 klein. Ähnlich scheiden sich die Ausgaben dann wieder in der Wagnerszene von 534-81, je nachdem man annimmt, Faust beziehe sich in seinen Bemerkungen direkt auf seinen Famulus oder auf selbstgefällige Rationalisten im allgemeinen. Hier lassen sich alle Stellen so oder so deuten, obgleich mindestens 577 und 581 nur gezwungen auf Wagner allein bezogen werden können. Diesmal gesellt sich auch Hr zu den Kleinschreibern (JA Wk Gr Tr), während Harnack, Alt (bei Bong) und Pe großschreiben (Alt allerdings klein in 581). Ähnlicher Mangel an Übereinstimmung findet sich 2798 u. 2801; 4132, 4154ff., 6049ff., 6076f.; 6783 u. 89 (Wk: *Ihr, euch,* Pe: *Ihr, Euch* [!], Hr: *ihr, euch*); 7154, 56 u. 65 (Wk: *euch, ihr, euch, euer,* Pe: *Euch, Ihr, Euch, Euer,* Hr: *Euch, ihr, euch, euer*); 7196. Ohne selber zu interpretieren, konnte der Index solchen Abweichungen gegenüber nichts anfangen. Wir geben deshalb für *ihr, euch* usw. und *Ihr, Euch,* usw. nur Gesamtzahlen, die allerdings auf den Schreibungen bei Wk beruhen. Wäre uns Hr von Anfang an zugänglich gewesen, so dürften wir uns hier am ehesten für seine Ansetzungen entschieden haben, die in all diesen Fällen nie sinnwidrig sind, selbst wenn man mitunter anderer Meinung sein sollte. Ganz unverständlich ist mir allerdings, weshalb er jetzt, und zwar im Gegensatz zu allen anderen Ausgaben, schreibt:

2798 Was hilft Euch Schönheit, junges Blut?
2801 Man lobt Euch halb mit Erbarmen.

Soll Gretchen hier ihr Bild im Spiegel anreden? Inkonsequent ist er 7196 (Faust zu den Sphinxen):

Hat eins der euren (st. Euren) Helena gesehn?

Schreibt er doch selbst 1627-28: *die Kleinen / Von den Meinen* und 10354: *Den Unsern vorteilhaft.* Doch das ist eine Frage der Rechtschreibung, nicht der Bedeutung.[7]

Endlich haben wir ebenfalls keinen Versuch der Differenzierung gemacht in der Frage der adjektivischen Flexionsendungen *rem* oder *erm, len* oder *eln, res* oder *ers* usw., also *heitres* oder *heiters, muntern* oder *muntren.* An konsequente Vereinheitlichung ist in diesen Fällen nicht zu denken, da die moderne Rechtschreibung hier ebenso wenig feste Regeln kennt als der einzelne Schreiber, also auch Goethe und seine Mitarbeiter, ein gleichmäßiges Verfahren. So schreibt Goethe so deutlich wie möglich *düstrem* in 11219 und *tieferm* in 11867 (Schr. d. G.-G. 42, 4 u. 20). Hörfehler, undeutliches Schreiben der Endsilben, Druckerversehen vermehren die Schwankungen. Auch hier ist anzunehmen, daß Hr mit Zugang zu allen Handschriften und Drucken und eingelesen wie kein anderer in die Eigenheiten Goethischer Schreibweise in vielen Fällen das Richtigere dürfte getroffen haben, aber auch hier folgen wir den Schreibungen von Wk, die sich im allgemeinen an C halten und mit WA, JA, Pe, Gr weitgehend übereinstimmen.

Eine Gruppe für sich bilden Verben wie *freveln, ähneln, dauern, wandern* usw. WA 15^2, 8 sagt Sch, er ändre nicht „Formen wie *wandlet, dauren,* die in C wohl sehr zusammengestrichen aber doch nicht ganz ausgetrieben sind.“ In Wirklichkeit findet sich in WA, wie sich mit Hilfe des Index leicht nachweisen läßt, kein einziger Fall von *dauren,* wohl aber *frevlend* in 7921 (neben *frevelnd* in 7565), *ähnlet* in 5079, *verwandlen* in 8153 und *wandlen* in 8159. Diese vier Schreibungen behält Gr und nun auch Hr bei; weitere sind mir trotz leidlich eingehenden Nachprüfens von Verben wie *rieseln, modeln, wandern* nicht aufgestoßen. Der Index folgt hier JA Wk Pe u. a., die diese vereinzelten Abweichungen beseitigt haben, und das wohl mit Recht; denn es handelt sich hier um stehengebliebene Überreste und nicht wie bei den Adjektivendungen um ein charakteristisches Schwanken der üblichen Schreibweise. Wir rechnen diese Abweichungen, gleich *betriegen* in 1139 u. 1696 oder *ergötzen* neben *ergetzen* an acht Stellen in F II zu Dingen, die wohl in einen diplomatischen Abdruck gehören, aber selbst in einer kritischen Ausgabe ihren Platz besser unter den Lesarten finden.

Anders verhält es sich mit *erdreusten* (6688) neben *erdreisten* und *eräugnen* (5917, 7750) neben *Ereignis,* da hier den ungewöhnlichen Formen eine bestimmte Absicht und Bedeutung zugrunde liegt.

IV

Da sich diese Darlegungen neben Wk als dem von uns gewählten Vertreter von V am eingehendsten mit dem neuen Text von Hr beschäftigt haben, der zahlreichen Lesern unserer Zeitschrift nicht zugänglich sein dürfte, so halte ich es für angebracht, in aller Kürze auf einige weiteren Eigenschaften dieses Textes der WGA aufmerksam zu machen, selbst in Bezug auf Dinge, die für den Index nicht in Frage kommen.

Für F I zählt Hr (WGA 12, 416f.) 20 Stellen auf, an denen, abgesehen von den zahlreichen Änderungen in Dingen der Rechtschreibung und Zeichensetzung, sein Druck von C abweicht. 12 dieser Abweichungen finden sich auch in Wk, so wie allgemein in V. Von den verbleibenden 8 kommen nur zwei für den Index in Frage; die übrigen betreffen Bühnenanweisungen, Zeilenaufteilung, Namen der sprechenden Personen u. a. m. Diese zwei sind: *lichten* (st. *leichten*) *Tag* in 666 und *Des Norden* (st. *Nordens*) in 1796. Da hier alle Ausgaben von C 12 bis zu Hr übereinstimmen und Hr von einer Begründung der von ihm vorgenommenen Änderungen absieht, so bleiben wir unserem Grundsatz gemäß bei den älteren Lesungen.

Was F II betrifft, so sagt Hr (WGA 13, 359): „Die vorliegende Ausgabe folgt (nach dem Vorgang der Sophienausgabe) für die in Band C[1] C 12 gedruckten Szenen des e r s t e n Aktes . . . dem Text von C 12, für den d r i t t e n Akt dem Text von C 4. Für alles übrige folgt sie der Haupthandschrift, und zwar treuer, als es bisher geschehen ist." Angaben von wichtigeren Abweichungen von WA (Sophienausgabe) macht er keine. Mehr oder weniger zufällig sind mir die folgenden aufgestoßen:

10909	Weil unausweichlich hier sich (st. *sich's*) nur von Festen handelt
10932	für ewige Zeiten (st. *Zeit*)
10942	ins Weitere (st. *Weitre*)

11885-87 Wo sich der Geist, verworren-kalt, (st. *verworren, kalt*)
Verquält in stumpfer Sinneschranken (st. *Sinne Schranken,)*
Scharfangeschloss(!)nem Kettenschmerz!

Im ersten und dritten dieser vier Fälle erklärt sich die Änderung durch die Lesarten in WA. Hr folgt hier tatsächlich H, während Sch sich zu C hielt. Für 10932 jedoch gibt WA keine Variante an. Der letzte Fall ist komplizierter, als sich in Kürze sagen läßt. Hr folgt hier einer Anregung bei Tr, dem es um Herstellung des „grammatischen Zusammenhangs" zu tun ist, als ob ohne den der Gesamtsinn der Zeilen nicht genau der gleiche bliebe. Ich kann nur sagen, daß, von anderen Einwendungen abgesehen, ich mich weder mit *verworren-kalt* befreunden kann, noch mit dem Kompositum *Sinneschranken.* F II kennt *Sinnenspiel* (6973) und *Sinnentanz* (7796). Wir sind auch hier bei den älteren Lesungen verblieben.

Von den fünf Änderungen des Wortlauts der Dichtung, die Wk zum Teil schon 1930 im 8. Band (S. 304ff.) des Jahrbuchs der Sammlung Kippenberg befürwortet und in seine 9. Auflage (1936) aufgenommen hat, finden sich drei auch bei Hr: *tieferm* st. *tiefem* (11867), *ist es* st. *ist's* (12109) und die Personenbezeichnung 5144-57, die den Index nicht berührt. Er behält dagegen unverändert *e'* (6814) und *unbesonnenen* (11372). Dies entspricht durchaus unserem eignen Verfahren.

Die weitgehenden Veränderungen in der Zeichensetzung, die Hr einführt, betreffen den Index nicht. In zahlreichen Fällen bringen sie unleugbare Verbesserungen; aber das allzu häufige Erscheinen des Ausrufezeichens und vor allem des Doppelpunktes wirkt befremdend. Für das Vorspiel auf dem Theater z. B. findet sich in C überhaupt kein Kolon. Es bringt dann WA: 1, Gr Pe: je 2, JA PA: je 3, Wk: 4—Hr: 9! Die 195 Zeilen von 10849-11043 am Schluß des 4. Aktes bringen bei Hr im Vergleich mit V einen *Zuwachs* von 11 Doppelpunkten und 18 Ausrufezeichen. Da eine so ausgiebige Verwendung gerade dieser Satzzeichen nicht nur den Sinn, sondern auch den Vortrag der Dichtung beeinflussen muß, so bedeutet das eine bedenkliche Verschiebung ihres klanglichen Charakters in der Richtung auf scharfe Bestimmtheit und gehobenen Nachdruck. Mir ist in den letzten Jahren kaum ein Faustbuch bekannt geworden, in dem nicht der neue Kurs des nationalsozialistischen Deutschland sich auf die eine oder andre Weise fühlbar gemacht hätte (woran an und für sich kein Anstoß zu nehmen ist), und ich frage mich, ob der gleiche Einfluß, vielleicht ganz unbewußt, nicht auch hier am Werke gewesen ist. *Habent sua fata libelli!*

Wie weit aber, auch von Zeichensetzung und Rechtschreibung abgesehen, die neueren Faustausgaben in Dingen auseinandergehen, die als wirkliche Varianten anzusprechen sind, möge die folgende Zusammenstellung vor Augen führen, die sich mir bei leidlich weitgehenden Textvergleichungen, die die Indexarbeit mit sich brachte, ergeben hat. Auf lückenlose Vollständigkeit kann sie durchaus nicht Anspruch machen. Nicht eingeschlossen sind Fälle wie *düstrem:düsterm, wandeln:wandlen,* obgleich es sich dabei um mehr handelt, als um bloße Rechtschreibung. Weggelassen sind auch die zahlreichen Schwankungen im Zusammen- oder Getrenntschreiben von Adverb und Verb, obgleich damit in manchen Fällen, wie wir gesehen haben, Bedeutungs- oder zumindest Betonungsunterschiede verknüpft sind. Es fehlen auch die Varianten in den Bühnenanweisungen und Personenbezeichnungen, sowie sinnwichtige Änderungen der Satzzeichen, da diese den Index nicht berühren. Mit anderen Worten, die hier gegebene Liste könnte und sollte vielleicht um das Doppelte vermehrt werden. Auch so bleibt sie aufschlußreich genug.

Als endgültig entschieden glaubte ich zunächst, das viel und lange umstrittene *Leid:Lied* auslassen zu können, bis ich entdeckte, daß von den von uns benutzten neueren Ausgaben Tr nicht nur an *Lied* festhält, sondern es nachdrücklichst in Schutz nimmt.[8]

Die links stehenden Formen sind die, welche wir im Index angesetzt oder, wie in den Fällen von *ihr, euch:Ihr, Euch,* wenigstens gezählt haben. Wenn eine Lesart sich nur in einer der von uns nachgeprüften Ausgaben findet, so ist deren Sigel in Parenthese hinzugefügt.

21	Leid	Lied (Tr)
93-236 (22mal)	euch, ihr, euer	Euch, Ihr, Euer
315ff., 5360	so lang(e)	solang(e)
503	Webe	Wehe (WA)
534-81 (11mal)	ihr, euch, euer	Ihr, Euch, Euer
666	leichten	lichten (Hr)
1010 u. ö. (11mal)	Hülfe (u. Ableitungen)	Hilfe usw.
1139, 1696	betrügen	betriegen
1405	ungefähr	ohngefähr
2598	hin und wider springt	hin- und widerspringt (Hr)
2798, 2801	euch	Euch (Hr)
3085, 3146	immer fort	immerfort (Pe)
3155	Sprüchwort	Sprichwort
3762	dann	denn
3964	denn	dem
3985	Mit einem (od. Einem) Sprunge	Mit einem Sprunge
4685	immerfort zu streben	immer fortzustreben (Hr)
4721	ersprießend	entsprießend
4915	euch	Euch (Pe)
5112	in Laub und Gängen	in Laub- und Gängen
5190	feinen	stillen
5863	so fort	sofort
6179	Hin- und Widergehn	Hin- und Wiedergehn (Hr)
6278 u. ö. (8mal)	ergetzen	ergötzen (Hr)
6345-46	Er, ihr	Er, Ihr, (Hr)
6814	e'	en (Wk[9])
6847	höhern, höhern	reinern, höhern
7105	In Fels- und Höhlen	In Fels und Höhlen
7154-65	euch, ihr, euch, ihr, euer	Euch, Ihr, Euch, Ihr, Euer (Pe)
		Euch, ihr, euch, ihr, euer (Gr Hr)
7307	hin und wider	hin und wieder (WA Hr)
7482	verrufene	verrufne
7545	Kolossale Karyatide	Kolossal-Karyatide (Wk)
8771	Königes	Königs (WA)

9005	verbündete	Verbündete
9335-36	ihr, ihr	Ihr, Ihr (WA Hr) Ihr, ihr, (JA)
10387	hin und her gedrungen	hin- und hergedungen (Hr)
10590	hin und wider	hin und wieder (Hr)
10909	sich's handelt	sich handelt (Hr)
10932	Zeit	Zeiten (Hr)
10942	Weitre	Weitere (Hr)
11160	fremdem	fremden
11247	mit e i n e m (od. Einem) Blick	mit einem Blick
11372	unbesonnenen	unbesonnen (Wk[9])
11703	Zweigleinbeflügelte	Zweiglein beflügelte
11704	Knospenentsiegelte	Knospen entsiegelte
11867	tieferm	tiefem
11886-87	in stumpfer[9] Sinne Schranken,	in stumpfer Sinne-schranken (Hr)
12109	ist es getan	ist's getan

V

Auf Grund der vorstehenden Übersicht, sowie der oben mehr im einzelnen besprochenen Fragen ließe sich zusammenfassend etwa Folgendes sagen.

Die neueren Fausttexte, die auf WA fußen, zeigen im großen Ganzen zweifellos eine weitgehende Übereinstimmung, sowohl in dem, was eigentliche Lesarten betrifft, wie auch in Bezug auf Rechtschreibung und Zeichensetzung. Besonders gilt das von den Ausgaben, die wir als Vulgata zusammengefaßt haben; unter ihnen wieder vor allem von den vier großen wissenschaftlich kommentierten Ausgaben von Erich Schmidt, Witkowski, Petsch und Trendelenburg. Bei genauerem Nachprüfen zeigen jedoch auch diese nicht nur eine ganze Reihe von Abweichungen voneinander, sondern es finden sich auch innerhalb einer jeden unbeabsichtigte Ungleichmäßigkeiten in der Anwendung derjenigen Schreib- und Druckvorschriften, die sie augenscheinlich anerkennen und denen sie zu folgen bemüht sind. In dieser Hinsicht ist die Heckersche Textrevision der Welt–Goethe-Ausgabe ungleich gründlicher und konsequenter vorgegangen und hat einen Text geschaffen, der einerseits auf einer eingehenden Nachprüfung der Handschriften und frühen Drucke beruht und in dem anderseits in Fragen der Rechtschreibung und Zeichensetzung die als Richtschnur gewählten Grundsätze mit verschwindend wenigen Abweichungen auch wirklich durchgeführt worden sind. Ohne Zweifel ist so ein Fausttext entstanden, der allen früheren an Einheitlichkeit und Zuverlässigkeit überlegen ist.

Ob die dabei befolgten Grundsätze allgemeine Anerkennung und Nachfolge finden dürften, ist z. Z. nicht abzusehen, besonders da sie in Bezug auf die fast gänzliche Beseitigung der Apostrophe und die überhäufige Verwendung des Doppelpunktes und Ausrufezeichens den gegenwärtigen Regelbüchern und Druckgepflogenheiten nicht entsprechen. Zunächst ist also durch das Erscheinen des Heckerschen Textes Grad und Umfang der bestehenden Abweichungen unter den neueren Fausttexten bedeutend gesteigert worden. Zugleich weist aber das in ihm bekundete Bestreben, für die Wortwelt des größten Dichtwerkes deutscher Zunge eine möglichst würdige, auf lange Zeit hin gültige Gestalt zu gewinnen, nachdrücklich auf das hin, was zweifellos eine bedeutsame nationale Angelegenheit ist oder sein sollte, wennschon es im gegenwärtigen Augenblick geschichtlichen Geschehens nicht so erscheinen mag. Jedenfalls muß man sich wundern, daß die Veröffentlichung des Heckerschen Textes zunächst 1932 und dann 1937, soweit ich zu sehen vermag, zu keiner prinzipiellen Erörterung oder Auseinandersetzung geführt zu haben scheint. Hoffentlich entschließt sich der Herausgeber möglichst bald zur Veröffentlichung einer wohlfeilen, mit Zeilenzählung versehenen Ausgabe, um so seinen Text leichter und allgemeiner nutzbar zu machen.

Um allerdings zu dem neuen Text berechtigterweise kritisch Stellung zu nehmen, wäre es notwendig, daß man selbst Zugang hätte, wenn auch nicht zu der Masse des handschriftlichen Nachlasses, die für Faust II vorliegt, so doch mindestens zu der Haupthandschrift H, um deren Nachprüfen es sich in vielen Fällen handeln müßte. Die Angaben in den Lesarten der Weimar-Ausgabe genügen dafür trotz ihrer Reichhaltigkeit durchaus nicht immer. Äußerst wünschenswert wäre es deshalb, wenn diese wichtige Handschrift, trotzdem sie keine eigenhändige Dichterhandschrift und noch dazu sehr umfangreich ist, durch eine Faksimilewiedergabe oder ein anderes geeignetes phototechnisches Verfahren allgemein zugänglich gemacht werden könnte. Ist sie ja doch ein „von Goethe mehrfach revidiertes Mundum“, das „zahlreiche Eingriffe“ des Dichters aufweist, „der namentlich die nicht seltenen Lücken ausgefüllt hat“. Sie würde also zugleich einen Einblick in Goethes Dichterwerkstatt gewähren, wie wir ihn durch keine Wiedergabe einer vollendetschönen Originalhandschrift wie der *Laune des Verliebten* oder des *Egmont* gewinnen können. Ich bin überzeugt, daß wenn man in ruhigerer Zeit, die hoffentlich nicht allzu lange auf sich warten läßt, in Weimar an ein solches Unternehmen heranträte und sich die Kosten nicht als allzu unerschwinglich erwiesen, man in den Vereinigten Staaten allein auf Vorausbestellungen fast aller führenden Lehranstalten und großen Bibliotheken zählen könnte und sicher ebenso in weitem Umfang in der ganzen gebildeten Welt, denn trotz aller Goethe- und Faustmüdigkeit, von der jetzt hie und da die Rede ist, bleibt der *Faust* eben doch immer—der *Faust*!

Die Herausgeber des Index glauben und hoffen, daß auch ihre entsagungsvolle Arbeit an diesem Wunder- und Rätselbau der Weltliteratur, so trocken und nüchtern sie manchem zunächst vorkommen mag, sich in ihrer Art förderlich erweisen möchte für ein immer volleres Verständnis und eine immer gründlichere Würdigung der Dichtung und ihres Dichters.

Umlaut und Reim

Ein Beitrag zur Geschichte und Theorie des deutschen Reims, mit besonderer Berücksichtigung von Goethe und der Goethezeit

(1942)

I

MEIN Interesse an dem Problem der sogenannten Umlautreime (ö:e, ü:i, eu:ei) geht weit zurück. Bereits im Jahre 1904 sprach ich in einer MLA-Versammlung in der Universität Michigan über „A Contribution to the History of Modern German Rhyme,“ und ich habe die Frage, die ja durch das Auftreten neuer Dichter immer lebendig blieb, nie ganz aus den Augen verloren. Ursprünglich hatte sich mein Interesse aus der Praxis des Unterrichts entwickelt. Wir bestehn bei Anfängern auf sorgfältiger Lippenrundung für ö, ü, eu und betonen, daß entrundete Aussprache, also wie e, i, ei, wohl dialektisch berechtigt sei, in der Schriftsprache aber schlechte Sprachgewohnheiten, wenn nicht Mangel an Bildung verrate. Kurz danach aber legen wir unsern Schülern, auch zum Auswendiglernen, kleine Gedichte als Proben bester, wenn auch schlichtester deutscher Dichtung vor, in denen anstandslos ü mit i, eu mit ei, seltener ö mit e reimen. Einem nachdenklicheren Schüler, besonders wenn er etwa gleichzeitig französische Dichtung kennenlernt, müssen Reime dieser Art befremdend nachlässig erscheinen, und er mag sich über ihre „richtige“ Aussprache Gedanken machen und Fragen stellen. Meinen Erfahrungen nach sind die meisten Lehrer demgegenüber nicht imstande, eine befriedigende und geschichtlich haltbare Erklärung abzugeben, die, wenn nicht im Anfangsunterricht, so doch bei späterer Literaturbetrachtung nicht zu vermeiden ist.

Was allerdings aus diesen Anfängen sich entwickelt hat, ist etwas weit andres geworden als ursprünglich beabsichtigt.

Aus dem Gesagten erhellt, daß es nicht die sprachgeschichtliche, sondern die ästhetische Seite des Gegenstands ist, der mein Hauptinteresse gilt. Ich behandle deshalb auch alle ö-, ü- und eu-Laute als gleichwertig, ohne Rücksicht darauf, ob sie im einzelnen Fall ihrer Entstehung nach wirklich Umlaute sind oder nicht. Andrerseits gehe ich auf Fragen des a-Umlauts nur nebenbei ein. So wichtig gerade diese für das 17. und die erste Hälfte des 18. Jahrhunderts sind[1], für die neuere Zeit bilden sie kein Problem mehr, da nicht nur kurzes, sondern auch langes geschloßnes und offnes e im Reim nicht mehr nachweisbar auseinandergehalten werden[2].

Zuverlässige Auskunft über Schicksal und Bedeutung der Umlautreime ist im Zusammenhang meines Wissens nirgends zu finden. Und doch liegt hier nicht nur eine äußerst interessante, sondern auch vor allem eine viel umstrittene und selten richtig verstandene Entwicklungslinie vor, die vor mehr als 500 Jahren einsetzte und erst im Laufe des letzten Jahrhunderts ihren Abschluß erreicht hat. Von den wissenschaftlichen Werken über deutsche Verslehre gehen die meisten, wie Saran, Kauffmann, Atkins, auf die neuere Zeit wenig oder garnicht ein. Selbst in Heuslers *Deutscher Verslehre* (3. Bd., 1929), die auch zur neueren und neuesten Zeit feine und wertvolle Ausführungen enthält, steht die Behandlung der modernen Probleme in keinem Verhältnis zu der der früheren Jahrhunderte. Das einzige umfassend und wissenschaftlich angelegte Werk für die neuere Zeit ist Minors *Neuhochdeutsche Metrik,* deren zweite und letzte Auflage (Straßburg, 1902) immerhin schon vierzig Jahre zurückliegt. Aber selbst da, wo Heusler, Minor oder die Verfasser kleinerer, mehr populär gehaltener Werke (wie Kleinpaul oder Mehring oder Minckwitz) auf das Reimverfahren des 17., 18. und 19. Jahrhunderts eingehen, wird ein wirkliches Verständnis des Problems nur zu oft erschwert, wenn nicht verhindert, einerseits durch die landläufigen Anschuldigungen von nachlässiger Aussprache und mangelndem Formsinn, anderseits durch schiefe Vergleiche mit der Reimreinheit der mhd. Blütezeit, die als unerreichtes

Muster hingestellt wird. Zusammenhängende und eingehende Angaben in historisch richtiger Beleuchtung bringt eigentlich nur Neumann in seinem 2. Kapitel („Die gerundeten Vokale eu, ü, ö im Reim"). Nur ist sein Interesse vor allem ein sprachgeschichtliches, und seine Untersuchung beschränkt sich auf die Zeit von Opitz bis Wieland. Auch ist die zerfasernd eingehende Untersuchung und Buchung aller einzelnen Reimsilben für allgemeinere Zwecke nur schwer verwendbar.

Vorbedingung für eine unvoreingenommene Beurteilung der in Frage kommenden Vorgänge ist die Fähigkeit, die Dinge nicht durch die Brille der Gegenwart, wenn nicht gar der eignen Sprechweise zu sehen. Es ist das im Prinzip leichter zuzugeben als in der Praxis zu befolgen. Jedenfalls sehe ich deshalb zunächst davon ab, die Umlautreime als rein oder unrein, ja selbst als gerundet oder ungerundet zu unterscheiden. Das erstere ist bereits ein Urteil, das letztere setzt Kenntnis der tatsächlichen Aussprache voraus, die nur mit größter Vorsicht aus Druck oder Schrift erschlossen werden kann. Ich bezeichne deshalb Reime von ö:ö, ü:ü, eu:eu als gleiche, die von ö:e(ä), ü:i, eu:ei als ungleiche Umlautreime und benutze gelegentlich der Raumersparnis und Übersichtlichkeit halber die Abkürzungen gl. U. und ungl. U. „Gleich" und „ungleich" beziehen sich dabei lediglich auf das Schriftbild, nicht aber auf angenommene Gleichheit oder Ungleichheit der Aussprache. Gleiche Umlautreime machen in unsrer Untersuchung keine Schwierigkeit. Ob gerundet oder ungerundet ausgesprochen: sie sind stets „reine" Reime. Ungleiche Umlautreime dagegen können rein oder unrein sein, je nachdem der umgelautete Vokal eines gegebenen Reimpaars ungerundet oder gerundet ausgesprochen wird. Sie sind der eigentlich problematische Teil unsrer Untersuchung. Die relative Häufigkeit ihrer Verwendung seitens eines Dichters kann auf zwei Weisen bezeichnet werden: entweder durch die Zahl ihrer Vorkommnisse innerhalb eines als festes Maß genommenen Textabschnitts, etwa 1000 Zeilen, oder aber durch die Prozentzahl ihres Vorkommens im Verhältnis zur Gesamtzahl aller Umlautreime (gleich und ungleich) in einem leidlich umfangreichen Textabschnitt von unbestimmter Länge. Die beiden Verfahren decken sich nicht; sie haben beide ihre besonderen Vorteile und Nachteile. Ein ganz klares Bild von der Häufigkeit, mit der bei einem Dichter ungleiche Umlautreime auftreten, ergibt sich eigentlich erst, wenn beide Zahlen zugänglich sind; in gewissen Fällen habe ich deshalb auch beide verwendet, doch aber nur sehr selten. Im Allgemeinen habe ich mich mit dem zweiten Verfahren begnügt. Ein Beispiel möge beides klar machen. In den 734 Zeilen von Hallers *Alpen* fand ich 17 gl. U. und 40 ungl., d. h. 70 Prozent aller Umlautreime sind ungleich, und auf 1000 Zeilen berechnet ist die Zahl ihrer Vorkommnisse 55. In drei Dichtungen von Opitz von 2066 Zeilen dagegen fanden sich 29 gl. U. gegen 60 ungl. oder 67 Prozent ungl., in je 1000 Zeilen 29. Das heißt in diesem Falle, das Verhältnis der gl. und ungl. U. ist bei Opitz und Haller wenig verschieden. Innerhalb eines gegebenen Textstücks von gleicher Länge dagegen finden sich bei Haller fast zweimal soviel ungl. U. als bei Opitz. Was nun für die verhältnismäßige Häufigkeit oder Seltenheit von ungl. U. bei einem Dichter das Charakteristischere ist und dem Leser einen stärkeren Eindruck macht: das zahlenmäßige Verhältnis der beiden Arten von Umlautreimen zueinander oder aber der Abstand, in dem sie durchschnittlich auftreten, dürfte schwer zu entscheiden sein.

Betonen möchte ich noch, daß Neumann noch anders verfährt. Erstens behandelt er seiner sprachgeschichtlichen Ziele halber ö-, ü- und eu-Reime notwendigerweise stets getrennt, während ich das in meinen Tabellen wohl in weitem Umfange ebenfalls getan habe, mich aber in diesen Ausführungen auf die Gesamtzahlen für alle drei Typen beschränke als für unsre Zwecke fast stets vollständig ausreichend. Außerdem aber zählt er z. B. im Falle der eu-Reime bei Opitz nicht nur die eu:eu- und eu:ei-Bindungen sondern auch die bei weitem häufigeren ei:ei-Reime und setzt an: ei:ei 82,7 Prozent eu:eu 4,7 Prozent eu:ei 12,6 Prozent, was nach meinem Verfahren 73 Prozent eu:ei-Reime ausmacht. In entsprechender Weise verfährt er natürlich auch für ö und ü.

Nach diesen etwas ermüdenden, aber nicht gut zu umgehenden Erklärungen gehe ich zunächst über zu dem tatsächlichen Verlauf der Entwicklung. Während a-Umlaut schon früh im Ahd. eintrat und mit e bequem bezeichnet werden konnte, läßt sich o-, u(uo)- und ou-Umlaut auf Grund deutlich erkennbarer Bezeichnungen erst im 12. Jahrhundert nachweisen. Wo es sich um Verwendung der neu entstandenen Umlautvokale im Reim handelte, lag es natürlich nahe, sie außer mit sich selbst mit ihren Grundvokalen zu binden, von denen sich ihre Aussprache noch nicht weit entfernt haben mochte, also ö mit o, ü(üe) mit u(o), öu mit ou, und solche Reime hielten sich in gewissen Teilen Deutschlands bis ins 16. Jahrhundert. Selbst Opitz warnt noch vor Reimen wie *Sünden:gefunden,* wie sie im älteren Kirchenlied noch in Umlauf waren. Allmählich aber schritt die Palatalisierung der ursprünglich gutturalen Vokale weiter voran, d. h. die Artikulationsstelle der Umlautvokale wurde mehr und mehr nach vorn, nach e, i, ei hin, verlegt. Da die ursprüngliche Lippenrundung beibehalten wurde, entwickelte sich im Verlauf des 12. Jahrhunderts die uns jetzt geläufige Aussprache der Umlaute, die dann in der mhd. Hofsprache von sorgfältig reimenden Dichtern nur untereinander gebunden wurden, nicht mehr, oder nur selten noch, mit o, u, ou; noch nicht, oder ebenfalls nur selten, schon mit e, i, ei. Zugleich aber beweist der Umstand, daß allmählich, wenn auch zuerst vereinzelt, Reimbindungen von ö mit e und von ü(üe) mit i(ie) auftreten und an Ausbreitung gewinnen, daß der Umlautprozeß nicht auf dem Punkte haltmacht, den er um 1200 erreicht hatte. Auf die zuerst eingetretene Palatalisierung erfolgt in weiterer Angleichung an ein in der nächsten oder übernächsten Silbe folgendes i allmählich auch die Entrundung, und je mehr diese sich durchsetzt, d. h. also, je mehr ö wie e, ü wie i, eu wie ei gesprochen werden, um so mehr wächst und erstarkt die Verwendung von ö:e-, ü:i-, langsamer die von eu-ei-Reimen: die ungleichen Umlautreime nehmen an Häufigkeit zu und werden allmählich herrschend. Schon in der zweiten Hälfte des 14. Jahrhunderts werden sie zahlreicher. Die ersten Dichter, die das neue Reimverfahren systematischer anwenden, wie Heinrich von Laufenberg und Hermann von Sachsenheim, gehören nach Freiburg i. Br. und Straßburg und in die erste Hälfte oder Mitte des 15. Jahrhunderts. Sie reimen *froyd:leid, fliessen:süessen, gestirn:zürn.* Zeitgenössische Bayern dagegen, wie z. B. Rosenblüt in Nürnberg, weisen die Neuerung noch nicht auf und bleiben bei

Reimen wie *gut:gemüt, dörfen:geworfen,* was beweist, daß hier die Entrundung langsamer vor sich ging oder ganz ausblieb. Auf schwäbischem Gebiet zeigen dann Brants *Narrenschiff* (1494), Reimdichtungen Murners (um 1520), vor allem aber Fischarts *Glückhafft Schiff von Zürich* (1576) bereits ein zahlenmäßiges Überwiegen der ungleichen Umlautreime über die gleichen (60-70 Prozent). Weit weniger häufig bleiben die neuen Bindungen noch bei Hans Sachs (Bayern, etwa 8 Prozent), Luther (Obersachsen), Burkhard Waldis (Hessen), Rollenhagen (Brandenburg). Es entspricht also durchaus nicht dem tatsächlichen Vorgang, wenn selbst Minor für die Einbürgerung der ungl. U. besonders auf Hans Sachs verweist oder wenn Rudolf Hildebrand in dem prächtigen Aufsatz „Zur Geschichte der Aussprache aus neuester Zeit“[3] den Hergang „von Mitteldeutschland, im Besonderen von Obersachsen“ ausgehen läßt.

Mit dem 17. Jahrhundert ging die literarische Führung im Zeitalter des Barock an Schlesien über, später, während der Herrschaft der Aufklärung und des Rokoko an Obersachsen, das allerdings auch schon in und vor der schlesischen Zeit gerade in Fragen von Schrift und Aussprache eine wichtige Rolle gespielt hatte. Sowohl in Schlesien wie im obersächsischen Gebiet war aber damals die entrundete Aussprache der Umlaute durchgedrungen, durchaus nicht nur im Dialekt der Volkssprache, sondern auch in der Redeweise der Gebildeten, wenn sie sich der Schriftsprache bedienten. Es handelt sich hier also in keiner Weise um eine nachlässige oder unfeine Aussprache, sondern einfach um das, was in den weitaus größten, volkreichsten und kulturell führenden Teilen Deutschlands für mustergültig galt und meist auch da, wo man anders sprach, wie in der Schweiz, in Ostfranken und im Norden, so anerkannt wurde. Bei diesem Stand der Dinge geht es für die hier in Frage kommende Zeit natürlich nicht an, wie das nur zu häufig geschieht, und nicht nur in Laienkreisen, in der gerundeten Aussprache von ö, ü, eu etwas an sich Besseres oder Richtigeres erblicken zu wollen, weil sich diese Aussprache im Laufe der Weiterentwicklung, aber erst 100–200 Jahre später, wieder allgemein durchgesetzt hat. Im Gegenteil, gemeindeutschem Empfinden des 17. Jahrhunderts dürfte die gerundete Aussprache der Umlaute im Norden als rückständig und altfränkisch gegolten haben. So schreibt z. B. Zesen in seinem *Hochdeutschen Helicon* (1640) in Bezug auf die ungleichen Umlautreime, daß die Meißner und Obersachsen „sich im aussprechen der liebligkeit mehr befleissen, als andere Deutsche völker, und lieber allezeit das lieblich-scharfe i vor das etwas dunkele, unliebliche ü, im ausreden brauchen wollen." Tatsächlich war die Aussprache im Norden auf halbem Wege stehengeblieben und hatte ein durchaus natürliches letztes Stadium der Entwicklung nicht mitgemacht. Man braucht beispielsweise sich ja nur das Schicksal des Umlauts von u in den einzelnen germanischen Schriftsprachen, also im Holländischen, Dänischen, Norwegischen, Schwedischen, Englischen, zu vergegenwärtigen, um sich zu überzeugen, wie verschieden das Endergebnis ausgefallen ist. Für das Englische belegen Formen wie *feel, fill, keen,* etc. die gleiche Aussprache wie die im 17. und 18. Jahrhundert in Mittel- und Süddeutschland herrschende. Ja, man darf wohl annehmen, daß auch in Deutschland die entrundete Aussprache die allgemein herrschende geworden wäre, wenn im 15. und 16. Jahrhundert bei der allmählichen Ausbildung einer neudeutschen Schrift- und Druckersprache, für die ja doch der Süden und die Mitte maßgebend gewesen waren, die Schriftzeichen der Aussprache sich angepaßt hätten. Das aber geschah nicht. Als bildlicher Ausdruck etymologischer Zugehörigkeit zu den Grundvokalen hielten sich die Bezeichnungen ö, ü, eu, und auf sie konnte man sich später, als der Norden mehr und mehr an politischem und kulturellem Einfluß zunahm, berufen als Beweis dafür, daß die gerundete Aussprache das „Richtigere" bewahrt habe.

Opitz, der in seinen literarischen Reformbemühungen in weitem Umfang auf französischen Vorbildern fußt, vertritt nachdrücklich die Forderung reiner Reime. Da natürlich das Ohr und nicht das Auge in Fragen der Reinheit entscheiden soll, so versteht es sich von selbst, daß er die ungleichen Umlautreime als durchaus „reine" Reime beibehält. Wie sorgfältig er dabei zumindest in der Theorie vorgeht, beweist nicht nur der Umstand, daß er die offnen und geschloßnen e-Laute im Reim sauber geschieden wissen will, sondern auch daß er infolgedessen für ö, das er als geschloßnes e spricht, Bindungen mit offnem e nicht zuläßt. *hören:verkehren* ist ihm kein reiner Reim, wohl aber *hören:ehren.* Daß auch in diesen Dingen heißer gekocht als gegessen wurde, ist selbstverständlich. Jedenfalls finden Lehre und Vorbild Opitzens weiteste Anerkennung und Nachfolge, nicht nur unter den Schlesiern und nicht nur in den übrigen Teilen von Mittel- und Süddeutschland, sondern auch im Norden. Die Verwendung der ungl. U. wird im 17. Jahrhundert so allgemein, daß genauere Angaben für die einzelnen Dichter für unsern Zweck belanglos sind, besonders da Neumann in seinem 2. Kapitel (S. 102-16) sie in weitem Umfang gibt. Für Opitz ergeben meine Zählungen für alle drei Typen von ungl. U. 67 Prozent, für den Ostpreußen Simon Dach nicht viel weniger, 61 Prozent. Um eine Art Gesamtbild für das ganze Jahrhundert zu gewinnen, habe ich die Sommerfeldsche „Deutsche Barocklyrik" ausgezählt. Es sind etwa 5350 Verse. Sie ergeben einen Durchschnitt von 75 Prozent ungl. U. Dichter, die sich ihrer Verwendung enthalten, gibt es nicht.

II

Für das 18. Jahrhundert bleibt das Bild, äußerlich betrachtet, zunächst das gleiche. Wenn sich jetzt auch schon einige vereinzelte Ausnahmen nachweisen lassen, so nimmt im Allgemeinen das Vorkommen der ungl. U. eher zu als ab, bei den Norddeutschen fast noch mehr als in den andern Gebieten. Wenn Gellert, der Obersachse, 72 Prozent ungl. U. aufweist, so finden sich bei den Hamburgern Brockes und Hagedorn je 89 Prozent und 86 Prozent, bei dem Harzländer Gleim in seinen *Kriegsliedern* (1756/7) sogar 92 Prozent, meinen Zählungen nach ein „all time high." Der *Göttinger Musenalmanach* für 1771-73, in dem Dichter aus allen Gauen Deutschlands zu Worte kommen, weist einen Durchschnitt von 79 Prozent auf. Daß es sich dabei bestimmt nicht um ein nachlässiges Reimverfahren handelt, beweist die Tatsache, daß Dichter wie Brockes und Hagedorn und in einigem Abstand von ihnen auch Gellert bei ihrem ausgiebigen Gebrauch von ungl. U. in andrer Hinsicht durchaus sorgfältig reimen. Sie unterscheiden allerdings nicht mehr zwischen offnem und geschloßnem langem e, die sie deshalb auch mit langem ä reimen, und sie binden in Übereinstimmung mit der Sprache ihrer Landschaft, besonders bei a, langen und kurzen Vokal (Gellert beides allerdings häufiger als die beiden andern). Doch das sind Unstimmigkeiten, die sich bei sehr sorgfältigen Dichtern um 1900 noch finden. Sie vermeiden aber alle Bindungen von stimmhaften und stimmlosen Konsonanten, was bei dem Sachsen Gellert besonders ins Gewicht fällt. Bedenkt man, daß ihre ungl. U. der herrschenden Aussprache ihrer Zeit nach reine Reime waren, so weisen vor allem Brockes und Hagedorn, aber neben ihnen auch Gellert, eine hohe Stufe von Reimreinheit auf.

In dieses anscheinend klare Bild mischen sich nun aber allmählich beunruhigende Züge. Vor allem wird vom Norden her die Berechtigung der ungerundeten Aussprache der Umlaute angefochten. Gottsched, in offensichtlichem Bemühen, zwischen seiner ostpreußischen Sprechweise und der seiner sächsischen Umgebung zu vermitteln, schreibt z. B. in seiner *Deutschen Sprachkunst* (1. Aufl. 1748): „Eu muß mit etwas hohlerm Munde ausgesprochen werden, als *ei;* z. E. *Freude* nicht wie *Freide,* viel weniger wie *Fraide,* aber auch nicht wie *Froide,* wie einige Niedersachsen es thun." Oder: ü „hat den mittlern Ton zwischen dem *u* und *i,* wie das französische u . . . Z. E. *blühen* nicht wie blihen." Oder: „Hergegen sollten *heut* und *beut* . . . nicht mit *Zeit* reimen. Denn wer die Selbstlauter recht ausdrücket, der höret hier einen ganz andern Ton in *eu,* als in *ei.* . . . Allein freylich pflegt die hiesige meißnische Aussprache, Dichtern eine größere Freyheit zu verstatten . . . Es ist schwer, hier den Ausschlag zu geben, wer Recht hat, oder nicht." (Ich zitiere nach der 5. Aufl. von 1762). Charakteristisch genug verwendet er selber trotzdem etwa 65 Prozent ungl. U. Natürlich ließ auch die gegenteilige Ansicht von sich hören, und der schlesische Grammatiker Mätzke z. B. sagt 1780 ausdrücklich, daß ä, ö nur etymologisierende Zeichen für die e-Laute, ü Zeichen des i-Lautes seien und äu, eu, ei, ai die gleiche Aussprache hätten. Jede Unterscheidung zwischen ö und e u. s. w. sei „Aussprecherei"[4]. Endlich möge in diesem Hin und Her der Meinungen noch Bürgers interessanter und aufschlußreicher Aufsatz *Hübnerus redivivus*[5]. *Das ist: kurze Theorie der Reimkunst für Dilettanten* erwähnt werden. Bürger tut sich viel darauf zugute, daß seine Wiege auf niedersächsischem Boden, aber doch „auf der Grenze von Obersachsen, der Heimat der neuern Hochdeutschen Mundart“ gestanden und er dann teils in Halle, teils „unter gut Hochdeutsch redenden Menschen in und um Göttingen“ gelebt habe und „also echte Hochdeutsche Aussprache sowohl in den Ohren, als in dem Munde“ haben dürfte. Die ungl. U., „will man es ganz genau und strenge nehmen“, sind ihm „wenn nicht *völlig richtige,* doch wenigstens *verzeihliche Reime,* zu denen naseweise Kunstrichter wenigstens zu schweigen haben.“ Trotzdem solle man nur dann nach ihnen greifen, „wenn gar kein Ausweg mehr vorhanden zu sein scheint.“ Dabei verwendet er selber, ähnlich wie Gottsched, etwa 68 Prozent ungl. U. Ja, in der *Lenore* von 1774 ist der Reim *Träumen:Säumen,* mit dem das Gedicht vielversprechend beginnt, der einzige gl. U. bei 7 ungl.! Allerdings stammt die Schrift erst aus Bürgers letzter Zeit.

Ausnahmen von dieser anscheinend unerschüttert gleichmäßigen Herrschaft der ungl. U. finden sich in der ersten Hälfte des Jahrhunderts zwei, die mir beide in ihren letzten Gründen nicht ganz durchsichtig sind. Einerseits veröffentlicht 1749 der Niedersachse P. G. Werlhof einen Band *Gedichte,* in denen kein einziger ungl. U. vorkommt! Andrerseits findet sich bei Haller ein überraschend scharfer Umschwung in seinem Verfahren. In den *Alpen* (1732) verwendet er 70 Prozent ungl. U., was sich von Opitz oder Gottsched nicht wesentlich unterscheidet. In den Marianneliedern dagegen und in andern Gedichten der Zeit von 1736-41 finden sich nur 5 ungl. gegen 32 gl. U. (14 Prozent), d. h. die ungl. U. sind volle 5 mal weniger häufig als vorher. Eine Erklärung wird wohl darin zu suchen sein, daß Haller 1736 nach Göttingen übersiedelte[6]. Weder Werlhofs noch Hallers Vorgehen fanden aber Beachtung, geschweige Nachfolge.

Was sich in den angeführten Tatsachen von einer einsetzenden Gegenbewegung gegen die Vorherrschaft der obersächsischen Aussprache der Umlaute bemerkbar macht, wurde nach der Mitte des Jahrhunderts durch eine Reihe von Umständen begünstigt, die zum Teil außerhalb der sprachlich-literarischen Sphäre liegen. Mit dem Abklingen der Aufklärung und des Rokoko und dem Erliegen

Gottscheds vor Klopstock und den Schweizern verliert Obersachsen die literarische Führung. Etwa gleichzeitig gehen aus dem dritten schlesischen Kriege Sachsen und Schlesien als Besiegte, Preußen als Sieger hervor. Kurz nach Friedensschluß wird der Versuch gemacht, ein Nationaltheater zu gründen, also eine Art Musteranstalt in Dingen lebendig gesprochener Dichtung, aber nicht mehr in Leipzig, sondern in Hamburg. Waren die Neuberin, Koch und Schönemann, die führenden Theaterdirektoren bis etwa 1760, Ostmitteldeutsche gewesen, bei denen zweifellos die obersächsische Sprechweise maßgebend war, so sind jetzt die Ekhof (Hamburg), Ackermann (Schwerin), Schröder (Schwerin), Iffland (Hannover) durchgehends Norddeutsche. Ihre Truppen dürften deshalb auch der Mehrzahl nach aus Norddeutschen bestanden haben, die so dazu beitrugen, der Aussprache des Nordens auch im Mittelland und im Süden Gehör und vielleicht allmählich Geltung zu verschaffen. Zu alledem kam der schon oben erwähnte Umstand, daß ja in Schrift und Druck die alten Umlautbezeichnungen waren beibehalten worden. Auf sie konnte man sich um so eher als geschichtlich gültig berufen, als sie der Hauptsache nach mit der Schreibweise der mhd. Dichtungen übereinstimmten, die gerade jetzt mehr und mehr bekannt wurden.

Alles dies sind notwendigerweise nur Andeutungen von Dingen, denen ich hier nicht weiter im Einzelnen nachgehen kann. Jedenfalls sollte es nicht Wunder nehmen, daß in Mittel- und Süddeutschland auch die Kreise höchster Bildung sich all dem gegenüber auf lange Zeit ungläubig verhielten, gleichgültig, mißtrauisch, ablehnend. Es handelte sich ja im Grunde wirklich nicht um gut oder schlecht, richtig oder falsch, sondern einfach um Brauch gegen Brauch. Der Brauch des Nordens mochte manches für sich haben, aber es ging um Brauch in Dingen von Sprache und Dichtung, und Sprache und Dichtung hatten von jeher ihre Entwicklung und Blüte im Süden und dann im Mittelland erlebt. Und gab es denn im Norden wirklich große Dichter und vollendete Dichtungen, die meisterhaft waren in der Verwendung des Reims und einem neuen Brauch Ansehen und Geltung hätten verschaffen können? Das Gegenteil war der Fall. Die bedeutendsten literarischen Vertreter des Nordens in der zweiten Hälfte des 18. Jahrhunderts, die Möser, Hamann, Klopstock, Herder, Voß, gleich den Schweizern Bodmer und Breitinger und Lavater, die ja auch die Umlaute gerundet sprachen, waren entweder überhaupt nicht oder nicht in erster Linie Dichter, oder aber sie waren ausgesprochene Gegner des Reims. So erklärt sich die an sich vielleicht befremdende Tatsache, daß gegen Ende des 18. und im ersten Viertel des 19. Jahrhunderts wohl die entrundete Aussprache der Umlaute an Boden und Geltung verlor und die gerundete gewann, hier mehr, dort weniger, hier früher, dort später, hier schneller, dort langsamer, daß aber trotz alledem die ungleichen Umlautreime, die infolgedessen allmählich aufhörten, *reine* Reime zu sein, sich so gut wie ungeschwächt behaupteten. Die maßgebenden Dichter von nationalem Ruf und Ansehen, die in der Zeit von etwa 1770 bis 1800 auf den Plan traten und für hohe Dichtung sich des Reims bedienten, kamen wieder wie einst aus dem Süden und Westen. Auf Grund ihrer eignen entrundeten Aussprache der Umlaute, die sie aus der Jugend mitbrachten und sicher, soweit sie sie überhaupt ablegten, bis in ihr reiferes Mannesalter hinein sich bewahrten, hatten weder Wieland, noch Goethe, noch Schiller zunächst die geringste Veranlassung, die seit Jahrhunderten fest eingebürgerten ungleichen Umlautreime aufzugeben. Aber selbst später, als sie ihnen etwa in den 90er Jahren aufhören mochten, tadellos reine Reime zu sein, hielten sie an ihrer Verwendung um so eher fest, als ihrem in diesem Punkte ungeschulten Ohre sie sicher auch noch befriedigend gleich klangen, wenn der Umlaut gerundet, aber mit noch zögernder und mäßiger Rundung gesprochen wurde. Die zwingende Größe ihrer dichterischen Leistungen aber sicherte ihrem Vorbild auf Jahre hinaus auch da Anerkennung und Nachfolge, wo man unabhängig davon wohl versucht hätte, anders zu verfahren. Man *mag* es bedauern, daß die Blüte der klassisch-romantischen Dichtung nicht wie einst im Mittelalter sich auf dem Hintergrund eines einheitlich, wenn auch künstlich geschaffenen Sprachideals entwickelte, sondern gerade in einer Zeit sich lebendig kreuzender und befehdender sprachlicher Strömungen. Unsre Klassiker selber aber trifft dabei keine Schuld, und ob dieser Umstand *nur* einen Nachteil bedeutete, ist immerhin eine Frage, an die ich allerdings erst in den Schlußbetrachtungen des zweiten Teils dieser Arbeit herantreten will.

Wieland bringt in seinem Reimverfahren nichts Neues. Bereits in seinen frühen Lehrgedichten ist von schwereren Einwirkungen seiner spezifisch schwäbischen Aussprache nur wenig zu spüren. Er strebt bereits hier dem Gellertschen Muster nach, das er dann im *Oberon* (1780) fast restlos erreicht. Seine ungl. U. kommen auf 81 Prozent, bei Gellert waren es 72. Konsonantische Ungleichheiten, die Gellert stets vermeidet, finden sich bei Wieland wohl noch gelegentlich in der Jugend, im *Oberon* dagegen so gut wie nicht mehr. Wenn jedoch Neumann (S. 371) angibt, *Pferde:hörte* bilde den einzigen konsonantisch anstößigen Reim des *Oberon,* so ist das zuviel gesagt. Ich habe kein Zehntel des *Oberon* ausgezählt und doch im 6. Gesang *beladen:waten* gefunden. Derartig versprengte, unbewußt mituntergelaufene Entgleisungen haben aber für das charakteristische Verfahren eines Dichters keine Bedeutung.

Ganz anders liegen nun aber die Dinge für Schiller und Goethe. Schiller verschmäht, wie bekannt genug, in den Reimen seiner frühen Gedichte irgendwelches literarische Muster oder Vorbild und verläßt sich mit verblüffenden Ergebnissen ganz und gar auf seine schwäbische Mundart. In den *Anthologie*-Gedichten von 1782, die es auf 86 Prozent ungl. U. bringen, wimmelt es von abenteuerlich anmutenden Reimen, wie *dahin:sehn, Schöne:Bühne, Menschen: wünschen, nun:Ton, hegt:neckt, Wiesen:Küssen.* Selbst unbetonte Endungen reimen, wie *zitterten:Liebenden* oder gar *Segnungen: Wiedersehn.* Wenn aber spätere Beurteiler, denen daran zu liegen scheint, das Reimverfahren der klassischen Dichter in einem möglichst ungünstigen Lichte erscheinen zu lassen, diese Jugendsünden Schillers so hinstellen, als ob sie für sein Reimverfahren charakteristisch wären, so ist das eine üble Verdrehung der Tatsachen. So sagt z. B. selbst Minor (S. 398): „Besonders störend empfindet man bei ihm wie bei allen Schwaben [!] die Reime von i:e:ö und von u:o vor einem Nasal: also das von Schlegel verhöhnte *Menschen:wünschen*“ u. s. w. und schließt damit tatsächlich ab, was er über Schillers Reime zu sagen hat! In Wahrheit aber entwuchs Schiller den übelsten dieser Gewohnheiten rasch. Schon 1784 finden sie sich nur noch ganz vereinzelt, danach überhaupt nicht mehr. *Das Lied an die Freude* (1785) hat, von ungl. U. und langem e: ä natürlich abgesehen, nur noch *Tod:Gott, Elysium:Heiligtum, an: Bahn* und *vergelten:melden,* d. h. es reimen nicht allzuselten kurzer und langer Vokal und vereinzelt stimmhafter und stimmloser Konsonant. Vereinzelte Unstimmigkeiten dieser Art, die seiner schwäbischen Aussprache selber bei gewähltem Vortrage vor den Schauspielern und bei Hofe sicher bis zuletzt anhafteten, legt Schiller allerdings nie ganz ab, auch in seinen sorgfältigst gereimten Dichtungen nicht. Den Grad von Gellerts Reimreinheit hat Schiller nicht ganz erreicht, aber in den 425 Zeilen des *Lieds von der Glocke* (1799) finden sich eigentlich doch nur drei anstößige Reime: *Zeitenschoße:Lose, sucht:Frucht, Zierde:Würde,* dabei kein einziger Reim wie *an:Bahn* oder *davon:Lohn,* die bei Wieland, Goethe und Dichtern des 19. Jahrhunderts sich so häufig finden. An einzelnen kürzeren Gedichten ist überhaupt nichts auszusetzen. Kurz, Schiller hat in strenger Selbstzucht an der Säuberung seines jugendlichen Reimverfahrens mit ebensoviel Energie wie Erfolg gearbeitet und verdient es wahrlich nicht, immer wieder im Hinblick auf die frühen Verstöße charakterisiert zu werden[7]. Es ist das wichtig zur Beurteilung seiner ungleichen Umlautreime. Die behält er gleichmäßig bis ans Ende bei. Sie müssen ihm also bis zuletzt durchaus einwandfrei geklungen haben[8].

III

Goethes Verhalten zu unsrer Frage ist ungleich komplizierter. Eine ausgedehnte mittlere Periode hebt sich stark ab von vorher und nachher, während Jugend und Alter in manchen Zügen auffallend übereinstimmen. Mit Jugend meine ich hier allerdings die eigentlichen Sturm und Drangdichtungen, also etwa die Literaturfarcen, den *Ewigen Juden* und vor allem den „Urfaust". In den Dichtungen dieser Art, in denen die ungl. U. mit etwa 83 Progent vertreten sind, geht Goethe Reimen mit Frankfurter dialektischer Färbung nicht aus dem Wege, und wir treffen nicht nur Bindungen wie *ab:Grab, Lohn:davon, steigt:erreicht, lag:nach,* sondern auch solche wie *steigen:reichen, Tage:Sprache, schaden:raten.* Dazu kommen dann einige

Assonanzen, nicht viele, wie *Erde:gerne, gesegnet:Gegend, Floh:Sohn,* u. a., die deutlich auf den Einfluß der Volkslieder zurückzuführen sind. Bemerkenswert ist dabei, daß Goethe solche unreinen Bindungen fast gänzlich auf die Sturm und Drangdichtungen in Knittelversen einschränkt. In den lyrischen Gedichten der gleichen Jahre finden sich solche Härten, wie sie im *Liederbuch Annette* (1767) und auch in den Straßburger Liedern noch vorkamen, nur ganz selten. Einzelne frühe Gedichte, wie „Das Veilchen", „Christel", „Rettung", „Neue Liebe, neues Leben", „Der König in Thule", „Sehnsucht", „Auf dem See" sind tadellos gereimt, kaum hie und da ein ungl. U. Läßt man die Umlautreime aus dem Spiel und sieht ab von Reimen mit langem e:ä und von leichteren lang:kurz-Bindungen, besonders *an: getan, Wahn, Bahn* u. s. w., wie man sie im 19. Jahrhundert fast überall antrifft, so ergibt sich eine solche Fülle formvollendeter Gedichte (Lieder wie Balladen), daß an ein Aufzählen nicht zu denken ist. Die folgende kleine Auswahl möge nur beweisen, daß sie nicht auf einzelne Epochen beschränkt sind, sondern sich durch all die Jahre hindurchziehen: „An den Mond", „Der Sänger", „Mignon", „Der Schatzgräber", „Vanitas", „Gewohnt, getan", „Gefunden", „Der Zauberlehrling", „Schäfers Klagelied", „Urworte Orphisch", „Eins und Alles", die drei Dornburger Gedichte von 1828, „Vermächtnis". Wenn ich hier längere Gedichte, wie *Die Braut von Korinth* oder die *Marienbader Elegie* nicht nenne, so ist es nur je *ein* bedenklicher Reim, der sie ausschließt: *genug:Leichentuch, Große: Gestaltenlose.*

Höchste Formvollendung erstrebt und erreicht Goethe in den 17 Sonetten von 1807-8. Goethe macht es sich nicht leicht. Er verwendet je 2 Reime zu 4 und drei Reime zu 2 Zeilen, in fester Anordnung, durchgehends weiblich. Es findet sich keine Quantitätsverletzung, keine konsonantische Härte und, was ebensoviel besagt, kein einziges belangloses Reimwort. Ich wüßte kaum, worin Platen später Goethe übertroffen hätte, außer eben in der Aufgabe der ungleichen Umlautreime. Goethe hat 18 ungl. neben 10 gl. U. (64 Prozent). In den oben genannten 7 Gedichten aus den Jahren von 1772-75 finden sich je 6 gl. und ungl. U., also nur 50 Prozent. Es ist klar, bewußtes Streben nach höchster Formvollendung und Reimreinheit hat für Goethe nichts zu tun mit der Verwendung oder dem Vermeiden der ungl. U. Das Gleiche ließe sich erhärten durch andre besonders sorgfältig gestaltete Gedichte, wie etwa die Ottaverimen der Karlsbader Huldigungsgedichte von 1808-10 oder die „Zueignung“ zum *Faust* oder gewisse Faustpartieen, wie z. B. Z. 1022-1146. (Nur wenig Schritte noch . . .) u. a. m.

Sowie wir uns über Wesen und Geltung der ungl. U. klar sind und gewillt, sie aus den sprachlichen Verhältnissen der Zeit heraus zu empfinden und zu bewerten, ist es durchaus unzulässig, über die Reime der Klassiker und der Besten unter ihren Vorgängern geringschätzig abzuurteilen. Schiller und Goethe, in ihren reifen und vollendetsten Dichtungen—und auf die kommt es an—sind auch in ihrer Reimkunst würdige Vertreter ihrer Zeit. Minors Charakteristik der Reime Goethes (S. 397) gibt ein eben so unzulängliches, wenn nicht gar entstelltes Bild wie seine Bemerkungen zu Schiller. Die Behauptung: „Goethe in seinen besten Liedern [bleibt] weit hinter den mittelhochdeutschen Anforderungen zurück“ ist, wie ich im zweiten Teil dieser Arbeit auszuführen gedenke, ein eben so schiefes wie oberflächliches Urteil.

Zwei Schwierigkeiten bestehen allerdings bei einem Versuch, Goethes Verskunst nach der Seite der Reime hin gerecht zu werden. Beide gehören eigentlich in die Reimgeschichte des 19. Jahrhunderts und können hier nur kurz angedeutet werden. Die eine Frage betrifft den Zeitpunkt, zu dem für Goethe seiner eignen Aussprache nach die ungl. U. dürften aufgehört haben, tatsächlich reine Reime zu sein, wie sie das sicher für ihn in den 70er und 80er Jahren waren. Hildebrand in dem erwähnten Aufsatz versuchte glaubhaft zu machen, Goethe habe bis an sein Ende an der ungerundeten Aussprache der Umlaute festgehalten. Wir werden sehen, daß das schon wegen seiner langjährigen Tätigkeit als Leiter des Weimarer Theaters undenkbar ist, außer allenfalls für seine bequeme Haus- und Umgangssprache. Es bleibt dann aber die weitere Frage, warum der Wandel, den er muß durchgemacht haben, seine Verwendung der ungl. U. in keiner Weise beeinflußt hat.

Die zweite Schwierigkeit betrifft die geradezu demonstrativ wirkende Rückkehr zu ausgesprochen unreinen Reimen und Assonanzen, die in den Gedichten des *West-östlichen Divan* und in anderen Gedichten derselben Zeit einsetzt und die uns an die oben angeführten Beispiele aus der Sturm und Drangzeit erinnern. Goethe hatte sie jahrzehntelang gemieden. Wie kommt er zu ihrer erneuten Verwendung, vor allem auch in der abschließenden Arbeit am Zweiten Teil des *Faust?* Der bekannte Vierzeiler: „Ein reiner Reim wird wohl begehrt" erschien im Druck im Jahre 1827. Die Zeit seiner Niederschrift kennen wir nicht. Aber unter dem 9. Februar 1831 berichtet Eckermann, Goethe habe sich beklagt, die Kritiker quengelten jetzt, „ob in einem Reim ein s auch wieder auf ein s komme und nicht etwa ein ß auf ein s" und habe fortgefahren: „Wäre ich noch jung und verwegen genug, so würde ich absichtlich gegen alle solche technischen Grillen verstoßen, ich würde Alliterationen, Assonanzen und falsche Reime, alles gebrauchen, wie es mir käme und bequem wäre; aber ich würde auf die Hauptsache losgehen und so gute Dinge zu sagen suchen, daß jeder gereizt werden sollte, es zu lesen und auswendigzulernen." Wenige Wochen danach schreibt Goethe am *Faust* die letzte Szene des 5. Aktes. Sehen wir sie uns auf ihre Reime hin an, so mutet sie uns an wie die Verwirklichung des in fast jugendlicher Aufwallung aufgestellten Programms. Es ist hohe Dichtung, in edelster Sprache, voller Schwung und Kraft der Phantasie und des Gefühls. Die ungl. U. sind nicht besonders zahlreich (53 Prozent). Die Reimwörter haben ungewöhnliche Klang- und Sinnfülle. Dabei aber weisen die wenigen 267 Zeilen die folgenden anstößigen Reime auf: *Augen:brauchen, Felsen:wälzen, gebietest:befriedest, würdig:ebenbürtig, verschlingen:Büßerinnen, Boden:Odem, neige:Ohnegleiche; Tag:nach, erbötig:gnädig.*

Was jedoch nachweisbare direkte Äußerungen des Dichters zur Frage bedingter oder unbedingter Reimreinheit betrifft, so beschränken sie sich auf die beiden erwähnten Stellen. Indirekt verwertbar sind nur noch die sogenannten „Regeln für Schauspieler", die Eckermann 1824 zusammenstellte auf Grund von Notizen aus dem Jahre 1803, wo Goethe mit den Schauspielern Wolff und Grüner eingehende Studien und Übungen vornahm. Was darin über die Notwendigkeit einer scharfen Unterscheidung von b und p, d und t, g und k gesagt wird, hat natürlich keine Beweiskraft für Goethes Aussprache im täglichen Verkehr (Rahel bezeichnet sie in einem Briefe an Varnhagen im Oktober 1815 als eine „etwas sächsische, sehr aisée Sprache")[9], wohl aber für sein Vorlesen eigner und fremder Verse und die mindestens beabsichtigte Aussprache der Reime. Man hat sich oft gewundert, daß in diesen Regeln die Aussprache der Umlaute nicht berührt wird, und Hildebrand z. B. benutzte diesen Umstand, um Goethes frühere ungerundete Aussprache von Frankfurt her auch für die Zeit seiner Bühnenleitung, ja bis ans Ende glaubhaft zu machen. Dem widerspricht aber die unter dem 5. Mai 1824 berichtete Unterhaltung mit Eckermann, die sich über die erwähnten Notizen verbreitet, also auf die Zeit von 1803 bezieht. Hier sagt Goethe unter anderem: „Ich habe in meiner langen Praxis [als Leiter der Weimarer Bühne, 1791-1817][10] Anfänger aus allen Gegenden Deutschlands kennen gelernt. Die Aussprache der Norddeutschen ließ im ganzen wenig zu wünschen übrig. Sie ist rein [d. h. klar und gut verständlich] und kann in mancher Hinsicht als musterhaft gelten. Dagegen habe ich mit geborenen Schwaben, Oesterreichern und Sachsen oft meine Not gehabt." Auch hier spricht Goethe zunächst nur von b:p, d:t und g:k, was die ihm vorliegenden Notizen an die Hand gaben, fährt dann aber fort: „Gleicherweise wird hier [in Weimar] das ü häufig wie i ausgesprochen, wodurch . . . die schändlichsten Mißverständnisse veranlaßt werden. So habe ich nicht selten statt Küstenbewohner—Kistenbewohner, statt Türstück—Tierstück . . . vernehmen müssen, nicht ohne Anwandlung von einigem Lachen." Eckermann berichtet darauf, daß ein solcher Fall erst „neulich im Theater" vorgekommen sei. Das Ganze beweist, mit welchen Aussprachenöten Goethe als Bühnenleiter zu kämpfen hatte, daß er sich selber mindestens seit der Jahrhundertwende bei sorgfältigem Vorlesen um eine von ihm als mustergültig anerkannte Aussprache bemühte und daß er deshalb die Mehrzahl der vokalisch und konsonantisch unstimmigen Reime muß „ungleich" ausgesprochen haben. Wenn er sie deshalb in seinen eignen Dichtungen auch im 19. Jahrhundert in weitem Umfang beibehält, ja gegen Ende seines Lebens fast ostentativ zunehmen läßt, so beruht das dann sicher nicht einfach auf bequemer Frankfurter Aussprache, sondern auf der seinem Sprach- und Kunstgefühl entstammenden Überzeugung, daß im Interesse einer spontan-lebendigen Dichtersprache sich für den deutschen Vers die Forderung von restlos reinen Reimen als nachteilig erweisen müsse. Wir werden später sehen, daß er es dabei keinem Dichter verdenkt, wenn er willens ist, ein solches Joch auf sich zu nehmen. Er selber aber lehnt es ab.

IV

Die Zeit, um die es sich hier handelt (1803-1824), ist die der ersten zwei Jahrzehnte des 19. Jahrhunderts, d. h. es ist genau die Zeit, in der die Bewegung zu Gunsten einer Reimreform, die dem restlos reinen Reim als ihrem Endziel zustrebt, Boden gewinnt. Ziemlich allgemein und durchaus nicht nur in Laienkreisen herrschte und herrscht allerdings die Ansicht, am Anfang dieser Bewegung habe Platen gestanden[11], der erst in den zwanziger Jahren auf den Plan tritt. In Wirklichkeit ist aber beim Auftreten Platens die Sache bereits entschieden, und er verdankt, abgesehen von der etwas lärmenden Schilderhebung durch Geibel und die Münchner, den ihm zugefallenen und nicht unverdienten Vorkämpferposten dem Glanz und der Energie seiner Leistung, womit er die Vorgänger, auf deren Schultern er stand, allerdings weit übertraf.

Bei meinem Bemühen, in dieser für die deutsche Versgeschichte nicht unwichtigen Frage bis in ihre wirklichen Anfänge vorzudringen, handelte es sich zunächst um das Aufstöbern von Dichtern, die um die Jahrhundertwende eine nicht zu verkennende Abneigung gegen die uneingeschränkte Verwendung von ungleichen Umlautreimen (ungl. U.) an den Tag legen. Rein empirisch, aber mit leidlicher Sicherheit konnte ich feststellen, daß da, wo gegen den freien Gebrauch von ungl. U. keine Bedenken vorliegen, sich durchschnittlich 65-75 Prozent solcher Reime einstellen. Wo der Prozentsatz auf etwa 50 Prozent herabgeht, herrscht sicher schon bewußt oder unbewußt ein Versuch des Ausweichens, und wo der Satz noch tiefer sinkt, ist eine entsprechend größere Abneigung gegen ungl. U. am Werke. Von Dichtern der romantischen Ära, deren Geburtsjahr in die 70er Jahre fällt, scheiden einige deshalb von vornherein aus. Hölderlin bringt es in seinen frühesten Versen von etwa 1785-90 auf 69 Prozent ungl. U. und liefert dabei eine Blütenlese von schwäbelnden Abnormitäten ähnlich wie Schiller in den Anthologie-Gedichten (ist:wischt; Hände:Sünde; Tugenden:edleren, u. s. w.), und was die ungl. U. betrifft, so ändert sich deren Häufigkeit bei ihm auch nicht in den wenigen späteren Reimdichtungen, die sich bis etwa 1801-2 finden. Bei Novalis, dem Thüringer, sind es 80 Prozent, bei Tieck und bei Arnim, den beiden Berlinern, 61 Prozent und 66 Prozent. Der Rheinländer Brentano fällt auf mit nur 46 Prozent; doch ergibt sich bei ihm dieser überraschend geringe Satz aus einer ganz eigenartigen Abneigung (ich kenne keinen zweiten Fall dieser Art) nur gegen die ü:i-Reime (39 Prozent), während ungl. ö- und eu-Reime mit 72 u. 62 Prozent vertreten sind. Bei all diesen Dichtern bleibt ihr Verfahren im Wesentlichen unverändert im Laufe der Jahre. Sie haben an der neuen Bewegung keinen Anteil, weder führend noch folgend.

Die Berücksichtigung des zeitlichen Verlaufs im Schaffen eines Dichters ist in all diesen und vielen der folgenden Fälle natürlich von größter Wichtigkeit[12], erweist sich aber bei Lyrikern oft als umständlicher und zeitraubender, als man vielleicht annehmen möchte. Bei neueren Dichtern, für die keine kritischen oder chronologisch geordneten Ausgaben vorhanden sind, wird es fast unmöglich. So sehr ich also bei der Charakteristik des Verfahrens eines Dichters das chronologische Prinzip im Auge gehabt habe, so bleibt sicher in manchen Fällen viel nachzuholen für eindringendere Einzeluntersuchungen. Der Umfang des von mir jeweilig untersuchten Materials ist für einzelne Dichter sehr umfangreich, im großen Ganzen aber notwendigerweise auf mäßigere Proben beschränkt. Wenn ich also feststelle, daß z. B. bei Dauthendey ungl. U. nicht vorkommen, so kann das immer nur heißen: in den von mir untersuchten Teilen seiner Dichtungen. Es ist also nie ausgeschlossen, daß man mir versprengte Abweichungen hie und da wird nachweisen können. Auf die aber kommt es für meinen Zweck auch nicht an, sondern auf das, was eines Dichters charakteristisches Verfahren ist. Anders ist es, wenn ich Gedichtgruppen oder Einzelwerke geringeren Umfangs zu kennzeichnen versuche, wie z. B. Rückerts *Geharnischte Sonette* oder Hofmannsthals *Der Tor und der Tod*. Dann beruhen die Angaben auf strengem Auszählen.

Alles, was Minor noch in seiner 2. Auflage von 1902 zu dem Streben nach größerer Reimreinheit über das Verfahren von Wieland, Schiller und Goethe hinaus zu sagen hat, faßt er folgendermaßen zusammen (S. 398): „Die reinsten Reime findet man in den Dichtungen aus Platens späterer Zeit; auch der Übersetzer Gries gehört zu unseren besten Reimern. Aber auch sie kommen nicht ganz ohne unreine Reime aus: besonders i:ü und e:ö reimen auch bei ihnen oft genug auf einander. Nur die Quantität der Vokale wird von ihnen genau beobachtet und Reime wie *hart:Bart* wären bei ihnen unmöglich. Dagegen ist die Anzahl der unreinen Reime bei unserem großen Reimkünstler Rückert . . . eine sehr große; und er reimt nicht nur ungescheut die hellen und die dunklen Vokale i:ü, e:ö, sondern auch . . . lange Vokale mit kurzen (*Art:hart*)." An dieser Formulierung ist viel auszusetzen. Zunächst wäre die Beschränkung „aus späterer Zeit" auch für Gries anzusetzen, dessen Übersetzungen des Tasso (1800-3) und Ariost (1804-8) noch über 70 Prozent ungl. U. aufweisen. Andrerseits sind ungl. U. bei dem späteren Gries so selten, daß Minors „oft genug" ein ganz falsches Bild gibt. Bei Platen scheiden ungl. U. nach 1819 vollständig aus. Dagegen ist es gerade die Quantität der Vokale, gegen die beide Dichter auch in ihrer späteren Zeit nicht selten verstoßen, so daß hier ein „oft genug" eher am Platze wäre. Reime wie *dahin:Ruin, Joch:hoch, Gesuch:Geruch* (bei Platen), *Herr:wer, dies: gewiß* (bei Gries) mögen als Beleg dienen, daß es sich dabei nicht um die bei den meisten Dichtern der Zeit unvermeidlichen *an:getan* handelt. Was endlich Rückert betrifft, so hat Minor wohl recht im Hinblick auf die große Masse seiner späteren Dichtungen und Übersetzungen. Aber gerade für die frühen Dichtungen, mit denen Rükkert in die Bewegung für Reimreinheit eingreift, entbehren sie jeder Berechtigung, soweit die Umlautreime in Frage kommen. Sowohl die *Geharnischten Sonette* von 1814 wie die *Östlichen Rosen* von 1822 sind durchaus frei von ungl. U., mit der einzigen Ausnahme von *Hyder:Glieder*.

Wenn ich Minors unhaltbare Behauptungen hier so eingehend widerlege, so hat das seinen guten Grund. Denn auf sie gründet Minor seine Ablehnung strenger Reimreinheit für die deutsche Dichtung, wenn er fortfährt:, „Darnach ist die objektive Forderung eines ganz reinen Reimes für unsere neueste Dichtung[13] nicht aufrecht zu halten, sie würde mit zu schweren Opfern erkauft." Auch ich teile die Bedenken Minors gegen unbedingte und allgemein verbindliche Reimreinheit im deutschen Vers, aber gerade deshalb muß mir daran liegen, daß sie sich nicht auf Behauptungen stützt, die den Tatsachen nicht entsprechen und deshalb von gegnerischer Seite leicht widerlegt werden können.

Jedenfalls kommt Minor in dem, was er zum Umschwung zu reinen Reimen zu sagen hat, über Platen, Gries und Rückert nicht hinaus, und auch Neumann und Heusler dringen da nicht weiter vor. Tatsächlich aber liegen die Anfänge einer zunehmenden Empfindlichkeit gegen unstimmige Reime und einer entsprechenden Abwendung von dem älteren Brauch um zehn bis zwanzig Jahre früher. Daß die Neueinstellung von norddeutschen Dichtern ausgeht, ist fast selbstverständlich, denn es äußert sich in ihr letzten Endes das erstarkende Vorherrschaftsgefühl des Nordens in strittigen Punkten der gemeindeutschen Sprache der Gebildeten.

Einer der ersten, wenn nicht der erste, bei dem sich nun um die Jahrhundertwende eine auffallende, zweifellos bewußter Absicht entspringende Beschränkung im Gebrauch der ungl. U. nachweisen läßt, ist der Hannoveraner Friedrich Schlegel. Bereits seine „Ersten Frühlingsgedichte" von 1800-1 (*Werke,* IX, 79-124) weisen nur 21 Prozent ungl. U. auf zu einer Zeit, wo sie überall in Deutschland noch mit 60-70 Prozent an der Tagesordnung waren. Bei diesem seinem frühen Verfahren ist dann Friedrich in seinen späteren Gedichten geblieben. Eine weitergehende Ausmerzung, wie sie bei seinem Bruder, allerdings erst 1803 einsetzt, hat Friedrich nie vorgenommen. Da dieser erste Vorstoß von Reimreinigung nach Hannover deutet, so wirft sich die Frage auf, ob hier nicht doch vielleicht direkt oder indirekt Einfluß der Werlhofschen Gedichte von 1749 möchte wirksam gewesen sein. Werlhof (1699-1767), der berühmte hannöverische Hofarzt, so wenig er in der literarischen Welt Deutschlands eine Rolle spielte, muß in Hannover selbst eine hochangesehene und einflußreiche Persönlichkeit gewesen sein. Der Vater der Brüder Schlegel aber, der sächsische Theologe Johann Adolf Schlegel, war 1759 als Oberpfarrer nach Hannover gekommen und starb daselbst 1793 als Generalsuperintendent. Er hatte in seiner Jugend zu den Bremer

Beiträgern gehört und veröffentlichte in den 60er Jahren geistliche und lehrhafte Gedichte. Die beiden Männer, der führende Arzt und einer der angesehensten Pastoren Hannovers, müssen mindestens durch ihren Beruf in den 8 Jahren bis zu Werlhofs Tod in persönliche Berührung gekommen sein. Man möchte annehmen, die Werlhofschen Gedichte, durch Haller legitimiert und 1756 in zweiter Auflage erschienen, müßten in der Bücherei des Schlegelschen Hauses gestanden haben. Einfluß auf das Reimverfahren von Schlegel Sr. können sie allerdings nicht gehabt haben, denn nach den mir zugänglichen Proben bringt er es in seinen Gedichten auf nicht weniger als 89 Prozent ungl. U. Um so mehr dürften Werlhof und der Vater im Verein, der eine abschreckend, der andre anspornend, auf den jungen, nach Neuland ausschauenden Friedrich gewirkt haben, wenn ihm etwa in des Vaters Bibliothek nach dessen Tode (1793) die Werlhofschen Gedichte (mit der Hallerschen Vorrede!) sollten in die Hände gefallen sein[14].

Anders ist der Verlauf bei einem weiteren Neuerer, dem Ostpreußen Zacharias Werner. In seinen frühesten Gedichten aus der Zeit bis 1790 finden sich 72 Prozent ungl. U. neben zahllosen lang: kurz (l:k)-Reimen und vereinzelten konsonantischen Unstimmigkeiten. Das bleibt sein Reimverfahren bis 1805. In diesem Jahre kommt Werner nach Berlin, wo er mit Iffland und Wilhelm Schlegel verkehrt, und nun, vor allem mit den Sonetten von 1807-8, durch die er Goethe anregt, setzt ein deutlich erstrebter Rückgang der ungl. U. ein (34 Prozent), und auch alle sonstigen Ungleichheiten fallen weg! Jedenfalls gehören Werners Sonette zu den wenigen frühen Dichtungen des 19. Jahrhunderts, die einen ungewöhnlich hohen Grad von Reimreinheit aufweisen. Im Allgemeinen verbleibt Werner in der Folgezeit bei diesem sorgfältigen Verfahren.

Zwei weitere norddeutsch orientierte Dichter, die auf Reimreform bedacht sind, die man aber soweit in diesem Zusammenhang übersehen hat, sind Chamisso und Fouqué, bei denen man wohl berechtigt ist, französische Einflüsse als mitwirksam anzunehmen. Chamisso dichtet bis zum Ende des Jahrhunderts noch französisch. Seine frühesten deutschen Verse, die er dann in die Ausgabe seiner Gedichte von 1831 nicht aufgenommen hat, veröffentlichte er in dem von ihm und Varnhagen herausgegebenen Musenalmanach auf 1804, 1805 und 1806. Im ersten Jahrgang bringt es Chamisso auf 75 Prozent ungl. U., 1806 dagegen sind es nur noch 40 Prozent, und, was noch interessanter ist, in den 7 Sonetten, die sich in den drei Jahrgängen verstreut finden, fehlt bereits jeder ungl. U. Also auch bei ihm das Bestreben, das sich bei allen Dichtern der Zeit nachweisen läßt, im Sonett trotz seiner schwierigen Reimansprüche der Reimreinheit der italienischen Vorbilder möglichst nahezukommen. In den späteren Gedichten, die Chamisso in die Ausgabe von 1831 aufgenommen hat, herrscht fast völlige Reinheit der Umlautreime bei auch sonst sehr sorgfältigem Reimverfahren.

Für den Brandenburger Fouqué vermag ich nicht anzugeben, wie stark bei ihm neben engeren Beziehungen zu dem Emigrantenstrom seiner Jugendzeit der französische Hintergrund seiner Abstammung noch dürfte wirksam gewesen sein. Bereits der Großvater, ein berühmter General Friedrichs d. Gr., war im Haag geboren und starb vor der Geburt des Dichters. Fouqués früheste Gedichte, die zum Teil noch den 90er Jahren angehören, sind von ihm 1816 als *Gedichte aus dem Jünglingsalter* veröffentlicht worden (*Gedichte,* 1. Bd.). In ihnen finden sich nur 33 Prozent ungl. U. Ein zweiter Band bringt dann 1817 *Gedichte aus dem Manns-Alter,* von denen die frühesten 1804, die spätesten 1816 datiert sind. Hier finden sich in einer Gruppe von *Liedergrüßen* (S. 139-212) sogar nur 15 Prozent ungl. U., während allerdings eine andre Gruppe von Kriegs- und Schlachtliedern aus dem Jahre 1813, die einen volkstümlichen Ton anschlagen, 41 Prozent aufweisen. In ganz auffallendem Gegensatz zu dieser seiner Art steht nun aber die erste Veröffentlichung Fouqués, die *Dramatischen Spiele,* die 1804 unter dem Pseudonym Pellegrin erschienen, ein Band von 270 Seiten, der sechs kurze Dramen enthält, nach spanischer Art teils in Vollreimen, teils in Assonanzen. Ich habe vier davon genau durchgesehen und keinen einzigen ungl. U. gefunden! Es ist klar, die Zeit war reif geworden für Versuche dieser Art, und es ist nicht ausgeschlossen, daß Ähnliches aus den ersten Jahren des Jahrhunderts noch hier oder da auftauchen mag, wo man es nicht vermutet; ebensowenig wie ich je vermutet hätte, daß gerade Fouqué der Erste sollte gewesen sein, der in einer umfangreichen

Originaldichtung grundsätzlich und erfolgreich alle ungl. U. aufgab. Fouqué reimt langen und kurzen Vokal und lang e:ä, in vereinzelten Fällen auch ng:nk und g:ch (beides nur im Auslaut). Sonst aber sind die Reime, vor allem die Umlautreime, von tadelloser Reinheit, obgleich drei- und vierfache Reime zahlreich sind. Ihrem Bau und Stil nach stellen sich die kleinen Dramen unter das Banner Calderons, von dem Wilhelm Schlegel eben im Vorjahre drei Dramen als ersten Band seines *Spanischen Theaters* veröffentlicht hatte, und auf dem Titelblatt des Fouquéschen Werkes nennt sich Schlegel als der Herausgeber. Er will den von ihm sehr geschätzten jüngeren Dichter so in die Literatur einführen. Es liegt also nahe anzunehmen, daß Fouqués überraschender Verzicht auf alle ungl. U. auf Schlegels Einfluß zurückzuführen ist. Dies ist um so wahrscheinlicher, als Schlegel selber, wie wir gleich sehen werden, gerade um das Jahr 1802 sich zur grundsätzlichen Vermeidung dieser Reime entschlossen hatte, seinerseits vielleicht angeregt durch des jüngeren Bruders früheres, wenn auch beschränkteres Vorgehen. Sollte Werlhof hier wieder spuken?

Wilhelm Schlegel hat in seinen frühen Gedichten der 90er Jahre 62 Prozent ungl. U. In den Sonetten, die teils im *Athenäum* teils in der Ausgabe der *Gedichte* von 1800 erschienen, sinkt der Satz auf 50 Prozent, was, wie fast immer bei Sonetten, auf sorgfältigeres Reimen, nicht aber auf ein grundsätzlich geändertes Verfahren hinweist. Der von W. Schlegel und Tieck herausgegebene *Musenalmanach für das Jahr 1802* strotzt noch von ungl. U., und auch in den Übersetzungen der drei Calderonschen Dramen, die als erster Band des *Spanischen Theaters* 1803 erschienen und 1801-2 dürften entstanden sein, finden sich noch etwa 60 Prozent. In den *Blumensträußen der italienischen, spanischen und portugiesischen Poesie* von 1804 dagegen zeigt Schlegel ein völlig neues Verfahren. Es fehlen noch nicht alle ungl. U., aber es ist unverkennbar, daß die wenigen, die sich noch finden, vorwiegend Reimwörter betreffen, für die reine Reime nur schwer, wenn überhaupt zu finden sind: *Freuden, Hölle, Teufel, Büschen.* Wenn der Band bei flüchtigem Einsehen den Eindruck erweckt, als fehle es noch sehr an Reimreinheit, so rührt das daher, daß eine Anzahl Stücke, die von Gries herrühren, unter die Schlegelschen verstreut sind. Schlegels *Blumensträuße* und Fouqués *Dramatische Spiele* sind, soweit ich jetzt sehe, die ersten beiden Werke des 19. Jahrhunderts, in denen die ungl. U. teils fast ganz, teils ganz ausscheiden. Beide 1804, beide stark unter romanischem Einfluß. Erst fünf Jahre später erwächst ihnen Nachfolge im 2. Band von Schlegels *Spanischem Theater* von 1809 und nach weiteren fünf Jahren in Rückerts *Geharnischten Sonetten.* Schlegels *Poetische Werke* von 1811 bringen Altes und Neues und wirken deshalb nicht einheitlich. Erwähnenswert ist, daß Schlegel, als er 1810 die Gries'sche Ariost-Übersetzung eingehend bespricht und zu zahlreichen stilistischen, grammatischen und anderen Einzelheiten Ausstellungen macht, die weitgehende Verwendung von ungl. U. in keiner Weise beanstandet. Zweifellos war das noch auf lange Zeit hinaus die allgemeine Stellungnahme. Auch da, wo man selbst den Gebrauch der ungl. U. aufgab oder möglichst beschränkte, ließ man sie bei anderen als einwandfrei gelten. Wenn z. B. die Reime des Goetheschen *Divan* bemängelt wurden, so betraf das nicht die ungl. U., sondern Bänder wie *eingeengten:beschränkten* oder *teutschet:heischet*[15]. Hieraus erklärt sich wohl auch, daß Goethe in der verärgerten Äußerung zu Eckermann im Jahre 1831 über quengelnde Kritiker die Bindung ungleicher s-Laute erwähnt, nicht aber etwa die ungl. U.

Auf Wilhelm Schlegel und Fouqué folgt der Unterfranke Rückert mit den *Geharnischten Sonetten* von 1814 und den *Östlichen Rosen* von 1822. Beide habe ich bereits oben als so gut wie frei von ungl. U. gekennzeichnet. Rückert ist somit der erste nicht norddeutsch eingestellte Dichter, der wenigstens vorübergehend die ungl. U. aufgibt. Was Rückert in seinem Verfahren beeinflußt haben mag, entzieht sich meiner Kenntnis. In andern Dichtungen der gleichen und vor allem der späteren Zeit läßt er ungl. U. wieder zu, aber doch nur in vereinzelten Fällen.

Als Nächster tritt der Hamburger Johann Gries, einer der besten deutschen Übersetzer, in die Bewegung ein. Er kommt 1795 nach Jena, wo sich Wilhelm Schlegel für ihn interessiert und für den ersten Band seiner Tasso-Übersetzung (2 Bde. 1800-3), in welcher der freiste Gebrauch von ungl. U. herrscht, die Korrekturen liest. 1801 geht Schlegel nach Berlin (Einfluß auf Chamisso durch Fouqué?) und

1804 mit Mme. de Staël nach Italien, und Gries bleibt im 2. Tasso-Band wie auch in den vier Bänden seiner Ariost-Übersetzung (1804-8) bei dem alten Verfahren. Im elften Gesang des *Rasenden Roland* z. B. finden sich bei Gries noch 77 Prozent ungl. U. Eine Übersetzung des gleichen Gesanges, die Schlegel 1799 im *Athenäum* veröffentlicht hatte, wies 67 Prozent auf. Schlegelsche Reime aus dieser frühen Zeit wie *süßen:Riesen:schließen* finden sich bei Gries allerdings nicht. Kurz nach Abschluß der Ariost-Übersetzung aber wird Gries von der Bewegung gegen die ungl. U. erfaßt. In der Ausgabe seiner Gedichte (2 Bde., 1829) sind die einzelnen Nummern genau datiert. Danach muß der Wandel bei ihm etwa 1809 eingesetzt haben. Wenigstens finden sich von 1810 ab ungl. U. nur noch ganz vereinzelt. Als 1815 der erste Band seiner meisterhaften Calderon-Übertragung erscheint, scheiden sie so gut wie ganz aus. Bei leidlich ausgiebigem Nachprüfen habe ich nur das widerspenstige, aber in einer Calderon-Übersetzung wohl unvermeidliche Reimwort *König* gefunden, das auf *wenig* und *untertänig* reimt. Gries reimt l:k und lang e:ä, konsonantisch aber sind seine Reime, wie schon in der früheren Zeit, sehr sorgfältig.

Nun erst, am Ende einer langsamen Entwicklung von mehr als zwanzig Jahren, deren Ergebnisse er verwerten darf, greift Platen in den Gang der Dinge ein, allerdings mit einer Energie, Konsequenz und Virtuosität, die über das bisher Geleistete weit hinausgehen. Seinen Jahren nach ist er beträchtlich jünger als seine Vorgänger: 29 Jahre jünger als der Älteste von ihnen, Wilhelm Schlegel, 8 Jahre jünger als der Jüngste, Friedrich Rückert. Obgleich in Ansbach geboren, also in demselben Frankengau wie Rückert, ist es bei ihm nicht schwer nachzuweisen, wie und warum er sich einer Gruppe zugesellt, die sonst nur aus Norddeutschen besteht. Der Vater ist Hannoveraner, die Mutter so eng mit französischer Sprache und Kultur verwachsen, daß der Briefwechsel zwischen ihr und dem Sohn zeitlebens französisch geführt wird. Unmittelbar allerdings haben diese Einflüsse die frühen Verse Platens nicht bestimmt. Im Gegenteil, bis gegen Ende 1816 reimt er gut ansbachisch, unberührt von dem, was inzwischen die neuere Reimtechnik bereits geschaffen hatte: etwa 66 Prozent ungl. U., zahlreiche l:k- und lang e:ä-Reime und „oft genug" Reime wie *Geläute:Weide, großen:tosen, weichen: Steigen* u. s. w. Die ungl. U. liegen ihm so sehr, daß sich 1815-16 in einigen übrigens überraschend gewandten Gedichten in englischer Sprache die Reime *flies:joys, sly:joy, fly:boy* finden[16]. Erst die Jahre 1817–18 bringen den Umschwung[17]. Max Koch in seiner Einleitung zur zwölfbändigen Hesse-Ausgabe der Werke bringt einschlägige Belege aus den Tagebüchern. Danach hatte Platen im Gegensatz zu seiner bayrischen Umgebung seine Aussprache bewußt nach der Sprechweise des Vaters gebildet „nach dem niedersächsischen Dialekt, den ich immer am liebsten hörte, ohne aber seine Provinzialismen anzunehmen" (Koch, S. 23-24). Im Jahre 1821, in dem er den von ihm bewunderten Gries persönlich kennen lernt, bekennt Platen sogar, daß in ihm „Sehnsucht nach dem Norden Deutschlands, nach dem Vaterlande meines Vaters, meiner Voreltern[18], mit Macht erwachte." (Koch, ebenda). Schon im April 1816 schult sich Platen, indem er im Wetteifer mit Gries Tasso übersetzt. Er ist mit manchen Einzelheiten, auch an Gries' Reimen, nicht einverstanden, ohne aber an dessen ungl. U. Anstoß zu nehmen, die er in seinen eignen Übersetzungsversuchen nicht vermeidet. Allerdings gelobt er sich am 9. Juni 1816: „Künftig will ich mit der äußersten Strenge bei meinen Arbeiten zu Werke gehen, und auch nicht eine Zeile niederschreiben, die nicht mit erträglichem Vers und Reim einen erträglichen Gedanken verbindet." Die Worte bedeuten ihm aber noch keine Absage an die ungl. U. Er behält sie zunächst bis in den Oktober unvermindert bei und gibt dann, augenscheinlich von Zweifeln erfüllt, die Verwendung des Reims bis etwa August 1817 ganz auf und bedient sich antiker Verse. Aus dieser Zeit (10. April 1817) stammt sein Bericht über ein Gespräch mit Fugger. Dieser verteidigt den Reim, „den ich nicht für die deutsche Sprache geschaffen glaube. Wir haben sehr wenig Reime, und von diesen ist ein großer Teil falsch. So reimen selbst die besten Dichter ä auf e, t mit d, eu mit ei, i mit ü usw., was doch keineswegs gut klingt und den Reimen selbst einen großen Teil ihrer Harmonie nimmt, die sie in den südlichen Sprachen begleitet." Trotzdem sind die wenigen Reimgedichte, die aus dem Jahre 1817 stammen, nicht frei von ungl. U., sie reimen auch langes ä auf e und gestatten sich den Reim *Wiesen:fließen,* ganz noch wie 1816. Als sich aber Platen Anfang 1818 der Reimdichtung wieder ausgiebig zuwendet, gehen die ungl. U., die für 1816 noch 56 Prozent betragen, auf 11 Prozent zurück und konsonantische Verstöße scheiden ganz aus. 1819 verschwinden ungl. U. fast ganz, von 1820 ab gänzlich, während ä:e- und lang:kurz-Reime sich noch länger halten und besonders die letzteren nie ganz ausscheiden[19].

In diesen ausschlaggebenden Entwicklungsjahren von 1816 bis 1819 beschäftigt sich Platen neben Horaz, dessen Ausfeilen seiner Verse *ad unguem* er bewundert und verteidigt (Tgb. I, 811), vor allem und intensiv mit den großen romanischen Dichtern. Zu Ariost und Tasso gesellen sich 1818 besonders Camoëns und Calderon, die er alle im Original liest und ausgiebig zitiert. Zugleich beschäftigt er sich mit den Übersetzungen von Schlegel und Gries und mit Rückerts *Geharnischten Sonetten.* So ist hier fast mit Händen zu greifen, wie sich in Platen „hannöverische“ Sprechweise und beneidete romanische Reimreinheit mit dem reimtechnischen Vorbild von Schlegel, Gries und Rückert zusammenballen und in ihm den Entschluß zur Reife bringen, der deutschen Dichtung auch in den rein formalen Dingen von Vers und Reim den Rang der Ebenbürtigkeit zu erkämpfen neben den romanischen Schwestern (wie später neben den Ahnen der Antike). In den *Ghaselen* von 1821, den *Neuen Ghaselen* von 1823, vor allem aber in den 14 *Sonetten aus Venedig* von 1825 und den zahlreichen weiteren Sonetten der folgenden Jahre bringt Platen nun wirklich den glänzenden Beweis, daß auch in deutscher Sprache selbst unter den erschwerenden Reimforderungen komplizierter romanischer Strophen echte und hohe Dichtung bei strenger Beobachtung voller Reimreinheit sich frei und kühn entfalten *kann.* In den Ghaselen findet sich einmal die Reimfolge *schien:dahin:Rubin:Rosmarin:Baldachin:ihn:hin,* und ein andermal versucht eine ungewöhnliche Schreibung eine konsonantische Härte zu verdecken: *Herde:Gefährde:Geberde:Schwerde*[20]*:Erde.* In den Sonetten aber finden sich nicht die geringsten Unstimmigkeiten, weder quantitative noch qualitative. Selbst die e:ä-Reime werden streng gemieden, nicht nur wenn lang, sondern sogar wenn kurz. Ungl. U. schalten selbstverständlich aus. Dabei weisen die Sonette eine geradezu herausfordernde Häufigkeit auf in der Verwendung von Umlautreimen.

Von 62 Sonetten (in dem Auswahlbande des Bibliogr. Instituts) finden sich Umlautreime in nicht weniger als 25[21]: 13mal in Dreierreimen, 14mal in Viererreimen! Daß Platen allerdings 1825 als eine selbständige Veröffentlichung ein Heftchen von 16 Sonetten (erst später auf 14 eingeschränkt) erscheinen ließ, beweist doch wohl, nicht nur welche programmatische Bedeutung er ihnen beimaß, sondern auch mit welchem Aufwand von Kunstfleiß sie entstanden sind. Das Gefühl, daß es sich um ein verblüffend glänzendes Kunststück, aber doch ein Kunststück handle, haben manche der bewundernden Zeitgenossen, so z. B. Wilhelm Grimm, nicht verwinden können. In seinen eignen späteren Gedichten hat selbst Platen das hier aufgestellte Prinzip der unbedingten Reimreinheit nicht völlig gewahrt, obschon es bei einfacheren Reimforderungen leichter durchzuführen war. Im Grunde ist es aber nur *ein* Punkt seines Programms, an dem er nicht unverbrüchlich festhält. Selbst den übersteigerten Ausschluß der kurzen e:ä-Reime hält er meist aufrecht, und nur, wie schon oben erwähnt, läßt er ab und zu Reime von verschiedener Vokallänge zu.

Hiermit erreicht gegen Ende von Goethes Leben eine Entwicklung ihren vorläufigen Abschluß, der er zuerst sicher wenig Aufmerksamkeit schenkte, die aber im Laufe der Jahre auch ihn in Mitleidenschaft ziehen sollte. Daß Goethe ihr zuletzt kopfschüttelnd und ablehnend gegenübergestanden hat, ist klar; doch hat sich seine Abneigung auch dann eigentlich nicht gegen die Werke und Dichter gerichtet, in denen und durch die die neue Richtung sich auswirkte. Am ehesten könnte man etwas Derartiges betreffs Platens vermuten, der nach längerem Werben um Goethes Anerkennung sich nach der Veröffentlichung der *Sonette* verstimmt und enttäuscht zurückzog. Goethe äußerte sich aber über die *Ghaselen* Eckermann gegenüber sehr lobend und widmete ihnen im Anschluß an Rückerts *Östliche Rosen* ein paar empfehlende Worte in *Kunst und Altertum.* Auch von den *Sonetten,* über die allerdings keine weiteren Äußerungen vorliegen, heißt es im Tagebuch drei Tage nach ihrem Eintreffen: „Venetianische Sonette des Grafen Platen, lobenswürdig gefunden.“ Der Gries'schen Calderon-Übersetzung aber widmet er geradezu enthusiastische Worte des Lobes und der Anerkennung. Es scheint also, als ob Goethe nichts hätte einzuwenden gehabt gegen das Verfahren von Dichtern, die gewillt waren, das für deutsche Verse schwere Joch voller oder fast voller Reimreinheit auf sich zu nehmen und deren geistig-seelische Veranlagung ihnen gestattete, auch in solchen Fesseln sich mit Würde und Anmut zu bewegen. Daraus aber eine allgemeingültige Regel zu machen, der sich jedes Talent fügen sollte und womöglich in jeder Dichtungsgattung, das widerstreitet seiner Auffassung vom Wesen deutscher Art und Kunst und von individueller künstlerischer Freiheit. *Dagegen* wendet er sich mit überraschender Schärfe, indem er seinem eignen Verfahren eine geradezu herausfordernde Wendung in die entgegengesetzte Richtung gibt.

Dabei bin ich geneigt anzunehmen (allerdings ohne augenblicklich ganz einwandfreies Belegmaterial vorlegen zu können), daß die sich langsam aber stetig verschiebenden Aussprachenormen in den letzten Jahren des 18. und den ersten des 19. Jahrhunderts auch bei Goethe, nicht nur bei dem Hofmann und Theaterleiter sondern auch bei dem Dichter, ihre Wirkung nicht verfehlten und daß auch Goethe während dieser Jahre bewußt oder unbewußt ein sorgfältigeres Reimverfahren anstrebte. Daß er das, soweit er es überhaupt tat, nur langsam und zögernd tun konnte, liegt auf der Hand. Die eigentlichen Führer und Träger der neuen Bewegung waren durchweg junge Dichter einer neuen Generation (keiner war älter als etwa 25-30 Jahre, als er sich umstellte), mit der einen Ausnahme von Rükkert[22] gehörten sie ihrer Abstammung und Sprache nach sämtlich zum Norden, und in ihrem Vorgehen war jeder von ihnen abhängig von bestimmenden Einflüssen aus den romanischen Sprachen und Literaturen, besonders Italien[23]. Sie bewunderten die formale Vollendung der Dichtungen Dantes, Petrarcas, Ariosts und Tassos, aber auch Calderons und Camoëns' und versuchten, es ihnen gleichzutun in Übersetzungen und Nachahmungen, wobei das Sonett in erster Linie als Prüfstein des neuen Könnens galt. Und Goethe? Um 1810 war er ein Sechzigjähriger. In der sonnigen Rhein- und Maingegend beheimatet, hatte er sich nie angezogen gefühlt, eher das Gegenteil, von der Art und Weise des Nordens, weder in Berlin und Hannover noch in Hamburg und Königsberg. Was aber von neuen Einflüssen bei ihm gerade in jenen Jahren, wenn auch langsam und zögernd an Boden gewann, stammte nicht aus dem romanischen Süden sondern aus vaterländischen Bezirken, vom Volkslied her, von der frühdeutschen Malerei und Gothik, wie sie ihn einst in der Jugend begeistert hatten. Diese Jugend aber wurde ihm, ebenfalls gerade damals, neu lebendig durch Vorarbeit und Arbeit an *Dichtung und Wahrheit,* und als mit dem endlich gekommenen, heiß ersehnten Frieden sich ihm die Möglichkeit bietet zu einer Fahrt in die Heimat, die ihm unversehens zu einer echten und rechten Sängerfahrt werden sollte, da ist der „muntere Greis", der an einem „herrlichen Tag" aus Weimar ausfährt und dem nun im Wagen während der Fahrt und weiter während der ganzen Reise dieses und dann des nächsten Sommers die Hafis-Lieder nur so aus der Seele quellen, himmelweit entfernt von peinlichem Basteln an der Herstellung restlos gleicher Reimbindungen. So trennen sich die Wege der jugendlichen Neuerer und des neujugendlichen Alten mehr und mehr. Mit ihrem Eifer wachsen seine Bedenken. Entfremdung steigert sich zu Unmut. Endlich entlädt sich der verhaltene Groll in den überreizten Worten von 1831, die gewiß ernst, wenn auch nicht wortwörtlich gemeint sind[24].

V

Für das weitere Schicksal der ungleichen Umlautreime im 19. Jahrhundert und darüber hinaus bis zur unmittelbaren Gegenwart handelt es sich zunächst darum, das tatsächliche Verhalten der einzelnen Dichter festzustellen, in deren Auswahl ich mich natürlich habe stark einschränken müssen. Eine reine tabellarische Aufstellung erwies sich als undurchführbar. Ich will aber versuchen, die Angaben möglichst knapp und übersichtlich zu halten. Die Anordnung ist mit wenig Abweichungen nach den Geburtsjahren der Dichter. Damit der gesamte Verlauf überblickt werden kann, führe ich auch die schon eingehender besprochenen Neuerer wieder mit auf. Die Prozentzahlen geben auch hier das Verhältnis der ungleichen Umlautreime zur Gesamtzahl aller Umlautreime. Die angesetzten Grenzdaten sind nicht zu genau zu konstruieren. Mitunter wäre ihnen besser ein „etwa" vorzusetzen. Meist sind es die Daten der Veröffentlichungen, nicht der Niederschriften.

A. W. Schlegel. Hannover 1767. Bis 1803 62% (Sonette 50%). 1804 in den *Blumensträußen* nur noch ganz wenige ungl. U. Später so gut wie keine mehr.

Zacharias Werner. Königsberg 1768. Bis 1806 72%. Danach 40%. Sonette von 1807 34%.
Hölderlin. Schwaben 1770. 69%.
Novalis. Thüringen 1772. 80%, vermeidet aber l:k.
Friedrich Schlegel. Hannover 1772. 23% (schon 1800).
Tieck. Berlin 1773. 61%.
Gries. Hamburg 1775. Bis 1810 77%. Danach (fast) 0%.
Fouqué. Brandenburg 1777. *Dramatische Spiele* 1804 0%. Vorher und wieder nachher 30%.
Brentano. Rheinland 1778. 46% (ö:e 72%, eu:ei 62%, aber ü:i 39%).
Arnim. Berlin 1781. 66%.
Chamisso. Frankreich 1781. 1804 75%, 1806 40% (Sonette 0%). Nach 1806 fast 0%.
Kerner. Ludwigsburg 1786. Bis zuletzt 81%.
Uhland. Tübingen 1787. Bis 1810 70%. 1811-14 25%. 1816ff. 6%.
Eichendorff. Schlesien 1788. Von Anfang an (1808) 38% Vorliebe für Reime wie *Scherze:Herzen, Frau:schaun, Abend:Grabe, Wandern:Lande.* Auch bloße Assonanzen.
Rückert. Unterfranken 1788. 1814 (*Geharnischte Sonette*) und 1822 (*Östliche Rosen*) 0%. Sonst vereinzelte ungl. U. und konsonantische Ungleichheiten.
Grillparzer. Wien 1791. Jugendgedichte 56%. Späte Gedichte um 1850 30%. Zahlreiche l:k, sonst wenig Ungleichheiten.
Schwab. Stuttgart 1792. 1809-15 64%. 1825ff. 44%.
Platen. Ansbach (Unterfranken) 1796. Bis 1817 66% Nach 1819 0%. Außer einzelnen l:k völlig reine Reime.
Droste-Hülshoff. Westfalen 1797. 75% Wenig Veränderung.
Heine. Düsseldorf 1797. *Buch der Lieder* (1827) 72% *Romanzero* (1851) 73% *Letzte Gedichte* 75% Wie bei Brentano verhältnismäßig wenig ü:i-Reime. Beide Rheinländer.
Lenau. Ungarn 1802. Um 1830 23%. In 14 Sonetten 0%. Häufig l:k, sonst sehr sorgfältig. Ähnlich wie Grillparzer.
Mörike. Ludwigsburg 1804. 71% Bleibt sich ziemlich gleich.
Freiligrath. Detmold 1810. 70%.
Hebbel. Schleswig 1813. 1828-40 59%. Um 1850 21%. 1857-63 8%.
Geibel. Lübeck 1815. 1834-35 27%. Später fast 0%. In den Sonetten 0%. In 2858 Zeilen fand ich 68 gl. U. und 3 ungl., 20 l:k, 12 lang e:ä, 6 sonstige Ungleichheiten, wie *Burg:hindurch, Smaragd: Nacht, verschlang:Dank, Stimme:Zinne.* Den Grad von Platens Reimreinheit erreicht auch Geibel nur in den Sonetten.
Herwegh. Stuttgart 1817. Ungl. U. nur ganz vereinzelt. Häufig l:k. So genau wie Geibel ist Herwegh nicht. (Von den sogenannten

Münchnern, die zum Geibelschen Kreise gehörten, vermeiden Bodenstedt und Redwitz die ungl. U. so gut wie ganz. Bei Roquette und Schack sind sie ziemlich häufig. Wegen Heyse siehe weiter unten.)

Storm. Schleswig 1817. 70% Bleibt sich ziemlich gleich. Ehrenfeld: *Studien zur Theorie des Gleichklangs* (S. 44): „Storm, dessen Sprache reiner Wohllaut ist, trotzdem er sich an Reinheit des Reims und an Regeln ebensowenig hält wie Goethe."

Keller. Zürich 1819. 50%, sowohl in den *Gedichten* von 1846, wie in den 70er Jahren. In den Sonetten weniger, aber doch 35%. Häufig l:k. Sonst sehr sorgfältig.

Fontane. Provinz Brandenburg 1819. In den 40er Jahren etwa 30%. Nach der Mitte des Jahrhunderts 0%. Auch sonst sehr sorfältig, selbst l:k und lang e:ä nur selten.

Strachwitz. Schlesien 1822. 71%. l:k und lang e:ä häufig. Großer Platenverehrer, aber nicht im Punkte der Reimreinheit. Stirbt allerdings schon mit 25 Jahren.

C. F. Meyer. Zürich 1825. 14%. l:k und lang e:ä häufig.

Heyse. Berlin 1830. 30% Auch in den Sonetten! Lang e:ä sehr häufig, l:k seltener.

Liliencron. Kiel 1844. Bei umfangreichem Auszählen fand ich höchstens 4% (3:69), was genau den Zahlen für Geibel entspricht. Im *Poggfred* (1896) 0%. So rein, wie man nach Liliencrons Spottgedicht *Deutsche Reimreinheit* annehmen sollte, sind seine Reime nicht. Es finden sich nicht nur l:k und lang e:ä, sondern auch Reime wie *Rose:Schoße, Gemeng:Gehenk, Tag:Dach, liefe:Lokomotive.* Heusler III, 97 führt sogar an *denn:Furien, Schnee:Fittige!*

Nietzsche. Sachsen 1844. Jugendgedichte (1862-64) 55%. Nicht viel anders 1882-86. In den späteren Gedichten finden sich aber Bindungen wie *Fährte:Erde, Straßen:Nasen, ließe:Paradiese,* die in den Jugendgedichten ganz fehlen. Protest wie beim alten Goethe? Einige der schönsten und edelsten Gedichte sind dagegen so gut wie vollkommen in ihren Reimen. Höchstens *an:Bahn* oder Ähnliches.

Spitteler. Schweiz, 1845. Sowohl in den frühen Gedichten (um 1880) wie im *Olympischen Frühling* (1900-4) 0%. Auch konsonantisch rein, dagegen häufig l:k und e:ä (lang).

Fulda. Frankfurt a. M. 1862. *Talisman* (1893) 0%. Auch sonst strengste Reinheit. Nur e:ä (lang) reimen, nicht aber l:k.

Dehmel. Mark Brandenburg 1863. Weitgehende Reimfreiheiten. *Weib und Welt* (1896) 1. Teil 35%, 2. Teil 27%, 3. Teil 6%. *Zwei Menschen* (1903) nur vereinzelte ungl. U. Sonst aber zahlreiche und schwere Ungleichheiten: nicht nur *klingt:sinkt, sagt:gemacht, Straußes:Hauses, log:noch,* sondern auch *stammeln:zusam-*

men, Äst:löscht, Rührícht:Inschrift, wundersamstes:bahntest u. s. w. Klassisch für ungl. U. ist das „Leitwort" zu *Aber die Liebe* (1893): In allen *Tiefen*/ Mußt du dich *prüfen*/ zu Deinen *Zielen*/ dich klarzu*fühlen*./ Aber die *Liebe*/ ist das *Trübe*.

Holz. Ostpreußen 1863. Theoretisch Gegner des Reims. *Die Blechschmiede* (1901) 11%. *Dafnis* (1904) 0%. Unverständlich in einer Dichtung, die bis in Orthographie und Interpunktion Sprache und Stil einer Barockdichtung des 17. Jh. nachahmt. *Buch der Zeit* (1885, allerdings in der endgültigen Fassung von 1924) 0%. Strenge Reimreinheit; vereinzelt l:k, aber e:ä (lang) reimen nicht.

Ricarda Huch. Braunschweig 1864. 27%.

George. Hessen 1866. 0%. Nachgeprüft für 1890-92, 1907 und 1928. Auch e:ä reimen nicht, weder lang noch kurz, wie schon bei Platen. Nicht selten l:k und vereinzelt auffallende Reime wie *Güte: Blüten, Staub:glaubt, Boden:Odem, nächste:Äxte, sank schon:lang schon, Oliven:tiefen, Herabkunft:Abgrund*. Auch erzwungene Reime, wie *warden:Karden, irren:Mirren*.

Dauthendey. Würzburg 1867. 0%. Aber sehr zahlreich l:k, seltener e:ä (lang). Überraschend viel s:ß. Einmal sogar *gewesen:vergessen*. Weitgehendes Ausweichen, wo Reim erwartet oder gefordert wird, und viel Reimloses, was für die große Mehrzahl der neueren Dichter gilt.

Binding. Basel 1867. 1909-13 ungl. U. nicht selten, selbst Reime wie *Freunde:Vereinte*. 1919-25 Ungleichheiten seltener, aber ungl. U. fehlen nicht, auch nicht l:k, e:ä (lang) u. a. m. Kein Vertreter strengerer Reimreinheit.

Morgenstern. München 1871. *Mensch Wanderer* (1887-1914) 0%. *Auf vielen Wegen* (um 1920) 11%. Sonst große Reimreinheit.

Strauß und Torney. Harz 1873. 69%. Häufig l:k und e:ä (lang).

Hofmannsthal. Wien 1874. 0% (Einmal *Hügeln:entriegeln*). Auch konsonantisch ganz rein. Selbst l:k sehr selten. Dagegen e:ä (lang) häufig.

Münchhausen. Hildesheim 1874. 44%. Auch sonst zahlreiche Ungleichheiten.

Rilke. Prag 1875. 0%. *Larenopfer* (1896) : einmal *Blick:Meisterstück*. Sehr viel l:k, auch *schlafen:Oktaven, genung:Trunk*. *Neue Gedichte:* neben vielen l:k auch *Winks:hings, verlassen:Kürassen, schlafen:Oktaven*. *Sonette an Orpheus* (1922/23) 5 l:k (ohne *Erz:Herz*), *Sklaven:schlafen, gelang:schlank, Herr:Verkündiger*. Hier und in den *Letzten Gedichten* keine e:ä, weder lang noch kurz (einmal *Welt:fällt*), die früher nicht fehlten. In den *Letzten Gedichten* verschwinden auch l:k (einmal *wach:nach*), dagegen findet sich auch hier *Wink:ging*. Im Ganzen fortschreitend größere Reimstrenge.

Scholz. Berlin 1874. (*Der Spiegel* 2. Aufl. 1908) 39%.

Carossa. München 1878. 10%. l:k und e:ä (lang).

Claudius, Hermann. Hamburg 1878. 43%. l:k und e:ä (lang) häufig. Auch *Edlen:jedwedem, gewärtig:ungebärdig*. Freies Verfahren, Reim wenig betont.

Miegel. Königsberg 1879. 45%. l:k, e:ä (lang). Konsonantisch rein.

Seidel, Ina. Braunschweig 1885. Etwa 6%. Nicht selten l:k, auch e:ä (lang), aber sonst hoher Grad von Reimreinheit.

Werfel. Prag. 1890. 1920 10%. l:k, aber nichte e:ä (lang). Nicht selten Ungleichheiten wie *allem:fallen, Samt:Hand, es:schreckliches, schöpferisch:zerbrich*.

Ernst, Paul. Harz 1866. Ich stelle Paul Ernst an das Ende und gewissermaßen außerhalb der Liste, teils weil seine Werke in Reimversen, *Das Kaiserbuch* (III, 2, 1928), *Der Heiland* (1930) und *Beten und Arbeiten* (1932), tatsächlich später erschienen sind als die soweit herangezogenen, teils aber auch weil sein Verfahren ganz aus dem Rahmen der dargestellten Entwicklung herausfällt Ernst weist in jedem der drei Werke nicht nur über 70% ungl. U. auf (78, 75. 71), sondern auch eine Unmasse von l:k-Reimen (3 in je 100 Zeilen). Konsonantisch sind die Reime sorfältig. Nur selten Bänder wie *schlank:lang, erreicht:beugt*. Das Reimmaterial selber ist unglaublich dürftig und monoton und entspricht in diesem Punkte so sehr dem berüchtigten Reimwortschatz der mittelhochdeutschen Epiker, daß man versucht ist anzunehmen, es sei ihnen bewußt nachgebildet. Im *Heiland* z. B. finden sich in 900 Zeilen 35 *Mann:kann:dann:an* u. s. w., 27 *sein:ein:mein* u. s. w., 7 *ist:bist* und daneben eine übergroße Anzahl unbetonter, sinn- und klangarmer Partikeln, Adverbien und Hilfszeitwörter. Im „Vorwort zum Kaiserbuch" (*Ein Credo*, S. 57) bezeichnet Ernst den von ihm gewählten Vers als „fünffüßigen veredelten Knittelvers", sagt aber nichts über die auffallende Behandlung der Reime, als ob die sich aus der Wahl des Verses von selbst erklärte. Worin in dem Falle aber die Veredlung bestehen soll, ist mir nicht recht klar. Noch undurchsichtiger wird das Verfahren dadurch, daß in den Ottaverimen in *Beten und Arbeiten* das Reimmaterial von dem der epischen Dichtungen nur wenig verschieden ist (in etwa 300 Zeilen 17 *sein:ein* u. s. w. neben *hat, hin, ist, an* u. s. w. als geläufige Reimträger). Für unsre unmittelbaren Zwecke ergibt sich jedenfalls, daß die ungl. U. in Ernst um 1930 einen noch beharrlicheren Vertreter gefunden haben wie hundert Jahre vorher in Goethe. Ja, ich kann mich des Eindrucks nicht erwehren, als ob Ernst in seinem Vorgehen sich mit gleich herausfordernder Schärfe gegen George stellte, wie einst Goethe gegen Platen und wie später etwa, bewußt oder nicht, Mörike gegen Geibel, Storm und Keller gegen Fontane und Liliencron, oder Lulu von Strauß und Torney gegen Ina Seidel.

Als Abschluß der historischen Übersicht habe ich noch, um ein Gesamtbild für aufeinanderfolgende größere Zeitabschnitte zu gewinnen, einige Anthologien ausgezählt, mit folgenden Ergebnissen:

Busse: *Neuere deutsche Lyrik* (1895, Dichtungen von etwa 1840-90, von der Droste bis Dehmel). 25%.
Benzmann: *Moderne deutsche Lyrik* (1907, Von Conradi bis Rilke, etwa 1880-1905). 24%.
Heuschele: *Junge deutsche Lyrik* (3. Aufl. 1928. Dichtungen von etwa 1910-27). 23%.
Aus deutscher Lyrik der Gegenwart. Festgabe der Deutschen Akademie, München, o. J. [1938]. (77 lebende Dichter sind mit je einem von ihnen selbst gewählten Gedicht vertreten. 17 der Gedichte sind in ungebundener Form). 14%. In 1141 Reimzeilen 29 gl. und 4 ungl. U. Außerdem: 12 l : k, 7 e : ä (lang), 2 d : t, 2 s : ß, 1 nn:ng, 1 ng:nk und *fliegt:geliebt, weitem:begleiten.*

Diese Anthologie-Zahlen besagen aber wenig oder führen sogar irre, weil sich George und sein Kreis von solchen Sammlungen immer ausgeschlossen haben.

Versucht man den hier dargestellten Verlauf als Ganzes zu überblicken und zwar zunächst in Hinsicht auf das Schicksal der ungleichen Umlautreime, die für die Zeit von etwa 1820 an durchaus als unreine oder unvollkommene Reime angesehen werden müssen, so ergeben sich die verschiedensten Möglichkeiten für die Bildung von mehr oder minder zusammengehörigen Gruppen. Ich stelle zunächst diejenigen Dichter zusammen, welche die ungl. U. restlos ausscheiden oder trotz vereinzelter Ausnahmen (nicht über etwa 10 Prozent) unverkennbar danach streben[25]: W. Schlegel (nach 1803), Gries (nach 1810), Chamisso (nach 1806), Rückert, Platen, Geibel, Herwegh, Fontane (seit etwa 1850), C. F. Meyer, Liliencron, Spitteler, Fulda, Holz, George, Dauthendey, Morgenstern, Hofmannsthal, Rilke, Ina Seidel, Werfel, Carossa. Dieser Gruppe stehen gegenüber die Dichter, die entweder die ungl. U. ganz ungehemmt verwenden (über 60 Prozent) oder ihnen nur in geringem Umfange ausweichen (50 bis 60 Prozent): Hölderlin, Novalis, Tieck, Brentano, Arnim, Kerner, Uhland (bis 1810), Droste, Heine, Mörike, Freiligrath, Storm, Keller, Strachwitz, Nietzsche, Strauß und Torney, Paul Ernst.

Vergleicht man die beiden Gruppen, so ergibt sich, wie zu erwarten, daß für die erste Hälfte der Zeit (bis etwa in die 70er, 80er Jahre) die Mehrzahl der führenden Dichter bei der älteren Tradition bleibt, während danach das Schwergewicht entschieden bei den Neuerern liegt. Dabei darf aber nicht übersehen werden, daß unter diesen wieder durchaus nicht alle unreine Reime anderer Art in gleichem Umfang vermeiden wie die ungl. U., daß also Dichter wie Dauthendey und Werfel, ja selbst Geibel, Liliencron, Spitteler, Rilke, Carossa nicht in dem Sinne als Vertreter und Verfechter strenger Reimreinheit angesehen werden können wie Platen und allenfalls George, die letzten Endes in diesem Punkte allein stehen, mit vielleicht Fulda, Hofmannsthal, Morgenstern und dem späten Rilke in ihrer nächsten Nähe.

Nun aber schließen die beiden Listen, wie sie oben angegeben sind, zusammen nur 38 Dichter ein aus einer Gesamtzahl von 54. Die verbleibende Gruppe von 16 Dichtern, die ungl. U. genau wie andere unreine Reime nicht ungehemmt zulassen, sie aber auch ohne Zögern verwenden, wo sie ihren dichterischen Eingebungen und Zwecken entsprechen, bildet die eigentlich entscheidende Gruppe. Es liegt auf der Hand, daß diese Dichter nicht zu den radikaleren Gegnern der ungl. U. und den Vertretern strenger Reimreinheit gezählt werden können. Dem Prinzip nach gehören sie entschieden zu den Vertretern des freieren Verfahrens, die es durchaus als ihr Dichterrecht ansehen, neben vollkommenen Reimen als der anerkannten und herrschenden Norm nach eignem Ermessen auch weniger vollkommene Reime und also auch die ungl. U. als vollgültig zu verwenden, die sich dieser Freiheit aber mit mehr Maß und Zurückhaltung bedienen als die Dichter der zweiten Gruppe[26]. Es sind die folgenden Dichter, zu deren Namen ich in Klammer den durchschnittlichen Prozentsatz der von ihnen gebrauchten ungl. U. hinzugefügt habe. Werner (40), F. Schlegel (23), Fouqué (30), Eichendorff (38), Grillparzer (30), Schwab (44), Lenau

(23), Hebbel (30), Heyse (30), Dehmel (20), Ricarda Huch (27), Binding (25), Münchhausen (44), Scholz (39), Claudius (43), Miegel (45).

Gerade diese Gruppe aber dürfte sich nicht unbeträchtlich vermehren, wenn eine größere Anzahl namhafter neuerer Dichter mit einem Höchststand um etwa 1920 in die Untersuchung einbezogen wären. Das ist zumindest der Eindruck, den ich beim Blättern in mir zugänglichen Werken gewonnen habe, für die ich jedoch keine festen Belege geben kann. Wie sich die Jüngeren und Jüngsten der noch lebenden Dichter zu dem Problem der ungl. U. stellen, vermag ich nicht zu sagen. Dazu reicht das mir zugängliche Material nicht aus, und auf einige wenige Gedichte Schlüsse zu bauen, ist nicht ratsam.

Untersucht man nun die landschaftliche Herkunft der Dichter, so ergibt sich, daß dieselbe von Rückert, Kerner und Eichendorff an gerechnet mit ihrer Stellung zu dem Problem der ungl. U. nichts zu tun hat. In den Anfängen der Bewegung war das anders gewesen, wie wir gesehen haben. Die Neuerer der ersten dreißig Jahre des 19. Jahrhunderts gehörten mit der einen Ausnahme von Rückert durch ihre Geburt oder sprachliche Einstellung dem Norden an. Ihre Zeitgenossen, die sich von der Bewegung nicht beeinflussen ließen, waren der großen Mehrheit nach die Dichter des Südens. Man sollte also erwarten, daß auch unter den späteren Gegnern der ungl. U. der Norden am stärksten sollte vertreten sein. Das Gegenteil ist jedoch der Fall, denn von den 18 in Frage kommenden Namen gehören volle 13 nach Mittel- und Süddeutschland und nur 5 zum Norden. In der zweiten und dritten Gruppe, wo man vor allem den Süden und das Mittelland suchen sollte, herrscht gerade umgekehrt der Norden wenn auch nur wenig vor, im Verhältnis von 14 zu 11. Geradezu auffallend ist der Umstand, daß die drei radikalsten Vertreter der ungl. U. in der späteren und jüngsten Zeit, Storm, Lulu von Strauß und Torney und Paul Ernst, dem Norden angehören.

Die Erklärung für diese überraschende Umkehr ist nicht so weit zu suchen, wie es scheinen möchte. Der Kampf, den gegen die Mitte des Jahrhunderts die Schule anfing gegen die ungerundete Aussprache der Umlaute zu führen[27] und durch den die ungl. U. notwendigerweise in Mitleidenschaft gezogen wurden, nahm natürlich in Mittel- und Süddeutschland, wo der erschwerende Einfluß der Dialekte zu bekämpfen war, die schärfsten und pedantischsten Formen an. Ohne jede wirkliche Kenntnis der historischen Tatsachen wurden die ungl. U., die von der Schuljugend, besonders auf dem Lande und in den ungebildeteren Ständen der Städte, naturgemäß *gleich* ausgesprochen wurden, als bedauerlicher Beweis für die nachlässig-dialektische Aussprache der klassischen Dichter, vor allem Schillers und Goethes, bemäkelt und verunglimpft. Im Norden war ein solches Vorgehen nicht nötig, und dort wahrte man sich deshalb im großen Ganzen ein natürlicheres und gesünderes Gefühl für die ungl. U., die man ja doch im Grunde nie als wirklich reine Reime angesehen und ausgesprochen hatte, nun aber auch als das, was sie waren, gelten ließ.

VI

Dem Kampf um die neue Aussprache der Umlaute ist es also zuzuschreiben, daß die ungleichen Umlautreime von anderen unreinen Reimen als besonders anstößig abgesondert wurden, obwohl es mindestens fraglich ist, ob ein ungl. U. rein lautlich eine stärkere Ungleichheit aufweist als Reime von langem und kurzem Vokal oder von langem e und ä, die aber alle bis in die neueste Zeit von fast allen Dichtern gebraucht werden, selbst wenn sie die ungl. U. ängstlich meiden. Es ist immer noch fast so, als ob die Verwendung von ungl. U. auch bei neueren Dichtern noch dem Verdacht der „gleichen" Aussprache, d. h. also der ungerundeten Aussprache der Umlaute ausgesetzt sei. Jedenfalls aber liegt die Gefahr vor—und es ist doch wohl eine Gefahr?—daß solange man den ungl. U. den Spott und Makel der Kunstlosigkeit, ja der Rohheit und Lächerlichkeit anheftet, man auf dem besten Wege ist, dem deutschen Volke und zuletzt auch den Freunden deutscher Dichtung im Ausland den ungetrübten Genuß der besten Werke der größten deutschen Dichter zu verleiden. Ich muß gestehen, daß mich die folgende Stelle im 3. Band der Heuslerschen *Versgeschichte* peinlich berührt: „Unsre Empfindlichkeit gegen unreine, d. h. der idealen Bühnenaussprache nichtsitzende Reime hat sich wieder außerordentlich verschärft. . . . Auf viele mag, wie auf D. von Liliencron ein unreiner Reim wie eine Ohrfeige wirken. Da wir die Verse Goethes, Schillers, Heines, Mörikes, unmöglich mehr, wie sie gemeint waren, in der Halbmundart sprechen, tönen uns die Unstimmigkeiten an ihnen grell hervor, und nur die Pietät schützt sie vor dem Beigeschmack des Lächerlichen, der gleichen Wagnissen der Enkel unweigerlich anhinge." Wenn dem wirklich so sein sollte, so wäre eine Beibehaltung eines Bruchteils von ungl. U. als erlaubte, wenn auch unvollkommene Reime schon deshalb zu wünschen, um die klassische Dichtung der Zeit Goethes vor dem Lächerlichwerden zu schützen.

Die Verfechter des Prinzips radikaler Reimstrenge betonen nun immer und immer wieder den Vergleich mit der gepriesenen Reimreinheit einerseits der mittelhochdeutschen Blütezeit, anderseits der romanischen Schwestersprachen, besonders des Italienischen und Französischen, ohne sich meist zu überlegen, wie bedenklich viel die beiden Argumente miteinander gemeinsam haben.

Was den ersten Punkt betrifft, so heißt es z. B. bei Kauffmann in der *Deutschen Metrik:* „Von der Reimpracht der mhd. Reime sind wir zur Armut herabgesunken", und Mehring in seiner *Deutschen Verslehre* fordert als Ziel der neudeutschen Reimentwicklung „die Wiedererlangung jener Klangreinheit, die der Reim zur Zeit der Minnesänger besaß." Wie steht es nun aber wirklich um die innere Berechtigung einer derartigen Verteilung von Lob und Tadel, von Bewunderung und Geringschätzung? Mittelhochdeutsche Reimreinheit in allen Ehren, obschon es auch da zu denken gibt, daß es unter den großen Epikern gerade Wolfram ist, der stärkste Vertreter unter ihnen von deutschem Wesen und deutscher Art, bei dem sich die meisten Verstöße gegen eine starre Regelmäßigkeit finden, und es sind ihrer nicht wenige. Wichtiger ist, daß die strenge Reimreinheit nicht nur der Epiker, sondern in weitem Umfang auch der Lyriker auf Kosten eines Reimmaterials erzielt wird, dessen Dürftigkeit und Monotonie bei einem modernen Dichter dem „Beigeschmack des Lächerlichen" sicher nicht entgehen könnte. Die ermüdende Wiederkehr stereotyper Reimbindungen und die Auffüllung der Reime mit trivialen Flickwörtern und unwesentlichen Satzteilen widerspricht aufs Schärfste der neuzeitlichen Forderung, daß der deutsche —sowie der germanische Reim überhaupt—als Stammsilbenreim möglichst durch die Klang- und Sinnfülle der Reimwörter wirken soll. Dem Ausspruch Minors: „Reime wie *Lettern:vergöttern, freudvoll:leidvoll, betrübt:liebt* wären im Mhd. unerhört" gebührt die Antwort: Reimfolgen—und sie sind nicht den Geringsten der Lyriker entnommen—wie *man:hân:erkan:wân:getân* oder *mac:ie:pflac: wie:dâ:anderswâ:sie* wären bei Goethe und in genießbarer moderner Dichtung nicht minder unerhört. Auf den Reiminhalt hin angesehen, verteilen sich „Reimpracht" und „Reimarmut" ganz anders als oben bei Kauffmann. Kurz, der Vergleich mit der mhd. Dichtung ist wert- und gegenstandslos und nützt weder nach der einen noch nach der anderen Seite.

Außerdem aber war das mhd. Reimverfahren kein natürliches, dauerhaftes Ergebnis einer organischen nationalen Entwicklung. Es beruhte im Gegenteil auf der Nachahmung französischer und provenzalischer Vorbilder und lebte und webte in der ritterlichen Dichtung im Bannkreis einer künstlichen Hof- und Standessprache. Das gleiche Prinzip der Nachahmung romanischer Muster, das hier am Anfang herrschte, läßt sich aber auch im Verlauf der weiteren Entwicklung deutscher Dichtung überall da nachweisen, wo theoretisch oder praktisch die Forderung unbedingter Reimreinheit sich geltend gemacht hat. Opitz, Gottsched, A. W. Schlegel, Gries, Platen, Geibel[28], Fulda, George, Rilke, um nur die markantesten Vertreter dieser Forderung zu nennen, sie alle sind durch italienische oder französische Dichtung, aus der die meisten von ihnen hervorragende Übersetzungen geliefert haben, tief beeinflußt und geschult gewesen.

Diese so deutlich und konstant hervortretende Abhängigkeit von romanischen Vorbildern wirft dann aber naturgemäß die Frage auf, ob im Punkte der Reimbehandlung die Dinge so liegen, daß das Verfahren der einen Sprachengruppe zwanglos und vorteilhaft auf das der anderen übertragen werden kann. Es hieße Eulen nach Athen tragen, noch einmal nachweisen zu wollen, daß das genaue Gegenteil der Fall ist. Dem Stammsilbenreim der germanischen Sprachen, der die Reimmöglichkeiten so außerordentlich einengt, steht in den romanischen Sprachen die reiche Fülle der sich leicht darbietenden

Reime von Endungen und Ableitungssilben gegenüber. Im Jahre 1873 entspann sich im 3. Bd. der Zeitschrift *Im neuen Reich* eine interessante Debatte über diese Frage zwischen zwei bedeutenden Sprachgelehrten der Zeit, dem vergleichenden Sprachforscher Berthold Delbrück und dem Romanisten Hugo Schuchardt. Die Aufsätze sind auch jetzt noch lesenswert, denn in der Entscheidung der Frage, um die es sich handelt, ist noch kein letztes Wort gesprochen. In diesem Zusammenhang setzt Schuchardt das Verhältnis von Endungsreim zu Stammreim für das Italienische als durchschnittlich 3:10 an, für das Spanische 8:10, für das Französische als die Mitte haltend, also mindestens 5:10. Diesen Tatsachen gegenüber liegt es auf der Hand: Gewiß hat deutsche Dichtung und deutsches Kunstempfinden das Recht, die Forderung strenger Reimreinheit als allgemein verbindlich anzunehmen oder abzulehnen. Die Entscheidung aber auf das Verhalten der so ganz anders gearteten romanischen Sprachen gründen zu wollen, ist ein Unding.

Dem Vergleich mit den romanischen Sprachen einen ähnlichen Vergleich mit den andern germanischen Sprachen, also mit dem Holländischen, den skandinavischen Sprachen und dem Englischen gegenüberzustellen, wäre in unserem Zusammenhang vielleicht nicht minder aufschlußreich. Aber in solchen Fragen zu entscheiden, d. h. einen fraglichen Reim als vollkommen oder unvollkommen zu erklären, steht letzten Endes fast nur dem zu, der eine Sprache als oder wenigstens wie seine Muttersprache kennt und spricht, und selbst der wird in manchen Fällen im Zweifel sein. Ich selbst würde mir allenfalls ein leidlich verläßliches Urteil im Englischen zutrauen, hätte mich aber für die skandinavischen Sprachen und das Holländische auf andre verlassen müssen. Diesen Versuch habe ich gemacht und manche wertvollen Aufschlüsse erhalten, aber Rücksichten auf Zeit und Raum verbieten mir, auf diese Frage an dieser Stelle einzugehen. Unternommen ist eine solche vergleichende Reimanalyse meines Wissens soweit nicht. Die deutschen Poetiken gehen auf diesen Punkt jedenfalls nicht ein, die der anderen Sprachgebiete wahrscheinlich auch kaum. Daß die Reimbehandlung im Englischen das ganze 19. Jahrhundert hindurch trotz stetem Fortschritt nach sorgfältigeren Reimbindungen hin sich doch ungleich größere Freiheiten gestattete und auch gegenwärtig noch gestattet, als das in deutscher Dichtung der Fall war und ist, liegt auf der Hand. Ebensosehr herrscht nach der anderen Seite hin im Holländischen der reine Reim in verhältnismäßig größerem Umfang als im Deutschen. Die skandinavischen Sprachen dürften zwischen die beiden in die Mitte zu stehen kommen. Natürlich hängen solche Verhältnisse nicht nur und wohl kaum in erster Linie von dem Kunst-und Lebensgefühl eines Volkes oder eines Zeitraums ab, sondern von dem lautlichen Charakter der Sprachen selber. Trotzdem dürfte auch hier als sicher anzunehmen sein, daß die größere Reimreinheit holländischer Dichtung mit dem starken französischen Einfluß zusammenhängt, dem sie in ihrer klassischen Zeit im 17. Jahrhundert und dann vor allem wieder im 19. Jahrhundert ausgesetzt gewesen ist.

Noch vieles Wichtige und Interessante wäre zur Frage von Herkommen, Herrschaft und Abstieg der deutschen ungleichen Umlautreime zu sagen. Ich beschränke mich auf nur noch eins. Meine Ausführungen könnten so ausgelegt werden, als wolle ich ihrer ungehemmten Verwendung wie einst bei Goethe und seinen Zeitgenossen oder bei Storm und Paul Ernst das Wort reden. Nichts liegt mir ferner, und ich betone deshalb nochmals und nachdrücklich, daß von dem Zeitpunkt an—und der liegt weit zurück—da die ungl. U. zu unvollkommenen oder unreinen wurden, sie auch wie andre Halb- oder Teilreime anzusehen und zu behandeln waren; nicht besser, aber auch nicht schlechter. Sie hatten und haben sicher keinen Anspruch mehr auf fast ungehemmte Verwendung. Sie verdienen aber auch nicht, wenigstens jetzt nicht mehr, als besonders schädlich und verwerflich verfolgt und ausgerottet zu werden. Die ideelle Norm deutscher Reimdichtung ist natürlich der gleichklingende Vollreim. Die Frage ist nur, inwieweit dichterischem Gefühl und Ermessen nach auch freiere Abwandlungen dieser Norm verwandt werden dürfen, wenn sie der dichterischen Vorstellung, die um Ausdruck ringt, besser entsprechen. Da, wo es sich um hohe Gedankendichtung handelt, besonders wenn sie sich streng-geschlossener kunstvoller Strophenformen bedient, sollte auch der Reim die Vollendung aufweisen, die den anderen Zügen der formalen Gestaltung zuteil wird. Anders aber liegen die Dinge, wo der Reiz der Dichtung gerade in dem spontanen

Ausdruck von Stimmung und Gefühl besteht, also vor allem in der Natur- und Liebeslyrik, aber auch in der volkstümlichen Ballade oder in Dichtungen, die in einem leichten, wenn nicht gar humoristischen Erzählerton gehalten sind. Wenn z. B. Wieland in den bequemen Ottaverimen des *Oberon* alle formalen Elemente auflöst und abwandelt: Metrum, Verslänge, Reimart und Reimstellung, müßte ein gesuchtes Streben nach restlosem Gleichklang der Reime geradezu unkünstlerisch wirken. Vollendung beruht sicher nicht *immer* auf peinlich genauer Regelmäßigkeit. Es stünde schlimm um viel des Besten in deutscher Dichtung, wenn dem so wäre. Warum soll gerade der Reim von diesem freiheitlichen Zug ausgeschlossen sein?

Wo also deutsche Dichter das romanische Joch strenger Reimreinheit auf sich nehmen wollen, weil es entweder der künstlerischen Absicht eines besonderen Gedichts oder gar ganz allgemein ihrem ganzen Kunst- und Lebensgefühl innerlich entspricht—was sicherlich bei Platen und George zutrifft—da müssen selbstverständlich neben anderen Freiheiten auch die ungleichen Umlautreime verschwinden. Wo aber andre deutsche Dichter—und das wird bei verschiedener seelischer Veranlagung, wie in verschiedenen Stilrichtungen und Dichtungsgattungen gradweise verschieden sein—die unbedingte Herrschaft eines so enggefaßten und letzten Endes undeutschen Gesetzes als ihrem Kunstwollen hinderlich empfinden, da sollte es ihr nicht minder gutes Recht sein, sich der ungleichen Umlautreime ebenso zu bedienen wie anderer unvollkommener Reime, also vor allem der Reime von verschiedener Vokallänge und von langem e und ä, die man ihnen meist nicht streitig macht. So verstehe ich, und in diesem Sinne und nicht, weil es an und für sich unausführbar wäre, unterschreibe ich das eingangs angeführte Urteil Minors, daß „die *objektive* Forderung eines ganz reinen Reimes für unsere neueste Dichtung nicht aufrechtzuhalten [sei], sie würde mit zu schweren Opfern erkauft.“ Beachtet man, in welchem Umfange reinreimende Dichter der Neuzeit dem fröhnen, was Heusler als Formsprengen bezeichnet, und auf diese Weise unbequemen Reimanforderungen einfach aus dem Wege gehen, so scheint Minor nicht falsch gesehen zu haben.

Gewiß ist es leichter, Grundsätze aufzustellen und Vorschriften zu machen, die mit „nie" und „immer" operieren. Regeln dieser Art sind aber da, wo es sich um Einzelheiten und nicht um letzte Grundanschauungen handelt, meist nicht die brauchbarsten und wertvollsten, weder im Leben noch in der Kunst. Das hat der alte Goethe zweifellos gefühlt, und wenn auch seine grollenden Worte von 1831 im Ton trotziger Übertreibung gehalten sind, im Kern entsprachen sie seinem innersten Wesen und dem seines Volkes und trafen das Richtige.

NACHWORT: Indem ich hiermit die Untersuchung über die Umlautreime abschließe, möchte ich betonen, daß sie trotz der darauf verwandten Zeit und Mühe keinen Anspruch auf Endgültigkeit machen kann. Die Schilderung des äußeren Verlaufs der Bewegung dürfte für gesichert gelten, obgleich natürlich auch da an vielen Stellen weiter ins Einzelne könnte gearbeitet werden. Für die innere Geschichte dagegen, für die Fragen nach Motiven, Einflüssen, Werbebemühungen, sowie für die Erörterung der sich ergebenden theoretisch-ästhetischen Probleme, was alles von mir kaum hat angedeutet werden können, wäre noch viel zu tun. Besonders für die ausschlaggebende Zeit von etwa 1790 bis 1830 wären nicht nur die Rezensions- und Zeitschriftenliteratur der Zeit, sondern auch die Briefwechsel und Memoirenwerke nach Aufschlüssen und Hinweisen durchzusehen. Dies hat von vornherein nicht in meinem Plan gelegen, selbst nicht innerhalb der Grenzen des mir allenfalls zugänglichen Materials. Für das meiste dieser Art aber sind die einschlägigen Quellen sicher nur in deutschen Bibliotheken und Archiven vorhanden. So z. B. für die Frage nach den Gründen für das Vorgehen von Werlhof und nach seinem etwaigen Einfluß im hannöverisch-göttingischen Literaturraum, vor allem also auf Bürger und die Brüder Schlegel.

Zu Goethes Reimen besonders im *Faust*

(1943)

IM Mittelpunkt meiner Untersuchungen über „Umlaut und Reim" hat mein Interesse an den Problemen gestanden, die mit dem Reimverfahren Goethes verknüpft sind. In diesem Zusammenhang hat sich bei mir an Tatsachen, Beobachtungen und Fragestellungen weit mehr angehäuft, als ich in Rücksicht auf die Darstellung des allgemeinen Ganges der Entwicklung verwerten konnte. Wenigstens einiges davon, besonders soweit es den *Faust* betrifft, möchte ich hier mitteilen. Leitmotiv bleibt auch hier die Frage nach der Reimreinheit der Goetheschen Verse.

Zunächst ein paar Worte über die einschlägige Literatur. Abgesehen von dem, was bei Vischer, Biedermann, Hildebrand, Minor, Heusler teils in Zeitschriften, teils im Rahmen größerer Werke zu finden ist, handelt es sich hauptsächlich um die folgenden Einzeluntersuchungen:

Caspar Poggel: *Grundzüge einer Theorie des Reimes und der Gleichklänge mit besonderer Rücksicht auf Goethe.* Münster 1836.
Eduard Belling: *Beiträge zur Metrik Goethes.* Drei Teile. Progr. Bromberg 1884, 1885, 1887.
Ewald Kunow: *Verhältnis des Reimes zum Inhalt bei Goethe.* Progr. Stargardt i. P. 1888.
Bruno Wehnert: *Goethes Reim.* Diss. Berlin 1899.
Friedrich Neumann: *Der Altonaer „Joseph" und der junge Goethe.* In *Germanica. Eduard Sievers zum 75. Geburtstage.* Halle 1925. Auch als Sonderdruck, Halle 1926.
E. Staedler: *Die Reime in Goethes Faustgedicht. Ein Beitrag zur deutschen Reimkunde.* Weimar 1932.

Poggel, Kunow und Belling gehen auf die von mir untersuchten Fragen nicht ein. Neumann liefert eine musterhafte Charakteristik des Goetheschen Reimverfahrens vor Straßburg, aus der auch für die Untersuchung der späteren Zeit viel zu lernen ist. Da er sich aber auf die Zeit bis 1770 beschränkt, so sind seine Aufstellungen nicht direkt verwertbar für die Zeiträume, denen der *Faust* angehört. Für die von mir verfolgten Gesichtspunkte kommen also vor allem Wehnert und Staedler in Frage.

Der Wert der Staedlerschen Arbeit liegt darin, daß sie einen vollständigen Index der Endreime im *Faust* bringt (S. 5-99). Allerdings werden nur die Versnummern verzeichnet, nicht die Reimbindungen selber, wie das sonst in Reimwörterbüchern üblich und für bequeme Benutzung wünschenswert ist. Was darüber hinaus der Verfasser an statistischen Zusammenstellungen bringt, die er als die „notwendigsten Handhaben seiner [des Index] sprachwissenschaftlichen Verwertbarkeit" angesehen wissen will, ist recht fraglicher Natur. Zwei Listen von „vokalischen Anomalien" und „konsonantischen Anomalien" verzeichnen als anomal alle Reime, deren Schreibweise die geringste Abweichung aufweist. Also z. B. *Mahle:Saale, Eulen:Säulen, zieme:Maxime* sind vokalisch anomal, *Haupt:erlaubt, oft:hofft, hat: Stadt, Schlaf:brav,* sind konsonantisch anomal. Die Aufzählung der d:t-, g:ch- und s:ß-Reime macht keinen Unterschied zwischen *Geld: Welt, Orten:geworden; Buch:genug, steigen:reichen; läßt:Fest, aufzureißen:beweisen.* Sie gelten alle gleichmäßig als konsonantisch anomal, als ob es sich um einen Text handelte, über dessen Aussprache wir ganz im Dunkeln wären, so daß die geringsten orthographischen Abweichungen müßten gebucht werden. Anderseits und in direktem Gegensatz dazu bestimmt der Verfasser die Vokallänge Goethescher Reime einfach aus Siebs oder Viëtor und bucht Reime wie *an:Bahn, davon:Lohn, hin:ziehn* als *kurz:lang,* obgleich Wehnert und Neumann längst einwandfrei nachgewiesen hatten, daß Goethe *an, von, hin* lang sprach und nur selten und ausnahmsweise auf Wörter mit kurzem Vokal reimte. Tatsächlich kommt *an* (einschließlich *heran, daran* u. s. w.) im *Faust* 90mal als Reimwort vor und paart sich ohne Ausnahme nur mit sich selbst oder mit Wörtern mit langem *a,* nicht ein einziges Mal mit *Mann* oder *kann*[1]. Das Gleiche gilt im *Faust* für die 17 Fälle von *hin* (einschließlich *drin, dahin*) und die 16 von *davon.* Die Arbeiten seiner Vorgänger sind Staedler anscheinend unbekannt geblieben.

Ungleich vor- und umsichtiger verfährt Wehnert, und es ist sehr zu bedauern, daß er in seiner Dissertation nur vereinzelte Kapitel der von ihm eingereichten Arbeit hat drucken lassen. Die Arbeit ist aus Erich Schmidts Seminar hervorgegangen und beruht auf einem leider unveröffentlichten „vollständigen Goethischen Reimlexikon", das doch wohl in einer der Berliner Bibliotheken niedergelegt ist. Wehnert bezeichnet seine Arbeit als „eine Untersuchung, die für Goethes vielgescholtenen Reim eine Lanze brechen will" und zwar durch den Nachweis, daß die Goetheschen Reime mit nur geringen Ausnahmen, gemessen an der damaligen Aussprache des gebildeten Bürgertums seiner Heimat, also Frankfurts und Rheinfrankens, ganz oder so gut wie ganz reine Reime waren. Auf diese Frage komme ich am Ausgang meiner Ausführungen kurz zu sprechen.

Was ich zunächst vorhabe, ist, auf Grund der Wehnertschen Angaben über die Gesamtmasse Goethescher Reime zu untersuchen, ob und bis zu welchem Grade der *Faust,* in dem sich ja alle drei Epochen Goetheschen Schaffens spiegeln, auch in seinen Reimen als repräsentativ für Goethes künstlerische Gesamtleistung gelten darf. Für die Umlautreime, mit denen ich mich in der vorigen Arbeit beschäftigte, ist das unschwer nachzuweisen. Ich teile zu diesem Zweck die Reimverse in beiden Teilen des *Faust*—es sind 10864—in drei große Gruppen, die ich der Einfachheit halber als A, B und C bezeichne. A umfaßt diejenigen Reimverse des „Urfaust", die über das „Fragment" in den vollendeten Ersten Teil eingegangen sind. Es sind 1332. B umfaßt das, was das „Fragment" an Reimversen neu hinzubringt (748), vereint mit dem weiteren Zuwachs im Ersten Teil (2399), also zusammen 3147 Verse. C endlich umfaßt die gesamte Reimmasse des Zweiten Teils: 6385 Verse[2]. A vertritt somit den Sturm und Drang der frühen 70er Jahre, B die Zeit der künstlerischen Reife etwa von 1786–1800, C die weite Welt- und Lebensschau der letzten zehn Jahre. In runden Zahlen ist das Verhältnis der drei Versmassen wie 1300: 3000:6000 oder wie 2:5:10. Die Anzahl der Verse für jede der drei Perioden genügt für die zuverlässige Beobachtung wenigstens häufigerer Erscheinungen. Ein gutes Beispiel dafür bieten die oben erwähnten *an:ahn*-Reime. Die Wehnertschen Zahlen für die gesamte Reimdichtung Goethes sind für Jugend, Mitte und Alter 44, 89, 160 oder fast genau 1:2:4. Im *Faust* sind es in A 12, in B 32, in C 67, also 2:5:11 oder 1:2.5:5.6. Das heißt, die Verhältniszahlen für den *Faust* entsprechen ziemlich genau denen für die Gesamtmasse. Natürlich beweisen diese Zahlen noch nichts für die relative Häufigkeit im Gebrauch dieser Reime, denn die hängt ab von der Zahl der Vorkommnisse in einer bestimmten Anzahl von Versen, sagen wir 100. Auf je 100 Verse berechnet ergeben die Faustzahlen für A 0.9, für B 1.1, für C 1.1. Das heißt, *an:ahn*-Reime werden im *Faust* in allen drei Perioden so gut wie gleich häufig verwendet.

Wie steht es nun aber im Vergleich zu diesem Ergebnis mit der gesamten Reimdichtung? In der Beantwortung dieser Frage lassen uns die Angaben Wehnerts völlig im Stich, denn er sagt weder, wie er seine drei Perioden zeitlich abgrenzt, noch, wieviel Verse die von ihm untersuchte Gesamtmasse umfaßt, noch, wieviel davon jeder seiner drei Perioden angehören. Die Art und Weise, wie er seine absoluten Zahlen anführt, muß irreführen. Ja, es klingt, als ob er selber sich ihrer beschränkten Bedeutung nicht recht bewußt gewesen wäre. So heißt es z. B. S. 48 von den *an:ahn*-Reimen: „Die drei Perioden scheiden sich also von einander; die erste hat etwa 44 solcher Reime, *die zweite strengere geht hier durchaus keinen Schritt zurück, sondern bringt doppelt so viel,* etwa 89, das Alter 160." Oder noch deutlicher auf S. 24 von den s:ß-Reimen: „. . . so verteilen sich die vorkommenden Fälle wie folgt: im Alter die überwiegend größte Zahl [68]; dem stehen nur ungefähr 11 in der Jugend, ungefähr 22 in der mittleren Zeit gegenüber, *ein Anwachsen um das Doppelte gerade in diesen reimstrengeren achtziger Jahren*"[3]. Um hier einigermaßen Klarheit zu schaffen, habe ich versucht, den Umfang seiner über 17 Bände der Weimarer Ausgabe verstreuten Gesamtmasse wenigstens annähernd festzustellen. Nach einer oberflächlichen, aber nicht unüberlegten Schätzung rechne ich alles in allem etwa 43.000 Reimverse. Mindestens 25.000 davon fallen sicher in die Zeit nach Schillers Tod. Von den verbleibenden 18,000 Versen weise ich 6.000 der Jugend zu (bis 1776), 12.000 der mittleren Zeit. Jugend, Mitte und

Alter wären dann in der Gesamtmasse in einem Verhältnis von 1:2:4 vertreten. Eine gewisse Gewähr dafür, daß diese Zahlen annähernd den Tatsachen entsprechen, sehe ich darin, daß sie überraschend genau den Wehnertschen Zahlen für die *an:ahn*-Reime (44, 89, 160, d. h. 1:2:4) entsprechen; denn diese Reime finden sich dem Ausweis der Faustdichtung nach, wie wir gesehen haben, ziemlich gleichmäßig in allen drei Perioden. In der Gesamtmasse kommen sie demnach in jeder der drei Perioden etwa 0.7mal in je 100 Versen vor, d. h. etwas weniger häufig als im *Faust.* Jedenfalls kann keine Rede davon sein, daß Goethe die meist recht trivialen *an:ahn*-Reime (besonders *an:getan*) in der mittleren Zeit doppelt so häufig verwandt hätte wie in der Jugend und im Alter sogar viermal so häufig.

In diesem einem Fall hat sich also der typisch-repräsentative Charakter der Faustdichtung überraschend gut bewährt. Für eine ähnliche Erörterung der Umlautreime gibt Wehnert leider keine Vergleichszahlen an die Hand. In den Kapiteln, die er aus seiner Arbeit mitteilt, werden die Umlautreime nicht behandelt. Wir müssen also Vergleichsmaterial anderswo hernehmen. Zunächst die Tatsachen für den *Faust* an sich: In A, den Partien, die aus dem „Urfaust" stammen, finden sich im Durchschnitt 72 Prozent ungleicher Umlautreime (ungl. U.), d. h. von je 100 Reimen dieser Art reimen nur 28 ö:ö, ü:ü, eu:eu, während 72 oder fast dreimal soviel ö mit e oder ä, ü mit i, eu mit ei oder ai reimen. In B, den etwa 3,000 Versen des „Fragments" und des vollendeten Ersten Teils, sinkt die Zahl auf 66 Prozent und zwar gleichmäßig für die Fragmentverse von 1788 und die späteren Verse des Ersten Teils von 1797 an. In C endlich, dem Zweiten Teil, geht der Prozentsatz weiter zurück auf 56 Prozent. Im Ganzen also ein nicht unbeträchtlicher und für die als lässig verschrienen Verse des Zweiten Teils überraschender stetiger Rückgang im Gebrauch der ungl. U.

Vergleicht man A mit einigen anderen Werken der frühen 70er Jahre, so findet man z. B. im *Satyros* (1770) 78 Prozent, im *Jahrmarktsfest* (1772) 74 Prozent, im *Ewigen Juden* (1774) 75 Prozent. In den Gedichten der Jahre von 1770 bis 1775 (Heckers Ausg.[4] S. 43-98) sind es allerdings nur 60 Prozent. Zöge man aber das gesamte Material dieser fünf bis sechs Jahre mit Ausnahme des „Urfaust" in eine Masse zusammen, so dürfte der Durchschnitt ungefähr 70 Prozent betragen. Ein solches Verfahren wäre zum Zwecke eines Vergleichs mit A durchaus berechtigt, denn auch in den Urfaustversen schwanken die verschiedenen Partien beträchtlich. Die Schülerszene bringt es auf 89 Prozent, Fausts erster Monolog auf 82 Prozent; in der Gretchentragödie sind es 67 Prozent, im Gespräch mit Wagner sogar nur 50 Prozent: Zahlen, denen man leicht eine chronologische Bedeutung beilegen könnte. Zum Vergleich mit den 66 Prozent von B[5] ziehe ich die Gedichte von 1786-1807 heran (bei Hecker S. 155–373). Es sind 2540 Zeilen, die den 3000 von B leidlich entsprechen. Auch in ihnen findet sich ein Durchschnitt von genau 66 Prozent ungl. U. Für C endlich mache ich zwei Vergleiche: einmal mit den Gedichten, die Hekker, Bd. II, 1-55 für die Zeit von 1820-32 bringt (es sind 1710 Zeilen mit 61 Prozent ungl. U.), anderseits mit den 3024 Reimversen des *Westöstlichen Divan,* in denen sich 60 Prozent ungl. U. finden: Zahlen, die von den 56 Prozent des Zweiten Teils nicht weit abrücken. Die unverkennbare Abnahme der ungl. U. von Periode zu Periode muß natürlich ihren Grund in einem sich langsam ändernden Verhalten des Dichters zu diesen Reimen haben. Sie geht aber kaum weit genug, um auf einen bewußt einsetzenden Umschwung in seinem Verfahren schließen zu lassen. Jedenfalls spiegelt auch hier die Faustdichtung in ihren zeitlichen Schichten Richtung und Umfang der Verschiebung im Gesamtwerk deutlich wider.

Die am häufigsten gerügten Unstimmigkeiten in Goethes Reimen sind nach den ungleichen Umlautreimen die konsonantisch ungleichen Reime (d:t, g:ch, s:ß). Wehnert geht nur auf die g:ch- und s:ß-Reime ein, auf diese aber mit größter Ausführlichkeit. Ich nehme diese deshalb zuerst unter die Lupe.

Was die s:ß-Reime betrifft, so habe ich bereits oben angeführt, wie Wehnert in den Zahlen ihres Vorkommens: 11, 22, 68 ein befremdendes „Anwachsen um das Doppelte" in der reimstrengeren mittleren Zeit sieht, von der weiteren dreifachen Vermehrung im Alter nicht zu reden. Der *Faust* liefert in diesem Falle keine ganz klare Parallele, weil in den 1300 Urfaustversen von A sich kein einziger s:ß-Reim findet. Das mag auf den ersten Blick befremdend erscheinen, ist es aber nicht. Denn was die übrigen Jugendwerke betrifft, so finden sich s:ß-Reime eigentlich nur im Liederbuch *Annette* (1), in der *Laune des Verliebten* (3) und in den Farcen der frühen 70er Jahre. Sie fehlen in den *Mitschuldigen,* in den *Neuen Liedern* von 1769 and in den sämtlichen Gedichten (über 1000 Zeilen), die Hecker für die Zeit von 1700-75 bringt. Im *Faust* erscheinen sie in der Gruppe B 7mal und in C 17mal. Für je 1000 Zeilen[6] bedeutet das für B 2.3, für C 2.8. Berechnet man die Wehnertschen Zahlen im Verhältnis zu den Versmassen, zu denen sie gehören, so ergeben sie für je 1000 Zeilen 1.8, 1.8, 2.6. Die Alterszahlen stimmen also gut, die für die mittlere Zeit nicht schlecht. Für die Jugend bietet der *Faust* keine Vergleichsmöglichkeit, entspricht damit aber den meisten der anderen Jugendwerke.

Für die g:ch-Reime gibt Wehnert als Gesamtzahl 150:69 im Inlaut, 45 im Auslaut und 36 vor t. Der Einfachheit halber ziehe ich die letzten beiden Gruppen zusammen (81). Die Verhältniszahlen sind dann für g:ch im Inlaut 17, 9, 43; für g:ch im Auslaut 23, 14, 44. Für den *Faust:* im Inlaut[7] A 4, B 3, C 16; im Auslaut A 5, B 3, C 11. Die Berechnung auf je 1000 Verse, auf die es besonders ankommt, gebe ich der Übersichtlichkeit halber als kleine Tabelle:

		(in je 1000 Versen)		
		A	B	C
g:ch im Inlaut	Insgesamt	2.8	0.8	1.7
	Faust	3.1	1.0	2.7
g:ch im Auslaut	Insgesamt	3.8	1.2	1.8
	Faust	3.8	1.0	1.8

Die Übereinstimmung bedarf kaum eines Kommentars. Nur in *Faust II* übersteigt die Anzahl von inlautenden g:ch- Reimen nicht unwesentlich das allgemeine Niveau. Durchgängig sind die g:ch-Reime im Alter häufiger als in der mittleren Zeit, die sie sichtlich meidet, aber sie sind beträchtlich seltener als in der Jugend und nicht, wie man nach Wehnert annehmen müßte, doppelt so häufig.

Was endlich die d:t- Reime betrifft, über die Wehnert nicht berichtet, so finden wir im *Faust* in A 3, in B 2, in C 21 oder in je 1000 Zeilen 2.3, 0.7, 3.5. Hier allerdings übersteigt in *Faust II* die Verwendung nicht nur weit den ganz geringen Gebrauch in der mittleren Zeit, sondern sogar den der Jugend. Ähnlich verhält sich der *Westöstliche Divan* mit 3 in 1000. Beides ist um so überraschender, als in den sonstigen Altersgedichten die d:t-Reime fast ganz fehlen. In mehr als 3500 Zeilen, die Hecker für die Zeit von 1808-32 bringt, zähle ich nur *einen* d:t-Reim!

Da Wehnert keinen Vergleich mit der Gesamtmasse ermöglicht, gehe ich hier auf weitere konsonantisch ungleiche Reime nicht ein. Es wären vor allem die wenigen g:k-Reime: *Geschleck':weg!* in A[8], *ging's:links* in B, *Dings:links, beschränkt:verlängt, bedenkst:empfängst, verschränkt:untermengt, bedenklich:verfänglich* in C (die letzteren 4 sonderbarerweise sämtlich im 4. Akt und nur da!). Dann die sogenannten Assonanzreime oder vokalischen Halbreime, wie sie Heusler nennt, etwa 12[9] im *Faust: Floh:Sohn* in A, die übrigen alle in C (volle 6 im 5. Akt!). Endlich vereinzelte kleinere Unstimmigkeiten, wie *soll's:Ebenholz* in A, *Restchen:Bestjen* in B, *Felsen:wälzen* in C.

Läßt man die g:ch-Reime im Auslaut außer acht, die ja der Aussprache von fast ganz Mittel- und Norddeutschland entsprachen und noch entsprechen und im herrschenden Reimbrauch der Zeit wohl nur infolge schlesisch-ostpreußischen Einflusses von Opitz und Gottsched her verhältnismäßig wenig verwandt, aber auch durchaus nicht ganz gemieden wurden, und überblickt man die verbleibenden d:t-, g:ch- und s:ß-Bindungen im zwischenvokaligen Inlaut, die allerdings vom Reimgeschmack der Zeit verpönt waren und auch da gemieden wurden, wo man sie in der Aussprache nicht auseinanderhielt, so bietet der *Faust* für die drei Schaffensperioden folgendes Bild:

	d:t			g:ch			s:ß			alle drei		
	A	B	C	A	B	C	A	B	C	A	B	C
Ausgezählt:	3	2	21	4	3	16	0	7	17	7	12	54
In je 1000 V.:	2.3	0.7	3.5	3.1	1	2.7	0	2.3	2.8	5.4	4	9

Eine einheitlich steigende oder sinkende Tendenz fehlt. d:t und g:ch treten in der mittleren Zeit weit zurück. Dafür aber setzt s:ß gerade in dieser Zeit erst kräftig ein. Für die Jugend sind d:t und g:ch relativ häufig, aber s:ß, das auch sonst in der frühen Zeit selten ist, fehlt im

„Urfaust" ganz. Einheitlich ist nicht einmal die Höchstziffer im Alter, denn g:ch erreicht sie bereits in der Jugend. Für alle drei Arten von Reimen zusammen zeigt die mittlere Zeit gegen die Jugend einen wenn auch nur sehr mäßigen Rückgang und das Alter ein Anwachsen um etwa das Doppelte. Das Bild verschöbe sich allerdings beträchtlich, wenn für die mittlere Zeit die Fragmentverse getrennt von denen des Ersten Teils angeführt wären; denn im *Fragment* erscheint von all den 12 Reimen in B nur ein einziger (*spaße:Nase* in Auerbachs Keller), der zu gut war, um sich ihn entgehen zu lassen. *Spaßen* heißt ja doch in diesem Fall wortwörtlich an der Nase führen. Alle andern für die mittlere Periode angesetzten Reime finden sich erst in *Faust I.* Das heißt denn doch, daß um 1788, der Zeit der Textrevision des „Urfaust" für den Druck, Goethe sich den inlautenden Konsonanten gegenüber zu fast voller Formstrenge entwickelt hatte. Nur im Auslaut bringt das „Fragment" 2 g:ch-Reime: *klug:Buch* und *übersteigt:seicht,* die sich um 1790 überall sehen lassen konnten. Nur wenige Jahre später verteidigt Bürger in seinem *Hübnerus redivivus* gerade diese g:ch Reime (im Auslaut und vor *t*) auf das Nachdrücklichste. Die Gedichte der Zeit von 1786 bis etwa 93 sind fast alle reimlos. In den wenigen, die sich in diesen Jahren finden, habe ich soweit keine konsonantisch fraglichen Reime nachweisen können. Untersucht man jedoch bei Hecker die nächste Gruppe für die Jahre 1794-97 (immerhin 1116 Reimverse), so findet man *großen:losen, Lose:große, fließen:Wiesen, Boden:Toten,* ganz wie in *Faust I,* ja sogar dieselbe Häufigkeitsziffer von etwa 4 in 1000. An einem Einzelfall ein überraschender Beleg für den repräsentativen Charakter der Faustverse. Was zu dem so plötzlich und stark hervortretenden Umschwung geführt hat, entzieht sich meiner Kenntnis. Die Beschäftigung mit dem *Reineke Fuchs?* Gespräche mit Schiller?

Der Nachweis von Goethes reimstrengem Verfahren in den Jahren von etwa 1786 bis 90 ist wichtig im Zusammenhang mit der Frage, inwieweit sich des Dichters Gefühl und Urteil über gewisse „unreine" Reime bei der Revisionsarbeit für die erste Gesamtausgabe aus ihrer Ausmerzung aus früheren Fassungen eindeutig nachweisen ließe. Wehnert geht der Frage vorsichtig nach, erörtert eine Anzahl von Reimänderungen und kommt in den meisten Fällen zu dem Schluß, daß der Reim als solcher nicht die Veranlassung zur Änderung gewesen sei. Ja, ich bezweifle es meist selbst da, wo es ihm wahrscheinlich oder gar sicher scheint. Wenn z. B. in den *Mitschuldigen* nicht weniger als 5 ältere Bindungen von *taugen* und *brauchen* im Druck von 1787 beseitigt worden sind, so ist das gewiß der Reime wegen geschehen, aber doch weit mehr wegen der fast lächerlich wirkenden Wiederholung desselben Reimes, als weil schon ein vereinzelter Reim dieser Art als solcher anstößig gewesen wäre. Auch hier verhilft der *Faust* zu einigem Aufschluß. Die Urfaustverse werden 1788 für die Aufnahme in das zu druckende „Fragment" sorgfältig revidiert. Zahlreiche sprachliche und stilistische Änderungen werden vorgenommen, infolge wovon auch 6 Reimpaare ausgeschieden und durch neue ersetzt werden. Die 7 Reime jedoch von d:t und g:ch im Inlaut: *Orten:worden, scheiden:geleiten, schaden:raten, steigen:reichen, Tage:Sprache, neige:Schmerzenreiche* (2mal) gehen sämtlich unangetastet in das *Fragment* und später in den vollendeten Ersten Teil ein. Wenn das in der Zeit von 1786 bis 90 geschehen konnte, so ist es jedenfalls sehr unwahrscheinlich, daß Goethe je vorher oder nachher weniger nachsichtig verfahren wäre[10].

Vom Standpunkt strenger Reimreinheit sind es bei Goethe die Umlautreime, die lang:kurz-Bindungen, die e:ä-Reime und die konsonantisch unstimmigen Reime, die häufigen Angriffen gegenüber der Verteidigung bedürfen. Die Umlautreime, in deren Gebrauch er sich im Laufe der Jahre doch eine gewisse Einschränkung auferlegte, waren ihm und seinen Zeitgenossen bis jedenfalls gegen Ende des Jahrhunderts nicht nur brauchrein, sondern auch sprechrein, und als sie ihm später aufhören, sprechrein zu sein, behält er sie gleich den meisten seiner Zeitgenossen als berechtigten Bestand einer großen Tradition bis zuletzt bei.

Das, was wir heutzutage als leidlich häufige lang:kurz-Reime bei Goethe empfinden, sind zum großen, wenn nicht größten Teil Bindungen, die vom Standpunkt der Sprechart nicht nur seiner rheinfränkischen Heimat, sondern auch von fast ganz Mittel- und Süddeutschland durchaus einwandfrei waren. Neumann in seinem maßgebenden Werk über die „Geschichte des neuhochdeutschen Reimes von Opitz bis Wieland" verwendet als verläßliches Trennungskriterium zwischen der Sprech- und Reimweise von Mittel- und Süddeutschland und der von Norddeutschland im 17. und 18. Jahrhundert die Aussprache von *an, nach, wohl* und *hat:* in der Mitte und im Süden *an, nach, wohl* lang, *hat* kurz, im Norden *an, nach wohl* kurz, *hat* lang. Nach *an* richtet sich dabei auch *hin* und *von*. An der seiner Landschaft zugehörigen Aussprache dieser Wörter hat Goethe, wenn auch nicht ohne vereinzelte Ausnahmen, so doch konsequenter festgehalten als die meisten der mustergültigen obersächsischen Dichter seiner Jugend, und er ist ihr treu geblieben, als für *an, hin* und *von* die kurze Aussprache des Nordens allmählich den Sieg davontrug. Zieht man aber von den scheinbaren lang:kurz-Bindungen Goethes die mit *an, hin* und *von* ab, so schränkt sich seine Verwendung von Reimen mit wirklich verschiedener Vokallänge bedeutend ein.

In den Paarungen der verschiedenen e-Laute herrschte bereits zur Zeit von Goethes Jugend große Unsicherheit, da gerade in Mitteldeutschland die einstige genau Scheidung der Wörter mit geschlossenem und offenem *e* längst ins Wanken geraten war. Bedenkt man aber, daß Goethe gleich seinen mitteldeutschen Zeitgenossen in der Mehrzahl der e-Stämme ein ziemlich breites offenes *e* sprach, so sind viele, wenn nicht die meisten seiner e:ä-Bindungen für ihn reine Reime gewesen. Jedenfalls waren für ihn z. B. *fehlen:quälen* oder *sehen:mähen* genauere Reime als z. B. *fehlen:Seelen* oder *sehen: gehen,* die man heutzutage meist als reine Reime braucht und spricht.

In diesen drei Reimgruppen folgt Goethe jedenfalls nicht nur seiner eignen Mundart sondern zugleich auch dem anerkannten Reimbrauch seiner Zeit, wie er ihm in den Dichtern entgegentrat, an denen sich seine Jugend bildete und schulte. Anders liegen allerdings die Dinge für die konsonantisch ungleichen Reime. Wie oben angedeutet, hätte er sich für die Reime von auslautendem g:ch, die seiner spirantischen Aussprache des g entsprachen, noch gut auf ihr zumindest vereinzeltes Vorkommen bei der Mehrzahl der Zeitgenossen berufen können, vor allem bei Bürger. Er selber verwendet sie zwar häufig genug, aber doch nicht so oft wie die neutralen oder gleichen Bindungen. Reime wie *Buch:Tuch* und *klug:genug* sind auch bei ihm, wie Wehnert nachweist, weit häufiger als solche wie

Buch:klug. In einen durchaus unvereinbaren Gegensatz aber stellte sich der junge Goethe zu dem herrschenden Reimverfahren seiner Zeit mit seinen d:t-, g:ch- und s:ß-Reimen im Inlaut zwischen Vokalen. Wohl bei keinem einzigen Dichter von irgendwelchem Ruf oder Ansehn in der Literatur der 60er oder 70er Jahre des 18. Jahrhunderts dürften sich solche Reime auch nur vereinzelt nachweisen lassen. Im *Göttinger Musenalmanach auf 1771* muß man schon zu Dichtern wie Löwen oder der Karschin hinabsteigen, um ein *Matrose: Große* oder *Fuße:Muse* zu finden. Wenn man, wie das Wehnert sehr gewissenhaft tut, den Nachweis bringt, daß diese Reime sich bei Goethe aus seiner Frankfurter Heimat erklären, so beweist man im Grunde eine Selbstverständlichkeit. Jeder Dichter, der sich nicht an bestimmte Reimvorschriften bindet, weicht von ihnen ab zu Gunsten seiner eignen Sprechweise. Man übersieht aber zweierlei. Einerseits ist es nichts spezifisch Frankfurtisches oder Rheinfränkisches, was in diesen Reimen zum Ausdruck kommt. Die meisten Mitteldeutschen, Sachsen, Thüringer, Franken, sprachen ebenso, aber sie reimten nicht so. Anderseits erklärt der Nachweis nur, warum Goethe so reimte, als er nach Leipzig kam, nicht aber, warum er sich geweigert haben muß, sein Verfahren zu ändern. Da liegt das eigentliche Problem; denn Druck, sich dem allgemeinen Brauch zu fügen, muß in Leipzig von den verschiedensten Seiten auf den jungen Studenten ausgeübt worden sein. Irgendwie muß also doch wohl schon der tändelnde, geckenhafte Anakreontiker die Ahnung gehabt haben, daß Dichtung, wie sie ihm vorschwebte und er sie ersehnte, ihren Quell- und Mittelpunkt im innersten Wesen des Dichters haben müsse, daß, da sie ja doch inneres Erleben durch Worte gestalten sollte, sie auch ungehemmten Zugang zu des Dichters eigenstem sprachlich-seelischem Leben haben müsse. Etwas der Art, dunkel gefühlt, muß wirksam gewesen sein, den jugendlichen Goethe zu überzeugen, ein Dichter müsse so dichten dürfen, wie er spräche. Dem kommt jedenfalls ziemlich nahe, was Goethe im sechsten Buch von *Dichtung und Wahrheit* über die Nöte berichtet, die ihm seine heimische Redeweise in Leipzig bereitete. Allerdings handelt es sich da zunächst um Wörter und Wendungen, die man ihm als unfein oder altmodisch nicht gelten lassen wollte, und nicht um Verse und lautliche Eigenheiten der

Aussprache. Sicher nicht um die Umlaute und um d:t, g:ch, s:ß; denn die sprach man in Leipzig genau so wie er von Frankfurt her. Es fallen in diesem Zusammenhang aber einige Äußerungen, die klar erkennen lassen, wie tief Goethe—der alternde, der es etwa um 1810 schreibt, nicht minder als der junge einst in Leipzig—seine Sprache und Ausdrucksweise als einen unantastbaren Teil seines innersten Wesens ansieht und empfindet. Seine Mundart ist ihm da „doch eigentlich das Element, in welchem die Seele ihren Atem schöpft." In dem „beständigen Hofmeistern" sieht er eine „unerträgliche Forderung", daß „mit der Aussprache, in deren Veränderung man sich endlich wohl ergäbe, zugleich Denkweise, Einbildungskraft, Gefühl, vaterländischer Charakter sollten aufgeopfert werden."

Falls diese Erwägungen irgendwelche Berechtigung haben, dann ziemt es sich, mit oberflächlich absprechenden Urteilen zurückzuhalten, besonders da Goethe ja im späteren Alter äußerlich regulierendem Drängen gegenüber in ganz ähnlicher Weise wieder protestiert und auf seinem intuitiven Dichterrecht bestanden hat. Daß dieses späte Rebellieren durch die Parallele mit der frühen Jugend an Bedeutung gewinnt und umgekehrt die Jugend, so zu sagen, durch das Alter legitimiert erscheint, wird wohl niemand bestreiten. Jedenfalls liegt hier ein bedeutsames Problem vor, das ich einmal ausführlicher und im Zusammenhang darzustellen hoffe.

Zur Frage einer Fortsetzung von *Wilhelm Meisters Wanderjahre*

(1945)

Als im Jahre 1829 die endgültige Fassung von *Wilhelm Meisters Wanderjahre* in der Cottaschen Ausgabe letzter Hand auf drei Bände verteilt erschien, waren im zweiten und dritten Band je eine Sammlung von Aphorismen und ein Gedicht dem Roman angefügt, die so den Beschluß der letzten beiden Bände bildeten. Im zweiten Band trugen die Aphorismen die Überschrift „Betrachtungen im Sinne der Wanderer. Kunst, Ethisches, Natur", und ihnen angegliedert war das kurz vorher beendete Gedicht „Vermächtnis" (Kein Wesen kann zu nichts zerfallen). Im dritten Band machten den Beschluß des ganzen Werkes die Aphorismen „Aus Makariens Archiv" und, ohne jede Überschrift, die Terzinendichtung „Im ernsten Beinhaus war's", die jetzt in den Gedichtsammlungen den Titel „Bei Betrachtung von Schillers Schädel" oder „Schillers Reliquien" trägt. Beide Gedichte sind in Antiqua gedruckt, und dem letztgenannten Gedicht folgt im gleichen Druck und in unmittelbarem Anschluß an seine letzte Zeile der Vermerk „(Ist fortzusetzen)". Diese zwei unscheinbaren Worte sind es, die zu den verschiedensten Vermutungen und Erklärungsversuchen geführt haben, und die durch Viëtors Aufsatz über „Goethes Gedicht auf Schillers Schädel" vom Jahre 1944 den Anstoß zu einer erneuten Diskussion der durch sie geschaffnen Fragen geführt haben[1].

Was ist es denn, hat man gefragt, was fortgesetzt werden soll. Das Gedicht, die Aphorismen, der Roman? Das Druckbild spricht allem Anschein nach für das Gedicht. Dieses aber ist fertig und abgeschlossen, da ja, bei Terzinen, selbst vom gedanklichen Verlauf abgesehen, die Schlußstrophe einen beabsichtigten Abschluß verbürgt und eine Fortsetzung in des Wortes normaler Bedeutung ausschließt. Was den Roman betrifft, so wären allerdings Fortsetzungsmöglichkeiten naheliegend genug, da wir wissen, daß Goethe den Gedanken einer Romantrilogie, in der auf die Lehr- und Wanderjahre die Meisterjahre folgen sollten, zumindest vorübergehend erwogen hat. Aber die Stellung des Vermerks in unmittelbarem Anschluß an das Gedicht und durch einige vierzig Seiten Aphorismen vom Ende des eigentlichen Romans getrennt, schien, von allem andern abgesehen, dieser Annahme zu widersprechen. Gewiß, man konnte behaupten, das Gedicht gehöre zu dem aus Makariens Archiv Mitgeteilten und die Aphorismen seien durch ihre Überschrift genügend deutlich als ein Teil des Romans gekennzeichnet. Tatsächlich neigten die meisten Beurteiler der Frage zu der Annahme, der Vermerk bezöge sich auf den Roman oder aber auf die Aphorismen, deren lose Aneinanderreihung ebenfalls zu der Anzeige einer zu erwartenden Fortsetzung zu passen schien.

I

In der vorliegenden Arbeit soll der Versuch gemacht werden, auf Grund einer möglichst eingehenden Prüfung aller in Frage kommenden Umstände und Verhältnisse den Nachweis zu bringen, daß Goethe mit dem Vermerk „Ist fortzusetzen" nur den Roman selber, nicht aber das Gedicht auf Schillers Schädel oder die Aphorismen gemeint haben kann.

Ehe ich aber im Einzelnen auf das eingehe, was ich gegen die Gedicht-Hypothese und zu Gunsten der Roman-Hypothese vorzubringen habe, ist es nötig, über den rein äußeren Tatsachenbestand, über den es keinerlei zwei Meinungen geben kann, einen klaren Überblick zu gewinnen. Dies umsomehr, als Viëtor bei der Begründung seiner Auffassung zwei Punkte übersieht, die für eine unvoreingenommene Erörterung des Problems von größter Wichtigkeit sind. Ich beziehe mich einmal auf die handschriftliche Überlieferung des Gedichtes, zum andern auf die Stelle, an der das Gedicht nebst der Aphorismensammlung „Aus Makariens Archiv" ursprünglich eingefügt werden sollte. An der uns erhaltenen eigenhändigen

Niederschrift des Gedichtes ist zweierlei beachtenswert. Sie ist in lateinischer Schrift geschrieben, und sie enthält nicht den Zusatz „Ist fortzusetzen". Auch läßt sich feststellen, daß diese eigenhändige Niederschrift nicht etwa eine spätere für irgendeinen besonderen Zweck hergestellte Abschrift sein kann. Sie weist nämlich in der zweiten Zeile noch eine ältere Lesart auf. In der ursprünglichen Fassung „Wie Köpfe Köpfen angeordnet paßten" ist „Köpfe Köpfen" ausgestrichen und durch das jetzige „Schädel Schädeln" ersetzt. Die Handschrift dürfte also die ursprüngliche Niederschrift vom 25. September 1826 sein, welches Datum sie trägt. Jedenfalls liegt hier mit einer an Sicherheit grenzenden Wahrscheinlichkeit die Niederschrift vor, nach der die Druckvorlage für Cotta hergestellt worden ist. Der dem Gedicht angefügte Zusatz müßte also eigens für den Zweck der Veröffentlichung vom Dichter angeordnet worden sein. Inwieweit dieser Umstand die Wahrscheinlichkeit der Gedicht-Hypothese beeinflußt, kann erst später erörtert werden. Was die Verwendung der lateinischen Schrift angeht, so ist sie an sich gewiß nicht *auffällig;* denn es entsprach dem Brauch Goethes, besonders im Alter, sich für Gedichte, denen er wegen ihres Gedankeninhalts oder wegen der für sie geplanten Verwendung besondere Bedeutung beilegte, der lateinischen Schrift zu bedienen. So z. B. im „Epilog zu Schillers Glocke", in den drei Gedichten der „Trilogie der Leidenschaft" und in den ältesten Niederschriften der Hatem-Suleika-Lieder des *Westöstlichen Divans.* In der Gruppe „Gott und Welt", der das Gedicht auf Schillers Schädel in W. A. angegliedert ist und der auch das den zweiten Band der *Wanderjahre* beschließende Gedicht „Vermächtnis" angehört, sind fast alle uns erhaltenen Niederschriften—es sind ihrer befremdend wenige—lateinisch geschrieben. Es brauchte also auf keiner besonderen Absicht des Dichters zu beruhen, die beiden Gedichte von den ihnen voraufgehenden Aphorismensammlungen abzusondern, wenn die Druckvorlagen lateinisch geschrieben abgingen und daraufhin mit lateinischen Lettern gedruckt wurden. Auch auf diesen Umstand soll erst weiter unten eingegangen werden.

Soviel über die handschriftliche Überlieferung. Der zweite Punkt des tatsächlichen Befundes, der der Erörterung bedarf, betrifft, wie schon angedeutet, den Platzwechsel, der mit der Aphorismensammlung „Aus Makariens Archiv" und dem ihr folgenden Gedicht vorgenommen worden ist. Ein klares und eindeutiges Bild von der Entstehung und ursprünglich beabsichtigten Verwendung der beiden Aphorismensammlungen, die am Erde des zweiten und dritten Bandes stehen, läßt sich auf Grund der überlieferten Nachweise nicht gewinnen. Die Hauptquelle dafür, Eckermanns Gespräch mit Goethe vom 15. Mai 1831, steht in einigen Punkten im Widerspruch zu Goethes eignen Angaben, und Max Wundts Bemühungen, Klarheit zu schaffen, lassen schon wegen des allzu schroffen und gereizten Tones seiner Polemik gegen Eckermann manches zu wünschen übrig. Jedenfalls fehlt ihm jede Beglaubigung für seine Annahme, daß Goethe von vornherein geplant habe, das Gedicht auf Schillers Schädel unabhängig von der Aphorismensammlung „Aus Makariens Archiv" am Schluß des Romans zu bringen als eine Huldigung für den verstorbenen Freund, unter dessen Anteilnahme einst die *Lehrjahre* beendet worden waren. Von entscheidender Wichtigkeit für unsre gegenwärtigen Zwecke ist jedoch nur die Tatsache, daß Eckermanns Gedächtnis ihn täuschte, wenn er erzählt, Goethe habe die beiden Aphorismensammlungen nebst den angefügten Gedichten für den zweiten und dritten Band des Romans bestimmt, weil sich deren Umfang als zu gering erwiesen habe. Diese Angabe Eckermanns entspricht nicht dem tatsächlichen Verlauf der Dinge. In Wirklichkeit schreibt Goethe an Reichel, Cottas Faktor, am 4. März 1829: „Zu dem ersten Band der Wanderjahre sende noch einen Nachtrag, da er gar zu mager ausgefallen ist. Mich hat die weitläufige Hand des Abschreibenden getäuscht. Kommen noch einige Bogen hinzu, so setzt er sich, sowohl was das Äußere als das Innere betrifft, mit den folgenden eher ins Gleiche." Als ihm auf diesen Vorschlag hin Reichel am 15. März mitteilt, daß der erste Band bereits im Druck abgeschlossen sei und ihm nichts mehr hinzugefügt werden könne, und zugleich vorschlägt, den gewünschten Nachtrag am Ende des dritten Bandes zu bringen, schreibt ihm Goethe am 19. März: „Vorstellung und Wünschen füge mich um so lieber, als der letzte Band auch nicht stark ist und es hauptsächlich darauf ankommt, daß diese übersendeten

Aphorismen mit gegenwärtiger Lieferung ins Publikum treten. Hiernach käme also das Nachgesendete: Aus Makariens Archiv ans Ende des dritten Bandes der Wanderjahre." Wenn Goethe hier neben den Aphorismen das Gedicht nicht besonders erwähnt, so kann das nur heißen, daß er es jedenfalls für den Zweck seiner Mitteilung an Reichel als zu der Sammlung gehörig ansieht. Es ist klar, die Aphorismen „Aus Makariens Archiv" mit dem Gedicht auf Schillers Schädel waren vom Dichter ursprünglich nicht für den Schluß des Romans bestimmt, sondern für das Ende des ersten Bandes, wo sie sich an Kapitel 10, in dem die Entstehung und der Charakter des Archivs geschildert werden, organisch angeschlossen hätten. Der vorgenommene Platzwechsel hat, soweit ich sehe, keine greifbare Bedeutung für die Gedicht-Hypothese, umsomehr aber für die Aphorismen- und Roman-Hypothese. Was die erstere betrifft, so konnte der Vermerk, wenn man ihn auf die Aphorismen bezog, darauf hindeuten, daß ähnliche Sammlungen von Weisheitssprüchen für spätere Bände zu erwarten seien. Ja, es heißt, an sich ließe sich manches dafür sagen. Wenn aber, wie Goethe beabsichtigt hatte, der Nachtrag am Ende des ersten Bandes erschienen wäre, so hätte der Vermerk sich nur auf die zweite Aphorismensammlung beziehen können, die unter dem Titel „Betrachtungen im Sinne der Wanderer" den zweiten Band abschließt. Da die drei Bände aber gleichzeitig herausgegeben wurden, so hätte ein solcher Hinweis auf eine Fortsetzung innerhalb des Romans unmöglich in der Absicht des Dichters liegen können. Unter diesen Umständen dürfte es berechtigt sein, die Aphorismen-Hypothese als erledigt ausscheiden zu lassen. Zu eingehender Erörterung verblieben also nur die Gedicht-Hypothese und die Roman-Hypothese.

II

Um in dieser Frage, wenn nicht zu einer endgültigen Entscheidung, jedenfalls aber zu dem höchstmöglichen Grad von Wahrscheinlichkeit zu gelangen, stehen zwei Wege offen. Um einen festen Stützpunkt zu gewinnen, kann man entweder von dem äußern Tatsachenbefund ausgehen oder von der Frage nach der inneren Wahrscheinlichkeit einer zugrundeliegenden Absicht. Im ersteren

Falle wird es sich darum handeln für den äußern Befund eine möglichst einwandfreie innere Begründung zu finden; im zweiten Falle wird die Aufgabe sein, die Auswirkung einer verständlichen Absicht mit den äußern Tatsachen in Einklang zu bringen. Daß ein anscheinend eindeutiger Tatsachenbestand zu den irrigsten Fehlschlüssen führen kann, ist im juristischen Verfahren ein als wichtig anerkannter Grundsatz, der für die Beurteilung und Deutung eines umstrittenen Tatsachenbefundes auch auf philologischem Gebiete volle Gültigkeit besitzt. Das Druckbild, d. h. der enge Anschluß des mit lateinischen Lettern gedruckten Vermerks an das Gedicht, spricht zweifellos zu Gunsten der Gedicht-Hypothese. Doch der Annahme gegenüber, daß eben dieses Druckbild so gut wie entscheidende Beweiskraft besitze und andre Erklärungsversuche eigentlich von vornherein „verbieten" solle, ist Vorsicht geboten. Gewiß, es „entspricht den Grundsätzen verständiger Textkritik, einen objektiven Befund dieser Art nicht anzutasten, wenn nicht solide und gewichtige Gründe eine abweichende Interpretation nahelegen". Ich glaube aber bestimmt, nachweisen zu können, daß es tatsächlich sehr solide und sehr gewichtige Gründe sind, die deutlich für den Roman sprechen, die Gedicht-Hypothese aber ganz unhaltbar erscheinen lassen. Wo das aber der Fall ist, verlangt eine verständige Textkritik nicht minder, sich nicht auf ein Druckbild zu versteifen, das zu einer geradezu undenkbaren Annahme führt. Dies gilt umsomehr, als es sich in unsrem Falle zunächst nicht um literarische Kritik handelt, wo etwa mit dichterischer Inkommensurabilität zu rechnen wäre, sondern um eine rein praktische Frage, bei deren Interpretation eine nüchterne Überlegung ihr Recht beanspruchen darf.

Bei einem Roman hat der Hinweis auf eine zu erwartende Fortsetzung durchaus nichts Befremdendes. Ganz anders liegen die Dinge für ein Gedicht. Daß ein kurzes, allem Anschein nach vollendetes Gedicht in der endgültigen Gesamtausgabe der Werke eines Dichters mit dem Hinweis auf eine Fortsetzung versehen veröffentlicht werden sollte, ist kaum denkbar. Die gesamte Welt der Dichtung dürfte schwerlich etwas der Art aufzuweisen haben. Mit Recht wird von Viëtor schon der bloße Gedanke an die Forsetzung eines Gedichtes als eine „unbehagliche ästhetische Vorstellung“ bezeichnet. Wenn ein Dichter ein kurzes, aber fragmentarisches Gedicht in die endgültige Sammlung seiner Werke aufnimmt, so tut er es entweder, weil er auch das nicht zur Vollendung gereifte Gedicht in dem, was es bietet, für mitteilenswert hält oder aber weil ein wortloses Ausklingen oder ein jähes Abbrechen einer bestimmten ästhetischen Wirkung dienen soll, in welchem Falle, wie z. B. vielleicht in Goethes „Der untreue Knabe“, das Gedicht trotz seiner fragmentarischen Form als vollendet anzusehen ist.

Ganz besonders unwahrscheinlich dagegen scheint mir die Annahme eines Hinweises auf Fortsetzung bei dem hier in Frage stehenden Gedicht. Das Gedicht gehört nach Sprache und Aufbau zu den sorgfältigst geprägten Gebilden im Rahmen von Goethes Gedankenlyrik. Mag man auch, wie die Beiträge von Feise und Mautner beweisen, über den plötzlich hervorbrechenden lapidaren Schluß verschiedener Meinung sein, so hat das Gedicht doch über hundert Jahre lang unter Goethes Gedichten einen Ehrenplatz als eine in sich vollendete Schöpfung eingenommen. Goethe hatte das im Herbst 1826 entstandene Gedicht wohl nur deshalb nicht in die bereits im nächsten Jahre erscheinenden Gedichtbände der AlH aufgenommen, weil die „bedenkliche Angelegenheit“ der Beisetzung von Schillers Gebeinen noch frisch im Gedächtnis weiter Kreise war. Inzwischen aber war zweimal Gras gewachsen über den Sankt Jakobskirchhof. Der Herzog, der die an dem Vorfall geübte Kritik peinlich muß empfunden haben, war im Juni 1828 gestorben, und es war Goethe augenscheinlich daran gelegen, das Versäumte auf eine würdige Weise nachzuholen und dem Gedicht die ihm versagt gebliebene Aufnahme in die Werke zu verschaffen. Und dieses Gedicht an dieser Stelle hätte Goethe verunzieren und in seinem Wert herabsetzen wollen als unvollendet und einer Fortsetzung bedürftig?

Gewiß ist auch Viëtor denkbar weit davon entfernt, eine solche Ansicht zu vertreten. Es ist aber der Wunsch, die von Max Wundt verfochtene Annahme eines Unvollendetseins des Gedichtes zu entkräften, ohne zugleich den Bezug des Vermerks auf das Gedicht preiszugeben, der ihn veranlaßt hat, den Worten „Ist fortzusetzen“

einen Sinn unterzulegen, der von ihrer allgemeingültigen Verwendung erheblich abweicht. Ich gestehe gern, daß bei der ersten Lektüre seine scharfsinnigen Ausführungen einen starken Eindruck auf mich machten. Im Geiste sah ich an jenem Abend im September 1826 den greisen Dichter, die abgeschriebenen Terzinen vor sich, sinnend sitzen. Ahnungen von weiteren dichterischen Gestaltungen des großen Lebensgeheimnisses drängen sich ihm zu, und wie um sie festzuhalten und doch halb unbewußt ergreift er die Feder und setzt an das Ende des Gedichts die Worte „Ist fortzusetzen", an sich selbst gerichtet und in einem nur ihm verständlichen Sinne. Als dann zwei Jahre später zwecks der Veröffentlichung das Gedicht dem Schreiber zur Abschrift übergeben wird, wird auch der Zusatz mitabgeschrieben und kommt so in den Druck, wo er in der drängenden Eile des Abschlusses (Ostern stand vor der Türe) unbeachtet bleibt. So, aber auch nur so konnte meinem Gefühl nach im Sinne der Gedicht-Hypothese der unbehagliche Vermerk unmittelbar an das Ende des Gedichts geraten.

Erst später machte sich die nüchterne Überlegung des Philologen geltend. Wie stand es um die handschriftliche Überlieferung? Ein Blick in die Weimarer Ausgabe erwies, wie schon oben erwähnt, die Handschrift enthielte den fraglichen Vermerk nicht. Goethe hätte ihn also erst für den Zweck der Veröffentlichung in den *Wanderjahren* hinzugefügt oder hinzufügen lassen. Was aber konnte dann seine Absicht sein? Selbst wenn es einen verständlichen Sinn gehabt hätte, dem Publikum—denn an dieses und nicht mehr an sich selbst wendete sich jetzt der Vermerk—eine solche Mitteilung zu machen, so konnte er das unmöglich mit einer Wendung tun, die nicht nur unverstanden bleiben, sondern geradezu mißverstanden werden mußte, und zwar in einem Sinne, der dem Wert und der Wirkung des Gedichtes nur Eintrag tun konnte.

Viëtor weist in Goethes Werken außer dem hier in Frage stehenden Zusatz zehn weitere Fälle eines Fortsetzungsvermerks nach. So sehr sie in ihrer Formulierung von einander abweichen, beziehen sie sich doch alle in dem einzigen Sinn, in dem sie gäng und gäbe sind, auf eine tatsächliche Fortführung dessen, was ihnen voraufgeht. Daß er den gleichen Ausdruck hier in einem abweichenden und von den Lesern unmöglich zu erratenden Sinn gebraucht haben sollte, ist schon an sich höchst unwahrscheinlich.

Feise und Mautner gelangen in ihren Beiträgen, der Eine auf klanganalytischem Wege, der Andere auf dem Wege ästhetisch-ethischer Erwägungen, zu Ergebnissen, die einer erweiternden Fortführung des Gedichtes selbst näherkommen. Doch auch für das, was ihnen vorschwebt, wäre „fortzusetzen" kaum die entsprechende Bezeichnung. Vor allem aber bliebe auch für die von ihnen vorgeschlagenen Deutungen die psychologische Unwahrscheinlichkeit bestehen, daß Goethe den in der Handschrift fehlenden Vermerk grade für den Zweck der Veröffentlichung im Roman hätte einsetzen sollen. Die drei Analysen des Gedichts beruhen alle drei auf sorgfältigsten Beobachtungen und Erwägungen. Unsomehr aber beweist der Umstand, daß sie alle drei in wesentlichen Punkten auseinandergehen, daß an dem Gedicht eben nichts ausfindigzumachen ist, was klar und eindeutig auf eine Art von Fortsetzung hinwiese. Die daraufhinzielenden Annahmen wirken in der Hauptsache als Rettungsversuche für den befremdenden Vermerk, deren größere oder geringere Glaubwürdigkeit hier nicht in Frage kommt.

III

Es verbliebe also die Erörterung der dritten Möglichkeit, der Beziehung des Vermerks auf den Roman selber. Einerseits ist es sicher, daß die Mehrzahl der neueren Kritiker diese Ansicht vertritt, andrerseits aber bezeichnet sie Wundt geradezu als eine Unbegreiflichkeit, und Viëtor widmet in seinem zweiten Aufsatz ihrer Widerlegung weiten Spielraum und mißt deren Beweiskraft soviel Bedeutung bei, daß er meint, man dürfe sie als „für immer erledigt" ansehen. Im Gegenteil, eine Reihe nicht unwesentlicher Abstriche hoffe ich als berechtigt zu erweisen. Was sich jedoch zu Gunsten der Roman-Hypothese sagen läßt, ist anscheinend nirgends im Einzelnen ausgeführt worden. Als ausführlichste Äußerung dazu wird von Viëtor das genannt, was Gräf in *Goethe über seine Dichtungen* im 2. Band des 3. Teils hierzu bemerkt, und selbst da fehlt jeder Versuch einer Begründung. Es heißt da nur: „Dieser Zusatz bezieht sich gewiß nicht auf das Gedicht, schwerlich auf die Aphorismensammlung Aus

Makariens Archiv, sondern wahrscheinlich auf den Roman als Ganzes, insofern die den Lehrjahren folgenden Wanderjahre als ‚Fortsetzung,' als dritten abschließenden Teil die (leider nicht ausgeführten) Meisterjahre fordern."

Die Haupteinwände gegen die Roman-Hypothese sind (1) die sicherlich große Unwahrscheinlichkeit, daß Goethe Anfang 1829 beim Abschluß der zweiten Fassung der *Wanderjahre* wirklich noch ernstlich an eine Fortsetzung in einem die Meisterjahre darstellenden dritten Roman sollte gedacht haben, und (2) das sogenannte Druckbild, d. h. der nach Drucktypen und Stellung enge Anschluß des Vermerks an das unmittelbar voraufgehende Gedicht. Beide Einwände mögen auf den ersten Blick überzeugende Beweiskraft zu besitzen scheinen, verlieren aber bei genauerer Nachprüfung viel an Stichhaltigkeit. Daß Goethe nach Ausweis der sicher verläßlichen Mitteilung des Kanzlers von Müller 1821 beim Abschluß der ersten Fassung der *Wanderjahre* die Fortführung des Werkes in einem Meisterroman tatsächlich erwogen haben muß, wird allgemein zugegeben. Mehr als das besagt die Äußerung dem Kanzler gegenüber, in der Goethe das Werk direkt als eine Trilogie bezeichnet, allerdings wohl kaum. Von einer bestimmten Absicht oder einem festen Plan ist auch in den folgenden Jahren nirgends die Rede. Es wäre aber ein Irrtum, aus diesem Schweigen des Dichters zu schließen, daß ein nur vorübergehend auftauchender Gedanke ebenso rasch wieder wäre fallengelassen worden. Auch nach dem Erscheinen des Ersten Teils des *Faust* vergingen Jahre, in denen mit keinem Worte einer Weiterführung des Werkes gedacht wurde, ohne daß deshalb anzunehmen wäre, der Dichter habe den Plan eines Zweiten Teils wieder aufgegeben. Eine Fortführung der *Lehrjahre* zu einer Darstellung von Wilhelms Meisterschaft war ja bereits 1795 während des Abschlusses der *Lehrjahre* zwischen Schiller und Goethe erwogen worden. Was dann Goethe veranlaßt hat, nach dem Erscheinen der ersten Fassung der *Wanderjahre* die Frage nach einer Fortsetzung wieder schärfer ins Auge zu fassen, dürfte die Aufnahme gewesen sein, die das Werk fand. So verständnislos und zum Teil absprechend die Kritik auch war, so fehlte ihr doch nicht ein gut Teil Berechtigung, wenn sie das Werk als Ganzes als unübersichtlich und fragmentarisch angriff und es besonders unverständlich fand, daß die Hauptgestalten der letzten Teile der *Lehrjahre,* also vor allem Natalie, Lothario, Therese und der Abbé, in den *Wanderjahren* als handelnde Charaktere kaum noch vorkamen, ja zum Teil nicht mehr erwähnt wurden. Dazu kamen dann die gegen Goethe gerichteten Fortsetzungen des Pastors Pustkuchen, die dreibändigen *Wanderjahre* von 1821-22, die rasch auf fünf Bände anwuchsen und sogar eine zweite Auflage erlebten und denen 1824 die anonymen zweibändigen *Meisterjahre* folgten, und die weitgehende Popularität, die ihnen zuteil wurde. Wenn dann Goethe das Jahr darauf sich zu einer Umarbeitung entschließt, muß er sich zweifellos die Frage vorgelegt haben, ob er noch weiter mit dem Gedanken eines dritten Teils rechnen oder aber versuchen solle, dem Werke soviel an Vereinheitlichung und Abrundung und vor allem einen solchen Abschluß zu verleihen, daß es für sich genommen auch als Roman eine befriedigende Selbständigkeit beanspruchen könnte. Wir dürfen mit Bestimmtheit annehmen, Goethe entschied sich für das Letztere, und solange als die zu leistende Arbeit noch im weiten Felde lag, war er guten Muts und fühlte sich der ihn erwartenden Aufgabe zuversichtlich gewachsen. In diesem Sinne schreibt er in dem Entwurf der Ankündigung der Ausgabe letzter Hand in Cottas Morgenblatt im Juli 1826 (W. A., I., 42^1, 112): „Die wunderlichen Schicksale, welche dies Büchlein bei seinem ersten Auftreten erfahren mußte, gaben dem Verfasser guten Humor und Lust genug, dieser Produktion neue, doppelte Aufmerksamkeit zu schenken." Je näher aber der Termin kam, bis zu dem die Arbeit ernstlich angegriffen werden mußte, umsomehr wird er sich des Umfangs und der Schwierigkeit des geplanten Unternehmens bewußt. Schon am 22. April 1828, ehe noch die Hauptarbeit begonnen hat, klagt er in einem Briefe an Zelter darüber, daß er sich in dies Unternehmen eingelassen hat. Dabei konnte er damals noch keine Ahnung von dem Unstern haben, der dem Unternehmen beschieden war. Man muß Eckermanns Gespräch mit Goethe vom 11. September 1828 lesen, um zu fühlen, mit welcher Beklemmung er an die eigentliche abschließende Arbeit gegangen sein mag. Soviel des Vorbereitenden auch schon getan war, so hatte Goethe doch die Sommermonate 1828 für die Fertigstellung des Werkes angesetzt, dessen Manuskript dem Verlag bis Weihnachten zugesagt war, damit die fünf Bände der 5. Lieferung, die in ihren ersten drei Bänden die *Wanderjahre* bringen sollte, rechtzeitig zur Ostermesse erscheinen könnten. Da stirbt plötzlich im Juni der Herzog, und Goethe, der aufs Tiefste erschüttert war, zieht sich nach Dornburg zurück, um in der Einsamkeit sich mit Welt und Leben wieder ins Gleiche zu setzen. In diesen Monaten ist an die *Wanderjahre* nicht gedacht worden. Ja, für die ganze Zeit vom 22. April bis zum 11. September, dem Tag von Goethes Rückkehr nach Weimar fehlt bei Gräf jeder die *Wanderjahre* betreffende Eintrag. Umsomehr steht die nun sofort vorgenommene Arbeit unter dem quälenden Druck der für das Geplante und für einen wirklichen Abschluß nicht mehr ausreichenden Zeit. Statt bis zu Weihnachten das gesamte Manuskript fertigzuhaben, gelingt es Goethe gerade noch, am 26. Dezember wenigstens den ersten Band abzusenden. Erst am 11. Januar kann er den zweiten und am 11. Februar den dritten schicken, und selbst dann heißt es im Brief vom 14. Februar, an Reichel, mit dem er den Abgang des dritten Bandes anzeigt: „Das Wenige, was daran, sowie an dem zweiten noch mangelt, wird nächstens erfolgen.“ Erst am 4. März endlich schickt er, wie bereits oben angegeben, die Aphorismen „Aus Makariens Archiv“ mit dem Ersuchen, sie ans Ende des ersten Bandes zu stellen, und es wird sogar der 19. März, bis er sich damit einverstanden erklärt, daß sie den Beschluß des dritten Bandes machen sollen. Es ist gerade noch vier Wochen bis Ostern, das in diesem Jahr auf den 19. April fällt. Die Aufzählung dieser Daten hat ihre Wichtigkeit, denn sie allein schon beweist, unter welchem Druck und wie mit dem Drucker um die Wette der letzte Band der *Wanderjahre* zustandegekommen ist. Noch deutlicher wird dieses wenig erfreuliche Bild bei einem Einblick in die dem Dichter als Vorstufen bei seiner Arbeit dienenden Schemata, die in Band 25^{II} von W. A. abgedruckt sind. Die zwei Fassungen von Schema LXX betreffen Kapitel 14 des letzten Bandes und lassen sich auf den 24. und 25. Januar 1829 datieren. Zu dieser späten Stunde waren also noch volle fünf Kapitel des auf achtzehn Kapitel angelegten Bandes zu schaffen, in denen ein nach Form und Inhalt würdiger Abschluß des Ganzen hätte gewonnen werden müssen. Statt dessen setzt aber grade hier eine in die Augen springende Verflachung und Verflüchtigung ein. Rein äußerlich betrachtet schrumpfen die letzten Kapitel auf wenige Seiten zusammen. Das oben genannte Schema ist die letzte solcher sorgfältigen und ausführlicheren Vorarbeiten. Für die folgenden Kapitel finden sich zum Teil nur noch kurze, flüchtige und schwer lesbare Notizen. Sie wurden anscheinend eilig und aus freier Hand zu Papier gebracht und fielen dürftig genug aus. Die Kapitel des dritten Buches betragen durchschnittlich fünfzehn Seiten. Kapitel 14 bringt es noch auf zwanzig Seiten. Nun folgen aber Kapitel 15 mit sechs Seiten, 16 und 17 mit je vier und 18 mit zwei Seiten. So sehr auch die Kapitel des ganzen Werkes an Umfang weit voneinander abweichen und sich mitunter auch ein Kapitel von wenigen Seiten findet, so beweist doch schon dieses äußerliche Zusammenschrumpfen dieser letzten Kapitel, daß unter dem Druck mangelnder Zeit dem Werk der ursprünglich geplante Abschluß nicht zuteil werden konnte. Wir werden gleich sehen, daß sich auch inhaltlich ein entsprechendes Dürftigwerden nachweisen läßt.

Was Wunder, daß unter solchen Hemmungen innerer und äußerer Art die Arbeit dem Dichter zu Last und Qual wurde und er sich in Briefen an die Freunde mit kräftigen Worten Luft macht. Diese Äußerungen der Ungeduld und des Mißmuts sind aber nicht nur als Beleg dafür zu deuten, daß der Dichter in solcher Stimmung hätte an keine Fortsetzung denken können. Sie beweisen vielmehr mindestens ebenso deutlich, wie unzufrieden der Dichter mit dem war, was er schuf, und zwar umsomehr, je näher er dem Ende kam und sich mehr und mehr bewußt wurde, daß es ihm in keinem ihn befriedigenden Sinne gelingen wollte, dem Werk den erhofften Abschluß zu verleihen, daß also alles vom Werk aus gesehen auf eine Fortsetzung hindrängte, die er gern vermieden hätte. Handgreiflich klar wird diese Stimmung durch das auch von Viëtor angeführte Bild, das Goethe in einem Brief an Göttling vom 17. Januar 1829 gebraucht. Die Arbeit, um die er sich müht, erscheint ihm da als „dieser sisyphische Stein, der mir so oft wieder zurückrollte", und der nun „endlich auf der andern Bergseite hinunter ins Publikum springt". Es heißt das doch, daß es ihm nicht gelungen ist, das Werk auf die erstrebte Höhe zu führen und da zu halten, und daß er deshalb kurzen Prozeß macht und es, so wie es ist, dem Publikum anheimgibt, das nun sehen möge, was es damit anstellen kann.

Diese Interpretation des Abschlusses der *Wanderjahre* im einzelnen am Roman selber nachzuweisen, fehlt Zeit und Raum. Ein paar kurze Hinweise müssen genügen. Von Kapitel 10 an ist im dritten Buch alles, was noch folgt, vollständig neu, und die Kapitel 10, 11, 12 und 13 gehören mit geringen Ausnahmen zu dem Wertvollsten und Gelungensten, was die zweite Fassung neu bringt. Auch Kapitel 14 fängt noch bedeutsam genug an. Dann aber erfolgt ein deutlich wahrnehmbarer Umschlag. Die bis dahin eingehaltene große Linie wird plötzlich verlassen, und statt einer Fortführung dessen, was an Ideen und Gestalten im Mittelpunkt des Werkes stand, zerflattert und verflacht der großangelegte, weitschauende soziale Roman in einer Menge von punktierartig hingesetzten Einzelzügen, die den Eindruck des Nebensächlichen, Belanglosen und zum Teil Schrullenhaft-Absonderlichen machen. Selbst unter überzeugten Verehrern von Goethes Alterskunst, zu denen ich mich gewiß rechne, dürften sich wohl nur wenige finden, die, um gegen sich sowohl wie gegen den Dichter ehrlich zu sein, sich nicht zu manchem Befremden und Kopfschütteln beim Lesen dieser letzten Kapitel bekennen müßten.

Der Anfang von Kapitel 14 läßt noch vermuten, der Dichter steure auf große zusammenfassende und abrundende Schlußszenen hin. Die zweite Fassung von Schema LXX beginnt: „Zusammengefaßte Geschichtserzählung. Man schickt sich an zu endigen", und im Roman selber heißt es: „Hier aber wird die Pflicht des Mitteilens, Darstellens, Ausführens und Zusammenziehens immer schwieriger. Wer fühlt nicht daß wir uns diesmal dem Ende nähern. . . . Wir sind also gesonnen, . . . das übernommene ernste Geschäft eines treuen Referenten getrost abzuschließen." Man muß also annehmen, und der Dichter selbst bestätigt die Vermutung, daß jetzt, wo sich kurz vor der Abreise alles, die Auswandernden wie die Daheimbleibenden, zum Abschiednehmen um Makarien versammelt, die lange aus dem Gesichtsfeld verschwundenen Hauptpersonen der *Lehrjahre,* also vor allem Nathalie, Lothario, Therese und der Abbé nun endlich mit Wilhelm, Lenardo, Friedrich und Odoardo, welche das dritte Buch beherrscht haben, wieder zusammentreffen und daß wir aus den sich ergebenden Mitteilungen, Gesprächen und Beratungen Letztes und Bedeutsames über den Bund und sein großes Auswanderungsunternehmen erfahren werden. Was aber geschieht? Nicht ein einziger der diese beiden Gruppen bildenden Charaktere tritt in diesem und den drei folgenden Kapiteln auf, und das kurze Schlußkapitel, in dem Wilhelm durch seine wundärztliche Geschicklichkeit seinem dem Ertrinken nahen Sohne das Leben rettet, steht zu dem, was unterblieben ist, nicht im geringsten Verhältnis. Statt dessen erscheinen aber alle möglichen früheren Nebenpersonen, ja, es werden sogar hier, so nahe dem Ende, noch zwei sonderbare Nebengestalten neu eingeführt, der phänomenale Kopfrechner und Klaviervirtuos und die magnetisch begabte Quellen- und Metallfinderin. Aus der Erzählung vom „Mann von fünfzig Jahren" erscheinen der Major als Gatte der schönen Witwe und Hilarie als Gattin Flavios. Wir hören von Juliettens Heirat und von Angelas Neigung für den Kopfrechner, von Lydiens Verhältnis zu Montan. Am ausführlichsten wird Philinens gedacht, die als Gemahlin Friedrichs mit ein paar hübschen Kindern erscheint und deren unerhörtes Zuschneidetalent und „gefräßige" englische Schere in ihrer Bedeutung für die Kleiderbedürfnisse der zu gründenden Kolonie besonders hervorgehoben werden. Es ist klar, daß nach Abschluß von Kapitel 13, also etwa zu der Zeit, da er gegen Göttling das Bild vom sisyphischen Stein gebrauchte, Goethe die Ueberzeugung gewann, daß in der ihm noch zur Verfügung stehenden Zeit es nicht mehr möglich war, dem Werk einen wirklichen, in sich fertigen Abschluß zur verleihen. Er verzichtet also kurzer Hand auf die Ausführung des etwa dafür Geplanten und begnügt sich für die noch zu liefernden Bogen auf die leichter und rascher zu erledigende Darstellung solcher mehr nebensächlichen Dinge, als er noch zur Hand haben mochte; sieht aber ein, daß ein solches Verfahren sich nur dann verständlich machen läßt, wenn das Werk als auf eine Fortsetzung angelegt vors Publikum kommt. Diese hier aus der Erwägung der verschiedensten inneren und äußeren Indizien gewonnene Interpretation läßt sich aber auch aus den Worten des Dichters bestätigen.

Diese Bestätigung findet sich in dem, was Goethe über die oben erwähnten Hauptpersonen der *Lehrjahre* mitteilt. Der Verpflichtung, über das Ergehen dieser Gruppe Rechenschaft zu geben, war er sich wohl bewußt. Aber bereits in der ersten Fassung der *Wanderjahre* war er einer solchen Darstellung ausgewichen und zwar mit der sonderbaren Begründung, daß es ihm versagt sei, „nähere Kenntnis davon gleich jetzt zu erteilen, weil einem Büchlein wie dem unsrigen Rückhalt und Geheimnis gar wohl ziemen mag.“ (Anfang von Kapitel 16 der ersten Fassung.) Jetzt am Anfang des 14. Kapitels der zweiten Fassung steht Goethe vor der gleichen Entscheidung, und wieder weicht er aus. Diesmal mit einer weit wortreicheren, aber nicht minder unverständlichen Begründung. Daß Lothario, Therese, der Abbé und vor allem Natalie die große Reise über See ohne einen vorherigen Besuch bei Makarien antreten sollten, ist im Hinblick auf die im Roman geschilderten Verhältnisse schlechthin undenkbar. Der Dichter selber nennt es eine „heilige Pflicht“, und es mag ihm nicht leicht geworden sein, sich einer so offenkundigen Ausrede bedienen zu müssen. Jedenfalls heißt es da:

Vor allen Dingen haben wir hier zu berichten, daß Lothario mit Theresen, seiner Gemahlin, und Natalien, die ihren Bruder nicht von sich lassen wollte, in Begleitung des Abbés, schon wirklich zur See gegangen sind. Unter günstigen Vorbedeutungen reisten sie ab, und hoffentlich bläht ein fördernder Wind ihre Segel. Die einzige unangenehme Empfindung, eine wahre sittliche Trauer, nahmen sie mit: daß sie Makarien vorher nicht ihren Besuch abstatten konnten. Der Umweg war zu groß, das Unternehmen zu bedeutend; schon warf man sich eine Zögerung vor und mußte selbst eine heilige Pflicht der Notwendigkeit aufopfern. Wir aber von unserer erzählenden und darstellenden Seite, sollten diese teuren Personen, die uns früher so viele Neigung abgewonnen, nicht in so weite Entfernung ziehen lassen, ohne von ihrem bisherigen Vornehmen und Tun Nachricht erteilt zu haben, besonders da wir so lange nichts Ausführliches von ihnen vernommen. Gleichwohl unterlassen wir dieses, weil ihr bisheriges Geschäft sich nur vorbereitend auf das größte Unternehmen bezog, auf welches wir sie lossteuern sehen. Wir leben jedoch in der Hoffnung, sie dereinst in voller geregelter Tätigkeit, den wahren Wert ihrer verschiedenen Charaktere offenbarend, vergnüglich wiederzufinden.

Deutlicher als mit diesem letzten Satz konnte Goethe innerhalb des Romans nicht daraufhinweisen, daß das hier Unterlaßne erst in einer Fortführung des gegenwärtigen Werkes würde nachgeholt werden können, und man möchte gern wissen, ob die vollere Form „dereinst", die dem Dichter ja allerdings auch im rein zeitlichen Sinn von „künftig" geläufig war, „auf die diskreteste Weise" darauf hindeuten sollte, daß dieses Wiederfinden wohl kaum noch auf diesem Planeten zu erwarten wäre. Jedenfalls besagt der Satz, was dann der Schlußvermerk am Ende des Romans den Lesern und Kritikern nochmals sagen soll: das Werk will nicht als ein abgeschloßnes Ganzes aufgefaßt und beurteilt werden; im Gegenteil, es „ist fortzusetzen." Natürlich ist der Verweis auf eine Fortsetzung nicht so aufzufassen, als ob dadurch der Dichter „dem Publikum dafür ein Versprechen gemacht haben sollte." Als ein solches ist er ja auch im Falle der Beziehung auf das Gedicht nicht interpretiert worden. Durchaus überzeugend wird von Viëtor nachgewiesen, daß diese ungewöhnliche und von Goethe nur zweimal gebrauchte Wendung den Vorteil besitzt, „läßlicher, weniger bündig" zu sein als die üblicheren Formeln und daß sie „auf die diskreteste Weise ... etwa sagen will: da sollte eine Fortsetzung folgen". Nur beachte man den Unterschied: im Falle der Beziehung auf das Gedicht bedient sich Goethe eines geradezu unerhörten Verfahrens und setzt dadurch ein als formvollendet anerkanntes Gedicht in seinem Wert und seiner Bedeutung herab; im Falle des Romans verwendet er ein durchaus übliches und allgemein anerkanntes Verfahren und darf hoffen, dem zugestandnermaßen lückenhaft gebliebenen Werke eine nachsichtigere und verständigere Beurteilung zu gewinnen. Für mich spricht diese bloße Kontrastierung eine beredte und nicht mißzuverstehende Sprache.

Eine andre Frage ist es, ob auch nach Erscheinen des Werkes Goethe bei seinem Alter ernstlich an eine Fortsetzung der *Wanderjahre* gedacht haben sollte. Die Frage läßt sich auf Grund irgendwelcher authentischer Mitteilungen nicht beantworten, hat aber auch für die hier vorgetragene Interpretation keine Bedeutung. Wenn im Hinblick auf die Fortführung des *Faust* der Achtzigjährige zuversichtlich von „Wunsch und Hoffnung" sprechen konnte, warum nicht auch im Gedanken an *Wilhelm Meister?* Gewiß gebraucht Goethe, wenn er den Freunden das bevorstehende Erscheinen des Werkes anzeigt, mitunter, wie auch im gleichen Falle für *Faust,* ironisch-herabsetzende Wendungen, wie wenn er von seinem „Kram" spricht oder von dem „verrückten Volk seiner Wandrer". Doch beweisen andre ernsthaft gemeinte Äußerungen, wieviel ihm an dem Werk und seiner Aufnahme gelegen war. So schreibt er am 26. Januar 1829, also fast unmittelbar, nachdem er sich für einen Notabschluß entschieden hat, an den Portraitmaler Stieler: "Sie werden darin drei erneute, ja neue Bändchen finden, die ich ungern vom Herzen loslasse, da es aber sein muß, in Hoffnung lebe, daß sie wieder zu Herzen gelangen werden."

Was Goethe in seinen Briefen aus der Zeit der Arbeit an der zweiten Fassung von einem „völligen Abschluß" des Werkes sagt, bezieht sich ohne Ausnahme nur auf das, was der Drucker noch bis zur Beendigung des dritten Bandes zu erwarten hat, und kann nicht, wie es Viëtor versucht, gegen die Annahme einer Fortsetzung gedeutet werden. Gewiß, ein Zeitpunkt, an dem der Dichter eine nach Amerika übergreifende Weiterführung des Romans „ernstlich" hätte in Aussicht nehmen können, ist aller Wahrscheinlichkeit nach nie gekommen: kaum in der Zeit seines regsten Amerika-Interesses, das etwa gleichzeitig mit dem Beginn der Neubearbeitung einsetzte, und sicher nicht nach deren Abschluß, wo die nicht minder drängende Beendigung des *Faust* als „Hauptgeschäft" an die Stelle der *Wanderjahre* trat. Bedenkt man aber Art und Umfang der amerikanischen Dinge, mit denen sich Goethe in den Jahren 1826 und 27 intensiv beschäftigte, so drängt sich einem die Überzeugung auf, daß sich dabei dann und wann Gedanken an etwaige Erlebnisse und Schicksale seiner Auswanderer bei ihm haben einstellen müssen, wenn ihm diese als in der neuen Landschaft und Umwelt seßhaft und tätig in den Sinn kamen. Besonders dürfte das von der Lektüre der Cooperschen Romane gelten, von denen er in dieser Zeit eine ganze Reihe las und sich besonders von den *Quellen des Susquehanna* (*The Pioneers*) und *The Prairie* fesseln ließ. Wie allerdings angesichts solcher Erwägungen Viëtor in seiner „Antwort" auf den sonderbaren Gedanken gekommen sein mag, eine Goethesche Fortsetzung der *Wanderjahre* habe also wohl eine Art „Amerika-Roman à la Cooper" werden sollen, bleibt mir ganz unverständlich. Jedenfalls erscheint es mir angebracht, meiner Darstellung an dieser Stelle einige genauere Angaben über Goethes Lektüre und Bewertung der Cooperschen Romane einzufügen.

Schon im Jahre 1825 ist Goethe durch die Amerika-Berichte in der von ihm fleißig gelesenen französischen Zeitschrift *Le Globe* auf Cooper aufmerksam geworden. Als dann im Sommer 1826 Herzog Bernhard von Weimar von einer längeren Amerikareise zurückkehrt, liest Goethe dessen ausführliches Reisejournal noch im Manuskript und beginnt Ende September seine Lektüre der Cooperschen Romane, zunächst wohl, um sich über Geographie und Geschichte der Vereinigten Staaten, über Land und Leute zu orientieren. In der Zeit vom 30. September bis zum 4. November liest er in rascher Folge in deutscher Übersetzung die vier Romane: *The Pioneers, The Last of the Mohicans, The Pilot* und *The Spy.* Nach einer längeren Pause liest er dann im englischen Original im Juni 1827 *The Prairie* und im Januar 1828 *Red Rover.* Für die Annahme, daß Goethe aus eigner Lektüre auch noch den Roman *The Wept of Wish-ton-Wish* und Coopers kritische Schriften über die Sitten und Gebräuche, Einrichtungen und religiösen Verhältnisse der Vereinigten Staaten gekannt habe, fehlen alle authentischen Angaben. Berichte darüber im *Globe* und diesem oder jenem englischen oder amerikanischen Journal wird er allerdings sicher gelesen haben.

Was die sechs genannten Romane betrifft, so sind Goethes Eintragungen über deren Lektüre in den Tagebüchern seinem Brauch nach meist ganz knapp und besagen nur selten mehr als „fing an", „setzte fort", „las hinaus". Immerhin bieten sie nach mehreren Seiten hin Gelegenheit zu interessanten Beobachtungen. Zunächst ergibt sich, daß mit der einzigen Ausnahme des *Pilot,* dessen Lektüre Goethe wohl anfängt, aber anscheinend nicht fortsetzt, er jedem Roman mehrere Sitzungen an verschiedenen Tagen widmet, sich also leidlich eingehend und systematisch mit ihnen beschäftigt. Dann finden sich doch einige Fälle, wo Goethe dem Vermerk über die Lektüre Urteile oder sonstige Bemerkungen anfügt. So schließt z. B. der allererste Eintrag vom 30. September, über die Lektüre der *Pioneers,* mit den Worten, „Betrachtungen über den Roman überhaupt", und der nächste Eintrag am 1. Oktober lautet: „Den

Cooperschen Roman zum zweitenmal angefangen und die Personen ausgeschrieben. Auch das Kunstreiche daran näher betrachtet, geordnet und fortgesetzt." Und gegen Ende der Cooper-Lektüre heißt es am 26. Juni 1827: „Las den Cooperschen Roman [*The Prairie*] bis gegen das Ende und bewunderte den reichen Stoff und dessen geistreiche Behandlung. Nicht leicht sind Werke mit so großem Bewußtsein und solcher Consequenz durchgeführt als die Cooperschen Romane." Endlich fällt einem auf, daß in einer Reihe von Eintragungen die Roman-Lektüre in unmittelbarem Zusammenhang mit der Arbeit an des Dichters eignen epischen Werken genannt wird. Um nur ein paar Beispiele zu nennen, heißt es unter dem 16. Oktober 1826: „Ich las den letzten Mohican hinaus. Schrieb an der Novelle fort." Unter dem 24. Oktober: „An dem Roman der Spion fortgelesen. Das Schema zum Mann von fünfzig Jahren." Am 24. Juni 1827: „Die Wanderjahre bedacht, den ersten Teil des englischen Romans [*The Prairie*] ausgelesen." Eintragungen dieser Art könnte man an sich als bloße Zufälle ansehen, denen keine besondere Bedeutung beizumessen wäre. Nun hat aber Wukadinovic schon 1909 in einer sorgfältigen und wohlüberlegten Arbeit ebenso überraschend wie überzeugend nachgewiesen, daß, was die Novelle betrifft, Goethe tatsächlich in einer Reihe durchaus nicht unwesentlicher Punkte teils sprachlich-stilistischer, teils inhaltlicher Art sich von Cooper hat beeinflussen lassen.[2]

Unter diesen Umständen darf man vermuten, daß, ganz abgesehen von jeder Frage nachweisbaren Einflusses, es nicht an regen Hin- und Herbeziehungen im Denken Goethes zwischen den Cooperschen Romanen und der gleichzeitigen Arbeit an der Neugestaltung der *Wanderjahre* gefehlt hat. Jedenfalls dürfte Goethe zu dieser Zeit und aus solchen Gedanken heraus sich entschlossen haben, das Motiv der Auswanderung nach den Vereinigten Staaten in das letzte Buch seines Romans einzuführen. Eine Bestätigung dieser Annahme liefert dann noch der Aufsatz, den Goethe im Frühjahr 1827 in *Kunst und Altertum* unter dem Titel „Stoff und Gehalt, zur Bearbeitung vorgeschlagen" erscheinen ließ. Der erste Entwurf dazu stammt aus dem Februar 1827, also aus der Zeit, wo der Dichter kurz vorher die Lektüre der ersten vier Cooper-Romane beendet hatte. Es sind drei aus echten Lebensquellen schöpfende Selbstbiographieen, die Goethe hier deutschen Schriftstellern als ergiebige Stoffe zu lebendiger, leicht romanhafter Behandlung empfiehlt. Eine dieser drei ist nun Ludwig Galls *Meine Auswanderung nach den Vereinigten Staaten in Nordamerika* (1822). Von dem zu erhoffenden Bearbeiter dieses Stoffes, wie Goethe sich ihn wünscht, heißt es, er „müßte den Stolz haben, mit Cooper zu wetteifern, und deshalb die klarste Einsicht in jene überseeischen Gegenstände zu gewinnen". In diesem Vorschlag verkörpern sich in organischer Einheit Gedanken aus all den amerikanischen Interessenkreisen, mit denen der Dichter sich in dieser Zeit intensiv beschäftigte: Kenntnis des Landes und seiner Einrichtungen, Lektüre und Wertschätzung der Cooperschen Romane, und Deutsche, die nach Amerika auswandern, verschmolzen zur Idee einer novellistischen Schilderung der Schicksale der Ausgewanderten. Da bei der erhofften Verwirklichung dieser Vorschläge Cooper Pate stehen soll, so dürfen wir wohl sagen, was Goethe hier vorschwebte, sei ein deutscher „Amerika-Roman à la Cooper" gewesen, allerdings mit wesentlich andrem Vorzeichen als in der gleichen Formulierung, die uns zu diesem flüchtigen Exkurs über Goethe und Cooper veranlaßt hat.

Endlich sei erwähnt, daß wenige Monate später Goethe in einem Brief von 21. Juni 1827 Zelter die Verse schickt, in denen er in dichterisch-subjektiver Einkleidung diese kleine Epoche seines Denkens und Schaffens zusammenfaßt:

> Amerika, du hast es besser
> Als unser Kontinent, das alte—

Wenn hier der Dichter zunächst Amerika anredet, so wendet er sich in dem letzten Vierzeiler an die Auswanderer mit den Worten:

> Benutzt die Gegenwart mit Glück!
> Und wenn nun eure Kinder dichten,
> Bewahre sie ein gut Geschick
> Vor Ritter-, Räuber- und Gespenstergeschichten.

Wir dürfen annehmen, daß dabei seine Gedanken neben den Gallschen Auswanderern doch wohl auch bei seinen eignen verweilen.

Daß, wenn Goethe deren Schicksale je hätte schildern wollen, er es à la Goethe getan hätte, sollte keiner Versicherung bedürfen.

IV

Darf man also der Roman-Hypothese gerade aus inneren Gründen einen hohen Grad von Wahrscheinlichkeit zusprechen, so bleibt der zweite Haupteinwand, der sich auf das Druckbild gründet, dadurch unberührt. Wieso, fragt man, ist es zu erklären, daß der Vermerk „Ist fortzusetzen", falls er sich auf den Roman beziehen soll, in engstem Anschluß an das Gedicht und in denselben Antiqualettern wie dieses gedruckt worden ist? Daß hier im Sinne der Roman-Hypothese ein Versehen vorliegt, ist klar, und es muß unsre Aufgabe sein, wenn möglich das Entstehen und Beibehalten dieses Versehens zu erklären. Vorher aber wird es nötig sein, die Frage zu erörtern, wo und wie ein für den Roman geltender Fortsetzungsvermerk normalerweise hätte angebracht werden müssen, ob am Ende des eigentlichen Romans, also als Schlußvermerk zu Kapitel 18 des dritten Buches, oder aber am Ende des ganzen Bandes, also hinter dem Gedicht. Die Entscheidung über diesen Punkt hängt notwendigerweise davon ab, wie man die Zugehörigkeit der Aphorismen zum Roman und der Gedichte zu den Aphorismensammlungen auffaßt. Hierüber gehen die Meinungen auseinander, da von direkten Äußerungen dazu außer den nicht einwandfreien Angaben Eckermanns in dem Gespräch vom 15. Mai 1831 nichts vorhanden ist.

Was zunächst das Verhältnis der beiden Gedichte—denn was von dem einen gilt, muß auch von dem andern gelten—zu den beiden ihnen voraufgehenden Aphorismensammlungen betrifft, so wird von den Vertretern der Gedicht-Hypothese stark betont, daß das Gedicht „Auf Schillers Schädel" von den voraufgehenden Aphorismen „durch Anordnung und Druckschrift deutlich abgesondert" sei. So sagt z. B. Hecker das Gedicht beginne auf einer „neuen, selbständigen Seite". Er vergißt aber hinzuzufügen, daß die Aphorismen die vorhergehende Seite bis zur letzten Zeile einnehmen, und wenn das „selbständig" darauf hinweisen soll, daß, wie z. B. bei einem neuen Kapitel, die ersten sieben, acht Zeilen freigeblieben sind, so ist dem entgegenzuhalten, daß wenn das Gedicht oben auf der Seite angefangen hätte, für die letzte Seite des ganzen Bandes nur vier Zeilen des Gedichtes übrig geblieben wären, was sehr unschön ausgesehen hätte. Daß diese Erklärung zu Recht besteht, ergibt sich aber auch daraus, daß das Gedicht „Vermächtnis", dem am Ende des zweiten Bandes die gleiche Absonderung hätte zuteil werden müssen, auf derselben Seite beginnt, auf der die Aphorismen „Im Sinne der Wanderer" schließen und zwar in einem ganz geringen Abstand von etwa drei bis vier Zeilen. Auch der Umstand, daß die beiden Gedichte durch ihre Antiquatypen sich allerdings stark von der Fraktur des übrigen Textes abheben, ist nicht so beweiskräftig, wie die Verfechter der Gedicht-Hypothese annehmen. Wie schon oben erwähnt, war jedenfalls das Gedicht „Auf Schillers Schädel", und aller Wahrscheinlichkeit nach auch „Vermächtnis" lateinisch geschrieben. Die natürlich ebenfalls lateinisch kopierten Druckvorlagen, die Goethe an Cotta schickte, wurden also in der Druckerei in Antiqua gesetzt, ohne daß dadurch der Dichter hätte verdeutlichen müssen, daß sie als außerhalb der Aphorismensammlungen stehend anzusehen seien. Was ihren Inhalt betrifft, so gilt sicher nicht nur für das Gedicht auf Schillers Schädel sondern auch für „Vermächtnis", daß es „nicht ohne eine tiefer gegründete innere Beziehung zum Roman und den Aphorismenreihen" sei und Anspruch machen könne, „nicht weniger *‚eines* Sinnes' mit dem Ganzen zu sein als andere Teile". Da nun die Aphorismenreihen schon durch ihre Titel auf Zugehörigkeit zum Roman hindeuten, so müssen die Leser—und an diese war ein Fortsetzungsvermerk doch zu richten—sowohl die Aphorismen wie die Gedichte als wirkliche, wenn auch nur lose verknüpfte Teile des Romans angesehen und empfunden haben. Ja, man darf annehmen, daß jedenfalls für die Zwecke der ersten Veröffentlichung eine solche Auffassung die vom Dichter beabsichtigte gewesen sei. Der Hinweis auf eine Fortsetzung gehörte demnach normalerweise ans Ende des ganzen dritten Bandes, also hinter das Gedicht. Natürlich aber in einem gemessenen Abstand von einigen Zeilen und in Fraktur.

An diesem Punkt gewinnt nun aber der Umstand, daß das Gedicht nebst den Aphorismen „Aus Makariens Archiv" zunächst nicht für das Ende des dritten, sondern für das des ersten Bandes bestimmt waren, entscheidende Bedeutung. Als Goethe also die Schlußpartie des dritten Buches spätestens am 21. Februar an Reichel schickte, schloß dieselbe mit dem 18. Kapitel und enthielt unsrer Auffassung nach den Schlußvermerk „(Ist fortzusetzen)." Diese den eigentlichen Roman abschließende Partie war zweifellos bereits im Druck, als Goethe erst am 19. März die Anfügung dieses Nachtrags an das Ende des dritten Bandes billigte. Dieser Nachtrag mußte also dem Drucker mit der Anweisung übergeben werden, den Fortsetzungsvermerk vom Schluß des 18. Kapitels zu entfernen und ans Ende, hinter das Gedicht, zu stellen.

Wenn nun der Drucker mit dem Grund für die Umstellung nicht vertraut war, so ist es nicht verwunderlich, ja, es entsprach bester Druckergeflogenheit, daß er den Vermerk in Übereinstimmung mit dem Gedicht in Antiqua setzte und diesem anschloß. Gewiß wurde dadurch ein auf den ersten Blick irreführendes Druckbild geschaffen. Anderseits ist es aber alles andre als einfach zu sagen, wie unter den ungewöhnlichen Umständen der Vermerk hätte eindeutig gehandhabt werden können.

In der ersten Fassung dieses Aufsatzes war ich der Meinung, der Vermerk hätte in Fraktur sein und im Abstand von einigen Zeilen dem Gedicht folgen sollen. Selbst dann aber hätte man nicht wissen können, ob er sich auf die Aphorismen oder auf den Roman beziehen sollte. Wäre er aber am Schluß des 18. Kapitels belassen worden, so wären dadurch die Aphorismen dem Anschein nach als nicht zum Roman gehörig gekennzeichnet worden. Kurz, eine einfache und eindeutige Lösung des durch den „Platzwechsel" geschaffenen Problems ist mittels des knappen Vermerks „Ist fortzusetzen" kaum denkbar. Unter diesen Umständen bin ich so nach weiterer Überlegung zu der Annahme gekommen, daß, wenn auch das beanstandete Druckbild zuerst auf Grund eines rein mechanischen Verfahrens seitens des Druckers entstanden war, man sich damit *faute de mieux* abgefunden haben dürfte. Tatsächlich ist ja auch immer, wie eingangs angegeben, der Vermerk trotz des Druckbildes von der großen Mehrzahl der Beurteiler auf den Roman bezogen worden.

Zu bedenken ist in diesem Zusammenhang aber auch noch Folgendes. Einmal die drängende Zeit. Als Goethes Brief vom 19. März ankam, rechnete man vielleicht noch mit der Fertigstellung der Bände für die Ostermesse (19. April). In Wirklichkeit erwies sich das als unmöglich, und der Roman erschien erst Mitte Mai. Zum andern aber muß dem Verlag die Anzeige einer Fortsetzung für die *Wanderjahre* sehr ungelegen gekommen sein. Schon vom Zweiten Teil des *Faust* hatte der 12. Band einige Szenen des ersten Aktes mit dem Schlußvermerk „Ist fortzusetzen" gebracht. Wenn nun auch das zweite Hauptwerk unvollendet erschien, so mußte das die Subskribenten arg enttäuschen, besonders da die drei Bände trotz der Auffüllung mit Aphorismen mager genug ausgefallen waren.

Will man aber diese letzten und hier zum erstenmal angedeuteten Erwägungen nicht gelten lassen, und bleibt man dabei, daß es sich einfach um offensichtliche Versehen gehandelt habe, so wäre nachzuweisen, daß deren Vorkommen und Unbemerktbleiben unter den gegebenen Verhältnissen weder undenkbar noch unerklärlich wäre. Viëtor behauptet das nachdrücklich. Auf die Frage: „Erlaubt die Art, wie durch den Dichter sowohl wie durch den Verlag die Drucklegung der ‚Ausgabe letzter Hand' ausgeführt wurde, die Annahme eines *Versehens?*" erfolgt die Antwort: „Wo so sorgfältig, von beiden Seiten, gearbeitet wurde, wäre die Vermutung, daß der Zusatz *versehentlich* an den Schluß des Gedichtes geraten ist, gewiß ungerechtfertigt." So berechtigt aber auch im allgemeinen und für sich genommen diese Betonung der Sorgfalt sein mag, mit der in Weimar und Augsburg gearbeitet wurde, so läßt sich daraus allein kein zuverlässiges Bild der tatsächlichen Verhältnisse gewinnen. Überraschenderweise bleibt der wichtige und sicher nicht allgemein bekannte Umstand unerwähnt, daß grundsätzlich alle Korrekturen in Augsburg gelesen und nicht nach Weimar geschickt wurden. Goethe hatte also nach Absendung seiner Druckvorlagen keine Möglichkeit, die in Augsburg getroffene Druckanordnung kennenzulernen und nötigenfalls zu beeinflussen, außer in den nicht allzuhäufigen Fällen, wo Reichel von sich aus um genauere Angaben bat. Eine aufschlußreiche Einsicht in den wirklichen Verlauf der Drucklegung von A l H gewähren die authentischen Angaben Suphans, seiner Zeit Direktor des Weimarer Goethe-

Archivs, vom Jahre 1901 in W. A., Band 13^{II}, S. 122ff. Es heißt da u. a:

Daß man Entscheidungen . . . in Augsburg selbständig traf, daß man Ungleichheiten tilgte, Fehler verbesserte, war unvermeidlich und entsprach Goethes Wünschen. . . . Andererseits lief den Korrektoren bei ihren Entscheidungen zuweilen ein Irrtum unter, ja es scheint, daß die Selbständigkeit sie auch zu Übergriffen verleitet hat. Reichel berichtet nicht selten über Verbesserungen, die notwendig erschienen waren, bemerkt aber selbst, daß ihm andere entfallen seien.

Was die spezielle Drucklegung der *Wanderjahre* betrifft, so lautet das Urteil der Herausgeber in W. A., Band 25^{II}, S. 6 alles andre als günstig:

Geringe Sorgfalt hat Goethe auch dem Druck der letzten Fassung zugewandt. Zwar wurde das Manuskript vor dem Abgang nach Augsburg von dem Dichter selbst und auch von Göttling durchgesehen; da aber Goethe selbst keine Korrektur vom Druck gelesen hat, sondern diese in der Cottaschen Offizin besorgt wurde, so sind zu den alten Fehlern noch viele neue hinzugekommen.

Daß endlich auch von seiten Goethes nicht immer mit der nötigen Sorgfalt gearbeitet wurde, beweist zufälligerweise gerade die Mummenschanzszene vom Zweiten Teil des *Faust* im 12. Band von A l H, die von Viëtor als Beleg für die Sorgfalt angeführt wird, womit Goethe über gewisse Einzelheiten der Textgestaltung wachte. Gewiß, in seinem Brief vom 22. Januar 1828, mit dem Goethe die zum Abdruck bestimmten Szenen an Reichel schickt, gibt Goethe allerdings genaue Angaben über die Anordnung der verschiedenen Textpartien. In seiner Antwort vom 28. Februar sieht sich aber Reichel genötigt, um Auskunft zu bitten, wie die unpaginierten Blätter anzuordnen seien. Das Manuskript muß aber außerdem verschiedene Unstimmigkeiten betreffs der Größe der für die Bezeichnung der Szenen, redenden Personen und Bühnenanweisungen gewählten Typen enthalten haben, die augenscheinlich im Druck unausgeglichen und verwirrend so wiedergegeben sind, wie sie im Manuskript erschienen. (Vgl. z. B. Bezeichnungen wie „Trompeten", „Mutter und Tochter", „Fischer und Vogelsteller", „Grazien", „Parzen" u. a. m.) Am auffallendsten ist die Szenenbezeichnung „Weitläufiger Saal", die in den kleinsten Typen gesetzt ist, so daß sie genau wie eine Bühnenanweisung innerhalb der Szene „Saal des Thrones" wirkt. Ein leidlich augenfälliges Versehen. Und dieses Versehen wird nicht nur in der Oktavausgabe von 1830 unverbessert beibehalten, sondern von Eckermann sogar in den Gesamtdruck von *Faust II* im ersten Band der „Nachgelassenen Werke" von 1832 weitergeschleppt. Auch ein „doppeltes" Versehen gehört also nicht ins Reich des Unmöglichen.

Diese Bedenken sucht Viëtor in seiner „Antwort" zu entwerten mit der Behauptung, es handle sich hier um kein Versehen. Als Beleg dafür führt er vierzehn Fälle an, in denen seiner Auffassung nach Goethe Szenen ohne jede sonstige Bezeichnung mit Bühnenangaben im kleinsten Druck begonnen habe. Leider scheiden von diesen vierzehn Fällen nicht weniger als elf von vornherein als unzutreffend aus, da es sich in ihnen teils um kleine Einakter handelt, die nur aus je einer Szene bestehen, teils um Szenen oder Auftritte, wie Goethe sie fast ausschließlich nennt, die numeriert sind und also dadurch bereits deutlich genug bezeichnet sind, um danach zitiert zu werden. Von den drei verbleibenden Fällen bezieht sich einer auf „Der Zauberflöte 2. Teil", wo jede regelmäßige Aufteilung in Akte oder Auftritte fehlt, so daß der Druck dieses Fragments für Goethes sonstiges Verfahren ohne Beweiskraft ist. Die zwei letzten Fälle endlich entnimmt Viëtor dem dritten Akt des zweiten Teils des *Faust,* ohne zu bedenken, daß Goethe hier bemüht ist, des antikisierenden Stils wegen den Anschein eines einheitlichen Schauplatzes aufrecht zu erhalten und die zwei Verwandlungen deshalb auf offner Szene vor sich gehen läßt. Es bleibt also dabei, daß Goethe neue Szenen entweder numeriert oder sie mit einer knappen Orts- oder Zeitangabe benennt, nach der man sie zitieren kann. Besonders im *Faust,* aber durchaus nicht nur da, ist das durchgängig der Fall, und neben den Szenenbezeichnungen des ersten Teils, wie „Nacht", „Abend", „Wald und Höhle", „Dom" u.s.w., stehen gleicherweise die des Zweiten Teils, wie „Anmutige Gegend", „Am oberen Peneios", „Tiefe Nacht", „Grablegung" u.s.w. Im ersten Akt nun, um den es sich hier handelt, steht die Szene, die mit der Bühnenanweisung „Weitläufiger Saal" u.s.w. beginnt, auf derselben

Ebene wie die vorhergehende Szene „Saal des Thrones" und die nachfolgenden Szenen „Lustgarten", „Finstere Galerie", „Rittersaal" und sollte also auch dementsprechend mit den gleichen Typen bezeichnet sein, wie das denn auch in allen späteren Ausgaben der Fall ist. Es bleibt also bei dem Versehen, ja „doppelten" Versehen.

Jedenfalls hoffe ich, durch die vorstehenden Ausführungen erwiesen zu haben, daß sich gegen die Gedicht-Hypothese und zu Gunsten der Roman-Hypothese weit mehr geltend machen läßt, als es nach Viëtors Darstellung den Anschein hat. Für „erledigt" wird man die letztere sicher noch nicht ansehen dürfen. Was mich betrifft, bleibt sie nach wie vor diejenige Interpretation des vorliegenden Problems, welche die größte innere Wahrscheinlichkeit für sich hat und sich zugleich selbst unter Annahme eines durchaus nicht unwahrscheinlichen Versehens, mit dem äußeren Tatsachenbestand in Einklang bringen läßt.

Eine nochmalige Nachprüfung aller in Frage kommenden Momente—die Aphorismen-Hypothese scheidet ja, wie oben nachgewiesen, infolge des bisher übersehenen „Platzwechsels" völlig aus—hat mich mehr als je überzeugt, daß die während der Drucklegung der *Wanderjahre* auftauchende Erwähnung einer Fortsetzung sich auf den Roman bezogen haben muß, der dafür in mehr als einer Hinsicht begründeten Anlaß bot. Für das Gedicht jedoch fehlt nicht nur jeder solche irgendwie begründete Anlaß, sondern selbst wenn man die eine oder andere der *ad hoc* aufgestellten Vermutungen gelten lassen will, ist man genötigt, zwei weitere Annahmen zu machen, die jeder Wahrscheinlichkeit entbehren. Einmal hätte Goethe zur Bezeichnung des ihm vorschwebenden Gedankens einen Ausdruck wählen müssen, den niemand in dem von ihm beabsichtigten Sinn erraten konnte, während jedermann ihn in seinem allgemein gültigen Sinn mißverstehen mußte. Zum andern aber hätte der Dichter diesen irreführenden Vermerk, den die handschriftliche Überlieferung des Gedichtes nicht aufweist, eigens für den Zweck der Veröffentlichung in den Wanderjahren dem Gedicht angefügt. Dies aber sind zwei Annahmen, die für mich sowohl spontanem Fühlen wie rein sachlichem Erwägen nach nicht mehr in das Gebiet des mehr oder minder Wahrscheinlichen, sondern in den Bereich des schlechtin Unvorstellbaren gehören. Jeder literarische Interpretationsversuch aber, soweit er sich nicht auf authentisches Tatsachenmaterial stützen kann, muß seine Stichhaltigkeit vor dem Forum unsres Denkens und Fühlens ausweisen können.

Ich bin am Ende meiner Ausführungen und könnte schließen. Da ich aber bei der ersten Veröffentlichung dieser Arbeit ein allerdings unautorisiertes Gespräch Goethes mit Eckermann über den Fortsetzungsvermerk am Schluß der *Wanderjahre* mitgeteilt habe, so soll es auch hier wiedergegeben werden. Um Irrtümern vorzubeugen, wie sie damals tatsächlich vorgekommen sind, sage ich ausdrücklich, daß es sich um ein erfundenes Gespräch handelt. Zu den Eintragungen Goethes in seinem Tagebuch paßt es insofern, als Goethe in seinem Brief an Reichel vom 2. Mai 1829 den Empfang der letzten Aushängebogen der *Wanderjahre* bestätigt und am gleichen Tage im Tagebuch vermerkt: „Die 5. Lieferung meiner Werke . . . an den Buchbinder.“ Die Bändchen konnten also gut am 8. Mai vom Buchbinder zurückgekommen sein. Am 9. Mai hat das Tagebuch tatsächlich den Eintrag: „Dr. Eckermann, einiges über die Wanderjahre sprechend, die er zu lesen angefangen.“ Eckermanns unbeglaubigter Bericht lautet wie folgt:

V

Am 9. Mai ging ich gegen Mittag zu Goethe. Er hatte mir am Tag zuvor die drei Bändchen der neuen Wanderjahre, die grade vom Buchbinder zurückgekommen waren, zum Lesen mitgegeben. Da es mich besonders interessierte, zu sehen, wie die Aphorismensammlungen sich ausnahmen, an deren Sichtung und Zusammenstellung ich regen Anteil gehabt hatte, so hatte ich gleich anfangs beim Hin- und Herblättern das böse Versehen entdeckt, das mit dem Schlußvermerk „Ist fortzusetzen“ passiert war, und hatte mich darüber sehr aufgeregt. Da ich ziemlich sicher war, daß Goethe es noch nicht bemerkt hatte, nahm ich den dritten Band mit, um es ihm zu zeigen.

Bei meinem Eintritt fragte er sogleich: „Nun, wie gefallen Ihnen die Wanderjahre in ihrer neuen Ausstattung?“ „Sehr gut,“ erwiderte ich, „doch habe ich soweit nur den ersten Band gelesen. Was das Aeußere betrifft, machen die Bände den besten Eindruck. Die beiden Aphorismensammlungen nehmen sich gut aus, und die beiden Gedichte heben sich durch die Antiqualettern, in denen sie gesetzt sind, schön hervor. Aber mit dem Schlußvermerk ‚Ist fortzusetzen‘ haben die Drucker ein arges Versehen begangen. Sehen Eure Exzellenz selbst." Ich hielt ihm den aufgeschlagenen Band hin. „Hm," machte Goethe, und da er zunächst nichts weiter sagte, fuhr ich fort: „Sie werden sich erinnern, daß der Vermerk ursprünglich am Ende des letzten Kapitels stand. Als dann aber die Aphorismen und das Gedicht den Beschluß des dritten Bandes machen sollten, ist er anscheinend da weggenommen und ans Ende des ganzen Bandes gestellt worden, aber so, daß es aussieht, als beziehe er sich auf das Gedicht. Ob mit Absicht oder aus Zufall, ist schwer zu sagen. Jedenfalls kann nun kein Mensch wissen, was damit gemeint ist. Statt darin einen unzweideutigen Hinweis auf einen dritten Teil des Romans zu sehen, wird der Eine den Vermerk auf die Aphorismen beziehen wollen, ein Andrer das Gedicht für unvollendet halten, und ein dritter vielleicht alles für fragmentarisch erklären." Ich hatte mich warm geredet und hätte meinem Verdruß noch weiter Luft gemacht, wenn mich Goethe nicht unterbrochen hätte. „Liebes Kind", sagte er, „was ereifern Sie sich denn so. Glauben Sie denn, Sie könnten mich mit Ihren Kraftwörtern in Harnisch bringen? Absicht, Zufall, fragmentarisch, zweideutig. Was ist denn in unserem Leben und Tun nicht fragmentarisch und zwei-, wenn nicht mehrdeutig? Und wenn wir den Dingen auf den Grund sehen, wieviel tun wir denn wirklich aus Absicht und wieviel aus Not und aus sogenanntem Zufall? Sehen wir einmal zu, was der Zufall hier angerichtet hat, und ob es so schlimm ist, wie Sie meinen. Was die Aphorismen betrifft, so weiß keiner besser als Sie, wie fragmentarisch die sind. Und das Gedicht? Sonderbar, aber grade bei diesem Gedicht, das mir tief aus der Seele gekommen ist, habe ich gleich damals gefühlt, daß da unendlich viel mehr zu sagen wäre. Die Idee wird nur angedeutet, nicht gedeutet, ausgedrückt, nicht ausgelegt. Das ‚Ist fortzusetzen' hat auch hier seine Berechtigung. Soweit aber der Roman in Frage kommt, für den der Zusatz ja bestimmt ist, steckt da nicht in den Worten ‚Ist fortzusetzen' ein gut Stück Zweideutigkeit? Ist das nicht gradezu der Grund, warum ich diese Formel gewählt habe? Sie sollte andeuten, aber nichts versprechen. Wie kann ich das in meinem Alter? Ich habe sie in diesem Sinne im Vorjahr vom Faust gebraucht, und nun vom Wilhelm Meister. Beide Werke verlangen nach Fortführungen, nach innerem Abschluß. Vor allem der Faust: den muß ich noch schaffen. Wer läßt sich denn da ahnen, wie ich das hinauszuführen vorhabe? Der Meister muß warten. Er kann warten. Soviel auch da von dem, was mir am Herzen liegt, noch zu sagen wäre, so ist da doch alles klarer und einfacher, weniger problematisch. Es macht weniger aus, wenn es ungesagt bleibt. Man soll aber wissen, daß ich es bedacht habe."

Goethe hatte seine Worte zunächst an mich gerichtet, dann aber ins Weite blickend mehr und mehr zu sich selbst gesprochen. Jetzt sah er mich wieder an und sagte: „Sie sehen, die Sache ist nicht so schlimm, wie sie aussieht, und da nichts mehr daran zu ändern ist, so denke ich, wir geben uns damit zufrieden. Was meinen Sie?" „Gewiß, Eure Exzellenz," antwortete ich, „Doch die Leute werden sich den Kopf zerbrechen." Goethe lachte: „Das brauchen wir nicht zu fürchten. Die Leute haben dafür viel zu viel gesunden Menschenverstand. Die Herren Philologen—ja, die vielleicht. Doch denen gönn' ich's. Sie wissen, ich bin den Herren nie sehr grün gewesen. Ich habe in meinem Zweiten Faust noch so manches Stückchen *in petto,* das den Herren Kopfschmerzen machen dürfte. Da paßt denn dieses auch nicht übel dazu. Ein alter Mann darf sich solche kleinen Scherze schon erlauben. Doch nun, mein Guter, gehen Sie auf ein Viertelstündchen in den Garten und laben Sie sich an dem herrlichen Sonnenschein. Ich habe noch eine Kleinigkeit fertigzumachen und laß Sie dann rufen." Als ich die kleine Gartentreppe hinabging, dachte ich bei mir: Der Alte weiß doch immer allen Dingen etwas Gutes und Förderliches abzugewinnen.

III

Lectures and Addresses

Goethe's *Faust:* The Plan and Purpose of the Completed Work

(1901)

BEING a giant among works of poetry, Goethe's *Faust* suffers the fate of almost all things gigantic, be they the work of nature or of human genius. Many men of note have admitted that the first impression which they received from the reading of *Faust* did not entirely come up to their expectations. But have we not all heard of similar comments on St. Peter's in Rome, on Beethoven's symphonies, on Raphael's Sistine Madonna, on Mont Blanc, or on Niagara? There are objects that transcend our powers of immediate comprehension and require a more gradual process of familiarization. Besides, it is a well-established fact that we generally approach such objects of universal admiration with unduly exaggerated expectations. As the best music demands repeated hearings before it admits us to an intimate appreciation of its subtlest charms, so also must the greatest works of literature be read again and again, and more in a reverential than in a purely critical spirit, before they reveal to us their innermost beauty and meaning. But whereas a work of average, or even more than average, significance may hardly sustain our interest at a second or third perusal, the truly great work will become the more attractive the more we grow familiar with it. Thus it is with Goethe's *Faust*.

In this statement the great majority of the serious-minded readers of *Faust* will probably concur, even if with certain individual modifications and reservations, if we are willing to confine what has been said to the First Part. If, however, you are not prepared to admit the same, or nearly the same, for the Second Part, those who are the most ardent students of *Faust* will tell you it is because you have not read it often enough. This much is true, many critics of sound taste and judgment, especially in more recent years, have claimed that the long-maligned Second Part of Goethe's *Faust* has gradually acquired for them a charm and significance not only equaling but even surpassing that of the First Part, which all admire. As for myself, I have not exactly reached this point yet, and hardly know whether I am traveling on any very direct road leading to it; but so much is sure: careful and repeated reading has filled me with a growing admiration, not to say a growing sense of awe, of the gigantic sweep and vast scope of the poet's *plan* and *purpose* in the Second Part, even though, in my present estimation, the artistic *execution* of this plan is often unsatisfactory, perhaps must needs be unsatisfactory, since the very design seems to transcend the boundaries of dramatic art, if not of all art.

Goethe, as is well known, was but a youth of about twenty years when the legend of the magician Faust, with which in his childhood he had become familiar through the chapbooks and the then popular puppet plays, began to interest him as a promising subject for poetic treatment. We can surmise that the earliest scenes were committed to writing about the year 1773, and we know that when Goethe, in 1775, went to Weimar, he took with him a manuscript containing the greater portion of the so-called First Part. Actually begun, then, at the age of about twenty-four, the work was not completed till seven months before the poet's death, at the age of eighty-two. It will be shown later that we have more than one reason to regret this exceedingly slow process of development. On the other hand, we should not overlook the fact that the long years which elapsed between the first conception and the final completion of the work allowed the poet to incorporate in it the best experience of an unusually long and wonderfully rich life. The impetuosity of exuberant youth, the self-centered strength of mature manhood, the resigned wisdom of old age—all have combined to shape Goethe's *Faust,* which, in the fullest sense of the word, deserves to be called the poet's life work.

But, while Goethe worked on his *Faust* at widely different periods of his life, with long intervals of inactivity in between, he did not delay the publication of the work till the time of its final completion. Yielding to the requests of interested friends who knew of his treatment of the subject, he repeatedly published different portions of it in a more or less fragmentary condition. Thus, in 1790, briefly after his return from Italy, where his interest in the *Faust* had been renewed, he published *Faust, Ein Fragment.* Eighteen years later, in 1808, the First Part appeared in its entirety. Then, along the years 1827-28, some detached portions of the Second Part were published, especially the so-called Helena episode, which now forms the third act of the Second Part. The complete Second Part did not appear in print till after the poet's death.

On account of this disrupted mode of composition and publication, as well as on account of the unmistakable differences in tone and spirit which characterize different portions of the work, it has been commonly assumed that the drama as a whole, however sublime in thought and sentiment, however fascinating and powerful in its individual scenes, lacks unity of plan and purpose. Great stress, in this connection, has again and again been laid on a few evident incongruities that are found in the narration of some events and in the delineation of one or two of the characters. These, however, affect only details, without touching any vital point in the poet's unity of purpose. On the other hand, it should be well understood that if I am inclined to claim for *Faust* unity of plan, I do not claim for it unity of action in the technical sense in which the term is applied to the drama. There can be no doubt that Goethe's *Faust* neither is nor was meant to be a regular drama, but rather a vast epic built on dramatic lines.

Instead of one action or conflict, which is gradually intensified, reaches a climax, and then speeds on to its final catastrophe, instead of one such action, as in an ordinary drama, we have in *Faust* a succession of apparently disconnected episodes, of which at least two (the Gretchen tragedy in the First Part, and the Helena episode in the Second Part) attain to the scope and importance of well-nigh complete dramas within the drama. With the exception of Faust and Mephistopheles, the persons figuring in one episode rarely reappear in another, and certainly Faust and Mephistopheles are the only characters that figure in the entire drama from beginning to end. It might thus appear as if the individuality of Faust alone was forming the connecting link between the various episodes, between which there would thus exist not an artistically organic connection, but merely a personal or biographical bond.

Such, however, is not the case. All of the episodes are organic parts of one consistent theme; they are not loosely connected through the figure of Faust, but form consecutive stages in the development of a higher action or conflict, which is not, and cannot be, directly represented on the stage, but which embraces all the various episodes in one supreme unity of purpose. This real unity of the drama is found in the conflict between God and Mephistopheles for the possession of Faust's soul. That is to say, the question which the drama tries to solve, and to which everything in it is made subordinate, is the question whether the forces that we consider antagonistic to the divine side of human nature are strong enough so to ensnare a soul so richly endowed as that of Faust as to make it hopelessly forget its divine calling and idealistic cravings. This conflict is clearly outlined in the Prologue in Heaven, where, when the Lord speaks of Faust as his "servant," Mephistopheles sneeringly replies: *

Forsooth! he serves you after strange devices:
No earthly meat or drink the fool suffices:
His spirit's ferment far aspireth;
Half conscious of his frenzied, crazed unrest,
The fairest stars from heaven he requireth,
From earth the highest raptures and the best,
And all the Near and Far that he desireth
Fails to subdue the tumult of his breast.

THE LORD

Though still confused his service unto Me,
I soon shall lead him to a clearer morning.
Sees not the gardener, even while buds his tree,
Both flower and fruit the future years adorning?

*The quotations are from Bayard Taylor's translation.

MEPHISTOPHELES

What will you bet? There's still a chance to gain him,
If unto me full leave you give,
Gently upon *my* road to train him!

THE LORD

As long as he on earth shall live,
I make no prohibition;
While Man's desires and aspirations stir,
He cannot help but err.

When, thereupon, Mephistopheles expresses his confidence in his ultimate victory, he is interrupted by the following words:

THE LORD

Enough! What thou hast asked is granted.
Turn off this spirit from his fountain head;
To trap him, let thy snares be planted,
And him, with thee, be downward led;
Then stand abashed, when thou art forced to say,
A good man, through obscurest aspiration,
Has still an instinct of the one true way.

In other words, Mephistopheles is promised not to be interfered with in his plans for Faust's spiritual ruin, while, at the same time, we receive the indirect assurance that Faust, though he will not be preserved from error and sin, will ultimately remain victorious.

Thus we have in Faust an essentially dramatic conflict, only with this marked difference from the ordinary drama, that the conflict is a spiritual one, and that, hence, the two antagonistic powers cannot be directly represented as *dramatis personae*. It is true, the antidivine principle appears personified in the figure of Mephistopheles, one of the most marvelous creations of a poet's imagination, utterly fanciful and yet strikingly realistic, as interesting and fascinating as he is repellent and terrible. The divine element, however, the poet was unable to represent similarly. It appears confined to Faust's own soul, as the voice of his conscience, his better self.

After the character of the struggle that is to ensue has thus been indicated, the drama proper begins. The first scenes, answering the purpose of what we call the "exposition" of a drama, acquaint us with Faust's character, his past life, his present mood and surroundings. Here Faust appears as the very counterpart of Mephistopheles. The latter proves himself a mocking, unimpassioned spirit, of no mean intellectuality, it is true, but without a trace of idealism, a cold pessimist of low aims and unclean motives. Faust, on the other hand, is the heaven-daring Promethean idealist who is not willing to admit the reality of the intellectual limitations inherent in man's nature. He yearns for communion with the spirit world, for insight into the most secret fountains and subtlest processes of nature and of human life. His thirst for truth and experience are not to be quenched by the knowledge which he has been able to gather and the inadequacy of which he keenly feels. Neither creed and dogma on the one hand nor the results of philosophy and science on the other have satisfied him. He desires to fathom the universe, to know and to experience all things.

But, in considering this state of turmoil in Faust's soul, we must not overlook the fact that his error and waywardness are only relative. His striving after light and truth is indeed service of the deity, for it cannot be found or served except in light and truth. His error rather consists in the fact that in his ideal flights he not only forgets the serious limitations to which human nature is subject, but also neglects and scorns the manifold duties and pleasures resulting from our daily intercourse with our fellow men—duties and pleasures which must, and in a large measure can, console us for so many yearnings that are doomed to remain unfulfilled. Thus Faust appears indeed as we found him depicted in the Prologue in Heaven, a "servant of God," but one whose service is as yet confused and without clearness of vision, and who, therefore, has not yet found that supreme peace of soul that to Goethe means salvation.

In its last analysis, the conflict between Faust and Mephistopheles is a strictly human one. Both Faustian and Mephistophelian tendencies we all find in our own natures. Like Faust, we can say of ourselves:

> Two souls, alas! reside within this breast,
> And each withdraws from and repels its brother.

> One with tenacious organs holds in love
> And clinging lust the world in its embraces;
> The other strongly sweeps, this dust above,
> Into the high ancestral spaces.

Be it humiliating for our race or not, the fact remains that all men partake more or less of that coarser, disenchanted, coldly materialistic, frivolous nature that is the sphere of Mephistopheles. We are not planned as beings of angelic purity. But it should be our constant endeavor to ennoble and purify the coarser elements within us by means of our higher instincts. This is rarely accomplished without a struggle, and this struggle, as has been shown above, is the principal theme of Goethe's *Faust.*

Let us then proceed to a brief review of the development of this dramatic conflict.

Mephistopheles, we must imagine, has been hovering around Faust like the hawk that is circling around the prey which it has spied in the fields. At last, when the opportunity seems favorable, he gains access to Faust's company, succeeds in interesting him in *his* way of looking at life, so diametrically opposed to that of Faust, and finally, when he finds his victim in an opportune mood of utter despair, ready to do anything that would seem to promise escape from the unbearable discontent gnawing at his soul, he proposes a pact, a written agreement signed with blood, through which Faust's soul is eventually to come into his possession.

I say "eventually," and thereby indicate the profound change which Goethe has introduced in this feature of the old legend. All other treatments of the Faust legend, it is true, contained a pact between Faust and the devil; but in all of them, and so also in Marlowe's *Doctor Faustus,* the pact was of such a nature that it required Mephistopheles to serve Faust in all of his desires for a fixed number of years, generally twenty-four, after the expiration of which period Faust's soul was to be the devil's. Such a mechanical device, permitting of no dramatic conflict and suspense, and making the ruin of a human soul dependent on the lapse of a fixed number of years, could not satisfy Goethe, nor indeed any truly modern poet.

The old pact was the natural result of a mediaeval view of life, according to which every effort of man to get beyond the limits of traditionally sanctioned knowledge was a crime. According to it, every independent searcher after truth was a heretic and magician, and every heretic and magician in a league with the spirit of evil, speeding along the road to everlasting ruin. The eighteenth century, however, was preeminently characterized by the spirit of free inquiry. No longer was it held to be a sin, but rather man's highest aim and object in life, to search for the truth and to remove false traditions standing in the way of its light. To such an age Faust, tormented by his unsatisfied yearnings for profounder knowledge, could no longer be presented as an object lesson of timid moralizing, by means of which men should be impressed with the awful fate awaiting him who might dare to move away from the traditional standards of knowledge, no matter how worn and void of truth they might happen to be. By such an age Faust's striving could no longer be considered as in itself sinful, but rather as the brightest light of the divine fire burning in man's soul. Irrevocably to commit him to the spirit of evil as punishment for this superhuman striving would have been nothing short of condemning the very spirit of progress and investigation that is the keynote of modern culture and civilization. Faust's error that was to bring suffering and wrongdoing into his life, as into that of others, was not his striving as such, but his *excessive* striving, that tried to disregard all limitations of human existence.

From such a point of view the pact between Faust and Mephistopheles could not remain the same as in the legend; in fact, in Goethe's conception it has become almost the very opposite. In the old legend, it was Faust's striving that condemned him; in Goethe's *Faust,* the ultimate salvation of Faust is made dependent on his not ceasing to strive. If Mephistopheles succeeds, by the pleasures and activities which he is able to furnish, so to captivate Faust as to make him satisfied—i.e., so to suppress his better nature that he will cease to strive after the highest things attainable to man—then, but not until then, is he to belong to Mephistopheles. No individual error will condemn Faust, nor, indeed, will any individual act save him; but everything will depend upon the spirit underlying his actions. Such is the Goethean form of the pact between the two.

FAUST

When on an idler's bed I stretch myself in quiet,
There let at once my record end!
Canst thou with lying flattery rule me,
Until, self-pleased, myself I see—
Canst thou with rich enjoyment fool me,
Let that day be the last for me!
The bet I offer.

MEPHISTOPHELES

Done!

FAUST

And heartily.
When thus I hail the moment flying:
"Ah, still delay, thou art so fair!"
Then bind me in thy bonds undying,
My final ruin then declare!
Then let the death-bell chime the token,
Then art thou from thy service free!
The clock may stop, the hand be broken,
Then Time be finished unto me.

Now the conflict between Mephistopheles and Faust's better self commences. Henceforth it is not only Mephistopheles' office to do Faust's bidding, but it is moreover incumbent upon him to choose those allurements through which he hopes to enslave his prospective victim. The various spheres of experience through which Faust now passes form the central portion of the entire drama, and allow us to distinguish five distinct stages: (1) The sphere of coarse revelry, represented by the drinking scene in Auerbach's *Keller;* (2) the sphere of womanly love, represented by the tragedy of Gretchen; (3) the sphere of restless but as yet rather purposeless activity in the circles of worldly power and social distinction, represented by the scene at the emperor's court in the first act in the Second Part; (4) the sphere of historical and aesthetic pursuits, represented by the Classical Walpurgis Night and the Helena drama; (5) the sphere of practical usefulness, based on ethical and unselfish motives, represented by Faust's noble effort to wrest land from the sea and to make it the abode of a free and happy people. After that follow the concluding scenes of the Second Part that depict the struggle of devilish and angelic hosts for Faust's soul, and its final entrance into heaven.

Even this brief enumeration of the five principal stages of the action—one might well call them the five acts of a vast dramatic composition—establishes, or at least suggests, one important fact. The spheres in which we encounter Faust and Mephistopheles represent an ascending scale, if judged from the standpoint of their intrinsic value to human life. The first stage, the scene in Auerbach's *Keller,* exhibits a wanton waste of human energy; while the last scene, by the seashore, represents one of the highest aims of human life: unceasing, well-defined activity aiming to produce, within the limits of what is feasible, the greatest possible good to multitudes of others. From this it further follows that, while at first the influence of Mephistopheles over Faust is increasing and leads the latter deeper and deeper into sin, with the beginning of the Second Part, however, Mephistopheles' influence commences to wane. He still must do Faust's bidding, but the latter more and more assumes the leadership, and suggests the aims of their joint activity.

Let us now examine somewhat more in detail the five principal stages, or episodes, of the drama, and, in so doing, we shall especially try to determine in what spirit Faust enters upon each of these typical spheres of experience and in what spirit he again emerges from each of them. After the pact has been made, Mephistopheles, in answer to Faust's question, "Now, whither shall we go?" replies: "As best it pleases thee. The little world, and then the great, we'll see." This programme is strictly carried out. The first two episodes—the student's scene in the wine vault, as well as the entire Gretchen drama—constitute the experiences in the narrower world of personal relations; the last three—the scenes at court, the Helena drama, and the active life at the seashore—constitute the experiences of the broader world of activity in government, art and science, and cultural labor. Mephistopheles of course begins at the bottom round of the ladder. He would fain win Faust at the lowest price, with the least outlay of exertion on his part. He, therefore, first tries to lure him into a life of vulgar and soulless revelry. But it i characteristic that during the entire scene in Auerbach's *Keller*

Faust remains a passive spectator. He speaks only twice, first, on joining the company, "Fair greeting, gentlemen!" and not very much later, "To leave them is my inclination." The first attempt of Mephistopheles has been a flat failure. Far from satisfying Faust, he has not even succeeded in interesting him.

His next scheme is more deeply laid. Faust's sensual nature, that has been utterly neglected in his previous life, is skillfully aroused by Mephistopheles in the scene in the witch's kitchen, so that when he first meets pure and lovely Gretchen, he, as Mephistopheles himself says,

> talks like Jack Rake,
> Who every flower for himself would take,
> And fancies there are no favors more,
> Nor honors, save for him, in store.

He brutally says:

> And if that image of delight
> Rest not within mine arms to-night,
> At midnight is our contract broken.

Mephistopheles has a good chance for success this time. But his purpose is again to be foiled. According to plan, Faust is henceforth to lead the life of a libertine, whom he will drag through dust and mire from one victim to another.

The Gretchen tragedy is undoubtedly not only the most powerful part of the Faust drama, but to the great majority of readers it even is the real center of interest, that which *Faust* first suggests and stands for. The exquisite delicacy of some if its opening scenes, as well as the terrible pathos of its final catastrophe, of which an English critic has said that its tragic intensity has never been paralleled and can never be exceeded, make it a complete drama in itself, the interest in which has induced the poet to develop it far beyond the proportions which it should have as only one of the episodes of the larger drama. The chief point of interest from our present point of view is the consummate skill with which the poet makes Gretchen's purity and loveliness transform Faust's libertinism into truly impassioned love, much to Mephistopheles' dismay, who again sees his prey slipping from his hand. This change of sentiment on the part of Faust does not save Gretchen, but, in a sense, it does save Faust, at least from immediate ruin. When Faust's true love for Gretchen awakens, he flees from her, for he feels and knows that, with all his love for her and hers for him, he is utterly unable to procure her that happiness which she deserves. The chasm between the two is too great to be bridged over, even by love. Faust says of himself:

> I am the fugitive, all houseless roaming,
> The monster without aim or rest,
> That like a cataract, down rocks and gorges foaming,
> Leaps, maddened, into the abyss's breast!
> And sidewards she, with young, unwakened senses,
> Within her cabin on the Alpine field.

But Mephistopheles, who, in his blind eagerness, cannot give up his game as lost, succeeds again in lulling Faust's conscience to rest. Faust returns to Gretchen, and an awful vista of sin engendering sin opens before our eyes. Gretchen, all confidence and love, falls. Her mother dies from the effects of the sleeping draught administered to her. Gretchen's brother attacks his sister's lover, and, in the ensuing combat, is killed. Faust must flee to escape the hands of justice, while Gretchen, crazed with the awful consciousness of her sin, drowns her child and is cast into prison. These awful results of his first wrong plunge Faust deeper and deeper into sin, but at the same time reawaken his conscience and the determination to right his wrong as much as possible, even though it be at the risk of life and liberty. Thus a spiritual disposition is engendered in Faust, which is far from the one which Mephistopheles desired to produce, in fact a state of soul that must needs help a man, in whom all good has not died out, to regain "the right road," from which he has strayed. Mephistopheles has again failed. Faust comes out of this awful experience heavily laden with guilt, but unquestionably a better man than when he first saw Gretchen.

Here ends the First Part, and even from this brief outline it must be apparent that the drama could not possibly end here, where most readers drop it. We are in the midst of a conflict, not at its end. If it were the real ending, only one of two issues is possible. Either Faust has won. But this, despite all of his repentance, is not to be thought of while he is still in the very midst of the awful consequences of his wrongdoings. Or Mephistopheles has won. Then "the Lord" has lost, and the spirit of the drama would be pessimism too terrible to think out to its last consequences. It needs no proof that Goethe, the serene optimist, could never have considered such a solution. As a matter of fact, the division between Parts I and II is merely accidental and outward, not essential or organic. Only the second act of the vast five-act drama has closed; the third act begins with the Second Part.

In tracing the hero's career through the Second Part, I shall endeavor to give a brief running account of the principal events themselves, for I cannot presuppose for it the same general acquaintance with the story of the plot as everybody possesses for the First Part. On the other hand, the Second Part, about twice as long as the First, teems with such a mass of detail that only the most significant elements can be referred to.

In the opening scene we find Ariel and his elfs ministering to Faust, who lies in unconscious sleep; in other words, the good and gentle influences of life gradually heal Faust's broken spirit. Then the third great episode of the drama begins. Faust is introduced to the emperor's court. In various scenes we find him engaged in a life of busy activity. He is no longer solely seeking selfish enjoyment. He is exerting himself. But there is a lack of purpose and conviction in all of his doing. According to a distinction dear to Goethe, Faust appears now *geschäftig,* and not *thätig*—i.e., busy but not truly active. He resembles a man who delights in using his powers and testing his strength, but who is not sufficiently clarified in his purposes to devote his energies to the service of high and worthy ideals. In fact, Faust still allows Mephistopheles to conduct matters pretty much as he pleases, and Mephistopheles sees to it that the activities in which they engage shall ultimately result in harm, or, at least, be of no value.

The scenes of court life, relating to government and to pleasure, are varied and full of life, but only one fact is of special significance for the further development of the plot. The emperor has heard of, and during some carnival festivities has himself experienced, Faust's magic skill. As a supreme test he therefore asks that Faust conjure up, for the court's entertainment, the shades of Paris and of Helen. Mephistopheles, when asked by Faust for assistance, must admit that, as the devil of northern cloudlands, he possesses no power over the sunny forms of southern climes. The beautiful cannot be the sphere of the spirit of evil and meanness, for Goethe firmly believed in the ennobling and uplifting influences of the beautiful. Thus Faust is forced to act for himself, independently, and he undertakes the enterprise, even though at the risk of losing his life in it.

Here, I believe, lies the turning point in the drama considered as a whole. So far Mephistopheles has suggested what has been undertaken; this time the suggestion comes from a neutral source, the emperor; henceforth it will be Faust himself who will set up his own goal for his activity. Thus far Mephistopheles has accomplished everything, inviting Faust merely to passive enjoyment; this time, however, Faust acts without Mephistopheles; soon we shall see Mephistopheles forced to employ his energies in pursuance of Faust's self-chosen aims.

Paris and Helen appear as shades, and are admired and criticized by the court in a soulless manner. Only Faust is really struck with the sublimity of Helen's beauty, so much, in fact, that during the next, the fourth, episode the effort to win her becomes the controlling influence of his life—i.e., he enters the sign of the aesthetic ideal. For his search for Helen, and his final wooing and wedding of her, we must not interpret as a return to the sphere of sexual love, as portrayed in the Gretchen tragedy. Helen, in our drama, is not so much the ideally beautiful Grecian as rather the Grecian ideal of beauty in art and life, and thus, in a measure, an incarnation of some of the highest human achievements of the past. In search of it and in communion with it, Faust is therefore actuated by a truly lofty and noble aim in life, although not yet by the loftiest and noblest.

Two of the most famous and, in many respects, most beautiful portions of the Second Part are devoted to the portrayal of the sphere into which we have now entered—namely, the so-called Classical Walpurgis Night, and the Helena drama proper.

The Classical Walpurgis Night has been developed as an elaborate Grecian counterpart of the mythical Walpurgis Night festival on top of the Brocken mountain, as it is portrayed in the First Part. The invention as a whole is Goethe's, while the various elements of it have been freely taken from old Grecian fables and myths. The understanding and appreciation of the whole requires a fairly extensive familiarity with even minor and remote details of Grecian folklore so that for most readers an intelligent study of at least this portion of the Second Part is impossible without a running commentary. The scene has been developed to its present proportions largely for its own sake and interest, but its organic relation to what precedes and follows is distinct. Faust, haunted by the picture of Helen, is bent upon finding means for winning her back from Hades, and information as to the most efficacious mode of procedure might be gathered at this annual spirit-reunion on the plain of Pharsalus, in Thessaly. For here, where in 48 B.C. the famous battle between Caesar and Pompey was fought, the memory of this epoch-making event is renewed annually (so Goethe will have us believe) by a gathering of spirits in the neighborhood of the battlefield during the night following the anniversary of the battle. It certainly is a superstition of the folklore of many peoples that great and decisive battles, as, e.g., the battle of Marathon between the Athenians and Persians, and the battle of the Romans and Germans against the Huns on the Catalaunian Plain, were each year fought over and over again by spirits in the air. Since thus on the Pharsalian battlefield all of the principal characters of Greek legend are going to assemble, Faust hopes to be able to find among them some news of Helen. And, indeed, after a series of inquiries and varied adventures, the famous sorceress, Manto, ultimately shows Faust the entrance to the lower world beneath Mount Olympus, where he is to plead with Persephone for Helen's return to the upper regions. A noble scene, which was to depict Faust's experience in Hades, and thus was to form the connecting link between the Classical Walpurgis Night and the Helena drama proper, the poet unfortunately never wrote. At any rate, Faust's suit must be supposed to have been successful, for in the third act Helen appears in the world of man.

The scene shifts to Sparta, to a place in front of the palace of Menelaus. Helen herself, surrounded by her retinue of Spartan women, imagines that she is just returning home from Troy, sent ahead by her husband to make all necessary preparations for an elaborate sacrifice. Mephistopheles appears, disguised in the ugly shape of one of the Graiae or Phorcyads, the three sisters dwelling in utter darkness and possessing only one eye and one tooth in common, who in the Greek imagination were the acme of everything horrible and repulsive. This form he, the lover of everything ugly, has borrowed from the Phorcyads during the Classical Walpurgis Night, while his victim, Faust, hardly his victim any longer, has been in search of the sublime beauty of Helen. Mephistopheles pretends to be an old stewardess at Menelaus's palace, and tells Helen that she herself is to be the victim to be slain at the sacrifice, for which her enraged husband has ordered her to prepare. But he promises her easy delivery from certain death if she will but place herself under the protection of his master, who, during Menelaus's absence, has acquired power and land in the mountain districts to the north. Helen, thoroughly frightened, gives her consent, and, by magic, she is transported to Faust's stronghold, which is represented as a Gothic castle of the Middle Ages. Faust greets her with profound respect and admiration, offers his protection, and wins her love. The offspring of this union of Faust and Helen is a supernatural child, Euphorion, who, driven by his ethereal nature, tries by all means to rise above the level of his surroundings, climbing and flying upwards, but suddenly falling dead at his parents' feet. In the figure of Euphorion Goethe offered a delicate tribute to the memory of Lord Byron, whose premature death at Missolonghi had occurred but shortly before the time when the Helena drama was elaborated, and whose poetic genius Goethe greatly admired. Euphorion, dying, entreats Helen not to leave him alone in the realm of darkness. She, irresistibly drawn on by her son's prayer, vanishes, leaving Faust again alone.

This time Faust has enjoyed true happiness, the recollection of which is free from the sting of remorse. But even it, being only temporary, did not furnish a lasting and never-failing source of satisfaction.

But before we, like Faust, leave the sphere of the aesthetic ideal, I should like to call attention to one more feature of this portion of the drama, which evidently is symbolic and largely even allegorical in its nature, and severely taxes the imagination of even the most willing and best-prepared reader.

Aside from the personal compliment to Byron, the figure of Euphorion, more broadly interpreted, would seem to represent modern romanticism in general. As Euphorion is the offspring of the Helen of the ancients and of Faust, who, in these scenes, appears as one of those baronial knights of the Middle Ages, who actually established themselves in various parts of Greece in connection with the fourth crusade of 1202, so was modern romanticism, in some measure, the result of a fusion of the spirit of ancient and Renaissance art with the spirit of the romantic literature of the Middle Ages. Thus understood, the poet's plan seems to have been to place before us a kaleidoscopic vision of the whole development of the art and culture of the past, from the days of the glory of Greek art down to the poet's own time.

Such a plan is probably too bold and vast for artistic treatment, especially for treatment in dramatic form. To admit, therefore, that from an artistic standpoint, Goethe's treatment of it is hardly quite satisfactory is no serious reproach on his poetic genius. Like Faust himself, he seems to have attempted the impossible. But the attempt itself should not be ascribed to a wanton desire of doing something perhaps never attempted before; for it is a necessary and logical part of the whole plan. If Faust is to exhaust all the experiences of man, the question had to be answered whether there was not, perhaps, something in the achievements of the past that could have granted the longed-for satisfaction. The poet's answer to this quest is a negative one. The past, no matter how beautiful, cannot be the fulfillment of the needs and desires of the present. It can and should furnish stimulants and materials toward the mastery of the problems of the present, but it cannot itself offer their solution.

And so we follow Faust to the last sphere of his experience. Carried back from Greece to Germany on a magic cloud, Faust passes over plains, rivers, and seas. When Mephistopheles asks whether, in all they have seen, there was nothing that evoked in Faust the desire to devote his energies to it, the latter, remembering the sight of the waves of the sea lashing a waste and desolate shore, exclaims:

FAUST

The sea sweeps on, in thousand quarters flowing,
Itself unfruitful, barrenness bestowing;
It breaks and swells, and rolls, and overwhelms
The desert stretch of desolated realms.
There endless waves hold sway, in strength erected
And then withdrawn—and nothing is effected.
If aught could drive me to despair, 'twere, truly,
The aimless force of elements unruly.
Then dared my mind its dreams to over-soar:
Here would I fight—subdue this fierce uproar!
And possible 'tis!—Howe'er the tides may fill,
They gently foam around the steadfast hill;
A moderate height resists and drives asunder,
A moderate depth allures and leads them on,
So, swiftly, plans within my mind were drawn:
Let that high joy be mine for evermore,
To shut the lordly Ocean from the shore,
The watery waste to limit and to bar,
And push it back upon itself afar!
From step to step I settled how to fight it:
Such is my wish: dare thou to expedite it!

Mephistopheles is willing, for the terms of the pact demand that he should be. As a reward for valuable assistance which they render the emperor in his war against a powerful rival, Faust receives the desolate and undesirable seashore as a fief. Here he spends the rest of his life, building dikes, digging canals, constructing harbors, sending out his ships over all the seas. Constantly he fights against the renewed encroachments of the water, and thereby turns a useless, uninhabited stretch of land into a cultivated district, a fit abode for free and labor-loving men to live and prosper in. He has at last discovered the blessing that dwells in strenuous exertion and unceasing labor, provided it be prompted by noble motives and directed toward worthy ends. He no longer labors for himself alone; he works for the benefit of others, and therein seeks and finds his own joy and prosperity. He creates values where before him there were none; he carries the stir of human labor and the voices of human joy and human sorrow into places filled before by the monotonous roar of the unfeeling elements. The over-exalted dreamer and reckless and regardless egotist has changed at last into a culture hero, who has experienced the saving grace of strenuous devotion to duty in the service of mankind.

Finally, in this unceasing but serene activity in the interests of human culture and progress, in his watchful care not only for the welfare of his fellow-men, but even of coming generations, Faust seems to have found that continued peace of soul for which he has been yearning so long, and which nothing else had been able to furnish him. It is true, he is blind, bowed down by care and extreme old age; but he is none the less eagerly bent on performing the duties of each day. Thus he much reminds us of the poet himself, who penned the last lines of the drama as an octogenarian, and was not willing to pause or rest until this supreme work of his life should be completed.

In this spirit Faust exclaims:

> Yea, to this thought I cling, with virtue rife,
> Wisdom's last fruit, profoundly true:
> Freedom alone he earns as well as life,
> Who day by day must conquer them anew.

His ideal striving has not left him to the last. For even now it is not so much the pleasure at what he has already achieved, as rather the anticipation of what he still hopes to accomplish in the future, that makes him say:

> Then to the moment might I say:
> Linger awhile, thou art so fair.

With such words on his lips and such thoughts in his soul, he dies, clear in his conception of his relation to the world, sure of his purpose, pure in his motives, a redeemed man.

He professes no creed, but his convictions are borne by the loftiest principles. But, even though in anticipation of still greater bliss in the future, he has spoken the fatal word to the fleeting moment: "Linger awhile, thou art so fair." So, technically, mechanically, Mephistopheles might claim, and does claim, to have won his wager. But the angelic hosts that come to carry Faust's soul into eternity convince him, despite his impotent rage, that he is deceived. Nothing that *he* has given Faust causes the latter to speak the important words. Faust has won the wager. He is saved.

In the last act of the drama one more point might demand some elucidation. Mephistopheles to the last remains in Faust's company, who even uses him for the consummation of his high purposes. To a mediaeval mind this fact alone would even to the last condemn Faust as ensnared in sin. This, however, is far from Goethe's much profounder conception of the relation between the two. Even though Mephistopheles represents the coarser, more vulgar tendencies of human nature, he still represents energy. This force is not to be thrown aside, not to be destroyed; it is to be subdued, to be forced to do the bidding of the higher spiritual nature. That, according to Goethe, is the true solution of the conflict each man is waging. When, at the end of his career, Faust, though unintentionally, causes the death of the good old couple, Philemon and Baucis, and the destruction of their property, I believe the poet does not only wish to emphasize the fact that the individual must not stand in the way of the common progress and benefit, but rather to show that the subjugation of our lower impulses is never completely accomplished. Even with the wisest and best of men their coarser instincts will occasionally escape the control of their higher nature. Again, it is not the individual act that condemns or saves, but rather the spirit from which the deed flows, that adds to our credit or guilt. Of this the chorus of angels assure us as they carry Faust's immortal part aloft:

> The noble spirit now is free,
> And saved from evil scheming:
> Whoe'er aspires unweariedly
> Is not beyond redeeming.

Light from Goethe on Our Problems

(1913)

MANY of you, I am inclined to think, may be wondering why I should have chosen Goethe as a guide in considering some of the professional problems of the modern language men of this country. Let me assure you that the selection is neither accidental, nor meant to be facetious.

In the majority of the presidential addresses delivered before this Association, in its Eastern as well as in its Western branch, it has been customary for the speaker to present his case from a frankly personal point of view. Indeed, a deliverance like this, if it is to measure up at all to rightful expectations, must needs partake of the nature of a confession of faith. Emotions, to be sure, should not take the place of argument. But argument should be of such a character as to reveal those fundamental aspects of personality that lie beyond the reach of ready and conscious adjustment.

Whatever opinion of Goethe you may therefore have, individually and collectively, I think I had better admit from the outset that with advancing years I have constantly grown in admiration and in reverence for him of whom even Emerson could finally say, "The old Eternal Genius who built this world has confided more to this man than to any other." More and more I have developed such a sense of dependence on Goethe for counsel and courage, for light and leading that, even though I tried, I could not keep it from asserting itself whenever on broad questions of principle I am to express my deeper personal convictions. It would not matter whether Goethean influence were specifically referred to or not in the title chosen for this address. It would inevitably be present, even as biblical standards would necessarily have determined the attitude of the early Puritan settlers here in New England on any large problem of culture or education.

To reassure you, however, I can truthfully say that my admiration is not blind. Nor is it ignorant of all that the most determined *advocatus diaboli* could urge against the canonization of my saint. On the contrary, favorite investigations of my own and of my pupils have brought me into unusually close contact with most of the adverse opinions concerning Goethe that have been voiced by German and by foreign writers. But I am more willing than ever to endorse the sentiment of a recent biographer, whose words, to be sure, have immediate reference to the German people:

> Whenever a solar eclipse has threatened the orbits of our nation's public affairs or cultural life, we have invoked Goethe as the helper and bringer of light, and never yet in vain.

And on further reflection, ladies and gentlemen, I hope you may be disposed to agree with me that the patron saint whom I invoke has some peculiar warrant for presiding over a gathering like this, and that he has not been chosen merely to humor the racial idiosyncrasies of an unregenerate president.

Auspicious, you will grant, is Goethe's early and sincere interest in the institution whose guests we are on this occasion, an interest engendered through personal acquaintance with men of resonant New England names, like Everett, Ticknor, Cogswell, Bancroft, and graciously expressed in the dedication of a set of his writings in 1819 "to the library of the University of Cambridge in New England, as a mark of deep interest in its high literary character, and in the successful zeal it has displayed thro' so long a course of years for the promotion of solid and elegant education."

But granting that this is merely a casual though happy coincidence, let me remind you how fitly Goethe represents that living union of the ancient and the modern humanities which this meeting may be claimed to symbolize. A typically modern poet, Goethe remained a convinced admirer of ancient literature and art through all the vicissitudes of his long literary career, and the masterpieces of his ripe manhood are the noblest products of the classical renaissance in modern German literature.

To our Latin colleagues let me point out what Rome meant for the maturing of his art and for his happiness as a man. Many years after he had left the Eternal City, he could still exclaim:

> Wandelt von jener Nacht mir das traurige Bild durch die Seele,
> Welche die letzte für mich ward in der römischen Stadt;—
> Wiederhol' ich die Nacht, wo des Teuren soviel mir zurückblieb,
> Gleitet vom Auge noch jetzt mir eine Träne herab.

And oh, what comfort our Greek friends can find amid the chill blasts of modern indifference in the shelter of him for whom the ancient Greeks always remained those models to whom we moderns should ever return; not indeed to imitate them mechanically, but to be moved to like efforts in our sphere by the never failing inspiration of Greek health and strength and beauty. "Every man be a Greek in his own way, but be one!" And as to those of us who are primarily students of modern life and letters, can we not safely entrust ourselves to Goethe with his strong sense of reality and of the present, who with undiminished interest and remarkable freedom from prejudice kept in touch to the last with all the significant cultural movements of his day? It is true, he often and eloquently expressed his deep sense of the continuity of all human knowledge and experience.

> Wer nicht von dreitausend Jahren
> Sich weiß Rechenschaft zu geben,
> Bleib' im Dunkeln unerfahren,
> Mag von Tag zu Tage leben.

And yet, at the reminiscent age of eighty years, he could still say with equal assurance and truth, "Only because men do not know how to appreciate and vivify the present, do they long so much for a better future or coquettishly ogle with the past."

Those among us who are devoting our labors to the study of Germanic culture claim him as our own in a deeper sense and see in him, in the words of Jacob Grimm, "the sun in the literary heavens of Germany." But the colleagues in the fields of English and of the Romance languages may nonetheless accept him as their spokesman with equal confidence. What foreigner ever proclaimed more enthusiastically the greatness of Shakespeare and of English literature, or more heartily acknowledged the cultural debt of gratitude that he owed to the classic poets of France? Not only his wide first-hand acquaintance with the languages and literatures of England, France, and Italy, but also his actual critical and expository writings in these fields would, from a purely scholarly point of view, assure him a place of distinction among the ablest members of this Association. And were the Orientalists meeting with us, they would unquestionably be willing to do homage not only to the inspiration, but also to the learning of the poet of the *West-östlicher Divan.*

Not only as scholars, however, but also as teachers, we may be sure of finding our efforts appreciated at the hands of one who, despite his preëminently artistic endowment, found and nurtured a characteristic trait of didacticism in his own nature. More specifically, as teachers of foreign tongues we are indebted to him for that happy axiom so frequently quoted in support of our work, that he who has no knowledge of a foreign language does not know his own: "Wer fremde Sprachen nicht kennt, weiß nichts von seiner eignen."

In fact, as teachers and as scholars, as philologists in the broader and in the narrower sense of the term, as representatives of ancient and of modern literature, as Anglists, Romanists and Germanists, as classicists, romanticists and realists, we all can confidently enter the temple consecrated to the service of the patron saint whom I invoke. "Introite, nam et hic dii sunt."

In the brief time at my disposal, I cannot attempt to suggest all of the relations that might readily be established between characteristic views and utterances of Goethe and some of those manifold interests and problems that confront at the present time "the advancement of the Modern Languages and their Literatures," in constitutional parlance the object of the existence of our Association. Every one who knows fairly well not only the poet Goethe in his recognized "works," but also the man and thinker, as he has gradually become more and more revealed through the rich treasures of his letters and conversations, everyone so informed will be ready to admit that of such relations there exist a large number that suggest themselves easily and naturally. Some of them I have already referred to, or at least hinted at, as the advantage of the study of foreign languages, or the relative claims of the ancients and the moderns. Others might easily take us far afield into those general problems of education in which our own professional destinies are deeply involved, as, for instance, the latter-day invasion of the champions of the practical and utilitarian with its many reactions on the study of the humanities and chiefly perhaps of language and literature.

Instead, I propose to single out three important, broad and characteristic aspects of Goethe's view of life which had a profound bearing on his own work and development, which have proved very illuminating to me in dealing with the poet's complex and many-sided nature, and which permit of a ready and natural application to our own professional aims and conditions. If thus far I have laid the emphasis of my remarks upon Goethe himself as a source of light, I shall henceforth rather dwell upon those problems of ours that appear to be illumined by his light.

First, I desire to direct your attention to a group of thoughts suggested by the Goethean conception of *Weltliteratur,* which in his old age appeared to him as a matter of great moment and promise. Of course, in a sense, the facts underlying this idea are old, as far as it relates to a literary interchange between the leading nations of Europe, if not of the world. But what previously had been left to the play of chance or the stress of necessity was conceived by Goethe, who was justly aware that he himself had become one of the great "Weltdichter," as a conscious movement growing out of new conditions of international life. According to his view, this movement should be fostered and guided, as on the other hand there are to be expected from it far-reaching results in the supernational life of the civilized world. Goethe's ideal must not be confused with that of the non-national cosmopolitanism of rationalistic thinkers of the eighteenth century. In their view the national differences separating the various peoples were in the main to be considered as hindrances to be reduced and eliminated as much as possible in the interest of a uniform and universally human ideal of life and culture. Goethe, however, developed and advocated his ideas after romanticism had successfully vindicated the deeper significance of the historical, racial, and popular elements in the life and thought of a nation. He is far from seeing in these tendencies mere hindrances to a speedy consummation of his hopes, but rather acknowledges them as characteristic factors of significant value and advantage. Just because nations, like individuals, are differently endowed and cannot escape the "daimon" that animates and controls them, they can aid each other toward a fuller conception and realization of human perfection. For this purpose, in the cultural traffic of nations, those tendencies should be strongly encouraged which point toward closer harmony and fuller appreciation; tolerance is to be insisted on where there are deep-seated and irreconcilable differences; and, lastly, those aspects of a nation's life in which it is strongest and most successful—what Goethe calls "die Vorzüge" of a given nation—are to be considered as worthy of special recognition. The following brief quotations may illustrate these assertions.

> Truly universal tolerance is most securely established if we are not disturbed by the peculiarities of individuals or nations, but at the same time adhere to the conviction that everything truly meritorious is distinguished by being common to all mankind.

> Only we repeat that we should not possibly expect that nations should think alike; but they should at least take notice of each other, comprehend each other, and if they cannot love each other, at least learn to bear with each other.

> From the manner in which [foreigners] think of us, more or less favorably, we in turn learn to judge ourselves, and it cannot do any harm if for once we are made to reflect upon ourselves.

In the spirit of this conception Goethe was eager to do all that lay in his power to increase the nations' interest "an einer edlen allgemeinen Länder- und Weltannäherung." What he ultimately hoped for as at least one of the results of such mutual approach and appreciation is most clearly shown in a passage from a letter of Carlyle which he translated for his German fellow-countrymen with terms of highest approval:

> Let nations, like individuals, but know one another and mutual hatred will give place to mutual helpfulness; and instead of natural enemies, as neighboring countries are sometimes called, we shall all be natural friends.

This noble thought, thus sanely pictured, neither suggests nor tolerates that puerile spirit of utopian recklessness which has done much to discredit the entire movement in the minds of many people who otherwise might well come under its spell and help serve its ends. In Goethe's sober conception, the idea is entirely free from the blemish of an unruly and short-sighted disregard for the established laws of life. Results, he knows, will neither be sudden nor perfect, and he expressly warns his followers that they should not expect more than is reasonable.

Such a program of international appreciation, tolerance, and helpfulness has, it seems to me, a highly valuable significance for us modern language men who represent disciplines in the pursuit of which, no matter how objectively and judiciously we may proceed, the respective national points of view are bound to manifest themselves. This natural state of affairs is even further accentuated by the fact that in a large number of institutions, in our subjects far more than in others, and in this country far more than elsewhere, native Americans are working side by side with the representatives of other nationalities. The conditions of our profession thus offer an unusual opportunity for putting to the test, on a small scale, as it were, the Goethean principle "einer edlen allgemeinen Länder- und Weltannäherung."

Pray do not fear that I have any intention of advocating that our Association as such recognize or support any of the specific movements now organized in this country and abroad in behalf of international conciliation and world peace. What I do desire to accomplish, however, through these feeble words of mine is to aid in arousing among us as a profession a more general consciousness of the peculiar opportunities and responsibilities which apparently are ours in regard to a great world movement that has begun to fire the imagination and the will of many of the best minds of our age. We, above all, ought to have and undoubtedly do have that deeper knowledge that is claimed to be the warrant of appreciation and sympathy. But if so, should we not remember that "no man, when he hath lighted a candle, putteth it in a secret place, neither under a bushel, but on a candlestick, that they which come in may see the light?" Of course, I have no reference to the thoughtless use of high-sounding arguments such as you must have heard at teachers' meetings or seen in print in our popular proselyting literature, when the promotion of the peace of the world is conjured up as one of the reasons why John and Mary should not fail to elect German or French in their high school course, maybe in preference to Latin or Greek. But what has often seemed strange to me is that, to my knowledge, so very few of the scholars working in the field of the modern languages have been known to make their influence felt in a cause that is so peculiarly related to their specific work and interests.

An attitude of mind that would naturally emphasize the solidarity of our interests rather than those elements that tend to keep us apart would, moreover, have valuable results of a more immediate and practical nature nearer home. We all, the East no less, I understand, than the West, are keenly conscious of the change that is going on in regard to the value placed upon the study of foreign language in the national scheme of education. We are under fire from almost all sides, and if the most peremptory of up-to-date reformers could have their way, language and literature would promptly be removed from the essentials of the new education, if not altogether excluded. It is evident that under such circumstances the strength of our position will be greatly augmented by all that makes for harmony and mutual helpfulness within the fold; while everything that fosters dissension and jealousy and extreme rivalry cannot but reduce our prospects. United we surely stand more firmly, divided we shall certainly fall more easily.

In making these suggestions, I am primarily thinking of our own Association. But as this is a joint meeting of the classical and of the modern language groups, I feel justified in laying especial stress on the fact that in this respect, if in no other, all the language interests form a community the individual members of which are closely dependent on one another. The more indifferent the purchasing public becomes to the wares we have to offer, the more solicitous some of us are likely to grow in our efforts to retain old customers or to find new ones, either overpraising our own goods or calling in question the quality of those of our rivals. Of course, fair and frank competition is inevitable and, within limits, desirable and necessary. We all believe or should believe in the value, even the superior value, of the subject in which our work primarily lies. But we should aim to make our claims, whether in theory or in practice, in public or in private, on the positive side of what our subjects legitimately have to offer and avoid all wilful disparagement of the characteristic values of rival claimants. Differences of opinion need not be glossed over, convictions must be expressed, preferences plainly stated. But nonetheless we should be able to convey the sincere impression that back of it all we are animated by good will for those who work in another field, by interest in their success, respect for their labors. Let us be assured that a public and a student body, prone as they are to linguistic and literary scepticism, will only too readily assent to and be influenced by whatever we urge against a competitor and, no doubt, will soon find or make an occasion for again quoting it garnished to taste, as coming from those who ought to be in a position to know. So far so good. But do not forget that the claims which we may make in support of our own subjects will be riddled by similar counter-arguments which our colleagues may have leveled against us on other occasions. To quote an instance that has recently come to my notice, it certainly should not be necessary that the just claims for the high value of Latin training in the schools should assume the form of an uncalled for and reckless attack upon German because it is, at least with us in the West, "that most serious competitor of Latin in secondary schools." And matters are, of course, not improved, but only rendered worse, if it be pointed out that equally ill-considered and damaging statements against the classics emanate from the representatives of the modern tongues.

I think we are ready to admit that the cause of language was not advanced in any true sense through the acrimonious charges and counter-charges which flew through the air not so many years ago when the conflict was waging over the introduction of the modern languages into the traditional curricula of schools and colleges. What was unwise then would, however, be suicidal today, when the attack is from without. Only the common enemy is deriving advantage from any ammunition we may use against one another.

I plead, then, both in the interest of a great world movement and in the interest of our undivided attention upon the common cause of linguistic and literary culture, for the maximum of unity of effort, of mutual appreciation, of whole-souled emphasis on what unites us as co-workers and not on what separates us in regard to minor matters of aim and method or of a characteristically national point of view. It may be that this warning is unnecessary. Nobody would be happier than myself if I could be shown to be mistaken. But I admit that it has seemed to me as though of late there were a tendency gaining ground, not only in matters of mere language instruction, but also in regard to the higher cultural values represented by the various literatures which we represent, that could not be claimed to be in harmony with the Goethean conception of *Weltliteratur* and that does not augur well for the most successful defense of our present endangered position.

In Goethe's ideal of *Weltliteratur,* and even more strikingly in some of the other attitudes and opinions of his already alluded to, we find recurrent an underlying principle which I have selected as the second matter to bring to your attention. Be a Greek and be a German, be an artist and be a teacher, prize the present and honor tradition, rely on personality and esteem foreign achievement—formulas like these reveal a mode of thought that seeks the secret of health and beauty and greatness in a harmonious synthesis of conflicting tendencies, an idea charmingly applied to Goethe himself in those two little characteristic lines:

> Bin Weltbewohner,
> Bin Weimaraner.

And indeed we are touching here upon one of the most vital and fertile of the more fundamental concepts of Goethe's philosophy of life. All growth and development, in fact, all life, physical, intellectual, and spiritual, is viewed by him as a constant fluctuation between opposites which are equally necessary for the maintenance of the evolutionary process. This perpetual flux and reflux appears to him as by no means void of meaning or consistency. He firmly believes in positive progress, in a real upward or forward tendency, and bases his assurance on the observation, made in nature and in human life, that, in the last analysis, a development in a given direction is benefited by the succeeding rebound in the opposite direction. It is corrected and enriched by it, and the entire process is thus lifted, as it were, to a new and higher level. In this sense the life of the entire universe in its dynamic evolution is symbolized by Goethe now as the interaction of attracting and repelling magnetic poles, now as a pulsating process in which systole and diastole, contraction and dilation, follow upon each other with rhythmic regularity. In either case syntheses between opposites lead gradually to ever new and ever more refined forms of development.

A few brief quotations may again illustrate this principle, which in all guises and disguises occurs again and again in many of Goethe's conceptions and utterances.

Polarität und Steigerung, die zwei großen Triebräder aller Natur.

People say that half-way between two conflicting opinions lies truth. By no means! It is the problem that lies there . . . eternally dynamic life imagined only as tho at rest.

A century that relies entirely upon analysis and is afraid, as it were, of synthesis is not on the right track. Only the two together, like exhalation and inhalation, constitute the life of science.

During my entire life I had proceeded now as poet and now as observer, now synthetically and then again analytically. The systole and diastole of the human spirit, as tho a second breathing, were with me never separate, always pulsating.

This doctrine of opposites as one of the basic principles of life, no less in the most complex cosmic processes than in the minutest problems of individual existence, is, of course, not of Goethe's invention. In some form or other it is as old as the history of human speculation, and philosophers trace it far beyond the Platonic system to Heraclitus or even to doctrines of earliest oriental meditation. What gives us a right to consider it as a charactistically Goethean principle is the frequency and intensity with which he insists on it and the illuminating power which it assumes if applied to Goethe's own contradictory and yet harmonious personality.

Viewed in the light of such a theory, that which we conceive as rest, both in the moral and in the physical world, is not rest at all, but rather a temporary state of tension or balance, resulting from the equalizing influence of two opposite forces. The solution of any problem of life is therefore not to be sought at either extreme, nor indeed at some comfortable "dead" point representing a definitive and permanent adjustment. As far as any "solution" is possible at all, it is to be found in the vigilant maintenance of a relative balance amid the constant shifts of conflicting tendencies, which in themselves are equally true and equally false.

Permit me to apply this theory for a few moments to the work of an association as complex as the one whose welfare depends on us. We are all aware that within its limits there exists a wealth of different and maybe antagonistic tendencies, all of which we are bound to consider necessaray for the welfare of the whole: the classic and the romantic, the medieval and the modern, the Germanic and Romance, literature and "philology," culture and learning, teaching and research. What a fruitful field for discussion and debate! At every turn live problems which will never permit of static solution, except perchance in the abstract reasoning of speculation.

> Nur der verdient sich Freiheit wie das Leben,
> Der täglich sie erobern muß.

From these conflicting interests I desire to single out for brief consideration one phase of the much-discussed problem of the relation of teaching and research. And in speaking on this question I trust I may be pardoned if I repeat some statements which I made several years ago in an address as chairman of the Central

Division of our Association. I considered the issue an unsolved problem then, as far as the activities of our Association are concerned, simply because no trace of balance existed between conflicting claims of approximately equal weight and dignity. For the same reason I must consider it an unsolved problem now. At the same time I feel convinced that a fairly thoroughgoing attempt at a more equitable settlement cannot safely be put off very much longer. Unfortunately, I myself am far less sure than I thought I was several years ago as to the best method of securing improvement. I only feel more convinced than ever that the present situation is an anomaly which we cannot continue to countenance with equanimity.

A brief historical retrospect will help to justify my conviction that our profession should no longer delay making strong and liberal provision, in some form or other, for the pedagogical and broadly cultural interests of our work in addition to those in pure scholarship and research.

The first volume of our *Publications* of the year 1884-85, out of a total of seventeen printed papers, contained as many as nine, over one-half, of a general and in the main pedagogical character. Thus we clearly see to what extent the teaching interests were then overshadowing the ideal of research. Soon, however, the pendulum began to swing in the opposite direction; systole followed upon diastole. After the first three volumes, not more than one or two papers of a general or pedagogical character appeared each year, until finally, in the seventh volume, that of 1892, there is not a single paper printed that deals directly with the teaching problems of our profession. Since then, aside from some of the presidential addresses that have dealt with such questions, scarcely a single nontechnical article seems to have been printed as a regular part of the *Publications* of our Association. A so-called "Pedagogical Section" which at least in name had kept up the older tradition, ceased to exist about 1902, and in the same year the presidential address frankly proclaimed that the object of this Association, as phrased in the third section of the Constitution, should be interpreted as "the advancement of philology in the departments of the modern languages." This meant, of course, that in our Association, as far at least as its official character and, above all, its publications were concerned, the older college ideal had been entirely superseded by the modern university ideal, chiefly that of the graduate school, as it had developed in our strongest institutions; and these—as was natural and proper—have been the acknowledged leaders in the policy of the Association.

Most of us, I feel sure, rejoice heartily in this ascendancy and final victory of scholarship, and we can easily imagine how much, in the early history of the Association, the repression of narrowly and superficially pedagogical interests was needed. We feel deeply grateful to those who, in this struggle for supremacy, held high the banner of learning and ultimately won the day. The legitimate question now, however, seems to be whether the swing of the pendulum has not carried us too far toward the opposite pole. With our present strength as a strictly scholarly body assured, should we not be ready to recognize that it behooves us to give more attention and encouragement than we do now to the broader educational and practical interests of our profession? Has the ideal of productive scholarship in all these years taken root so little that we must fear it will suffer and die unless we keep it surrounded by the high walls of a protective tariff? The exclusiveness which once, no doubt, was the part of wisdom and has helped to make us strong is now the part either of superciliousness or of timidity and impairs the fullness of the influence which we might wield.

When I speak of important educational problems that require recognition at the hands of the leaders of our profession, I am far from thinking primarily of the well-worn, though in its place important question of sound methods of elementary language teaching. Very different subjects claim our attention with at least equal force; as, for instance, the broad and complex problem of the exact function of the modern languages and literatures in the general intellectual and cultural training of our American undergraduates and all that results from clearness on this point; or the question of the proper university training for prospective secondary and college teachers of modern languages, a question which, in turn, involves the scrutiny of the character and sequence of the work constituting a "major" for the degrees of bachelor or master of arts and, in a measure, even for the doctor's degree. And there are many other problems of similar weight and difficulty that call for consideration and solution.

The seriousness of the situation is even greater than might appear at first sight. Had we journals of high standing specifically devoted to the interests and problems of modern language instruction, then indeed interested members might make good through their individual efforts what we leave undone as an association at our meetings and in our publications. But this is not the case. Every European country has one or more such publications. We in this country possess practically nothing of the kind for the modern foreign languages, even though we have a fairly large number of journals and of other serial publications exclusively devoted to the interests of research—a situation which corresponds neither to the actual conditions nor to the real needs of our profession. Our classical colleagues, with more sincerity and wisdom, have recognized the need of a publication of a more practical character. They have thereby not jeopardized their legitimate interests in research while they have greatly enhanced both the thoroughness and effectiveness of their school and college teaching and the all-important feeling of a real solidarity all along the line. A similar venture has been made for English, it is true. But I for one must regret that it does not represent a closer connection with the spirit and membership of our Association.

This suggests the trend, however, which things are bound to take if we do not bestir ourselves. If even the most solid and important educational problems of our profession are to remain practically eliminated from our meetings and publications, these interests must either be transferred to other organizations already in existence or they must find expression in new organizations of their own. Should the Association, after careful consideration of all matters involved, desire to remain a research society pure and simple, as learned societies rightfully may be, such a result need not dismay us. If, however, we desire to be recognized as leaders in all legitimate questions concerning the scholarly teaching of our subjects, we cannot view idly the growing estrangement and dissatisfaction of an important element of our profession.

I myself, as I have already indicated, have no remedy to propose. But what I think we owe to ourselves is a frank recognition of the existing unsatisfactory situation, a searching diagnosis of the case with the aid of the best expert advice available, and a firm resolve to do squarely whatever the situation may seem to require. It will not do for us to shirk our responsibility toward the more immediate teaching interests, remote as they may be from the personal work of many of the leaders of the Association, by claiming that we are not our brother's keeper. The best talent and most vigorous life of our profession have been gathered together by us in our body and—*noblesse oblige.*

If we decide to remain what we are, we should make it clear to those of our colleagues who feel that their pedagogical interests require organization, that we would not stand in the way of any attempt of theirs to solve their problems through some organized form of their own, but that on the contrary we wish them Godspeed and are willing to render them all possible assistance. In that case we might lose a few members, though surely not many; whereas we should gain in homogeneity of temper and aspiration.

If, on the other hand, we prefer to enlarge our sphere, we should from the start face the fact that no half-hearted measure will do. We must not attempt to put off the discontented a few years longer by throwing them a sop. A lamely revived pedagogical section for instance, with the right to get into a corner by itself and talk, will never do. Nothing but a pretty thoroughgoing reorganization could accomplish the purpose. For what the teaching interests in my opinion need above all is a journal, a channel of expression and communication that should be both scholarly and practical, and cost considerably less than the *Publications* of the Association. As regards annual meetings, I consider it exceedingly doubtful whether national conventions could ever be made to bring together a representative number of high-school teachers or teachers of small colleges and normal schools for the purpose of discussing professional questions. Such an effort would no doubt be doomed to failure unless it were integrally connected with national monster meetings of a general character like those of the National Education Association. But the distracting atmosphere of such heterogeneous gatherings is anything but advantageous to the thoughtful and patient discussion of detailed problems interesting only to the specialist.

But whether the teaching interests find the needed recognition and organization inside of the Association or outside of it, in either case the balance which now is lacking would be restored. For from the standpoint of the general interests of the profession it does not matter whether that balance be adjusted between our Association and some outside organization or between two equally vigorous and active divisions within the Association. What does matter in the light of Goethean thought is the frank recognition of the problem that lies half-way between the two conflicting opinions, and of the fact that only synthesis and analysis together, like inhalation and exhalation, constitute the healthy life of a science.

Some such adjustment of the present unsatisfactory condition I should claim to be highly desirable under any circumstances. It becomes an absolute necessity under those peculiar difficulties to which I have already alluded and from which our interests are suffering at this time. Teachers of foreign languages are at present constantly exposed to criticisms of and attacks upon their work, even though such criticisms may in no way be aimed at their individual fitness or service, but leveled at the subjects themselves which they represent. And in this hour of stress and need, our teachers have neither a journal, nor an organization of generally recognized prestige to which they can look for information and guidance. They lack entirely the sustaining consciousness of a corporate body back of them. That is a grievous tactical error, and we must blame ourselves if we cannot hold our own as well as we could if better organized and disciplined.

This brings me to my third and last point—the present general situation in education and the outlook for the future. In this connection also I hope to find light in some characteristic views of Goethe. Pardon me if I appear to treat with undue brevity a subject as intricate and perplexing as it is significant and worthy of careful analysis.

But I feel that I ought not to tax your patience much longer. Besides, my immediate predecessor in office has ably and fully discussed this question in his recent address on "The Dark Ages," which, no doubt, is still fresh in the minds of most of you. It is with hesitation, therefore, that I beg leave to differ from him in some measure, though not in regard to the facts which he described, nor in regard to the strictures he made. They were correct and just. His aim was to point out the deep and gloomy shadows that are in the picture and that are indeed disheartening. And he did it vigorously and convincingly. But if he held a brief for revealing darkness I, on the contrary, hold a brief for finding light. For does not the evolutional theory of my spiritual guide bid me look for light even in the darkness, or at least expect that darkness must again be followed by light?

Verily, few great men of modern times are exponents of so contagious a spirit of refined optimism in regard to life in its totality, in its essential goodness and promise, as Goethe. This note of hopefulness and of confidence characterizes almost everything said and done by Goethe in the years of his maturity and, even more, of his old age. I again quote a few passages chosen almost at random.

> 'Nein, heut ist mir das Glück erbost!'
> Du sattle gut und reite getrost.

> At times our fortune looks like a fruit tree in winter. Who, at its sorry sight, would believe that these rigid branches and jagged twigs could burst into leaf and blossom in the coming spring and then bear fruit! And yet we hope for it, we know it.

> Even though error should gain control in a science, truth will always retain a minority; and should this minority dwindle down to one single mind, there would still be no reason for alarm. This one mind will continue in his quiet and secluded work and influence, and a time will come when people will take an interest in him and his convictions and, as light begins to spread more generally, his convictions will again be able to venture into the open.

But though an optimist, Goethe cannot be said to have taken life lightly. On the contrary, it appeared eminently serious to him; so serious that he confessed he could not understand how humor, a faculty which was by no means lacking in him, could ever with a thoughtful critic of life be more than an incidental touch in a portrayal of human affairs. Goethe, as he himself said, had inherited from his father not only his bodily frame, but also "des Lebens ernstes Führen." Nor did Goethe consider himself personally the pet child of fortune that many persist in seeing in him. He knew too well how intensely he had been compelled to struggle for all the real prizes which he had won from life. These prizes he saw in things inward and spiritual which are not to be measured in terms of financial comfort, material success, and physical well-being. In fact, Goethe had gradually learned not to expect too much of life and to practice that art of wise resignation which keeps as free from quietistic self-effacement as from the rankling bitterness of disappointment, and gratefully and joyously aims to fix the eye upon those things of life that are good and helpful.

In this spirit, then, I beg leave to express my convictions. The present educational situation unquestionably has in it many disquieting elements. Some of these are deplorable from whatever angle we view them; others, though hurtful, impress us as being due to temporary conditions of transition and no doubt will readjust themselves as soon as a new equilibrium has been found. But I see still other elements which clearly seem to have in them the promise of real progress, and which in the broadest interest of human development need and deserve our support, even though they may point to a different conception of wisdom and of culture from that in which most of us of the older generation have grown up.

Deplorable under all circumstances is the spirit of superficiality and of narrow utilitarianism which has invaded the realm of education on all sides, spreading confusion of trade with life, of efficiency with wisdom, of success with happiness, of narrowly vocational training with real education. Not that vocational training is negligible; but its *substitution* for education, not only in practice, which is bad enough, but even in theory, which is worse, is baneful and must carry in its wake the worst errors and delusions.

Bad, though in all likelihood of only transitory prominence, are those elements which result from the sudden expansion in educational affairs that we are witnessing. In consequence of the far-reaching social and economic changes that are going on in this as in all modern countries, large numbers of individuals and entire strata of society are drawn into those channels of higher education which were formerly reserved for smaller and more select groups. The result is on the one hand a spirit of instability and adventurousness that prefers the new simply because it is new; on the other hand a spirit of externalism that worships size and numbers, budgets and plants, mechanical efficiency and administrative availability as though they were in themselves indications of cultural growth and spiritual power.

These tendencies we should likewise discountenance, in high places and in low places, in ourselves—for few of us remain immune—no less than in others. But let us not forget that historically we *are* committed to the policy of a national life on democratic lines, even though not in the sense in which the man in the street conceives the idea. Let us not forget that ultimate success in this tremendous experiment becomes visionary as soon as the best minds of the nation do not identify themselves with it; as soon as they assume beforehand that our greatest national hope, our noblest contribution to the large ideals of mankind, is bound to end in defeat instead of leading to new heights of achievement. Let us hope that a true spirit of learning and wisdom and culture can be kept sufficiently active and alive in our higher educational institutions, so that when its hour returns—and be confident with Goethe that it will return—it may be able to draw into its circle of influence far larger elements of society than was possible under the old order.

So much, however, seems certain; this future ideal of culture in whose ultimate reign we must believe unless we are willing to give up all hope of true progress, will not be merely a return to the older one we have cherished for generations. The Goethean conception of the periodicity of life, as I have said before, would be void of deeper meaning, did it not include the promise of an absolute advance. The interplay of action and reaction to him involved the principle of an ever renewed synthesis between the conflicting opposites, whereby life and its ideals are to be lifted to ever higher levels of content and meaning.

For the uncompromising traditionalists among us, who can see true progress only in a return to the cherished position that was once their own, this view of the trend of things contains but little comfort, I fear. In fact, I see the real promise of growth in a direction in which I should not be surprised to learn that many of my more immediate colleagues see nothing but danger—in the rich and growing development of an ever deeper study of the natural sciences. Superficially viewed, to be sure, they seem to be the arch-enemies of humanistic culture as represented in the disciplines of language and literature, of history and philosophy. No doubt, they have largely usurped the place formerly held in the estimation of the public and in our college curricula by the older humanistic subjects. But usurpation of a place formerly held by another good occupant is in itself no ground for arraignment, either in education, or in life in general. Otherwise, how should we modern language men feel in the presence of our esteemed colleagues of the ancient classical dispensation?

As long as science is studied and taught solely as "pure" theory or as "applied" practice, it cannot claim to aspire to recognition of a more broadly cultural character. But thoughtful scientists who are not only scholarly investigators or practical men of applied science, but who are also broad-minded educators and believers in the spiritual values of human culture, have long begun to scan their field of study from a subtler point of view. The technical study of the humanities is not identical with humanistic culture, but it is an indispensable aid toward preparing the ground for it and rendering it more generally accessible. Similarly, modern scientists seem to ask themselves whether the theoretic study of nature and her facts and laws cannot likewise be made to unlock ultimately new elements of true culture? The question is far too difficult for me to do more than suggest it. Suffice to say that among modern men of science there are convinced advocates of human culture, who by no means confuse culture with mere skill or knowledge and yet answer this question in the affirmative. They have begun to search nature, not nature in its practical applications, nor nature in its picturesque or so-called emotional aspects, but nature in its strictly scientific principles, for esthetic and moral elements of culture and wisdom, and I believe not in vain.

Scientific men of such temper and aspirations I know are as yet in a small minority, and the wisdom and culture they are looking for in science is only dimly foreseen by them as a far away beckoning goal. The question for us, however, is the attitude we should assume toward such strivings. Should it be one of self-sufficient disdain or of appreciative sympathy?

If the representatives of language and literature consider themselves, in the educational world, as the traditional guardians of humanistic culture, they are under obligation to give serious consideration to every thoughtful movement on behalf of a hoped-for enrichment and enlargement of this culture. Apodictic judgments of *a priori* condemnation might bespeak more egotism than insight. Man will no doubt always remain the center of man's cultural interests. But to future generations man's relation to nature is certain to appear in a very different light from that in which it has long been viewed by either a transcendental or an exclusively rationalistic interpretation of human life. As our knowledge grows deeper and broader, "Law for man, and law for thing" may indeed be seen to have more in common than many of us are now willing to admit. Out of the discipline of science may come, not a substitute for humanism, heaven forbid, but perhaps a significant enrichment of humanism. I hope it may come through that synthesis of component opposites, which Goethean theory leads us to look and hope for.

And is not Goethe himself a striking symbolization of the development toward which humanistic culture seems to be tending? If advocates of the cultural possibilities dormant in science voice their regret that modern science has as yet inspired no poet, I think I may well point to Goethe, the poet-scientist, who, in this as in many other respects, seems to have been far in advance of his age. It would be an engaging task to examine in detail how much of his art and of his spiritual personality Goethe owed, not only to his deep and sincere love of nature, wherein many another poet resembles him, but even more to those strictly scientific interests in nature in which he virtually stands alone among the sons of Apollo. To mention but one instance, who would not admit that in a poem like "Die Metamorphose der Pflanzen" modern science has indeed inspired true and noble poetry—not didacticism in verse, but genuine poetry of a deeply human appeal and significance? If most critics still deplore the years which they think Goethe wasted on his scientific studies, the time may be nearer than we think when men will marvel at such a short-sighted lack of comprehension. Then perhaps one of Goethe's chief claims to greatness as a representative of modern culture may be seen in the fact that as a humanist and poet he accepted science and made his scientific wisdom contribute to a truer and larger and richer conception of man in nature and of nature in man.

Let me quote at least one passage from those words in which the old Goethe himself referred to the inability of his contemporaries to understand the union of poet and scientist in him. They sound like a prophecy of what the future may bring us.

> On all sides people refused to admit that science and poetry could be united. They forgot that science had developed from poetry; they failed to consider that after a cycle of generations (nach einem Umschwung von Zeiten) both might easily meet again on a higher level in a friendly spirit and to mutual advantage.

How far away this time is, who would venture to say? When it comes, when science through more and more of its representatives shall seek to establish connections with humanistic culture in the effort to evolve a new interpretation of man's nature and history and aspirations, I hope we of the older humanities may be ready to meet the movement critically, but not without sympathy and understanding, as Goethe, the humanist, would no doubt meet it if he were among us; and not only we of the modern field, but also our classical colleagues. For it is not unlikely that a deepened interest in the classics will arise under the sway of such a new dispensation. The ancients, though naïvely and by instinct, were truer disciples of nature than we moderns have often been.

As advocates of learning and culture, let us then not lose hope and courage. Let us stand together in helpful sympathy and co-operation; let us minister faithfully and liberally to all the various needs of the work committed to us; let us meet with appreciation those who, from a different point of view, may aim at the same lofty goal toward which there are many avenues of approach. The luck of the day and of the hour, I admit, is not with us, but light may come sooner than we think. And thus I close with the Goethean message of determination and good cheer conveyed in the simple couplet quoted before:

> 'Nein, heut ist mir das Glück erbost!'
> Du sattle gut und reite getrost!

Goethe's Conception of World Literature

(1928)

TO be permitted to participate in so auspicious an event as the formal dedication of the Wieboldt Hall of Modern Languages is to me not only a much appreciated honor, but also a source of lively personal pleasure and satisfaction. The short distance separating the universities of Chicago and Wisconsin has favored the establishment of many bonds of personal and professional association between the two institutions, and I individually have had the good fortune, through many years and in various ways, of enjoying a liberal measure of these advantages and privileges. With many of the able scholars and teachers whose distinguished labors, in the last analysis, have laid what I might call the spiritual foundation of this new hall of learning, I have been united by ties of friendship and of comradeship at arms. Of those who are no longer in active service, or indeed have departed from life altogether, I wish to mention in grateful memory at least the names of Cutting and Pietsch and Schmidt-Wartenberg.

I trust you may pardon these personal allusions to past and present associations of my own with the University of Chicago. In referring to them I am not indulging egotistically in valued memories of a purely personal character. On the contrary, I feel that these recollections have their rightful place in these remarks if I am to convey to you at least a glimpse of the feelings that animate me at this moment. Having been permitted to watch at fairly close range the marvelous outward and inner growth of this great institution, and especially of its three representative modern language departments, I necessarily view this last great consummation of a distinguished development with peculiar joy and satisfaction, even though in expressing this joy and satisfaction and in offering the felicitations and good wishes for the future which such an occasion prompts, I am mindful that in a sense I should convey them to you not only as an individual colleague from a sister institution, but also as a sort of spokesman for our modern-language men in general, who are all concerned and interested.

I do not know whether at any other of our American universities, or for that matter at any university anywhere in the world, there exists a similar modern language building devoted exclusively to the work of these departments, and laying the emphasis, as I understand is done here, on advanced and graduate instruction and on the promotion of research. And if it is true, as I assume it is, that this is the first foundation of its kind, I see in this fact a peculiarly appropriate symbol; for the establishment of Wieboldt Hall to me is far more than a happy accident due to a favorable combination of circumstances. I think I see in it the embodiment in outward form of what has long existed here as an ideal and in active operation—proof of the power of the spirit finally to build for itself its adequate outward body; and I rejoice to think that it is institutions of this kind, that are born of the spirit, that possess in them the promise of permanence and the seed of true success. I am referring of course to the noteworthy fact that here at Chicago there has long existed an enviably close co-operation between the various modern language departments, a co-operation which has produced its finest scholarly result in the joint publication of a great journal devoted to critical scholarship and original research in the various fields represented. Thus considered, the foundation of Wieboldt Hall may well be claimed to be the appropriate physical embodiment of the spirit of "modern philology." It is in this sense that I beg to offer heartiest congratulations to the departments and the University on this admirable achievement, in which civic generosity and scholarly idealism have united in the creation of a splendid new agency for progress in an important field of scholarly and cultural activities.

In my desire to offer as my contribution to the exercises of this afternoon a line of thought which should be representative of my own field of study and at the same time have a range of appeal in harmony with the broader implications of the occasion, I turned for inspiration to Goethe, than whom, I firmly believe, no better patron saint could be suggested for Wieboldt Hall and the activities to be fostered in it. Goethe, with his almost universal range of active interests in the life of nature and of man, would have felt at home, or at any rate strongly attracted by what is going on, in practically every building on this spacious campus, be it activities devoted to the study of the natural sciences or of the humanities. His studies, experiments, and publications would have easily served him as a valid introduction to the departments of anatomy and biology, of physics, geology, and meteorology no less than to the men engaged in the study of Greek and Roman antiquity, of Russian and Serbian, of Sanskrit and Persian and Chinese, in fact in the art and language and literature of almost every ancient or modern, eastern or western civilization or people. But after all, I fain would believe that most in his own sphere he would have felt in Wieboldt Hall, and indeed no less so with the English and Romanic departments than with the department devoted to the study of the German language and literature. To hear him discuss Shakespeare or Byron, or for that matter, Irving or Cooper, with Professor Manly, or Molière and Rousseau with Professor Nitze, would be fully as delightful and instructive as to listen to a debate on Herder between him and Professor Schütze.

The points of vital, not only accidental or superficial, contact between Goethe's studies and interests and the fields of English, German, French, Italian, and Spanish literature are indeed far too numerous and far too significant for me to be able to refer to them here otherwise than in this broad, suggestive way. When past eighty years of age, in fact in the very last letter he ever wrote, addressed to Wilhelm von Humboldt on March 17, 1832, that is, five days before his death, Goethe, in answer to his friend's inquiry, attempted an analysis of the principle underlying his own development and method of work if viewed in regard to the interrelation of native endowment working from within and foreign influences acting from without; and he then formulated the following significant credo: "Das beste Genie ist das, welches alles in sich aufnimmt, sich alles anzueignen weiß, ohne daß es der eigentlichen Grundbestimmung, demjenigen was man Character nennt, im mindesten Eintrag tue, vielmehr solches noch erst recht erhebe und durchaus nach Möglichkeit befähige." Somewhat freely rendered: "Most happily gifted is he who is able to receive and assimilate everything, without its weakening in the least his real fundamental nature or what we are accustomed to call character, but rather strengthening it thereby and developing it to its fullest possible power."

Feeling, thus, during the last years of his long and singularly rich and productive life how much of his development and growth he owed to this principle of a far-flung periphery around a strong controlling center, Goethe was convinced that individuals as well as nations would best reach the fullest and richest development of which they are capable, that is, come nearest fulfilling their destiny, if they incorporated this principle into the rule and practice of their lives. In fact, I think I shall be able to show that it is this characteristically Goethean faith in vital interaction between opposite poles that underlies his intense interest during these last years of his life in what he called "world literature," using this term in a somewhat unusual and specific sense which, it seems to me, is often only imperfectly understood. Let me invite you then for a few moments to a consideration of what Goethe meant by, and promised himself from, a genuine "world literature," and I dare say at the outset that in so doing we shall not stray from, but rather come near, the very heart of those ultimate hopes and expectations that are suggested by the foundation and dedication of Wieboldt Hall.

The many admirable remarks which we have from Goethe on the subject of a "world literature" are unfortunately not easily accessible in some one definite place. Like so many of his best and most stimulating observations on various important topics, they are scattered through his letters, among reported conversations with friends and visitors, and in a number of reviews and brief critical essays dealing with new publications in the field of foreign, especially English and French literature, and they belong, practically all of them, to the last five or six years of the poet's life. His first explicit reference to something like a definite program of an international cultural exchange occurs, as far as I can see, almost exactly one hundred years ago, in 1826, in the periodical *Kunst und Altertum,* which Goethe published and very largely wrote himself during the last sixteen years of his life. The statement to which I have reference was called forth by the publication in Paris of an edition of Goethe's dramatic works in French translation and a friendly review of this publication and of Goethe and his work in general in the *Paris Globe,* then the leading organ of the young French anticlassicists. Goethe, in his comment on this welcome foreign recognition, hints at the benefits which he believes will result *in weltbürgerlichem Sinne,* in a cosmopolitan sense, when, with open mind and free from prejudice, one nation studies the related products of another, and when thus, in turn, the nation so studied can behold itself reflected, as it were, in a foreign judgment that is critical without being unfriendly. For one thing it is interesting to find that in this connection Goethe here applies to the cultural interrelations of two nations the scientific principle of "mirroring," or of reflected vision back and forth, which had played an important rôle in his own optical studies and upon which many of his most interesting and suggestive experiments in this field had been based. As he often did with interesting results, so here too Goethe derives from a significant phenomenon belonging to his studies in the natural sciences a principle which he makes successfully operative in the sphere of man's intellectual and cultural life. That he was fully conscious of the transfer is proved by an utterance from the very next year, 1827, when he writes as follows: "In the end every literature gets bored with itself (*ennuyiert sich*) if it is not revivified, as it were, by a sympathetic interest from outside. What scientist does not delight in the astonishing phenomena which he finds produced by mirroring? And the significance which a mirrored picture may have in the moral sphere everybody experiences with himself, even if unconsciously, and as soon as he gives heed to it he will grasp and realize how much of his development in life he owes to this principle" (of seeing himself mirrored in others).

It is true, Goethe here speaks primarily of the advantage to be gained by the individual, but as subsequent quotations will show, there is ever present in Goethe's mind in the discussion of this question the either silent or explicit assumption that the principles that apply to the relations of individuals in social life apply likewise to the intercourse of nations in the life of the world at large.

In this same year, 1827, Goethe for the first time seems to have made use of the term *Weltliteratur,* in its new and semitechnical meaning. The famous long letter to Carlyle of July 20, 1827, in which the general idea is discussed at great length and to which I shall return anon, still avoids the term, but Eckermann reports it in two conversations that he assigns to that year, and in *Kunst und Altertum* Goethe for the first time uses it in print. The three statements are as follows: According to Eckermann, Goethe says: "I am fond of making excursions [it is intellectual excursions he means] to other countries and advise everyone to do the same. National literature does not mean much at the present time; the epoch of 'world-literature' is at hand, and everybody must now exert himself to hasten its approach." In the passage in *Kunst und Altertum* Goethe evidently defends himself against reproaches of self-aggrandizement by saying pointedly: "The communications which I have printed from French periodicals are by no means meant solely to remind the reader of myself and my work. I aim at something higher. Everywhere one hears and reads of the progress of the human race, of enlarged horizons in the conditions of the world and of mankind. . . . I for my part desire to bring to the attention of my friends the conviction that a general world-literature is in the process of formation, wherein an honorable part is to be played by us Germans." And again to Eckermann: "It is very much to be welcomed that now, with close intercourse between the French, English, and Germans, we are enabled to correct one another. This is the great benefit resulting from a world-literature. Carlyle has written a life of Schiller and judged him in all respects as a German will not easily be able to judge him. On the other hand, we are clear in our minds about Shakespeare and Byron and appreciate their merits perhaps better than the English themselves."

It is evident from even these few brief quotations that what Goethe here calls "world-literature" is not understood in a static or historically retrospective sense. It does not at all apply to that body of the world's greatest literature which in the judgment of posterity has best stood the test of time and hence represents, so to speak, the classics of the world as compared with the masterpieces of the various national literature judged from a purely national point of view. It clearly is not that. Even in so far as this body of literature may be conceived as open to revision from age to age and, at any rate, subject to enlargement through the gradual inclusion of new works similarly canonized, not even in this wider and more elastic sense is that what corresponds to Goethe's idea. A body of world-literature in the older sense of the word, which has remained to this day in current use, had of course long existed and been generally recognized. But when Goethe says that the arrival of a world-literature, or, as he expresses it elsewhere, of a universal or at least European literature, is at hand, he clearly means something which in his opinion had not existed before, at least not in the same spirit and to the same extent. What he has in mind is an active, unhindered intercourse in the domain of letters, broadly interpreted, between the various nations, with England, France, Germany, and Italy in the foreground of his consciousness, though with the distinct implication that in principle, and ultimately in practice, the whole of Europe, yea the whole civilized world, will gradually adhere to this idea of a world-wide intellectual and literary "free trade."

I use the term "free trade" advisedly, for it is characteristic of what Goethe means that he parallels his conception purposely with the laws and customs governing the interchange that nations carry on with the material products of their agriculture and manufacture, and I cannot refrain from quoting here in passing a curiously similar thought from Milton, who in his history of Britain writes as follows: "As wine and oil are imported to us from abroad, so must ripe understanding, and many civil virtues, be imported into our minds from foreign writings; we shall else miscarry still, and come short in the attempts of any great enterprise." Not unconsciously or merely accidentally, but systematically and pointedly, does Goethe in this connection use terms that suggest the parallel of trading in exports and imports, as e.g., commerce, business, traffic, market, goods, offering for sale, demand, middleman, and others. So, for instance, in the letter to Carlyle already referred to he emphasizes the important rôle which translations and translators will have to play in such a world-trade or world-exchange of intellectual wares, and uses the following words: "Whoever understands and studies German finds himself in the *market* where all the nations *offer their wares.* . . . Every translator is to be regarded as though he were acting as *middleman* in this general *commerce* in things of the spirit and as making it his *business* to promote the *exchange:* for say what we may of the inadequacy of translating, it is and always will be one of the weightiest and worthiest affairs in the general life of the world." Aside from stressing the need and value of translations, he commends the importance of periodicals and of reviews of foreign literature, the study of foreign languages, yea, even all the improvements of modes of travel and communication in his day, as good roads, regular and speedier mails, the newly introduced steam railroad, new waterways—all of which will play their part, he hopes, in the better realization and wider extension, not only of economic world-trade, but also of intellectual world-literature. For that in brief is the meaning of world-literature for Goethe: world-trade—and it is to be free trade to be sure—in the field of letters, *freier geistiger Handelsverkehr.*

And which are the beneficial results that Goethe expected from such an era of world-literature? First of all, it is clear that he is not primarily interested in what might be called purely literary results, either quantitative or qualitative. On the contrary, he always lays the chief stress on benefits accruing to the people themselves, to their national character, their national culture. Thus he hopes for increased self-criticism, as we have already seen when we spoke of the principle of mirroring. In one instance, where he prints two French reviews, one favorable and one unfavorable, of his own *Tasso,* he ends by saying: "From the way in which they [the French] think about us, more or less favorably, we learn at the same time to criticize ourselves; and it cannot do any harm if once in a while we are made to think about ourselves."

Then he hopes that through the contact provided by active literary intercourse with the rest of the world each nation will stress more and more those elements of its national life and character which are "universally human," and hence capable of readier general appreciation and transfer, while such peculiarities as lead too easily to misunderstanding and dislike will be softened and subdued.

From this increased emphasis on what is "universally human" he, in turn, expects a gradual diminution of international indifference and animosity, of what Carlyle, writing to Goethe about the English, characterizes as "insular pride and prejudice." In its place, Goethe hopes, there will be a steady, even if slow, growth of understanding and agreement between nations, of a more general good will. Thus he expects the movement to be productive of results contributing toward a broad and noble fraternization of the countries of the world, *eine edle allgemeine Länder- und Weltannäherung*. Traditionally, by instinct and conviction, an enemy of violence and of war, he even lets his hopes run on to the possibility of eliminating war and promoting world peace.

In the ideal vision which thus hovers before his imagination it is apparent, that the dominant factors are increased self-knowledge, a finer and richer culture, and all that may be termed the blessings of peace. And in this manner only, Goethe would have us believe, can the nations of the earth hope to ascend gradually toward a truly adequate *Humanitätsideal* of individual and national culture. Goethe had inherited this concept from the ideology of the early eighteenth century, but with this important difference, that to him it was no longer the unhistorical, theoretical ideal of the age of rationalism and enlightenment that aimed at a cosmopolitan uniformity of man in the abstract. Goethe, in his youth, had been the admiring pupil of Herder, the first great modern interpreter of the historical evolution of human civilization; and beauty and perfection to Herder, as indeed to Goethe, never meant uniformity, but rather variety, a concord or harmony resulting from the interplay of intrinsically different elements. Again and again, Goethe, in speaking of nations in their relations with each other, parallels them with individuals in society, and just as a worth-while, interesting, and productive society depends at least as much on differentiation as on unification, and would be deadly boredom and intellectual lethargy if all its members were to aim at being alike, just so that concert or concord of nations that he hoped for is not to rest on the obliteration of national characteristics and differences of endowment. Goethe was too realistic a thinker not to be clearly aware of the difficulties these cultural differences created, and on one occasion wrote as follows: "Every nation has peculiarities whereby it is differentiated from others, and it is these peculiarities through which the nations feel separated from one another, attracted or repulsed. The outer manifestations of these inward peculiarities most frequently appear to another nation as strangely disagreeable and, at best, ridiculous. Indeed it is on account of these peculiarities that we always esteem a nation less than it deserves." Taken by itself, this statement sounds rather pessimistic and seems to stress only the drawbacks that result from national differences in manners and customs; but that this was not Goethe's ultimate view may be shown by another citation from the previously quoted letter to Carlyle:

> The peculiarities of a nation must be learned, and allowance made for them, in order by these very means to hold intercourse with it; for the special characteristics of a nation are like its language and its currency: they facilitate intercourse, nay they only make it completely possible. . . . The attainment of a genuine, universal tolerance is [therefore] best assured if we do not quarrel with the peculiar characteristics of individual men and races, but hold fast to the conviction that what is most truly meritorious is distinguished by belonging to all mankind.

It is true, then, Goethe's attitude in regard to what he calls "world-literature" is characterized by optimistically high expectations; but it is equally true that he never allowed his creative enthusiasm to degenerate into uncritical self-delusion. No matter how far his spiritual gaze might soar onward and upward, his bodily eyes remained soberly fixed on reality. He expected no millennium; he was entirely conscious of all the dangers and limitations that stand in the way of progress and insist on being reckoned with. Listen to these words of warning:

> With the ever increasing rapidity of communication [and this was said a hundred years ago, when it still took the mail coach some three or four hours to cover the twenty-odd English miles from Weimar to Jena] such a world-literature is inevitable. But when in the near future it becomes established we must not expect from it any more or anything else than it can yield and does yield. . . . That which suits the taste of the crowd will spread far and wide and, as we see even now, it will commend itself in all climes and regions. That which is serious and genuinely worth while will be less successful. . . . Hence, those who take matters seriously will have to

form a quiet, almost apologetic congregation (*eine stille, fast gedrückte Kirche,* are his words), for it would be in vain to try to stem the sweeping tide of the day, but they must seek steadfastly to maintain their position until the flood has passed.

Or, in some other connection, speaking of England, or rather Scotland, in connection with the *Edinburgh Review,* the *Foreign Review,* and the *Foreign Quarterly Review,* Goethe says: "These periodicals, in proportion as they gradually gain a larger circle of readers, will effectively assist in the establishment of the hoped-for general world-literature. Only, we repeat, there is no sense in expecting the nations to think alike, but they are at least to become aware of each other, understand each other, and, if they are not inclined to love each other, at least learn to be tolerant of each other." And lastly, even though Goethe felt convinced that everywhere in human affairs a certain degree of gentleness and moderation was slowly gaining ground over what was crude and cruel and selfish, he concludes: "to be sure, we are not permitted to hope that universal peace is being ushered in thereby, but yet that inevitable strife will gradually become more restrained, war less cruel, victory less insolent."

I am at the end of this necessarily brief analysis of Goethe's conception of "world literature" and of what he hoped for from such an enlargement of the world's intellectual and spiritual intercourse and co-operation. At the time when the aged poet was most active in stressing and promulgating his idea only some ten to fifteen years had passed since the close of the Napoleonic Wars. It will soon be that long after the close of the great war of our own age, compared with which even the far-flung campaigns of the Corsican resemble that mail coach which in Goethe's days plied between Weimar and Jena in comparison with a modern express train or giant airplane. Strife, we must admit, has not become more restrained, war no less cruel, victory no less insolent. But if Goethe did not despair after a period of almost uninterrupted warfare of more than twenty years that he had lived to witness and in part to experience at closest range, should not we too follow his example and refuse to lose faith? Should not just we who are friends and servants of scholarship, and thus friends and servants of truth and of spiritual advancement, exert ourselves only the more actively to contribute the best that is in our subjects and in us as their stewards toward the achievement, still far off though it should be, of world-peace through world-literature in Goethe's sense? Let me answer by once more quoting the master's words: "Those who take matters seriously will have to form a quiet, almost apologetic congregation, for it would be in vain to try to stem the sweeping tide of the day, but they must seek steadfastly to maintain their position until the flood has passed."

May the band of scholars whose work and teaching in the fields of modern European civilization will constitute the real life of this new hall of learning accept Goethe as their patron saint! May they be such a congregation of devoted and determined idealists, and may they be none too quiet or apologetic in proclaiming their faith and in living by it!

This is the burden of my birthday wish when in conclusion and, as I fondly hope, on behalf of all the modern language colleagues of our country, I call to them: *Vivant, crescant, floreant!*

Gedanken zu Goethe und die Gegenwart

(1932)

GOETHES Bedeutung für unsere Zeit ist zum großen, wenn nicht zum größten Teil identisch mit seiner Bedeutung für alle Zeit. Auch uns ist Goethe in erster Linie der eigentliche Schöpfer und krönende Vertreter der für sein Land klassischen, das heißt, in ihrer Eigenart vollendetsten Dichtung, der unerreichte Meister deutscher Sprache in Vers und Prosa, derjenige der wahrhaft großen deutschen Dichter, der sich zugleich, und das fast noch zu seinen Lebzeiten, einen unbestrittenen Platz unter den ganz Großen der Weltliteratur errungen hat. Aus der schier unübersehbaren Fülle seiner Werke, in ihren immer neu von innen heraus quellenden, nie sich äußerlich wiederholenden Gestaltungen, treten auch für uns die leuchtend hervor, die ihm mehr als die anderen seine Weltstellung als Dichter verbürgen: der *Wilhelm Meister,* der *Faust,* die Lyrik, die alle drei bemerkenswerterweise keiner einzelnen Epoche seines Schaffens angehören. An allen dreien von ihnen hatte des Dichters ganzes Leben bestimmenden Anteil. Der stürmende Überschwang der Jugend, die gedrungene Kraft der Mannesjahre, die ahnende Fernsicht des hohen Alters, sie alle haben ihr Bestes und Letztes hier ausgesprochen und eine Lebensfülle, einen Gedankenreichtum, eine Gefühlstiefe erzeugt, die auch uns wieder auf jeder Lebensstufe wie mit neuer Schönheit und neuer Bedeutung in ihren Bann ziehen.

Und Ähnliches, wenn nicht Gleiches, gilt von drei weiteren Bezirken Goethischen Schrifttums, die längst noch nicht nach Gebühr erkannt und ausgeschöpft sind und doch für ein volleres Verständnis des Menschen und des Denkers neben dem Dichter unendlich viel des Wertvollsten enthalten. Ich meine zunächst die gedankliche Prosa in des Wortes weitester Bedeutung, also vor allem die kritischen, biographischen und wissenschaftlichen Werke und Aufsätze, nebst der Fülle der Aphorismen zu Literatur und Kunst, Natur und Menschenleben, dann die sogenannten Gespräche, vornehmlich die mit Eckermann, und endlich den reichen, überreichen Strom der Briefe. Auch diese drei Reihen gehören dem ganzen Leben Goethes an, wenngleich sie im Gegensatz zu der dichterischen Dreiheit von Roman, Drama und Lyrik weniger in der Jugend, umsomehr aber im späteren Alter hervortreten. Sie bilden im Gesamtwerk des Dichters eine gewaltige, weitverzweigte Masse und führen naturgemäß allerdings vieles mit sich, woraus der Goethefreund von heute weder eine wesentliche Bereicherung seines Goethebildes, noch seines eigenen Menschentums gewinnen kann. Deshalb ist hier, wo ja auch der Dichter nicht selber die fließend immer gleiche Reihe belebend abgeteilt hat, sicherlich weitgehende Sichtung und Beschränkung am Platze. Aber um so stärker ist andererseits zu betonen: in ihren charakteristischsten, erlebnisstärksten Elementen gehören diese drei Gebiete unbedingt zum Kreise dessen, was von Goethe mehr und mehr lebendig und zugänglich gemacht werden muß, auch im Ausland und durch Übersetzung. Neben den Dichter in seinen größten, künstlerisch geschlossenen Offenbarungen muß der Menschenkenner, der Lebenskünstler, der Naturvertraute, der Weltweise treten, wie er sich den Zeitgenossen, den Freunden und Mitstrebenden mitgeteilt und enthüllt hat, wenn wir in vollerem Ausmaß den Schatz heben und unserer Zeit zugänglich machen sollen, der in der Goethewelt beschlossen liegt. Daß nicht nur das Ausland, sondern auch das eigentliche „Goetheland" noch längst nicht sich all dieses Reichtums bewußt geworden ist, geschweige denn bemächtigt hat, braucht uns nicht zu verwundern, darf uns jedenfalls nicht entmutigen. Hundert Jahre sind eine kurze Spanne Zeit, wo es um Dinge geht, denen wir Ewigkeitswert zuschreiben möchten, soweit menschliche Beschränkung sich so unbedingte Sprechweise anmaßen darf. Vielleicht haben die recht, die der Ansicht sind, daß wir eigentlich erst im Anfang eines tieferen Verständnisses dessen stehen, was Goethischer Geist, in seiner wahren Bedeutung erfaßt, einer schwer erkrankten, mit sich uneins gewordenen, in weiten Kreisen an sich verzweifelnden modernen Welt an neuen, heilenden, aufbauenden Kräften zu bieten hat. Jedenfalls,

Wer Wunder hofft, der stärke *seinen* Glauben.

DIE ÜBERZEUGUNG hat letzthin weit um sich gegriffen und kommt immer häufiger und eindeutiger zum Ausdruck, daß die Zeit, in der wir stehen, auf fast allen Gebieten des Lebens des einzelnen und der Gesamtheit einer katastrophalen Umwälzung entgegentreibt, einer jener großen schicksalhaften Weltwenden von Altem zu Neuem, wodurch Kulturepochen sich bilden und ablösen, wenn auch nicht von heute auf morgen, so doch in deutlich sichbarem, leidlich raschem Ablauf. Die Problematik des modernen Lebens, auf der diese Befürchtung beruht, läßt sich unter drei Gesichtspunkte bringen. Es handelt sich erstens um das Problem der Persönlichkeitsbildung, das heißt, um Grundfragen wissenschaftlicher und religiöser Weltanschauung, zu denen jedenfalls germanischem Lebensgefühl nach jeder einzelne, der mehr sein will als Teil der Masse, seinem Wesen und seiner Überzeugung folgend persönlich Stellung nehmen muß. Es sind materialistisch-nivellierende und idealistisch-individualisierende Tendenzen, die Welt der Dinge und die Welt der Werte, die zur Zeit auf diesem Felde einseitig um Alleinherrschaft ringen, statt einer höheren Vereinigung und gegenseitigen Durchdringung zuzustreben. Es sind zweitens Probleme sozialer Solidarität und Verantwortlichkeit und ökonomischen Ausgleichs; und auch hier handelt es sich um zwei Gruppen oder Richtungen, Arbeiterschaft und Unternehmertum oder, allgemeiner ausgedrückt, die wirtschaftlich Schwachen und die wirtschaftlich Starken, die sich egoistisch bekämpfen und gegenseitig schwächen, statt sich zum Wohl des Ganzen beiderseitig zu fördern. Und es sind drittens Probleme internationaler Art im Verhalten der Völker der Erde zueinander; und auch hier herrschen Eigennutz, Argwohn und Befehdung an Stelle gedeihlicher Zusammenarbeit in der Lösung dringlichster gemeinschaftlicher Aufgaben. Einzelseele, Gesellschaft, Erdkreis: auf allen drei Ebenen, auf denen menschliches Schicksal sich abspielt, sind schwerste Zweifel aufgestiegen am weiteren Genügen der bestehenden Anschauungen und Einrichtungen. Man fühlt, neue Lösungen oder, richtiger gesagt, Bindungen müssen gefunden werden, wenn Stimmen wie die Spenglers nicht recht behalten sollen, die behaupten, die Kultur unseres Zeitraums treibe einer schicksalhaften, unaufhaltsamen Selbstvernichtung zu.

Was die von uns, die sich zu dieser Auffassung nicht bekennen wollen, einer solchen trüben Voraussage entgegenhalten können, ist der Umstand, daß wir sehend geworden sind für Gefahren, die man in früheren Zeiten weder ahnte, noch überschaute, daß wir deshalb imstande sein sollten, durch eigenen, zielsetzenden Willen den zwangsläufigen Weg rein natürlicher Entwicklung rechtzeitig aufzuhalten und umzubiegen.

> Wem gelingt es?— Trübe Frage,
> Der das Schicksal sich vermummt.

Nur so viel ist sicher, Rettung vor dem Drohenden kann unmöglich darin bestehen, das Alte neu stützen und unverändert erhalten zu wollen, selbst dann nicht, wenn eine solche Möglichkeit wünschenswert wäre, was sie sicher nicht ist. Rettung liegt nur in neuem Leben, und Leben besteht nur da, wo am Werke ist „Gestaltung, Umgestaltung, des ewigen Sinnes ewige Unterhaltung."

> Und umzuschaffen das Geschaffne,
> Damit sich's nicht zum Starren waffne,
> Wirkt ewiges, lebend'ges Tun.
> Und was nicht war, nun will es werden
> Zu reinen Sonnen, farb'gen Erden;
> In keinem Falle darf es ruhn.

Wenn also etwas helfen soll, eine planlos verwirrte Welt einer neuen, besseren Zukunft entgegenzuführen—sei es eine Lehre oder eine Persönlichkeit oder eine Vereinigung Gleichgesinnter—es müßte imstande sein, auf allen drei Lebensgebieten heilsam wirken zu können: im Persönlich-Weltanschaulichen, im Sozial-Wirtschaftlichen, im International-Überstaatlichen. Weiter will mir scheinen, Hilfe könnte nur aus solchen Kreisen kommen, wo man auf dem Boden der Tatsachen ebenso zu Hause ist wie im Reiche der Vernunft und der Ideen, wo man bei strengem Verantwortlichkeitsgefühl im einzelnen hoffnungs- und glaubensfroh dem Ganzen gegenübersteht, wo man von der Notwendigkeit steter Entwicklung ebenso überzeugt ist wie von der Bedenklichkeit gewaltsam überstürzten Erzwingens, wo man vielleicht vor allem nicht in radikaler Einseitigkeit nur nach *einer* Richtung hin extrem eingestellt ist, sondern in polarer Wechselwirkung die Möglichkeit von Aussöhnung und Zusammenarbeit der sich befehdenden Gegensätze erblickt.

Wenn ich diese Probleme und die an sie sich knüpfenden Forderungen an mir vorüberziehen lasse, dann drängt sich mir die Überzeugung auf, daß im Geist Goethischer Weltbetrachtung und Lebensweisheit, die seiner Zeit ja eingestandenermaßen weit voraus war, hohe Werte enthalten sind, die da reiche Mithilfe gewähren könnten, wo es gilt, Verwirrung und Gegnerschaft in neues, organisch gedeihendes Leben zu verwandeln. Wie ein Licht- und Kraftzentrum will mir dann die Goethewelt erscheinen, von der nach fast jeder Richtung hin Lichtstrahlen und Energiewellen ausströmen, die Gesundung und Kräftigung verheißen. Es handelt sich dabei natürlich nicht um Formeln oder Rezepte für bestimmte Einzelfälle. Was da für Goethes Zeit Geltung haben mochte, braucht auf unsere Verhältnisse nicht anwendbar zu sein. Es handelt sich um die allgemeine geistige Einstellung, mit der Goethe dem Leben und seinen Aufgaben und Problemen ins Auge sah und sich um ihre Lösung bemühte. Und da ist es vor allem eine Grundanschauung, die bei Goethe, dem Dichter, dem Denker, dem Naturwissenschaftler, dem Tatmenschen, immer wiederkehrt, auf die ich hier hinweisen möchte. Goethe bezeichnet sie als Polarität. Wohin er schaut, erblickt er polare Wirkungen als das schaffende Gesetz des Lebens. Im richtigen Verhältnis von Individuum und Gesamtheit, von Egoismus und Altruismus, von Nationalismus und Internationalismus, von Erfahrung und Theorie, Tun und Denken, Wille und Gefühl, Wissenschaft und Dichtung, Ordnung und Freiheit, Analyse und Synthese, Natur und Geist, Selbstbehauptung und Ehrfurcht, Arbeitsernst und Lebensfreude, Klassik und Romantik, Inhalt und Form, Frömmigkeit und Weltsinn, Vergangenheit und Gegenwart, Herrscher und Untertan, Künstlertum und Bürgersinn und in unzähligen ähnlichen Gegensatzpaaren im Kleinsten und Größten des menschlichen

Lebens, allüberall liegt für Goethe Gesundheit und Harmonie, Erfolg und Tüchtigkeit weder am Ende der einen oder der anderen Linie, noch auch auf einer sogenannten goldnen Mittelstraße, auf der sich bequem dahinschlendern ließe, sondern gerade in der starken Kraftentfaltung beider Pole, die, statt sich zu bekämpfen, in rhythmischem Wechsel zu gleichem Recht gelangen sollen. Nur wo fortwährend Spannung und Ausgleich einander ablösen, ist für Goethe gesundes Leben und, was ihm dasselbe ist, organische Entwicklung. Überall, wohin er blickt, glaubt Goethe diesem Urgesetz zu begegnen, in der Sphäre des Geistes nicht mehr und nicht minder als im Reiche der Natur. Im Rhythmus des Aus- und Einatmens, der Systole und Diastole des Herzschlags, im Wechsel der Tages- und Jahreszeiten, von Ebbe und Flut des Weltmeers bis zum Auf und Ab sich ablösender Epochen in der Entwicklung des einzelnen Menschen, der ganzen menschlichen Kultur und der gewaltigsten kosmischen Vorgänge—überall spürt Goethe diesem Lebensgesetz nach, und da er von einer stetigen Höherentwicklung als Ergebnis solcher polaren Spannungen und Lösungen überzeugt ist, so prägt er die Formel: „Polarität und Steigerung, die zwei großen Triebräder aller Natur." So gewinnt und vertritt Goethe eine Lebensauffassung, die gerade in einer Übergangszeit wie der unseren voller schroffster Gegensätzlichkeiten, die sich blind verlästern und bekämpfen, von weitreichender, fruchtbarer Bedeutung sein könnte.

Die Anwendbarkeit und Auswirkung dieses Prinzips innerhalb der drei genannten Sphären in Goethes Schaffen und Denken im einzelnen nachzuweisen, fehlt hier der Raum. Ich muß mich auf einige kurze Andeutungen beschränken, die aber hoffentlich meine Leser veranlassen, die angeregten Gedankengänge weiter zu verfolgen. Man wird staunen über Fülle und Wert der sich leicht darbietenden Ausbeute.

Auf dem Gebiete dessen, was wir als Persönlichkeitskultur bezeichnet haben, wird wohl niemand Goethe die Vorbildlichkeit seiner Lehre und seines eignen Strebens streitig machen wollen, was durchaus noch nicht besagen will, daß er selber in allen Stücken sein eignes Ideal erreicht hätte und schlechthin für musterhaft zu gelten habe.

Das Bildungsstreben und Bildungsideal Goethes beruht in letzter Linie auf einem stark ausgeprägten Pflicht- und Verantwortlichkeitsgefühl. Man kennt die Lehre von den vier Ehrfurchten, von denen die letzte, die Ehrfurcht gegen uns selbst, als die höchste gilt: das Gefühl der Verantwortung für anvertraute Gaben, Kräfte, Talente, die zu möglichster Vollkommenheit auszubilden, um sie dann zum Wohl des Ganzen ausüben zu können, im Individuellen unsere vornehmste Aufgabe sein soll. Selbstprüfung, Selbstachtung und Selbstzucht fordert Goethe vom Menschen, der nach Bildung strebt, also eine Orientierung von innen her, eine Art schöpferischer Selbstvervollkommnung, die allerdings dann mit den berechtigten, von außen her wirkenden Forderungen der Umwelt in Einklang zu setzen ist. Also auch hier die Forderung polaren Ausgleichs zwischen Individualismus und Kollektivismus, Natur und Kunst, Erfahrung und Vernunft, Einsamkeit und Geselligkeit, Streben und Entsagung, Irrtum und Wahrheit, Wollen und Dulden; sie alle sollen zur harmonischen Entwicklung vollen, ganzen Menschentums das Ihre beitragen. Statt vieler setze ich eine Stelle aus den *Wanderjahren* hierher:

> Denken und Tun, Tun und Denken, das ist die Summe aller Weisheit.... Beides muß wie Aus- und Einatmen sich im Leben ewig fort hin und wider bewegen; wie Frage und Antwort sollte eins ohne das andere nicht stattfinden. Wer sich zum Gesetz macht... das Tun am Denken, das Denken am Tun zu prüfen, der kann nicht irren, und irrt er, so wird er sich bald auf den rechten Weg zurechtfinden.

Goethe hat an der Persönlichkeitskultur, die wir an ihm bewundern, von Jugend auf mit ebenso viel Geduld wie leidenschaftlicher Hingabe gearbeitet. Er hatte wohl das Recht, als Achtzigjähriger noch zu Eckermann zu sagen: „Ich habe es mir ein Jahrhundert lang sauer genug werden lassen. Ich kann sagen: ich habe in den Dingen, die die Natur mir zum Tagewerk bestimmt, mir Tag und Nacht keine Ruhe gelassen und keine Erholung gegönnt, sondern immer gestrebt und geforscht und getan, so gut und so viel ich konnte. Wenn jeder von sich dasselbe sagen kann, so wird es um alle gut stehen!"

Auch wir modernen Menschen lassen es uns sauer werden. Aber

bei der Hast und Unruhe unsres Lebens leidet unsere Arbeit nur zu oft an Zersplitterung, Oberflächlichkeit, Effekthascherei und Unfreudigkeit. Erscheint uns dem gegenüber das Bild des immer strebenden und arbeitenden und doch stets das Leben genießenden Goethe, rastlos und hastlos, idealgestimmt und erdverbunden, ehrfurchtsvoll und weltfreudig, nicht als ein bewundernswertes Vorbild von Gesundheit und Kraft und Schönheit?

Allzulange hat man in Goethe, besonders im Ausland, nur den Apostel eines hohen, im Grunde aber doch egoistischen Bildungsideals erkennen wollen. Erst allmählich durch die Veröffentlichung der Briefe und Gespräche, durch immer neu hinzukommende Berichte von Zeitgenossen und durch die Erschließung der Archive des Goethehauses nach dem Tode der Enkelsöhne ist unser Einblick in Goethes Leben unendlich erweitert worden, und wir haben einsehen gelernt, wie sehr eine solche einseitige Auffassung ihm Unrecht tut. Das bloße Sich-Ausleben des großen Individuums ist ihm nie Lebensziel gewesen, ebensowenig in der Idee als in der wirklichen Lebensführung. Das gilt durchaus nicht nur für die Reife des höheren Alters; es gilt im Gegenteil im Grunde schon durchaus für die titanisch-geniale Richtung der Sturm- und Drangjahre. Schon bei dem Dichter des *Götz* und *Werther* und *Egmont* finden wir einerseits ein ausgesprochenes warmes soziales Mitgefühl mit den Leiden und Bürden der Armen, Schwachen und Bedrückten, wie andererseits scharfe soziale Kritik an der Ungerechtigkeit und dem Mangel an Verantwortlichkeitsgefühl seitens der Großen und Machthaber. Und das änderte sich mit seinem Eintritt in das Weimarer Hofleben nicht. Gerade in Goethes amtlicher Tätigkeit der ersten zehn Weimarer Jahre läßt sich in seinen eigenen Verwaltungsmaßnahmen, vor allem aber in Briefen an Frau von Stein und im Verkehr mit dem Herzog leicht nachweisen, welch warmes Herz und soziales Verständnis er für die arme und bedrückte bäuerliche und kleinbürgerliche Bevölkerung hatte, und mit welch klarem Blick er erkannte, und wie freimütig er es aussprach, wo die Verantwortung für diese Mißstände lag. Man denke nur an „Ilmenau" und frage sich, ob je ein Hofmann seinem Fürsten in einem Geburtstagspoem statt aller Huldigung mit so ernsten Mahnungen aufgewartet hat wie Goethe:

> Der kann sich manchen Wunsch gewähren,
> Der kalt sich selbst und seinem Willen lebt;
> Allein wer andre wohl zu leiten strebt,
> Muß fähig sein, viel zu entbehren.

Welch wichtige Rolle spielen dann weiter soziale Verpflichtungen und Probleme in *Wilhelm Meister:* in der Lebensphilosophie des Oheims, auf den Gütern Lotharios, in der Tätigkeit der Gesellschaft vom Turm, in dem Erziehungsideal der „pädagogischen Provinz" und dem Gesellschaftsideal der Auswanderer nach Amerika. Auch in *Dichtung und Wahrheit* kommt Goethes gesundes soziales Empfinden wiederholt schön zum Ausdruck, so da, wo er von einem demokratisch denkenden Volksmann wie Justus Möser spricht oder über den aus den ärmlichsten Verhältnissen emporgestiegenen Frankfurter Jugendfreund Maximilian Klinger. Nicht anders blickt Goethe auf menschliches Leben in *Hermann und Dorothea* und in manchen anderen Dichtungen, die an die Ereignisse der französischen Revolution anknüpfen. Und brauche ich endlich hinzuweisen auf die hohen Worte Fausts in seiner testamentarischen Rede am Ende seines Lebens, die der Dichter ausdrücklich als „der Weisheit letzten Schluß" hervorhebt?

> Nur der verdient sich Freiheit wie das Leben,
> Der täglich sie erobern muß.

Überwältigend zahlreich sind aus allen Epochen seines Lebens und an allen möglichen Stellen seines Schaffens und Handelns Äußerungen Goethes, die beweisen, daß bei aller hohen Bewertung des Individuums und seines Rechtes, ja, seiner Pflicht zur Ausbildung und Vervollkommnung seiner selbst, sein Blick stets auf wahre Fruchtbarkeit und förderliche Wirkung aller menschlichen Tätigkeit gerichtet war, und bekannt ist seine wiederholt erhobene Klage über mangelnden Gemeinsinn bei seinen eigenen Deutschen, die im Einzelnen so tüchtig, im Ganzen so miserabel seien. Ich muß gestehen, daß angesichts all dieser Tatsachen es mich mit einer Art Entrüstung erfüllt, wenn man hie und da, wo man es besser wissen sollte, bei der ethischen Bewertung von Goethes größtem Werke, in dem der Dichter so unendlich viel seines eigenen Lebensgefühls zum Ausdruck gebracht hat, in Fausts Streben bis zum Ende nichts andres sehen will als romantische Sucht nach Abenteuer und Erlebnis um ihrer selbst willen oder bestenfalls titanisches Durchsetzen eigenen Willens ohne jede Rücksicht auf Wert und Wirkung des Gewollten. Eine solche Auslegung heißt, die Lebensauffassung Goethes, der ja nicht ansteht, für Faust „eine immer höhere und reinere Tätigkeit bis ans Ende" zu betonen, vollständig mißverstehen, wenn nicht verdrehen.

Nein, auch im sozialen Bereich, inbezug auf das Verhältnis des Einzelnen zum Ganzen und der Gruppen zueinander legt Goethes Anschauung Gewicht auf die Anerkennung der beiderseitigen Rechte und Pflichten des Individuums und der Gesamtheit, der Machthaber und der von ihnen Abhängigen. Und selbst zugegeben, daß es Perioden seines Lebens gab, in denen er diesen sozialen Problemen wenig nachging, so gilt das jedenfalls nicht für die Jugend bis zu Italien und nicht für die Zeit des Alters nach der wunderbaren Verjüngung der nach-napoleonischen Zeit.

Ich muß mich kurz fassen inbezug auf meinen dritten Punkt, die überstaatliche Welt der Beziehungen der Völker zueinander in Krieg und Frieden. Hier liegt aber auch für Goethe, den „guten Europäer", alles so klar, hier wird auch von seinen Gegnern und Verkleinerern die seiner Zeit weit vorauseilende Großartigkeit seiner Weltschau so allgemein anerkannt, daß ich mich auf ein paar Zitate verlassen kann, die ihre eigne beredte Sprache reden.

Im Jahre 1813, als die letzten Entscheidungskämpfe mit Napoleon drohten, sagte Goethe, der sich damals in Teplitz aufhielt, zu einem Besucher:

> Wenn ich des Morgens so erwache und mit der dampfenden Sonne auf meinen schönen Schloßberg gehe . . . und mir denke, daß in diesem gottgesegneten stillen Tale nur allein die Herzen der Kinder noch ruhig schlagen, während die Kultur von Jahrhunderten, möchte ich sagen, sowie die Ruhe und der Friede aller anderen Bewohner schon jetzt bedroht und gestört sind, so möchte ich gerne dem gigantischen Helden unseres Säculums, um ihm Friedensgedanken einzuhauchen, auch nur den hundertsten Teil jener Empfindungen eingeben können, welche mich jeden Morgen für die Menschen in diesem Paradiese durchströmen.

Aus der spätesten Zeit stammen dann die meisten der oft angeführten Aussprüche über Völkerversöhnung und den nur so gewährleisteten Aufstieg zu immer höheren und edleren Gestaltungen des Lebens der Menschen auf Erden. Aus einem schönen Briefe Carlyles übersetzt Goethe für seine deutschen Leser mit ausgesprochener Anerkennung die enthusiastischen Hoffnungen des schottischen Freundes:

> Laßt Nationen wie Individuen sich nur einander kennen, und der gegenseitige Haß wird sich in gegenseitige Hilfeleistung verwandeln, und anstatt natürlicher Feinde, wie benachbarte Länder zuweilen genannt sind, werden wir alle natürliche Freunde sein.

Goethe selber hatte vorher sich in charakteristischer Weise realistischer und vorsichtiger so ausgesprochen:

> . . . nur wiederholen wir, daß nicht die Rede sein könne, die Nationen sollen überein denken, sondern sie sollen nur einander gewahr werden, sich begreifen und, wenn sie sich wechselseitig nicht lieben mögen, sich einander wenigstens dulden lernen.

Jedenfalls war das Ideal von Verständnis, Versöhnung und Zusammenarbeit unter den Nationen der Erde im letzten Jahrzehnt von Goethes Leben eins der Dinge, die ihm zutiefst am Herzen lagen, und in Briefen, Gesprächen und in fast allen Aufsätzen, in denen er wechselweisen Literaturbeziehungen zwischen Deutschland und anderen Nationen nachging, wird er nicht müde, diesem Gedanken Ausdruck zu verleihen und für ihn um Verständnis und Unterstützung zu werben.

Man hat oft gesagt, Goethe wäre in vielen seiner Anschauungen, in den Wissenschaften, in religiösen und sozialen Dingen, in Kunstfragen, in allgemeinen Lebensproblemen, seiner Zeit um ein Jahrhundert voraus gewesen. Jedenfalls wäre es dann an der Zeit, die Früchte eines so reichen Lebens allmählich einzutragen. Hier am Schluß dieser meiner Ausführungen über Goethes Bedeutung für die Gegenwart wandte ich mich 1932, wo der Aufsatz bei Goethe-Gedächtnisfeiern mehrfach zum Vortrag kam, dem Ausdruck einiger Wünsche und Hoffnungen zu für den gedeihlichen Fortgang des deutschen Unterrichts und deutscher Studien hierzulande, die damals in einem neuen Aufstieg sich von den schweren Wunden und Verlusten erholten, die sie nach dem ersten Weltkrieg erlitten hatten. Ich tat das unter Benutzung eines Zitats aus einer Rede, die ich wieder fast zwanzig Jahre vorher als Präsident der *Modern Language Association of America* in der Emerson Hall der Harvard Universität gehalten hatte. Da diese Rede unter dem Titel „Light from Goethe on our Problems" in diesen Band aufgenommen ist, so gebe ich die Stelle hier in deutschen Worten wieder:

Viele meiner Zuhörer mögen sich wundern, warum ich wohl bei der Betrachtung einiger der Probleme des neusprachlichen Unterrichts in diesem Lande Goethe als Ratgeber gewählt habe. . . . Vielleicht sollte ich in diesem Zusammenhang bekennen, daß im Wandel der Jahre meine Bewunderung und Ehrfurcht für Goethe nur gewachsen ist, von dem selbst Emerson zuletzt sagen konnte: „Der alte ewige Genius, der diese Welt erschuf, hat diesem Menschen mehr ins Ohr geraunt, als irgendeinem andern." Mehr und mehr hat sich in mir ein solches Gefühl von Verlaß auf Goethe entwickelt für Rat und Ermutigung, für Licht und Geleit, daß ich nicht umhin kann, mich an Goethe zu wenden, wenn ich in wichtigen und grundsätzlichen Fragen meiner tieferen Überzeugung Ausdruck geben soll.

Wenn ich 1913 diese Worte sprach, so standen die von uns, die im Geiste Goethes große Hoffnungen auf den Völkerbund gesetzt hatten, damals unter dem entmutigenden Eindruck des Versagens dieses ersten, schwachen Versuchs einer „edlen allgemeinen Länder- und Weltannäherung". Heute sehen wir, nicht weniger im Geiste Goethes, trotz der zerrissenen und drohenden Lage der Welt doch wieder mit Zutrauen auf den erneuten Vorstoß unserer Tage, der uns eine dauernde endgültige Völkervereinigung verwirklichen soll. Hoffen wir, daß dazu auch ein erneutes und vertieftes Studium Goethes, nicht nur des Dichters, sondern auch in weitem Umfang des Denkers als des doch wohl größten und bedeutendsten Menschen der letzten Jahrhunderte das Seine beitragen wird. Möge aber auch auf anderen Gebieten sein Leben und Denken und Schaffen immer mehr die ihm gebührende Anerkennung finden! Mögen Dichten und Schaffen eines großen Menschen, wie sie aus dem Leben kamen, auch ihrerseits wieder dem Leben reiche, befruchtende Gaben zuführen!

Noch ist es Tag, da rühre sich der Mann!
Die Nacht tritt ein, wo niemand wirken kann.

The Meaning of Goethe for the Present Age

(1932)

THIS address, in which I shall attempt to deal with a few of the salient aspects of Goethe's philosophy of life and with the question of their significance for the world in which we live today, brings to a close an extended and varied program of exercises, arranged by the University of Wisconsin for the purpose of paying homage to the living influence of Johann Wolfgang von Goethe, not only as his country's foremost poet, but also as one of the wisest of thinkers and greatest of men.

There have been and there will probably continue to be considerable differences of judgment as to the rank and range and essential quality of Goethe's genius as a poet, especially if not only the estimate of his own people is considered, but that of the world of letters at large. There is, however, an almost complete consensus of opinion, the world over, that in the totality of his achievement and personality Goethe holds an outstanding place in that innermost citadel of human wisdom and insight on the very existence of which mankind must base its hope, if hope there be, for an ever wider reign of goodness, truth and beauty in the lives and affairs of men. If we cling to such a hope and would meet the cynic's charge of its being visionary and chimerical, it must be our constant concern to keep alive and active, in ourselves and for others, those potential forces of inspiration and guidance that dwell in the lives and works of these greatest of our race. Without them as banner-bearers we can never hope to be victorious in any quest for an ever richer and finer life on earth.

It is with this thought in mind that I wish to speak to you today of Goethe. I shall attempt to speak of him not merely as a commanding historical figure belonging to a past age and a foreign people, but rather as of one of those undying manifestations of the human spirit that belong to all ages and to all mankind. Indeed, I do not so much intend to speak to you of Goethe the poet as of Goethe the keen observer and wise critic of life. The question which I wish to ask and shall try to answer is this: What message and meaning applicable to our age and its problems is there for us in Goethe's thought and personality as they are revealed in his life and works?

Let me hasten to disabuse you of the idea that the poet in Goethe means less to me and should mean less to you than the thinker, the critic, the philosopher. For our time, as for all time, Goethe is first of all the great poet, the inspired author of *Götz* and *Werther* and *Egmont,* of *Iphigenia* and *Tasso,* of *Herman and Dorothea* and *The Elective Affinities,* of *Poetry and Truth* and the *Italian Journey,* of *Wilhelm Meister* and *Faust,* and of a superb body of lyrics, ballads, and didactic verse. He is to us the voice of authentic poetic genius; the unequalled master of the German tongue in prose and in verse; both the creator and the supreme representative of his country's classical literature, that is, that literature which expresses the characteristically national spirit most clearly and most perfectly; among the truly great German poets the one to whom has been accorded an undisputed place among the greatest in the literature of the world. We admire in the wealth of his poetic creations in every department of letters the peculiarly expressive charm of their ever varying form—a form that seems never to be imposed from without by rule or imitation, but always created anew from within as the unique expression of a unique mood or experience. From the general body of his work we are likely to single out as of widest significance and strongest appeal those which more than the others have secured for him his rank as a world poet: *Wilhelm Meister, Faust,* and the best of the lyrics and ballads, all three of which, rather strangely, have this in common, that they do not belong to a single period of the poet's long life. In all three of them there live side by side the exuberant impetuosity of youth, the restrained mastery of middle life, and the divining far-reaching gaze and mellowed wisdom of old age; and as a result of this, all three, *Wilhelm Meister, Faust,* and the songs and poems, give voice to a fullness of life, a wealth of thought and a depth of feeling which in turn seem to reveal to us, at every successive stage of our own lives, a new message of beauty and of meaning.

But side by side with this great triad of works of the poetic imagination that is in everybody's mind when he thinks or speaks of Goethe, there are three other spheres of his literary activity which are not as fully nor as widely recognized as they deserve to be. I am thinking, first of all, of a considerable number of shorter prose writings, essays, addresses, and the like, and of hundreds of aphorisms in the fields of literary criticism, art, science, philosophy, religion, and the problems of human life and conduct. I refer secondly to Goethe's so-called "conversations" which have been preserved for us in the reports of contemporaries—friends, visitors, associates—especially to those with Eckermann, the faithful Boswell of Goethe's old age, which alone form one of the most illuminative and inspiring Goethe volumes. In the third place I have in mind the ever richly flowing stream of an amazingly voluminous correspondence. These three groups, the essays and the aphorisms, the conversations, and the letters, also extend over the entire course of Goethe's life, even though in partial contrast to the triad of novel, drama, and lyric poetry, they issued forth less freely in the poet's youth, but all the more abundantly in later years. They too, therefore, reflect Goethe's view of life in its entirety, both its gradual development and its ultimate culmination. Indeed, they reveal many significant aspects of his thought which, in the nature of the case, could not find expression or at least not adequate expression in the poetically imaginative writings.

In the general body of Goethe's collected works, this second triad of essays and aphorisms, conversations, and letters, if viewed as a whole, represent an enormously large and widely ramified mass. Inevitably it contains much which is without lasting significance and from which the general student of Goethe can derive neither an enrichment of himself nor a greater refinement of his picture of the poet. In this field, therefore, severe selection and limitation are imperative if the crusader in the Goethe-world is not to feel disheartened and lost. Only so much the more would I insist, however, that in their most characteristic and expressive specimens, carefully chosen, these three groups unquestionably belong to that central body of Goethe's literary work that should be known where a fairly comprehensive knowledge of the man and of his thought and spirit is desired. The poet in Goethe stands revealed in the best of his imaginative works; the more occasional writings acquaint us more fully with the critic of human life, the apostle of culture and discipline, the student and confidant of nature, the social and international idealist, the philosopher and sage. A great deal of the wealth of ideas here stored is still but little known to many who profess to be serious students of Goethe, be it as ardent admirers or as fault-finding critics. Much as we may regret this fact, I do not think it need astonish us. It certainly should not discourage us. After all, a hundred years are but a brief span of time where matters are at stake to which we would fain attribute absolute and eternal value if our sense of human limitation permitted of such grandiloquence under the penetrating glance of Goethe.

This poet, of whom Carlyle declared that his grand excellency was genuineness, his primary faculty depth and force of vision, and his primary virtue justice, did not live solely in the imaginative realm of poetry, but, far as his thoughts might roam or his fancy soar, he was accustomed to keep his feet firmly planted, his eyes keenly fixed upon those realistic regions in which men live and work and struggle—in search of self-realization as individuals, of economic, social, and political well-being within the state, and of international co-operation in the world at large. On every one of these three levels of personal, social, and international aspiration, more hopefully than pessimistically, but soberly and critically, Goethe kept in close contact with what appeared to him the real needs and the no less real dangers in man's struggle for an ever more successful mastery of life—a mastery which he did not envisage as an ultimately attainable state of perfection and bliss, neither for the individual nor for mankind, but rather as a constantly renewed, but never-ending effort, the famous Goethean "striving," toward a fuller realization of self-development and human betterment. This struggle itself, if bravely and cheerfully carried on against the ever present forces of opposition within us and about us, is to bring with it its own reward, as it indeed brings with it the ever new challenge to redoubled effort for maintaining and consolidating what has been gained and for pressing on to new achievement. Essentially this is the burden of the often quoted words spoken by Faust at the end of his life, which Goethe singles out by calling them „der Weisheit letzter Schluß":

> Yea, to this thought I cling, with virtue rife,
> Wisdom's last fruit, profoundly true:
> Freedom alone he earns as well as life,
> Who day by day must conquer them anew.*

Thus Faust at the end of his long career on earth proclaims the result of his vast and varied experience, and in the symbolic scene in heaven, with which the drama closes, the angels set the seal of cosmic approval on such earthly wisdom.

> The noble spirit now is free,
> And saved from evil scheming:
> Who ever aspires unweariedly
> Is worthy of redeeming.†

Two famous passages, one from the letters and from the time of early manhood, the other from the conversations and from the period of extreme old age, will show us how this poetic gospel of salvation through untiring striving onward and upward assumed shape, practically and in sober prose, in the work-a-day world of Goethe's own life.

*Ja! diesem Sinne bin ich ganz ergeben,
Das ist der Weisheit letzter Schluß:
Nur der verdient sich Freiheit wie das Leben,
Der täglich sie erobern muß.

† Gerettet ist das edle Glied
Der Geisterwelt vom Bösen:
"Wer immer strebend sich bemüht,
Den können wir erlösen."

At the age of thirty-one, in the midst of his court life at Weimar and as the intimate and privileged associate of the young ruler of the country, Goethe writes to his friend, the Swiss theologian Lavater, who had urged upon him the need of religious devotion:

> The daily work that has been assigned to me and that is daily growing easier and harder for me demands my presence whether working or dreaming. This duty is becoming dearer to me from day to day, and in it I should wish to equal the greatest among men, and in nothing that is *greater*. This ardent desire of rearing as high as possible into the air the pyramid of my existence, the base of which has been assigned and established for me, outweighs everything else and hardly lets itself be forgotten for a moment. I must not tarry, I am already far advanced in years (31 years!) and perhaps fate will break me off in the middle and the Tower of Babel remain truncated, uncompleted. At least they shall say it was boldly planned, and if I live, my strength, God willing, shall hold out to the top.

And just fifty years later, in speaking to Soret, a young French tutor at court, of the guiding principle of his career as a writer, Goethe made the following remarkable statement:

> In my professional work as a writer I have never asked: what does the mass of people want and how can I serve society as a whole? But I have always merely endeavored to make myself wiser and better and to increase the substance of my own personality, and then always to express only that which I had recognized as good and true. This, to be sure, as I will not deny, has been effective and useful in a large way; that, however, was not the purpose, but the absolutely necessary consequence.

Thus we see that even in his last years, when he dreams of a new social order of freedom and brotherly justice, for which, to be sure, Faust had first to create the land on which it might be established and Wilhelm Meister and his band of associates must emigrate to the unspoiled virgin soil of early America—even then Goethe is firmly convinced that at least in the sphere of creative work he best serves the interests of all who first develops as fully as possible his own powers and talents and then, to be sure, always uses them only in the interest of what he recognizes as good and right, without constantly watching for the immediate effect each single act may have or not have. It may not be possible thus to police cities or collect taxes, nor even to nurse the sick and teach the young; but I think we are entitled to believe that, with such an ideal, science and art, politics and religion would bear richer fruit for the good of society than they do now. A false egoism is as barren as a false altruism; but true egoism and true altruism, though to many they appear as irreconcilable opposites, meet on a higher plane and form a synthesis that makes for the highest good.

But I have allowed myself to anticipate, and now retrace my steps. Perhaps those are right who claim that we are only in the beginning of a fuller realization of the insight and help Goethe has to offer to a world which, like ours, is ill and out of joint and divided against itself. So much is certain, ever growing circles in the world of today are drifting toward pessimism and indifference, no less in the sphere of individual culture and personal ideals of life, that is, in manners and morals, in education, religion, art, and science, than in regard to problems of man's collective existence in the social, economic, political, and international order of the world. Even if we believe that extreme danger is not imminent from one day to the next, its approach is plainly visible and disquietingly rapid. No longer it is only iconoclasts and prophets of gloom, but sober and thoughtful critics who insist that unless new solutions can be found, voices like that of Oswald Spengler will be proved right in their insistence that the collapse of Western civilization is not only threatened, but inevitable.

Those of us who are not prepared to admit as yet the necessity of so gloomy a forecast can claim by way of counter-argument that modern man, through his researches in biology, sociology, and psychology, has had his eyes opened to those dangers which menace civilization and which in former epochs were not recognized until they had become stern reality and could no longer be averted. If this be true—and we hope it is—then perhaps by taking timely counsel modern society may be enabled to turn the natural automatic drift of development into a channel that might promise salvation. One thing, however, seems certain: rescue cannot come from last minute efforts to put new props under tottering structures in the hope of thus preserving them unharmed. Even if such an act of salvage were desirable, it would be doomed to failure. Plainly this world of ours calls for a thorough change of front, in leaders and ideals, and just those of us who would wish to see such change accomplished organically and not violently and catastrophically should heed this call. What is needed, no less in the hearts and minds of men as individuals than in society and business, in national and international affairs, is not timid institutional tinkering from without, but a new spirit at the core of things, capable of kindling from within the driving power of a new life. And life can never exist in stagnation. It can exist in health and strength only where there is vigorous change and growth. In fact, in Goethean terms, it *is* constant formation and transformation, *Gestaltung, Umgestaltung.*

If I try to see in one comprehensive glance, as it were, the many ills of our modern world, the tragic and pathetic struggle of its inherent will to goodness and beauty in a hostile atmosphere of so much selfishness and dishonesty, intolerance and violence, vulgarity and hypocrisy, self-complacency and irreverence, and if over against this depressing and humiliating picture I call up, as in spirit-outline, the figure of Goethe, far from ideally perfect, but so essentially strong and sane and invigorating in his deep and broad humanity, his untiring striving toward self-development and self-mastery in culture and character, his valiant insistence on truth and kindness and honest exertion as the essentials in the relations of men with each other in their social and economic life, and, last but not least, his gospel of understanding and co-operation among nations the world over—if I do this, I say, and I have done it often in searching soberness of thought, the feeling comes over me with the assurance of conviction that here is one of those human centers of light and power from which issue rays of light and waves of energy that throb with possibilities of healing and regeneration. Here is a high idealism of vision which never fails to keep its firm hold on the stubborn facts of reality, a spirit which, in dealing with life and its problems, is as much at home in the work-a-day world of failure and adjustment, of error and improvement, as it is at home in the austere region of scientific observation and reasoning, and again at home in the realm of the stars and of eternal values.

Let me reassure you, if you should begin to question, not my honesty, but my judgment and trustworthiness. I can truthfully say that my admiration of Goethe or of what I consider his wisdom and greatness is not blind and unquestioning worship. At any rate, I am fully conversant with most, if not all, that the most determined "devil's advocate" could urge or has ever urged against the canonization of my saint. Favorite investigations of my own and of many of my pupils, especially in the field of Goethe criticism in the journalistic literature of America, England, and France, have brought me into unusually close contact with most of the adverse opinions that have been voiced against Goethe from various points of view. But I am as willing as ever, yea indeed, the more knowledge advancing years have brought me of Goethe and of the world today, the more I am willing to endorse the lofty words of tribute that even an Emerson, the Puritan in him notwithstanding, could write of Goethe: "The Old Eternal Genius who built this world has confided more to this man than to any other."

Besides, in going to Goethe for light and inspiration, we are not concerned, or at least not primarily concerned, with his individual opinions on specific and concrete problems, still less with formulas or recipes to be applied in solving them. Many of the problems of his day are not our problems. But what really counts, whenever we look for light and leading to a great personality or body of thought belonging to a past age, is not rule or prescription for immediate application, but rather those fundamental concepts and essential aims from which, once accepted and applied, desired results are bound to come as of necessity.

Many lines of investigation would have to be traced in careful scrutiny if a complete or at least well-rounded picture were to be presented of the world of Goethe's thought as compared with the world today, a task far beyond the limits of the present hour. Let me pass over, therefore, Goethe's ideals about man's social relations and responsibilities, as well as those about the still broader problems of international co-operation. I cannot forego saying, however, even though only in passing, that Goethe's attitude is one of keen insight and lofty aim, far more so than is often believed, in both of these spheres of social and international relations, in which strife and chaos seem to be the order of the day instead of even the most indispensable minimum of understanding and good will. Let me confine myself instead to two definite problems in the realm of the more purely cultural life and ideals of our own age, two problems in regard to which the dominant modern attitude has been severely criticized at home and abroad and which are bound to engage the serious attention of the rising generation, which includes so many of you to whom I am speaking.

In practically every country that represents the so-called "modern" spirit, but even more here in America than elsewhere, society stands accused of an excessive emphasis and reliance on principles of standardization and conformity, on extreme leveling tendencies, not only in the field of mass organization and mass production, where in large measure they may be justified, but also in the field of mass thinking and mass opinion; and it is claimed that through this faith and practice we are weakening and frustrating more and more the very forces which our situation sorely needs for rescue and betterment: independent critics and thinkers and forceful leaders in education, church, and state, as well as in the social and economic spheres of life —leaders who dare to stand against the crowd, not recklessly, nor from a desire for notoriety, but from a sense of responsibility to conviction and conscience.

And secondly: the marvelous progress of the world today in scientific and technical achievements and in resultant material comforts and mechanical devices is accused of having captivated and dazzled men's minds to such an extent that they have lost regard for the higher cultural and humanistic values of life, that they mistake efficiency for wisdom, technique for creation, and that much of our life remains therefore external, institutional, on the surface, where it moves, may be, with ease and speed and even grace and success, while at the same time it is lacking in depth and insight and in true happiness. It is roundly asserted that our modern life, despite the remarkable progress of which it rightfully boasts, lacks on the one hand the necessary note of individuality and personality and on the other that of spirituality and reverence. We are proud of what we call individualism in the very sphere of social and economic life, where consideration for the welfare of the whole of society ought to be primarily in control, while we are afraid and intolerant of individuality in the sphere of thought and culture, where it is indispensable if stagnation and disintegration are not to result.

And if we look deeper we cannot fail to see that these two cardinal shortcomings of our latter-day cultural aims and practice are in the last analysis closely related. Spiritual values *are* largely individual and far less easily communicable and transferable than matters of the intellect and of technical skill. The more predominantly scientific and technical a civilization is, the more it is bound to tend toward impersonal processes of leveling—*unless* science and technology can be restricted to the sphere where they belong and are needed and to that degree of dominance to which they are entitled. There can be no doubt that science and technical progress have not only come to stay, but to go on developing further. They are indispensable for that ever more complete mastery of the natural conditions of life that modern man has set out to achieve. And no less important for many legitimate and needful purposes are standardization and mechanized efficiency. It therefore follows that in matching personality against standardization and spiritual values against scientific control we are dealing with pairs of opposites between which we cannot be expected to choose as between good and evil. Apparently antagonistic to one another, they are, or at least ought to be, supplementary to one another in the creation of a higher synthesis.

It is at this point that Goethe's philosophy of life can come to our aid. On this question of mutually necessary opposites, upon whose vigorous interplay health and harmony would seem to depend, we find in Goethe's thinking an important principle that underlies almost everything he did or attempted to do in life and art and science. We are face to face here with one of many instances where Goethe's apparently detached scientific studies came to bear rich fruit in helping to shape his views of life and of art. I refer to what Goethe, borrowing the term from his optical studies in the field of light and color, loved to point out and speak of as the principle of polarity. Wherever he looked, he thought he saw interaction between opposite poles as one of the fundamental laws of life. In the ever recurrent rhythmical change of sleep and waking, of inhalation and exhalation, of the systole and diastole of the heart-beat; of day and night, summer and winter, ebb and tide; in the coming and going of epochs in the life of the individual, as well as in the development of human culture as a vast historical process, and ultimately in the most gigantic cosmic phenomena—everywhere Goethe was struck by the presence and significance of a law of polarity. Conscious of the fruitful role which this biological principle had played in the development of his own personality, he began to apply it as a law of harmony through contrast to the general sphere of individual and social culture, which engaged his attention with increasing intensity as he grew older and commanded an ever wider horizon of experience. In the proper relation or balance between action and contemplation, will and emotion, reason and intuition, experience and theory, science and imagination, nature and spirit, duty and enjoyment, piety and worldliness, form and content, order and freedom, classicism and romanticism, antiquity and Christianity, self-assertion and reverence, egoism and altruism, individualism and collectivism, nationalism and internationalism, and so on in regard to innumerable similar pairs of opposites, in the realm of the body and the realm of the spirit—in the proper relation of these and other opposites, Goethe finally saw the ideal toward which human society and each individual member of it ought to strive. He became ever more deeply convinced that life and growth in health and strength and beauty exist only where there is, as it were, a free and uninterrupted flow of energy from pole to pole, that is, where harmony is ever newly attained and maintained by the synthetic interplay of apparently antagonistic forces.

He himself, in the vast scope of his interests and activities, represents a remarkable realization of this idea, which thus, in turn, is the expression of his own life and being. He was both poet and scientist, philosopher and statesman, recluse and courtier, man of action and man of contemplation, *homo faber* and *homo divinans.*[1]

> Nature and Art, they seem so disunited
> Yet find each other ere we are aware;

I, too, no more that old aversion share
And see the balance of attraction righted.*

In the great Weimar edition of Goethe's works in close to 150 volumes, his writings in the most varied fields of the natural sciences, in botany, physiology, anatomy, geology, mineralogy, physics, meteorology, fill as many as fourteen good-sized octavo volumes and include a great deal of very valuable and well-documented observation and experimentation and at least two or three significant discoveries in the general field of evolutional biology. To me it has always been an almost startling, but also most revealing experience, to behold in the spacious Goethe house in Weimar the extensive collections of specimens of plant and animal life, of minerals, of apparatus and charts and diagrams, filling case upon case in a number of large rooms, just as the rest of the house abounds in marbles and casts, majolicas and cameos, paintings and drawings and engravings, while the great library of books, for which there was not room in the study itself, fills an adjacent room, where the book shelves not only line the wall from floor to ceiling, but are even set up in rows in the middle of the room as in the stack-rooms of a public library.

In these opposite interests and tendencies of his, Goethe discovered not a source of mutual detraction and conflict but rather one of increased power and larger vision. Similarly, also in the life of nature and of man about him, the perpetual polar flux and reflux did not appear to him as an idle play of forces, of motion for motion's sake, devoid of purpose and result. Quite the contrary. Goethe was by no means blind to the shortcomings, sufferings, and tragedies of human existence. In his long life he had experienced far more of such trials and sorrows than those realize who persist in seeing in him only the favored darling of fate. Strange to say, or perhaps not strange to say—Goethe never allowed himself to dream of the golden age of a perfected humanity, toward which mankind was slowly groping its way. His views on the historical development of human culture were very

*Natur und Kunst, sie scheinen sich zu fliehen
Und haben sich, eh man es denkt, gefunden;
Der Widerwille ist auch mir verschwunden,
Und beide scheinen gleich mich anzuziehen.

sober, not to say skeptical. But for all that his outlook upon life as the opportunity for realizing great potentialities was hopeful and optimistic, full of zest and joy to the end. "Howe'er life be, it is good" (*Wie es auch sei, das Leben, es ist gut*). Both in nature and in human life he thought he saw that a development in a given direction was benefited by the succeeding rebound in the opposite direction. It seemed to become freed thereby from errors and inadequacies and at the same time enlarged and enriched and thus raised, as it were, to a new level, to a higher power. His vision was that of life slowly and circuitously moving onward and upward to an ever fuller realization of its inherent possibilities through endless processes of thesis, antithesis and synthesis. To the concept of polarity he added that of advance and increase, which he calls *Steigerung,* a term I feel unable to render adequately by a single word that is to convey the dual meaning of ascent and increment, a "raising to a higher power." Thus he arrives at the formula, *Polarität und Steigerung, die zwei großen Triebräder der Natur,* "Polarity and ascending growth, the two great driving-wheels of nature." A few quotations chosen from among many may illustrate what I have tried to describe:

> People say that half-way between two conflicting opinions lies truth. Far from it! It is the problem that lies there . . . eternally dynamic life, which only appears to us as rest.

> During my entire life I had proceeded, now as poet and now as observer, now synthetically and then again analytically. The systole and diastole of the human spirit, as though a second breathing, were with me never separate, always alternating.

> On all sides people refuse to admit that science and poetry could be united. They forgot that science had developed from poetry; they failed to consider that after a cycle of ages both might easily meet again on a higher level in a friendly spirit and to mutual advantage.

This doctrine of opposites as the necessary constituent elements of all life is of course not Goethe's invention. In some form or other it is as old perhaps as the history of human speculation about the origin and processes of life. That which justifies us in considering it as a characteristically Goethean principle is the constancy and intensity with which he refers to it and insists on it, and the peculiar illuminative significance it assumes if we apply it not only to his philosophy of life, but also to his creative work as an artist, and to his own complex and yet strong and harmonious personality.

It is clear, I think, what the application of this principle to the problems of our present age suggests. It has grown trite to speak of a machine age and to raise the question whether man still runs his machines or whether the machine has become the master and threatens to enslave man. Of course, there are those who refuse to see any real danger in this situation, or to fear from it any loss to the adequacy and fulness of life. They represent a type which, somewhat facetiously, has recently been defined as the "chauffeur type," and we Americans have been told that we have developed this type on a larger scale than other peoples, indeed, that we have gone so far as to permit a very large part of our national life to come under the spell of an outlook and of valuations characteristic of this type. It is Count Keyserling who, in a recent little book of his, expresses the idea in these words: "Which type embodies the spirit of the modern masses? It is the *chauffeur*. He is the dominant and determining type of this age no less than were the priest, the knight, the cavalier in other ages. The chauffeur is a type of primitive man possessed of highly developed technical skill. . . . This type, characterized by hostility to all tradition and by a primitive love of force, is today the only one that can be successful on a large scale. Where it is not yet developed or not in power, there either chaos rules—or stagnation. The old types have lost their power of suggestion, their prestige is gone." This pronouncement shows a goodly measure of its author's love for sweeping generalizations and startling terminology, but it contains enough of truth to be fruitfully suggestive.

As far as the type itself is concerned, its representatives can of course see no danger in its ascendency and supremacy. To them, aside from a deplorable temporary dislocation that will soon be readjusted, the modern world is progressing beautifully, only probably not fast enough; for love of speed is a foremost characteristic and ideal of the chauffeur type. At the opposite end of the line are the *laudatores temporis acti*, the representatives of old standards belonging to an age that is past. They are so completely out of sympathy with everything in the modern trend of life that they can see salvation only in a face-about return to what apparently is irreparably gone.

What position would Goethe be likely to take under these circumstances? So much is certain, he would look forward, not backward. Having been deeply interested himself in all the technical and scientific progress of his time, Goethe would no doubt recognize in this new and surprising development a welcome and necessary advance toward an ever fuller realization of life. He would unquestionably see in it great possibilities for an ever broader and readier control of nature's resources for higher ends, just as, in extreme old age, he had hailed the advent of the steam railroad as a wonderful new bond for drawing the peoples of the earth closer together. *But* Goethe, it seems to me, would insist: where the urge and driving-power of life in a given direction, in itself ever so fruitful and beneficial, is about to outgrow the law of balance and proportion and to assume such threatening aspects as to call for a check of some kind, this check should not consist so much in applying brakes as rather in stressing and strengthening all the more vigorously those complementary opposite forces that are equally needed if disaster is to be averted. In this case it would clearly be those powers at the command of man that make for a stronger and deeper life of the spirit, in contemplation, in reflection, in the search not only for knowledge but also for wisdom, not only for efficiency but also for beauty, not only for facts but also for values.

How far science as such can ever determine ultimate values may be a puzzling question. I am inclined to believe however that Goethe, even Goethe the scientist, would hold that in the active spheres of life science can be relied upon to devise means and predict ends, but that only rarely, if ever, can it decide whether these ends are essentially good and worth while striving for. Science, we believe and hope, will with ever greater assurance be able to say to us: If you proceed in this way or that way, the results will be such and such, or, if you wish to attain such and such results you will have to use such and such means, and use them in such or such a way. That alone would be an enormous benefit, and the world is still very far from an adequate realization of this important and legitimate function of science, which alone can enable us to do knowingly and with open eyes what in the past has often had to be done haphazard, by costly trial, if not altogether blindly. But what the greater goodness and beauty of life is to be, toward the attainment of which we should use the knowledge furnished by science—an answer to this question Goethe, I feel sure, would not have expected from science. He would have sought it in other spheres. And for that short span of human existence that we can survey with any degree of clearness, these spheres have always been the abode of man's deepest needs and longings in the innermost recesses of his spirit, where they hold sway in their own sovereign right. Values of this kind can however not be easily demonstrated, nor transferred to others by processes of argumentation. Their acceptance by the mass of mankind, which indeed constitutes the essential unity or bond of what we call a cultural epoch in the history of man, has always depended on their being voiced and perhaps lived by great and powerful personalities, who carried conviction and secured following not so much by reasoning and demonstration as by an innate power of theirs that transcends rationalistic analysis. And thus it is that the problem of the spiritual elevation of a mechanically scientific age is inseparably connected with the problem of the individualization of a mechanically standardized society, for only where there are rich, free, creative personalities can there be a rich, free and creative life of the spirit.

This, I believe, is the position that Goethe would defend today; this is the answer he has to give to us moderns; this, at any rate, is the spirit of the life he lived and of the work he did.

In conclusion, let me ask a question which may have occurred to you as you have been listening to me. Have I misused or, at any rate, not used to best advantage the all too short and precious hour allowed to me for speaking to you of Goethe, for giving you a glimpse of at least some characteristic aspects of his work, his thought, his personality, and for confessing my own profound sense of obligation to him, as, all told, the greatest single force in the development of my own life? I hope not. At any rate, even when I have not mentioned Goethe's name and have seemed to dwell more on our age than on his, more on our needs than on his riches, he has always been actively present as the informing and balancing force at the center of my thought. I have tried to point out to you in Goethe at least some phases of his view of the world that to my way of thinking are full of a challenging significance for us today, and I have likewise tried to look upon some aspects of our modern world as if beheld through his eyes and measured by his standards. Humbly conscious as I am of the disproportion between the greatness of the task and my power and skill for dealing with it, I still submit that, in the end, the highest homage we can pay to a great personality of another age is to feel his living presence as though he still belonged to our time, not merely to admire him as a distant star, but to try to live with him, asking questions and listening for answers, aware that the universal life-stream from which he rose as a towering wave is the same stream in which, as little ripples, we too are flowing out to sea.

It is in this sense that I call up once more the voice of Carlyle as he raised it a hundred years ago in closing his beautiful tribute to the memory of the poet, who had meant so much in his own life and who had just died.

> Goethe, it is commonly said, made a New Era in Literature; a Poetic Era began with him, the end or ulterior tendencies of which are yet nowise generally visible. This common saying is a true one; and true with a far deeper meaning than, to the most, it conveys. Were the Poet but a sweet sound and singer, solacing the ear of the idle with pleasant songs; and the new Poet one who could sing his idle pleasant song to a new air,—we should account him a small matter . . . But this man, it is not unknown to many, was a Poet in such a sense as the late generations have witnessed no other . . . His grand excellency was this, that he was genuine. As his primary faculty, the foundation of all others, was Intellect, depth and force of Vision; so his primary virtue was Justice, was the courage to be just . . . The greatest of hearts was also the bravest, fearless, unwearied, peacefully invincible. A completed man . . . Could each here vow to do his little task, even as the Departed did his great one; in the manner of a true man, not for a Day, but for Eternity! To live, as he counselled and commanded, not commodiously in the Reputable, the Plausible, the Half, but resolutely in the Whole, the Good, the True.
>
> *Im Ganzen, Guten, Wahren resolut zu leben.*

Appendix

The Publications of A. R. Hohlfeld

(From 1888 to 1951)

IN view of the autobiographic note in the title, *Fifty Years with Goethe,* and with the author's approval, it has been deemed appropriate not to limit the bibliography to materials dealing with Goethe, nor even to literature and closely related subjects, but to have it reflect the whole range of the author's interests, insofar as he has given them expression in print.

In each of the seven sections, the monographs and articles are listed chronologically, followed by a selection of the more important reviews and notes.

I. ENGLISH, FRENCH, AND GERMAN PHILOLOGY

Die altenglischen Kollektiv-Misterien. Inaugural-Dissertation, Leipzig. Halle: Karras, 1888. 70 pp. [Teildruck, pp. 219-85 of *Anglia,* XI]

„Die altenglischen Kollektivmisterien (Unter besonderer Berücksichtigung des Verhältnisses der York- und Towneley-Spiele)," *Anglia,* XI (1889), 219-310. [Dissertation, complete]

"Two Old English Mystery Plays on the Subject of Abraham's Sacrifice," *Modern Language Notes,* V (1890), 111-19.

"The Alexandrine Verse in Racine's 'Athalie,'" *Modern Language Notes,* VIII (1893), 5-9.

"A Comparison of the Alexandrine Verse in 'Athalie' with that in 'Hernani,'" *Modern Language Notes,* VIII (1893), 129-38.

Studies in French Versification. Baltimore, Md., 1893. 36 pp. [Reprinted from *Modern Language Notes,* Vol. VIII]

"Contributions to a Bibliography of Racine," *Modern Language Notes,* XI (1895), 147-51.

Octave Mirbeau, „Der Mißvergnügte." *Frankfurter Zeitung,* 11. Juni 1889, Feuilleton. [Translation from the French]

Jean Reibrach, „Der Hundertfrankenschein." *Frankfurter Zeitung,* 24. Okt. 1889, Feuilleton. [Translation from the French]

Review of A. Eberhard, "Synonymisches Handwörterbuch der deutschen Sprache." *Americana Germanica,* IV (1899), 88-90.

Zu Wülfing, „Sprachliche Eigentümlichkeiten bei C. F. Meyer," *Zeitschrift für den deutschen Unterricht,* XV (1901), 600-3.

II. EDUCATIONAL PRACTICE AND THEORY

A. R. H., ed. Ebner-Eschenbach's *Die Freiherren von Gemperlein und Krambambuli.* Boston: Heath, 1898. x+128 pp.

„Ist es unzulässig, allzulange Dichterwerke für Schulzwecke zu verkürzen?“ *Pädagogische Monatshefte,* I, 5 (1900), 14-19.

German Reference Books for High School Libraries. Univ. of Wisconsin, 1904. 10 pp. ["Recommended by the German Department of the University of Wisconsin"]

Report of a Committee of Nine . . . To Consider the Feasibility of Extending the High School Course in German. Madison: Democrat Printing Co., 1905. 19 pp. ["Prepared by Professor A. R. Hohlfeld. Issued by C. P. Cary, State Superintendent"]

„Die Zukunft des deutschen Unterrichts im amerikanischen Unterrichtswesen“, *Pädagogische Monatshefte,* VI (1905), 238-45. [Address before the German-American Teachers Association, Chicago]

A. R. H., ed. *Deutsches Liederbuch für amerikanische Studenten.* Boston: Heath, 1906. vi+157 pp. ["Hrsg. im Auftrag der Germanistischen Gesellschaft der Staatsuniversität von Wisconsin"]

„Die direkte Methode und die oberen Unterrichtsstufen“, *Monatshefte für deutsche Sprache und Pädagogik,* XVIII (1917), 248-52.

„Rückblicke und Ausblicke“, *Monatshefte für deutschen Unterricht,* XXX (1938), 45-58. [Valedictory speech to German Teachers of Wisconsin]

A. R. H., chairman. "Report of the Committee on the Collegiate Training of Teachers of Modern Foreign Languages," *PMLA,* XXXI (1916), xvi-xviii.

"German in the O'Shea Report," *Modern Language Journal* XII (1927), 213-16.

III. "Challenge of the Day"

Wisconsiner Zweigverein für die Deutsche Dichter-Gedächtnisstiftung. Eine Anregung. *Germania-Sonntagspost,* 1, Feb. 1903, pp. 1 and 4.

Die Deutsche Dichter-Gedächtnis-Stiftung und die deutschen Wanderbibliotheken in Wisconsin. *Germania-Herold,* 21. Feb. 1903, pp. 1 and 4.

Die Carl-Schurz-Gedächtnisstiftung an der Universität Wisconsin. *Rundschau Zweier Welten* (N.Y.), Mai, 1911. 2 pp.

„Professur Eugen Kühnemann, der erste Inhaber der Carl Schurz-Gedächtnis-Professur in Madison,“ *Milwaukee Sonntagspost,* Sept. 22, 1912.

A. R. H., ed. *The Inauguration of Professor Eugen Kuehnemann As the First Carl Schurz Memorial Professor at the University of Wisconsin.* Madison, 1912. 31 pp. [Inaugural addresses by President Van Hise and Professor Kühnemann]

The Session of the German Reichstag on August the Fourth, 1914. Chicago: The Germanistic Society, 1914. 15 pp. [Speeches . . . compiled and translated by A. R. H.]

"The Germans at the Outbreak of the Revolutionary War," *Milwaukee Free Press,* Sunday, Nov. 15, 1914.

"Standing by the President—and the Country," *Milwaukee Free Press,* Feb. 11, 1917. Also in other Wisconsin papers.

"The German House at Wisconsin." *The American German Review,* II, 4 (June, 1936), 38-40, 44.

"The Early History of the Central Division of the MLA," *PMLA,* L (1945), 1387-91. [Read, *in absentia,* at the Old Guard Dinner of the MLA, Chicago]

"A Gift of Rare Significance," *The Wisconsin Alumni Magazine,* XIII, 3 (Dec., 1911), 111-13. [„Das Goldene Buch der Deutschen in Amerika." One hundred autographs of famous Germans, deposited in the University of Wisconsin Library]

„Zum Geleit" [for the first issue of the revived] *Monatshefte für deutschen Unterricht,* XX (1928), 3-5.

A. R. H. and committee. "Tribute to the Memory of Professor Max Griebsch." *Monatshefte für deutschen Unterricht,* XXVII (1935), 213-14.

"Otto Heller July 29, 1941," *Monatshefte für deutschen Unterricht,* XXXIII (1941), 331.

"Camille von Klenze, 1863-1943," *Monatshefte für deutschen Unterricht,* XXXV (1943), 296.

IV. Anglo-German Literary Relations

„Der Literaturbetrieb in der Schule" (Mit besonderer Rücksicht auf die gegenseitigen Beziehungen der englischen und deutschen Literatur), *Pädagogische Monatshefte,* III (1902), 46-53. [„Vortrag vor dem Lehrertag zu Indianapolis"]

„Eine englische Geschichte der deutschen Literatur," *Pädagogische Monatshefte,* IV (1903), 313-21. [Review article on J. G. Robertson's *History of German Literature*]

„Der Einfluß deutscher Universitätsideale auf Amerika," *German American Annals,* II (1904), 242-51. [„Festrede für die fünf deutschen Ehrendoktoren, im Chicagoer Auditorium"]

"The Teaching of the History of a Foreign Literature. With a long Introduction Justifying the Choice of the Subject." *PMLA,* XX (1905), xxxi-lv. [Chairman's address at ninth annual meeting of the Central Division of the MLA, 1904]

"Light from Goethe on our Problems," *PMLA,* XXIX (1914), lvii-lxxxvi. [President's Address at the Cambridge meeting of the MLA]

"The Poems in Carlyle's Translation of *Wilhelm Meister,*" *Modern Language Notes,* XXXVI (1921), 205-11.

"Goethe's Conception of World Literature," *The University Record* (Chicago), N.S., XIV (1928), 213-22. [Address at the dedication of Wieboldt Hall]

„Eine Hauptaufgabe der Deutschen in Amerika," *Monatshefte für deutschen Unterricht,* XXIV (1932), 7-14. [Rede, Deutscher Tag, Washington Park, Milwaukee]

"Let Goethe Lead," *The American German Review,* V (Sept. 1938), 3.

A. R. H. (with B. Q. Morgan) ed. *German Literature in British Magazines, 1750-1860,* by W. Roloff, M. Mix, M. Nicolai. Madison, Wisconsin: University of Wisconsin Press, 1949, 364 pp. Foreword (pp. 3-32) by A. R. H., "The Wisconsin Project on Anglo-German Literary Relations."

Review of A. K. Blumenhagen, *Sir Walter Scott als Übersetzer. Studien zur vergleichenden Literargeschichte,* III (1903), 496-508.

Review of M. B. Price and L. M. Price: *The Publication of English Literature in Germany in the Eighteenth Century. Journal of English and Germanic Philology,* XXXIV (1935), 451-57.

V. German Literature in General

"Gerhart Hauptmann," *The New York Times Book Review,* Dec. 15, 1912, pp. 769-70. [Hauptmann's fiftieth birthday]

„Anthologien deutscher Lyrik," *Monatshefte für deutsche Sprache und Pädagogik,* XIII (1912), 196-214.

„Hauptmanns *Armer Heinrich,*" *Germania-Herold* (Milwaukee), Feb. 21, 1915. 4 pp. [„Zur Milwaukeer Aufführung"]

„H. v. Hofmannsthals *Hochzeit der Sobeide.*" *Germania-Herold* (Milwaukee), Dec. 14, 1913. [„Zur bevorstehenden Aufführung durch die Wisconsin Dramatic Society"]

„Neue Bahnen literaturgeschichtlicher Darstellung," *Monatshefte für deutsche Sprache und Pädagogik,* Jahrbuch 1922, 106-13. [Review article on J. Wiegand, *Geschichte der deutschen Dichtung*]

„Gerhart Hauptmann, Sexagenarian," *American Review* (Bloomington, Ill.), I (1923), 550-59.

„Statistisches zur deutschen Literatur 1880-1930," *Monatshefte für deutschen Unterricht,* XXV (1933), 229-34.

„Umlaut und Reim. Ein Beitrag zur Geschichte und Theorie des deutschen Reims," *Monatshefte für deutschen Unterricht,* XXXIV (1942), 210-22; 391-414.

Umlaut und Reim. Ein Beitrag zur Geschichte und Theorie des deutschen Reims. University of Wisconsin, 1943. 39 pp. [Enlarged reprint]

Review of Schiller's *Wallenstein,* ed. W. N. Carruth; ed. Karl Breul; ed. Max Winkler. *Modern Language Notes,* X (1895), 81-86; XVI (1901), 368-75; XVII (1902), 45-49.

Review of *Poems of Uhland,* ed. W. T. Hewett. *Modern Language Notes,* XIII (1898), 124-26.

„Zur Literaturgeschichte des neunzehnten Jahrhunderts," *Monatshefte für deutsche Sprache und Pädagogik,* X (1909), 188-94; 307-12. [F. Kummer: „Deutsche Literaturgeschichte . . . nach Generationen"]

„Zur Jubiläumsausgabe des kleinen ‚Kluge,'" *Monatshefte für deutsche Sprache und Pädagogik,* Jahrbuch 1920, pp. 30-34. [Review of Kluge-Besser-Oertel, *Geschichte der deutschen National-Literatur,* 50. Aufl., 1920]

Reviews of Kuno Francke, *Kulturwerte der deutschen Literatur,* and R. F. Arnold, *Allgemeine Bücherkunde. Monatshefte für deutsche Sprache und Pädagogik,* Jahrbuch 1923, pp. 105-9.

Review of R. F. Arnold, *Das deutsche Drama. The Germanic Review,* I (1926), 86-89.

Review of R. Petsch: *Gehalt und Form. Gesammelte Abhandlungen. Philological Quarterly,* VI (1927), 91-92.

„Ein alter Freund in neuem Gewande." *Monatshefte für deutschen Unterricht,* XXIII (1931), 86-89. [A. Biese: *Deutsche Literaturgeschichte*]

Review of *Literarhistorische Bibliothek,* ed. M. Sommerfeld. *Monatshefte für deutschen Unterricht,* XXV (1933), 26.

Review of O. P. Peterson, *Schiller in Rußland, 1785-1805. Monatshefte für deutschen Unterricht,* XXVII (1935), 23-28.

Reviews of *Deutsche Literatur in Entwicklungsreihen,* ed. H. Kindermann. *Monatshefte für deutschen Unterricht,* XXII (1930), 154-55; XXIII (1931), 152-54; XXV (1933), 50-53, 215-16; XXVI (1934), 119-22; XXVIII (1936), 115-21; XXIX (1937), 65-68, 398-401; XXX (1938), 457-62.

VI. Goethe

„Johann Rautenstrauch and Goethe's Götz." *Modern Language Notes,* XV (1900), col. 142-48.

„Zu Schäfers Klagelied," *Goethe-Jahrbuch,* XXIV (1903), 236-39.

„Eckermanns Gespräche mit Goethe," Monatshefte für deutsche Sprache und Pädagogik, Jahrbuch 1925, pp. 38-48. [Discussion of the authenticity question on the basis of the books by Petersen and Houben]

„Goethes Bedeutung für die Gegenwart," Milwaukee-Sonntagspost, 7. Feb. 1932, p. 2. [Vortrag, Deutsche Literarische Gesellschaft von Milwaukee]

„Gedanken zu Goethe und die Gegenwart," Monatshefte für deutschen Unterricht, XXIV (1932), 66-74.

A. R. H., ed. *The Goethe Centenary at the University of Wisconsin.* A Memorial Volume of Addresses. University of Wisconsin Studies in Language and Literature, No. 34 (1932). 120 pp. A. R. Hohlfeld, "The Meaning of Goethe for the Present Age," pp. 101-20.

„Die Jubiläumsfeier der Weimarer Goethe-Gesellschaft am 26. bis 28. August 1935," *Monatshefte für deutschen Unterricht,* XXVII (1935), 276-80.

"The William A. Speck Collection of Goetheana in the Yale University Library." *Monatshefte für deutschen Unterricht,* XXXIII (1941), 203-12.

„Zur Frage einer Fortsetzung von Goethes *Wilhelm Meisters Wanderjahre." PMLA,* LX (1945), 399-420.

Fifty Years with Goethe. Collected Studies. Ed. by H. J. Meessen and Norbert Fuerst. Madison, Wis., 1953.

Review of *Goethe's Iphigenie auf Tauris,* C. A. Eggert, ed. *The Journal of Germanic Philology,* II (1898-99), 375-80.

Review of *Goethes Werke. Festausgabe.* R. Petsch, ed. *Monatshefte für deutschen Unterricht* XXII (1930), 120-21

Review of A. Bielschowsky-W. Linden, *Goethe. Sein Leben und seine Werke. Monatshefte für deutschen Unterricht,* XXII (1930), 152-54.

„Veranstaltungen der Universität von Wisconsin zur Feier der hundertjährigen Wiederkehr von Goethes Todestag am 22. März 1832," *Monatshefte für deutschen Unterricht,* XXIV (1932), 141-43.

Review of A. Goldschmidt: *Goethe im Almanach* (1932). *Monatshefte für deutschen Unterricht,* XXV (1935), 92.

Review of *Goethe-Kalender, 1934; 1936; 1937. Monatshefte für deutschen Unterricht,* XXVI (1934), 162; XXVIII (1936), 140-41, 382.

Review of Flora E. Ross: *Goethe in Modern France. Monatshefte für deutschen Unterricht,* XXXII (1940), 235-37.

VII. Goethe's *Faust*

"Goethe's 'Faust': The Plan and Purpose of the Completed Work," *Vanderbilt University Quarterly,* I (1900-1), 250-71.

"Pact and Wager in Goethe's 'Faust,'" *Modern Philology,* XVIII (1920-21), 513-36.

„Neue Faust-Kommentare," *Monatshefte für deutsche Sprache und Pädagogik,* Jahrbuch 1924, pp. 77-83. [Review article on the commentaries of Trendelenburg, Petsch, Witkowski]

„Zum irdischen Ausgang von Goethes Faustdichtung," *Goethe. Vierteljahresschrift,* I (1936), 263-89.

„Karl Ernst Schubarth und die Anfänge der Fausterklärung," *Internationale Forschungen zur deutschen Literaturgeschichte. Festschrift für Julius Petersen.* Leipzig, 1937, pp. 101-26.

„Faustischer Glaube," *Monatshefte für deutschen Unterricht,* XXXI (1939), 250-54. [Review article on H. A. Korff, *Faustischer Glaube*]

„Ein neuer Faust," *Monatshefte für deutschen Unterricht,* XXXI (1939), 385-93. [Review article on E. Beutler, „Faust und Urfaust"]

A. R. H., (M. Joos, and W. F. Twaddell) *Wortindex zu Goethes Faust.* Madison: Department of German, The University of Wisconsin, 1940. 161 pp.

„Zur Textgestaltung der neueren Faustausgaben," *Monatshefte für deutschen Unterricht,* XXXII (1940), 49-71.

„Zu Goethes Reimen, besonders im ‚Faust,'" *Monatshefte für deutschen Unterricht,* XXXV (1943), 195-204.

„Reue in Goethes ‚Faust.'" *Monatshefte für deutschen Unterricht,* XXXVII (1945), [M. B. Evans Number], 72-80.

A. R. H. and Paula M. Kittel. „Der Wortschatz der Bühenprosa in Goethes *Faust*". Ein Nachtrag zum *Wortindex zu Goethes Faust, Monatshefte für deutschen Unterricht,* XXXVI (1944), 321-44. (Zweite, vermehrte und ver besserte Auflage, besorgt von Norbert Fuerst. Department of German, University of Wisconsin, 1946. 31 S.)

„Weitere Betrachtungen zum irdischen Ausgang," *Fifty Years with Goethe,* Madison, Wis., 1953, pp. 92-126. (Written in the summer of 1951, and now printed in the present volume.)

Review of *Goethes Faust. Erster Teil,* J. Goebel, ed. *Modern Language Review,* III (1907-8), 379-92.

Review of F. Neubert, *Vom Doktor Faustus zu Goethes Faust. Mit 595 Abbildungen* (1932). *Monatshefte für deutschen Unterricht,* XXIV (1935), 91-92.

Review of H. Ammon, *Dämon Faust. Wie Goethe ihn schuf.* (1932). *Monatshefte für deutschen Unterricht,* XXV (1933), 155.

Reviews of J. T. Hatfield, *Four Lectures* (Evanston, Ill., 1936), and P. M. Palmer and H. P. More, *The Sources of the Faust Tradition from Simon Magus to Lessing. Monatshefte für deutschen Unterricht,* XXXII (1940), 184-85.

Review of H. D. Miller, *The Meaning of Goethe's Faust. The Germanic Review,* XVI (1941), 148-49.

Notes

Notes

Pact and Wager in Goethe's Faust

(Pages 3-28)

THE article appeared in 1921 in *Modern Philology,* XVIII, 113-36. It was primarily intended for specialists in the field of Faust research. Passages of the text were therefore mostly referred to by line numbers only and references to the critical literature on the subject were given in copious footnotes and in bibliographic detail. For the inclusion of the article in the present volume the former was too scant, the latter too elaborate. As an attempt to rewrite the entire article on a different pattern proved too exacting, two major changes have been made: most of the footnotes have been omitted, and the most important passages of the text provided with their line numbers have been printed at the beginning of the article.

The fact that the article excludes from consideration the research of the last thirty years, does not seriously impair its present adequacy. The three decades from about 1890 to 1920, which are covered pretty thoroughly, were the very period during which the problems connected with pact and wager were discussed at great length and with much ardor not only by almost all *Faust* critics but even by eminent representatives of the legal profession. Practically every imaginable phase of the subject was dealt with from almost any angle, with widely divergent results. During the last thirty years far less attention has been paid to these topics, and the arguments used in support of a given point of view have remained the same as in the earlier period.

1 The fact that the final form of the third passage (ll. 11573ff.) is apparently of very late origin will be discussed later.

2 This statement applies, of course, only to the three passages here under discussion and the new plan underlying them. That there are incompatibilities between this plan and certain passages which originated under the older conception cannot be denied, I believe.

3 Compare, for example, the signing of a document with Faust's blood.

4 The "Dienst" mentioned in line 1704 reverts to that of lines 1650-57, and the "Fesseln" of line 1701 correspond to lines 1658-59.

5 In Georg Müller (*Das Recht in Goethes Faust,* p. 325) I find an indirect recognition of the difficulty. He prescribes that the hands must remain clasped at least till line 1706, i.e., at least the outward symbol is to carry its binding effect over into the second passage.

6 Of the exact wording of the written document which Faust signs we learn nothing. Of course, Mephistopheles might have tried to get the better of Faust by writing into the bond both the pact and the wager, or for that matter other deviations from the actual agreement. But since the pact says nothing on this point we must assume that the written agreement is to be considered as identical with the verbal one of which we have been witnesses. Moreover, we must not forget that Mephistopheles can hope to secure any benefits from his wager with Faust only by winning his wager with the Lord. In this ultimate reckoning, Mephistophelan tricks or ambiguities would be futile.

7 Interesting, and perhaps not accidental, is the similarity in form and content of these formulas with that of the Evangelist, "Liebe Seele, . . . habe nun Ruhe, iß, trink und habe guten Mut," in Luke 12 : 19-20.

8 It must be remembered that Faust does not wager that something *will* happen, but that something will *never* happen.

9 Cf. Otto Harnack's edition of *Faust,* in Vol. V. of *Goethes Werke* (ed. Karl Heinemann, Leipzig and Wien, Bibliogr. Institut, n.d.), pp. 21, 518, 572. This important change, strange to say, is mentioned by but few of the commentators, although many of them refer to the change from "darf" to "dürft" in line 11581. From the variants in the Weimar edition it is almost impossible to get a clear view of the condition of the manuscript at this point.

Karl Ernst Schubarth und die Anfänge der Fausterklärung

(Pages 29-60)

Der Aufsatz erschien zuerst im Jahre 1938 in der *Festschrift für Julius Petersen,* S. 101-26. In der gegenwärtigen Fassung ist Abschnitt III gegen das Ende hin nicht unerheblich erweitert, um die Bedeutung der Goetheschen Erwiderung vom 3. November 1820 auf Schubarths Brief vom 20. Oktober für die moderne Faustkritik schärfer herauszustellen, als das schon in der ursprünglichen Fassung der Fall war.

1 Der leichteren Vergleichung halber gebe ich den überall leicht zugänglichen Brief hier wieder.

2 Doch wohl: der von Mephistopheles zu diesem Zweck verwandten Mittel, Symbole, Gestalten.

3 Gräfs Vermutung (*Goethe über seine Dichtungen,* II, 2, 271 Anm. I), daß die beiden Aufsätze wohl wesentlich dieselben seien, ist demnach nicht stichhaltig. Einige weitere Unstimmigkeiten, die Gräf in Bezug auf Schubarths Schriften und Briefe unterlaufen sind, will ich an anderer Stelle berichtigen.

4 Die eingeklammerten Worte fügt Hertz hinzu.

Zum irdischen Ausgang von Goethes Faustdichtung

(Pages 61-91)

Der Aufsatz erschien zuerst im Jahre 1936 im ersten Band der Vierteljahresschrift der Goethe-Gesellschaft *Goethe,* S. 263-89. Eine stark erweiternde Überarbeitung des ganzen Aufsatzes, wie sie die ersten zwei Seiten aufweisen, mußte als zu umständlich aufgegeben werden. Das dafür zur Verfügung stehende Material ist unter dem Titel "Weitere Betrachtungen zum irdischen Ausgang von Goethes Faustdichtung" zu einem selbständigen Aufsatz verarbeitet worden, der dem Hauptaufsatz unmittelbar folgt. Der letztere ist deshalb in seinem weiteren Verlauf mit nur ganz geringen Abänderungen hier wiedergegeben. Fortgelassen sind die Hinweise auf eine zu erwartende umfangreiche und in allen Einzelheiten genau belegte Darstellung des ganzen Problems in Buchform, wie sie mir bei der Arbeit an dem Hauptaufsatz vorschwebte. Das Versagen meiner Augen im Jahre 1943, ehe ich noch an die Ausführung dieses Planes ernstlich herantreten konnte, hat mich gezwungen, das Vorhaben endgültig aufzugeben. Möchten die beiden Aufsätze einem glücklicheren Nachfolger, der meinen Gedankengängen nahesteht, zur Anregung und als Vorarbeiten dienen!

1 Vgl. Gregor Sarrazin: „Ein englisches Urbild für Goethes Faust," *Internationale Monatsschrift,* VI (1912), 111-26.

2 Es ist bekannt, daß Goethe für den Basalt zur Annahme plutonischer Entstehung neigte und auf Grund eines amerikanischen Werkes über Geologie der Ansicht war, daß diese Gesteinsart in den Vereinigten Staaten nicht vorkomme.

Eckermanns Gespräche mit Goethe

(Pages 129-40)

Die Arbeit erschien ursprünglich 1926 im „Jahrbuch 1925" der *Monatshefte für deutsche Sprache und Pädagogik* in Milwaukee, Wis. Sie fußt auf den zwei kurz vorher veröffentlichten und im Text genannten Arbeiten von Julius Petersen und H. H. Houben. Der erst 1928 erschienene zweite Teil von Houbens Buch gibt keine Veranlassung zu irgendwelchen Berichtigungen.

Neue Faustkommentare

(Pages 141-50)

Der Aufsatz erschien im „Jahrbuch 1924" der *Monatshefte für deutsche Sprache und Pädagogik.*

Faustischer Glaube

(Pages 151-58)

Die Besprechung von Korffs Buch erschien in den *Monatsheften für deutschen Unterricht,* Band 31 (1939).

Ein Neuer Faust

(Pages 159-70)

Die Besprechung erschien zuerst in den *Monatsheften für deutschen Unterricht,* Bd. 31 (1939) 385–93.

1 Von mir hervorgehoben.

2 „Zum irdischen Ausgang von Goethes Faustdichtung" in der Vierteljahresschrift *Goethe,* 1936.

Zur Textgestaltung der neueren Faustausgaben

(Pages 171-201)

Der Aufsatz, der sich fast zwangsläufig aus meiner Mitarbeit am *Wortindex zu Goethes Faust* ergeben hatte, erschien zuerst in den *Monatsheften für deutschen Unterricht,* Bd. 32 (1940), pp. 49-71. Der erste Abschnitt enthält Beobachtungen über das im Wortindex befolgte Verfahren. Erst mit Abschnitt II beginnt eigentlich die im Titel genannte Untersuchung.

1 *Wortindex zu Goethes Faust* von A. R. Hohlfeld, Martin Joos, W. F. Twaddell, Department of German, University of Wisconsin, 1940. xiv, 162 pp.
2 Vgl. WGA Bd. 13, S. 356.
3 Für Länder englischer Zunge verdient auch hier die Ausgabe von Calvin Thomas ehrenvolle Erwähnung, die ebenfalls Zeilenzählung hat und von der ihr gewissenhafter Herausgeber mit Recht sagen konnte: "My text aims to be an exact reprint of the Weimar edition."
4 Hr schreibt *hin und her entrückend* in 9251, aber *sich hin- und herbewegend* in 9150. Die letztere Schreibweise erkennt Duden jedenfalls nicht an, und ein ersichtlicher Unterschied besteht zwischen den beiden Fällen nicht.
5 J. A. Lehmann in *Goethes Sprache und ihr Geist* (Berlin, 1852, S. 310-24) gibt interessante Listen aus Goethes Dichtungen, Prosawerken und Briefen (z. T. auch aus Schiller, besonders der *Jungfrau*), kommt aber in seinen Bemerkungen dazu über „richtig" und „falsch" nicht viel hinaus.
6 Ich zähle sie deshalb hier auf: 728, 1557, 1786, 1924, 1927, 1988, 2026, 3736, 3985, 4024, 4564, 5994, 7651, 7808, 7859, 7943, 8014, (2mal), 8023, 8733 (2mal).
7 In seiner Ausgabe bei Weber in Leipzig (2. Aufl. 1923) schrieb er *euch* in 2798 und 2801 und *Euren* in 7196.
8 Vgl. auch Werner Krafft in *Die Literatur* Bd. 35 (1933), S. 270, der sich ebenfalls für *Lied* einsetzt.
9 *dumpfer* st. *stumpfer* bei Tr ist wohl nur Druckfehler.

Umlaut und Reim in der Goethezeit

(Pages 202-47)

Die Arbeit erschien zuerst 1942 in *Monatshefte für deutschen Unterricht,* XXXIV, 210-22 und 391-414, und im folgenden Jahre als ein selbständig paginierter Sonderdruck von 39 Seiten. Im Hinblick auf die besonders im Nachwort gemachten Anregungen zu weiteren Nachforschungen in deutschen Bibliotheken und Archiven schloß die Arbeit mit dem Ausdruck des Bedauerns, daß ihr Bekanntwerden in deutschländischen Kreisen zur Zeit für ausgeschlossen gelten mußte. Da dieses Hemmnis wenigstens zum grossen Teil gegenwärtig nicht mehr besteht, so möchte ich der Hoffnung Ausdruck geben, daß eine solche Ergänzung und Vertiefung der Ergebnisse meiner Untersuchung sich nun doch noch verwirklichen dürfte.

1 Vgl. Friedrich Neumann: *Geschichte des nhd. Reimes von Opitz bis Wieland.* Berlin, 1920.

2 Interessant ist allerdings, daß R. E. Ottmann in seinem hübschen, wennschon etwas schulmeisterlichen *Büchlein vom deutschen Vers* noch im Jahre 1900 offnes und geschloßnes langes e scharf trennt und z. B. in Eichendorffs *Die stille Gemeinde* den Reim *heben* : *schweben* als unzulässig tadelt mit der Bemerkung (S. 10): „ein Reim auf *heben* ist überhaupt nicht vorhanden; mit gleicher Aussprache nur etwa *Theben.*“

3 *Zs. f. d. dtsch. Unterricht,* VII (1893), 153-65. Auch *Beiträge z. dtsch. Unterricht,* Lpzg., 1897, S. 351-66.

4 Jellinek, dessen Vorrede zu seiner Ausgabe von Zesens *Adriatische Rosemund* (Halle, 1899) ich diese Angabe entnehme, fügt hinzu, der Ausdruck sei „Klopstock entlehnt und gegen ihn gerichtet.“

5 Hübner hatte 1712 in Leipzig ein *Poetisches Handbuch. Nebst einem vollständigen Reimregister* veröffentlicht.

6 Beide, Werlhof und Haller, waren Ärzte und befreundet. Haller schrieb eine Vorrede zu Werlhofs Gedichten, die mir aber nicht zugänglich sind. Da Werlhof aus Helmstedt gebürtig war, so trafen hier ein Niedersachse und ein Schweizer zusammen, die also beide gerundete Umlaute sprachen.

7 Der Reim *Könige:Höh* im 4. Aufzug der *Jungfrau* (Z. 2607-9) ist eine späte, aber ganz alleinstehende Entgleisung.

8 Im 8. Bd. der *Zs. f. d. dtsch. Unterricht* (S. 547ff.) findet sich eine kurze Mitteilung „Zu Schillers Aussprache des Deutschen“. Darin heißt es auf Grund einer Äußerung von Anton Genast, Goethes Theaterregisseur in Weimar: „Schiller rezitierte und spielte zuweilen in den Proben den Schauspielern einzelne Stellen vor. Sein Vortrag wäre sehr schön gewesen, wenn nicht der schon erwähnte Dialekt die Wirkung hier und da etwas geschwächt hätte.“

9 Vgl. Rud. Hildebrand: *Zs. für d. dtsch. Unterr.,* VII (1893), S. 449.

10 Zusätze in [ ] rühren von mir her.

11 So schreibt Max Koch (*Allg. dtsch. Biogr.* XXVI, 249): „Die sorgsamere Pflege von Vers und Reim ist von ihm ausgegangen.“

12 Ich möchte hier etwas nachtragen zu dem im 1. Teil über Haller und Werlhof Gesagten, teils weil ich weiter unten Werlhof nochmals werde zu erwähnen haben, teils weil es die Wichtigkeit eines—in statistischen Untersuchungen nur zu oft unterlassenen—chronologischen Verfahrens erhärtet. Weder L. Hirzel in seiner Ausgabe von Hallers Gedichten, noch R. M. Werner in seiner ausführlichen Besprechung derselben (*Zs. f. österr, Gymn.* XXXV, 432-44), in der er lange Listen von Hallers ungl. U. aufstellt, noch H. Käslin in seiner Freiburger Dissertation *Albrecht von Hallers Sprache in ihrer Entwicklung dargestellt* (1892) hat das grundsätzlich veränderte Verfahren erkannt, das unter Werlhofs Einfluß in Hallers Verwendung der ungl. U. in den Gedichten von 1736 bis 1741 Platz griff, allerdings, wie ich jetzt hinzufügen möchte, in den wenigen späteren Gedichten Hallers von ihm zu Gunsten seines früheren Brauchs wieder aufgegeben wurde. Hallers Vorrede zu der Ausgabe der Werlhofschen Gedichte ist bei Hirzel (*Bibl. ält. Schriftwerke d. dtsch. Schweiz.* III [1882], S. 391-95) abgedruckt. Ich zitiere daraus die Stelle, die in dieser Arbeit nicht fehlen sollte: „Es giebt Reime, die die Obersachsen eingeführt haben und worinn weder die Buchstaben

vollkommen ähnlich sind, noch der Laut bey den andern Deutschen übereinstimmig ist. Alle Dichter haben sie als eine nöthige Ausdehnung der Freyheiten der ohne dem so enge eingeschränkten deutschen Poesie freymüthig angenommen . . . . Herr W. ist fast der einzige Dichter, der auch diese Nachsicht verschmäht und mit der beständigsten Richtigkeit die vollkommene Übereinstimmung des Lautes in seinen Reimen beobachtet hat." Ob Hallers „fast der einzige" von ihm nur vorsichtshalber gebraucht wird oder ob ihm tatsächlich andere Fälle bekannt waren, weiß ich z. Z. nicht.

13 Das zu einer Zeit, da ein gut Teil der Reimdichtungen Georges, Dauthendeys, Hofmannsthals u.a. bereits vorlagen, ganz zu schweigen von älteren Dichtern wie Spitteler, Liliencron oder Fontane.

14 Indem ich dies schreibe, bin ich mir wohlbewußt, daß ich im ersten Teil dieser Arbeit der allgemeinen Auffassung gemäß dem Vorgehen Werlhofs „Beachtung, geschweige Nachfolge" abgesprochen habe. Die Zusammenhänge, denen ich hier nachgehe, haben sich mir erst später ergeben.

15 So z. B. Adolf Müllner im Cottaschen Literaturblatt vom 12. Aug. 1820. Besprechungen des *Divan* aus dem gegnerischen Lager dürften in dieser Hinsicht aufschlußreich sein, sind mir aber nicht zugänglich.

16 Die Reime geben Auskunft über Platens Aussprache der ungl. U zur Zeit von Goethes Divangedichten. Zweifellos sprach Platen *joys* usw. mit eu (oi), reimt es aber unbesorgt auf *flies* usw., weil ihm oi:ai wohl nicht einen reinen, aber doch einen erlaubten und „erträglichen" Reim bilden, nicht weil er eu wie ei aussprach.

17 Über die von Jahr zu Jahr zunehmende Verfeinerung von Platens Reimverfahren orientiert die sorgfältige und umsichtige Untersuchung von Konrad Richter: *Bemerkungen zu Platens Reimen,* Erstes Heft (48 Seiten), Bukarest (Berlin: Mayer und Müller, 1907). Hätte ich sie rechtzeitig benutzen können, so wäre mir viel mühseliges Auszählen erspart geblieben. Was Goethe an Platens übersteigerten puristischen Forderungen instinktiv als erklügelt und unnatürlich empfand, enthüllt sich in seiner Berechtigung überraschend deutlich, wenn Richter nachweisen kann, daß Platen allmählich neben lautlicher auch bildliche Reimgleichheit erstrebte und nicht nur Reime wie *schwellt:fällt,* sondern sogar wie *Pferd:wert, seiest:verleihest, getan:nahn, Welt:stellt, praßt:Gast* als unrein oder zumindest als störend und unvollkommen empfand und mehr und mehr zu vermeiden bemüht war. Auf die von mir verfolgten Gedankengänge geht die Arbeit nicht ein.

18 Die Platens waren ein altes pommrisches Adelsgeschlecht.

19 Es mag scheinen, als ob ich hier mehr als nötig ins Einzelne gehe. Der Grund ist der, daß ich zu meiner Verwunderung über die Entwicklung von Platens Reimtechnik zu voller Reimreinheit, als deren Vorkämpfer und Hauptvertreter ihn die Poetiken und Literaturgeschichten feiern, in den mir zugänglichen Werken keinen Aufschluß habe finden können.

20 Sanders' Wörterbuch weist andre Fälle dieser (norddeutschen) Schreibweise nach. A. W. Schlegel in zweien seiner Sonette vor 1802 schreibt aus ähnlichem Grunde *Getösen:flösen* und *Rose:Schose.* In Rückert sind solche Änderungen nicht selten.

21 Um recht zu würdigen, was das besagen will, muß man die Platenschen Sonette mit denen andrer Dichter der Zeit vergleichen, die in ihrem Bemühen, ungl. U. zu vermeiden, *allen* Umlautreimen möglichst aus dem Wege gehen.

22 In diesem Zusammenhang hat es vielleicht Bedeutung, daß die nicht weit auseinander liegenden Geburtsplätze Rückerts und Platens, der beiden einzigen der Neuerer, die nicht Norddeutsche waren, dem bayrischfränkischen Gebiete angehören, in dem die Entrundung der Umlaute ähnlich wie im Norden ganz oder teilweise ausblieb.

23 Man übersehe nicht, daß die beiden Norddeutschen, bei denen solche Einflüsse gar nicht oder nur schwach vorhanden waren, Tieck und Arnim, der Reform fernblieben.

24 Vgl. oben S. 218. Waldemar von Biedermann in seiner *Reimstudie* (*Goethe-Forschungen,* 1879, S. 396-418) und Bruno Wehnert in seiner Berliner Dissertation *Goethes Reim* (1899) sind meiner Ansicht nach sehr im Irrtum, wenn sie die Goethesche Äußerung als scherzhaft gemeint zu entkräften suchen.

25 Frühe Jugendgedichte aus einer Zeit ersichtlicher Unreife sind bei diesen Einreihungen nicht berücksichtigt.

26 Bei der Einreihung von Dichtern, die wie Uhland oder Hebbel einen starken Wandel aufweisen oder wie Keller Grenzfälle sind, habe ich versucht, ihrer Gesamterscheinung Rechnung zu tragen und Zuweisung an mehr als eine Gruppe zu vermeiden.

27 Hildebrand in seinem mehrfach zitierten Aufsatz setzt aus eigner Erinnerung das Vorgehen der Schulmänner für Leipzig bereits in die 30er Jahre.

28 Bei Geibel ging die Nachahmung seiner französischen Vorbilder so weit, daß er sogar die Opitz'schen Hiatus- und Elisionsregeln wiedereinführen wollte.

Zu Goethes Reimen, besonders im Faust

(Pages 248-60)

Die Arbeit erschien 1943 im 35. Bande der *Monatshefte für deutschen Unterricht,* S. 195-204. Während in „Umlaut und Reim" die Charakteristik des Goetheschen Verfahrens sich auf seinen Gebrauch der ungleichen Umlautreime beschränkte, erstreckt sich hier die Untersuchung vor allem auf Vokalquantität und konsonantische Ungleichheiten.

1 *Mann:kann, daran:getan* (10704/6/9/10) lese ich als zwei getrennte Reime, nicht als Viererreim. Für das Gesamtwerk Goethes bucht Wehnert 286 Fälle von *an* im Rein mit langem *a* oder mit sich selbst und nur 26 in Reim mit kurzem *a,* volle 16 davon in den Farcen der 70er Jahre.

2 In diesen Zahlen sind vereinzelte reimlose Zeilen (Waisen) eingeschlossen, nicht aber reimlose Versgruppen, selbst wenn sie nur aus wenigen Zeilen bestehen, wie z. B. 468-74, 514-17 u. s. w.

3 Von mir gesperrt.

4 *Goethes Gedichte.* Ausgewählt und textlich nachgeprüft von Max Hecker 2 Bde. in 1. Leipzig, Weber, o.J. 402 u. 275 S.

5 Im einzelnen finden sich auch hier starke Schwankungen von Szene zu Szene, die sich nicht einfach aus wechselndem Ton und Inhalt erklären. Ganz auffallend ist im *Fragment* der Kontrast zwischen den sicher in Rom entstandenen Szenen: *Auerbachs Keller* (62 Prozent), *Hexenküche* (60 Prozent) und *Wald und Höhle* (67 Prozent), deren Häufigkeitszahlen durchaus dem Brauch der Zeit von 1786 bis 1800 entsprechen, und den 100 Prozent (gl.o, ungl. 8) des Gesprächs von Faust und Mephistopheles (Fr. 249-329), das unvermittelt einsetzt: „Und was der ganzen Menschheit zugeteilt ist . . . ." Ein so erdrückendes Überwiegen der ungl. U. macht die Entstehung dieser Szene während des römischen Aufenthalts sehr unwahrscheinlich. Im Ersten Teil weichen der Osterspaziergang mit 75 Prozent und die Valentinszene mit 88 Prozent, in denen man von mancher Seite Einschläge aus der frühsten Zeit vermutet hat, stark ab von Zueignung, Vorspiel und Prolog mit 55 Prozent und der in Verse umgesetzten Kerkerszene mit 57 Prozent. Auch C gibt Anlaß zu Erwägungen dieser Art, denen allen allerdings nur mit größter Vorsicht nachgegangen werden darf und für deren eingehendere Erörterung hier weder Platz noch der Ort ist.

5 *s*:*ss*-Reime (also z. B. *Rasen*:*lassen*) kommen nicht vor. Da vor zwischenvokaligen *s* der Vokal lang, vor *ss* aber kurz ist, so träfe hier qualitative Ungleichheit des Konsonanten zusammen mit quantitativer Ungleichheit des Vokals. Goethe vermeidet solche Bindungen. Die einzige Ausnahme in dem Dreireim *Küsse*:*süße*:*diese* findet sich in der Leipziger Zeit im Liederbuch *Annette.* Auch mildert hier *süße* den Kontrast von *Küsse*:*diese.*

6 Um Bruchzahlen möglichst zu vermeiden, ziehe ich für die Statistik der weniger häufigen Elemente die Berechnung auf je 1.000 statt 100 Zeilen vor.

7 Einschließlich *solche*:*Folge, eignen*:*unterzeichnen* u.s.w.

8 Wehnert nennt noch 3 weitere Fälle dieser Art. Reime wie *lange*:*Dank* (häufig bei dem Ostpreußen Herder) fehlen bei Goethe ganz. Seiner rheinfränkischen Mundart sind sie ebenso fremd wie der ober- oder niedersächsischen.

9 Man kann in solchen Fällen nicht immer sicher sein, ob Reim beabsichtigt ist oder nicht.

10 Vollen Aufschluß in dieser nicht unwichtigen Frage könnte nur die systematische Durchmusterung der uferlosen und augenmörderischen Varianten der Weimarer Ausgabe geben. Wehnert hat nach dieser Seite hin gearbeitet. In welchem Umfang, vermag ich nicht zu sagen.

Zur Frage einer Fortsetzung von Wilhelm Meisters Wanderjahre

(Pages 261-94)

Die Arbeit erschien ursprünglich im Juni 1945, im 60. Band von *PMLA,* Seite 399-420. Wie die einleitenden Sätze dartun, war sie veranlaßt durch Karl Viëtors Aufsatz „Goethes Gedicht auf Schillers Schädel", der im Vorjahr ebenfalls in *PMLA* erschienen war. Vietor erwiderte auf meine Ausführungen in einer

„Antwort", die sich auf Seite 421-26 unmittelbar an meinen Aufsatz anschloß. Der gegenwärtige Neudruck bringt letzteren etwas erweitert insofern, als er an einigen Stellen auf die Vietorsche „Antwort" Bezug nimmt.

Die Revision des Aufsatzes wurde während des Winters 1950-51 beendet. Daß die gegenwärtige Drucklegung nach dem Tode des hochverdienten Gelehrten stattfindet, erfüllt Verfasser und Herausgeber mit tiefem Bedauern.

1 Karl Vietor: „Goethes Gedicht auf Schillers Schädel," *PMLA,* 59 (March, 1944), 142-83; Franz Mauthner, Ernst Feise, Karl Vietor: „ ‚Ist fortzusetzen': Zu Goethes Gedicht auf Schillers Schädel," *PMLA,* 59 (Dec., 1944), 1157-72; A. R. Hohlfeld: „Zur Frage einer Fortsetzung von Goethes ‚Wilhelm Meisters Wanderjahre'," *PMLA,* 60 (June, 1945), 399-420; Karl Vietor: „Zur Frage einer Fortsetzung (Antwort)," *PMLA,* 60 (June, 1945), 421-26.

2 Sp. Wukadinovic: *Goethes Novelle* (Halle a. S., 1909), 2. Teil: „Coopersche Einflüsse," S. 81-124.

Goethe's Faust: *The Plan and Purpose of the Completed Work*

(Pages 295-313)

This, the first article dealing with Goethe ever published by me, is rounding out this year the semi-centennial of its modest existence in print. May this distinction, which singles it out from among everything else admitted to this volume, serve as an explanation and excuse for its revival in these pages. The only merit which it may claim in its own name is a youthful freshness and confident assurance, which its author—fifty years after—views with strangely mingled feelings not free from a touch of envy.

The essay was originally prepared as a lecture before the Old Oak Club of Nashville, Tenn., a so-called literary club, composed of twenty-five professional men, of whom I was the youngest as well as the only member not born and educated in this country. When the article appeared in print in the *Vanderbilt University Quarterly* of October, 1901, I had already left Vanderbilt for Wisconsin. Critical readers who may not be inclined to reminisce with me a little, might do well to skip this essay in favor of the meatier, though hardly tastier fare of the rest of the volume. What has been said, may however explain why the essay has been reprinted here without any attempt at adapting it to the author's later convictions or opinions.

Light from Goethe on our Problems

(Pages 315-38)

The essay was originally prepared as the annual address of the President of the Modern Language Association of America and delivered at Harvard University on December 30, 1913, at a joint meeting of the Modern Language Association of America and the American Philological Association. It is here reprinted without any change, as it appeared in the *Publications of the Modern Language Association,* Vol. XXIX, Proceedings, pp. lvii—lxxxvi.

Goethes Conception of World Literature

(Pages 339-50)

After having been delivered as an address in connection with the dedication of the Wieboldt Hall of Modern Languages at the University of Chicago in the summer of 1928, the article appeared in print in *The University Record* of October, 1928. The present reprint preserves the formal character of a congratulatory address.

Fritz Strich's essay, "Goethes Idee einer Weltliteratur", published in the same author's *Dichtung und Zivilisation* (München, 1928) was not known to me at the time. The two treatments aim at widely different objectives and have but little in common.

Gedanken zu Goethe und die Gegenwart

(Pages 351-62)

Der Aufsatz erschien im Goethe-Gedächtnisjahr 1932 im 24. Bande der *Monatshefte für deutschen Unterricht.* Mit Ausnahme der letzten, neu geschriebenen Seite folgt dieser Neudruck mit nur ganz geringen Abweichungen der ursprünglichen Fassung.

The Meaning of Goethe for the Present Age

(Pages 363-80)

Like the preceding one, this address was prepared as a contribution to the Goethe Centenary observances of 1932. It was first delivered as a part of the Goethe Centenary program of the University of Wisconsin and published in Number 34 of the *University of Wisconsin Studies in Language and Literature,* entitled *The Goethe Centenary at the University of Wisconsin.* The present reprint has undergone a slight abbreviation and formal revision.

1 I quote from Mr. Lewisohn's rendering of this well-known Goethe sonnet as printed in *Goethe's Poems and Aphorisms,* edited for the Goethe Society of America by Friedrich Bruns (Oxford University Press., 1932).